El Mundo Helenístico

Una Apasionante Guía de la Historia Antigua del Mediterráneo, desde Alejandro Magno hasta el Imperio Romano

Índice

Introducción

Para algunos, la idea de sentarse a leer un libro sobre la historia griega puede sonar tan divertida como barrer charcos. Para otros, puede ser otro intento de abordar un tema extenso y complicado. Para algunos de ustedes, incluso puede ser una interesante oportunidad de investigar algo nuevo. Esperamos que, al final de nuestro viaje, incluso nuestros barrenderos de charcos y exasperados eruditos aficionados estén de acuerdo en que éste ha sido un emocionante viaje al pasado y el comienzo de más investigaciones sobre este mundo y las inesperadas historias que en él se encuentran.

Para disipar algunos temores y dar una breve explicación de hacia dónde nos dirigimos, hay algunas cosas que deben quedar claras desde el principio. La primera, como habrás adivinado por el título, es que no vamos a situarnos en el principio de los tiempos y recorrer la historia de Grecia hasta nuestros días.

En su lugar, vamos a limitar nuestro enfoque. Aunque abarcaremos un área y un periodo de tiempo bastante amplios, lo haremos de forma clara e informativa. Y lo que es más importante, será un libro fácil de seguir. A todos nos ha pasado alguna vez, ya sea en la escuela o durante el tiempo libre, que al intentar leer sobre Grecia o Roma nos hemos sentido abrumados y hemos tenido que tomar notas en un bloc de notas para no olvidarnos de los Ptolomeos y los Césares. E incluso así, poner un número al nombre de alguien no es la forma más fácil de aclarar la historia de un reino.

Lo que hemos hecho, ha sido dividir los temas de modo que en una sección puedas tener una visión general de una situación política o de la historia de una zona concreta, y en otra sección, de los individuos en particular. Aunque esto pueda parecer un poco abrumador, puedes estar seguro de que hemos hecho todo lo posible para que este repaso de la historia se parezca más a una conversación con un amigo experto que a una interminable conferencia de un profesor aburrido. Además, si necesitas refrescar la memoria, puedes echar un vistazo al glosario de los principales protagonistas que encontrarás al final del libro.

En lugar de divagar en exceso, hagamos una distinción importante y comencemos nuestro viaje. Para quienes lleven la cuenta, esta es la segunda cosa que necesitábamos dejar clara. Y después de esto, nos pondremos en marcha.

Aunque probablemente muchos de nosotros tengamos alguna idea general de la antigua Grecia y Roma, independientemente de lo exacta que sea, es muy probable que cuando se hable de Grecia, estemos pensando en lo que se denomina la Grecia clásica. Si nombres como Platón y Sócrates son los primeros que te vienen a la mente, no te equivocas, pero estás pensando un poco más atrás de lo que pretendemos.

En pocas palabras, la Grecia clásica duró desde principios del siglo V a. C. hasta la muerte de Alejandro Magno en el 323 a. C., es decir, unos doscientos años. La Grecia helenística retoma la historia de la Grecia clásica. En este repaso, analizaremos lo que ocurrió desde la muerte de Alejandro hasta el paso a la era común, es decir, más o menos, 325 años.

Si el término "helenístico" te resulta un poco extraño, no te preocupes. Se trata de un concepto bastante reciente, que no empezó a utilizarse hasta el siglo XIX. Debemos agradecérselo a un hombre llamado Johann Gustav Droysen. El término, aparece por primera vez en su texto *Historia del Helenismo.* Para los estudiantes de idiomas, su título original era *Geschichte des Hellenismus.* Prometimos hacer de esto una conversación amena y no un viaje a través de una carrera de obstáculos lingüísticos, así que vamos a elaborar una definición sencilla de la palabra.

En esencia, el término helenístico se refiere al periodo en el que se desarrollaba el Helenismo. El Helenismo, en el sentido en que lo utilizó Droysen, se refiere a un par de cosas. Por un lado, este término ha sido utilizado para implicar el tipo de cultura griega que se consideraba pura e intocada por las numerosas culturas que interactuaban con los griegos. Por otro lado, también puede utilizarse para describir la expansión de la cultura griega en las zonas circundantes. En resumen, la era Helenística fue el momento en el que la cultura griega se formó por completo y comenzó a tener un mayor impacto en otros pueblos.

Entonces, te preguntarás, ¿por qué Helenismo y no, digamos, Grequismo? Sencillamente, porque los griegos no se llaman a sí mismos griegos. En su lugar, usan un término transliterado como "Helenos". Pero eso son dos aclaraciones sobre lenguas extranjeras en una sola introducción, así que guardemos nuestros diccionarios y pongámonos manos a la obra.

A lo largo de las próximas diecisiete secciones, vamos a tratar una gran variedad de personas, intrigas e inventos, así que acomódate. Va a ser un viaje divertido.

Primera Parte: De la Muerte de Alejandro a la Invasión Gala (323-277 a. C.)

Capítulo I - Las Particiones de Babilonia y Triparadiso

Cuando recordamos a Alejandro Magno, tendemos a centrarnos en un aspecto básico: el vasto imperio que fue capaz de crear. Y aunque éste fue un logro sin precedentes y difícilmente rivalizable, nos hace olvidar de un aspecto crucial de ser el gobernante de todo el mundo conocido: ¿qué ocurre después de la muerte?

Tendría sentido suponer que, como muchos otros cuerpos gobernantes, el imperio fue pasando de padre a hijo o de sucesor a sucesor hasta que menguó o fue repartido por partes, hasta llegar al mundo que hoy conocemos. Al fin y al cabo, más de un reino ha seguido este curso de los acontecimientos. Pero como suele ocurrir con la mayoría de las cosas en el mundo antiguo, no podía ser tan sencillo. Cuando Alejandro murió en junio del año 323 a. C., su muerte fue el catalizador de los acontecimientos que se sucedieron a lo largo de los siglos siguientes. Fue, tal vez, un digno homenaje a un joven tan excepcional.

Para defender a Alejandro, en un principio intentó dejar las cosas lo más claras posible. Había entregado su anillo de sello, que representaba tanto su autoridad como su fuerza gobernante, a su segundo al mando, Pérdicas, que predijo acertadamente que tras la muerte de Alejandro sólo se produciría el caos. Esto podía parecer una obviedad, puesto que Alejandro ya se había enfrentado a tropas amotinadas antes de su expedición a la India. Sin embargo, este trasfondo de amotinamiento iba a tener una repercusión mucho mayor de lo que se podía pensar en un principio.

Debido al problema de la rebelión entre sus soldados, Alejandro creó los *Epigoni*, una unidad especialmente entrenada de soldados persas que utilizó como guardaespaldas. Luego, tomó al grupo de hombres macedonios que había estado utilizando como protección y los convirtió en una especie de estado mayor o consejo. Como veremos, lo que parecía una buena idea en aquel momento acabó causando más discordia de la que se pretendía.

Tras la muerte de Alejandro, cuando todos los hombres quedaron en libertad para poner en práctica sus mejores ideas, las cosas empezaron a perder equilibrio y simplicidad. Los guardaespaldas convertidos en estado mayor, también conocidos como los *Somatoflaques*, decidieron convocar un consejo, invitando a los principales oficiales del calvario (*Hetairoi*) y a los altos mandos de la infantería. Los soldados rasos no tardaron mucho en enterarse de la noticia y acudieron a la reunión por la fuerza. Sorprendentemente, los presentes parecieron aceptar esta acción y decidieron continuar con las tareas que tenían entre manos, permitiéndoles a todos los presentes votar, ya fuera a viva voz para estar de acuerdo o golpeando su escudo con una lanza si no lo estaban.

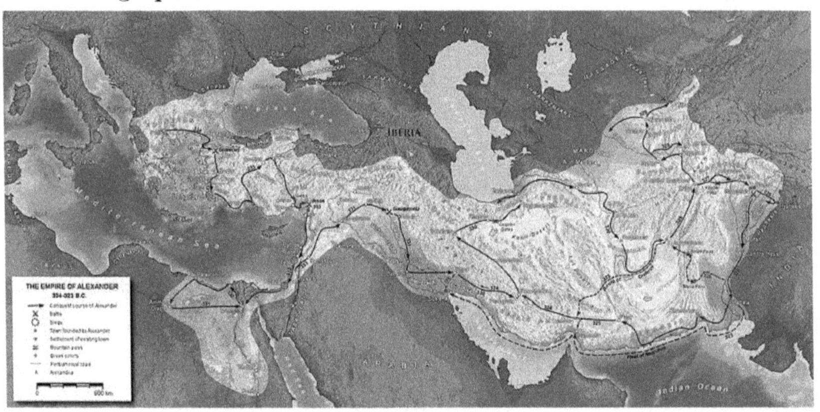

Una mirada a lo grande que era el imperio de Alejandro en su apogeo

Herramientas de Cartografía Genérica, CC BY-SA 3.0 <http://creativecommons.org/licenses/by-sa/3.0/>, via Wikimedia Commons https://commons.wikimedia.org/wiki/File:MacedonEmpire.jpg

Su principal tarea era qué hacer con el vasto imperio que Alejandro había dejado como legado. Pérdicas opinaba que, pasara lo que pasara, debía existir algún tipo de consejo de gobierno que mantuviera la unidad en un territorio tan extenso y diverso, que se extendía desde Egipto hasta el extremo occidental de la India, pasando por Grecia. Curiosamente, no se propuso inmediatamente a sí mismo como esa persona. Dijo que podía haber una "cabeza" o muchas cabezas gobernando en grupo, pero que dejaba la decisión en manos de los presentes. Naturalmente, las opiniones eran diversas.

Nearco, comandante de la flota, sugirió que Heracles fuera ascendido a un puesto de mando. Aunque Heracles era hijo de Alejandro, era ilegítimo. La madre de Heracles era una mujer persa llamada Barsine. Otro hombre presente en el consejo, Ptolomeo, señaló que si esta situación eliminaba a Heracles de la carrera, en realidad ninguno de los vástagos de Alejandro podría considerarse candidato válido. Insistiendo en ello, Ptolomeo también señaló que, fueran o no ilegítimos, todos los hijos estaban parcialmente asociados a pueblos "conquistados" debido a la herencia de su madre. En su opinión, sería imprudente y francamente arriesgado poner el liderazgo en manos de alguien con lealtades mixtas.

Fue entonces cuando el General Meleagro entró en escena. Presentó otro interesante argumento que, en cierto modo, se basaba en la elección de uno de los hijos de Alejandro. Meleagro argumentó que si Pérdicas actuaba como regente hasta que el hijo elegido tuviera edad suficiente para gobernar de forma independiente, en realidad no había diferencia entre ninguno de los hijos. Por el momento, Pérdicas sería básicamente el único al mando.

Esto abrió otra caja de Pandora, ya que la esposa de Alejandro, Roxana, estaba embarazada de otro hijo de Alejandro, aunque éste sería considerado legítimo. A pesar de que esto aparentemente resolvería el problema, sobre todo si Pérdicas seguía actuando como regente y este hijo era varón, alguien (citado en las fuentes como "un soldado ordinario") señaló que había otra opción: Filipo Arrhidaeus, el hermanastro mayor de Alejandro.

Puede parecer extraño que Filipo Arrhidaeus no fuera considerado inmediatamente el hombre adecuado para el puesto, pero había un pequeño inconveniente en pasarle el reino a este hombre. Como un hombre llamado Peitón, uno de los más poderosos Diadocos oriental, trató de señalar, Philip Arrhidaeus sufría de alguna discapacidad cognitiva no especificada. Es difícil precisar de qué se trataba, pero parece haber sido una preocupación lo suficientemente grande como para que, en caso de que Filipo Arrhidaeus hubiera sido elegido gobernante, hubiera sido poco probable que gobernara sin algún tipo de regente, lo que nos lleva de nuevo a la posibilidad de que Pérdicas interviniera. Peitón llegó a sugerir que Pérdicas y otro hombre llamado Leonato, un oficial a las órdenes de Alejandro, podrían actuar como tutores conjuntos de Heracles, equilibrando así la situación mientras se elegía como gobernante a uno de los vástagos de Alejandro.

En este punto, tal vez mostrando lo preparado que estaba para hacer funcionar el sistema para sus propios fines, Meleagro señaló que nada de esto era realmente permisible. No importa lo que votaran, tendría que hacerse con Philip Arrhidaeus presente. Desafortunadamente, después de ir a buscar a Philip Arrhidaeus, las cosas se calentaron, y los presentes se dividieron en dos grupos: pro- Pérdicas y pro-Philip Arrhidaeus.

El nivel de frustración, indignación y manipulación aumentó en el consejo, y Pérdicas volvió a mostrar su intuición para la violencia y decidió abandonar la zona mientras aún podía. El hombre reunió a un grupo de guardaespaldas de Alejandro y se puso a salvo, dirigiéndose al único lugar que se le ocurrió, la misma tienda donde aún yacía el cuerpo de Alejandro. Quizá este detalle, más que cualquier otro, muestre lo rápido que la situación se descontroló. El anterior gobernante ni siquiera había sido siquiera enterrado, y las discusiones sobre su sucesor habían empezado a tornarse violentas.

Tanto si Pérdicas buscaba una solución que apoyara sus propios fines como si simplemente veía a los hijos de Alejandro como herederos legítimos, siguió apoyando la elección de uno de ellos frente a Filipo Arrhidaeus, aunque fueran de origen mixto. Sin embargo, su seguridad duró poco, ya que pronto se vio obligado a huir a la zona del Éufrates cuando la violencia siguió aumentando. Meleagro, había sido capaz de reunir a la gente pro Arrhidaeus o tal vez simplemente anti-Pérdicas a su lado y enviarlos a buscar al hombre y traerlo de vuelta. A menos, por supuesto, que Pérdicas se resistiera; y entonces, debía ser asesinado.

Un detalle interesante a tener en cuenta aquí es que, si bien pudo haber un gran levantamiento en ese momento, con la multitud alimentando su propio frenesí, una vez que los hombres fueron enviados tras Pérdicas, pareció que muchos de los implicados empezaron a darse cuenta de que en realidad no tenían la mayoría como habían creído. Prevalecieron las cabezas más claras. Antes de llevar a cabo la ejecución del único hombre que Alejandro había dejado específicamente al mando, el grupo regresó para hablar con Filipo Arrhidaeus y obtener una mejor perspectiva de la situación.

No es de extrañar que Filipo Arrhidaeus dijera que no tenía nada que ver con las amenazas de muerte y que, en realidad, desde un principio, todo había sido idea de Meleagro. Pero nos quedamos con un enigma que probablemente nunca será resuelto. Si Filipo Arrhidaeus estaba mentalmente incapacitado para gobernar el imperio, ¿debemos confiar en su palabra sobre cualquiera de estos acontecimientos? Parece bastante fácil argumentar en contra de Meleagro en este caso, pero quedaría fuera del alcance de este resumen desglosar los detalles minuciosos.

Sea como fuere, Pérdicas parecía creer que la amenaza era real, independientemente de quién estuviera detrás de ella. Aunque estaba siendo custodiado por un pequeño grupo de *Hetairoi*, la caballería liderada por Leonnatus, no creía que ningún tipo de enfrentamiento físico pudiera acabar con su éxito. Así que utilizó los recursos que tenía para cortar el suministro de grano a Babilonia.

No queriendo que esto se convirtiera en una situación larga o complicada, se convocó rápidamente otro consejo para llegar a algún tipo de solución que no implicara ni violencia ni hambre. Para aumentar la confusión, Filipo Arrhidaeus parecía tener la impresión de que Pérdicas se dirigía específicamente a Meleagro y pidió el fin de la agresión de ambas partes, proponiendo una nueva solución al problema. Felipe Arrhidaeus dijo que, si Roxana daba a luz un hijo varón, se conformaría con co-gobernar con el nuevo heredero.

La idea fue considerada y más tarde sería, al menos hasta cierto punto, adoptada. Pero teniendo en cuenta la situación hasta el momento, no debería sorprender descubrir que las cosas no iban a ocurrir de una manera sencilla. En lugar de aceptar la idea de Philip Arrhidaeus, se sugirió y finalmente se votó una forma ligeramente alterada. Philip Arrhidaeus co-gobernaría, pero sería como parte de un triunvirato, con Pérdicas y Meleagro como los otros dos miembros. ¿Qué podría salir mal?

Teniendo en cuenta que Meleagro estuvo presente en la votación y probablemente supuso que la noticia funcionaría como una especie de bálsamo para su relación, se dirigió a Pérdicas para pedir una tregua oficial. Como muchas otras cosas en el mundo antiguo, había una forma particular en que algo así debía llevarse a cabo, normalmente con un poco de pompa y ceremonia. Cada hombre y sus partidarios debían reunirse, completamente armados, en el campo de batalla, y la resolución de los agravios debía tener lugar a la vista de todos los implicados.

Mientras esto ocurría, Pérdicas seguía más que irritado por toda la situación de amenaza de muerte. Cabalgó por la línea de hombres de

Meleagro, señalando a los individuos que eran o que él consideraba traidores. Todos estos hombres fueron rápidamente ejecutados, y algunas fuentes señalan el uso de elefantes como "verdugos". Al ver esto, Meleagro huyó al único lugar que consideraba un refugio seguro en ese momento, uno de los templos religiosos. Pérdicas no tuvo reparos en sacarlo del lugar sagrado y asesinarlo de todos modos.

Luego de que todo el polvo se asentara, tuvo lugar la segunda partición de Babilonia. Cabe señalar que esta reunión en particular debía decidir qué hacer con el cuerpo de Alejandro Magno. Habían pasado seis o siete días desde su muerte y la supuesta aceptación del poder por parte de Pérdicas.

Teniendo en cuenta cómo habían ido las cosas durante la primera partición, cabe suponer que los participantes en esta segunda reunión no estaban seguros de cómo iban a salir las cosas. Por suerte, al menos para los asistentes, Pérdicas había dejado claro que no se podía jugar con él y que básicamente era él quien dirigía el cotarro, aunque técnicamente siguiera siendo sólo el regente de Filipo Arrhidaeus.

La idea general era dividir el reino en lo que se conocía como "satrapías", que viene de la palabra "sátrapa", que era algo parecido a un gobernador. Aunque en un principio podría parecer que esto sólo abriría las compuertas a más problemas, las cosas podían funcionar bastante bien con las satrapías, ya que se requerían cambios mínimos. La mayoría de los hombres que ocupaban el cargo de sátrapa eran ya oficiales superiores del ejército macedonio o de los gobiernos locales. Utilizar a los oficiales superiores también permitía una especie de aumento de poder sin grandes trastornos, ya que, como ocurrió con Antípatro en Babilonia y con Crátero (que ya iba camino hacia la Europa aún no dividida; entraremos en los detalles de ambos hombres dentro de un rato), algunos hombres ya estaban en su puesto bajo las órdenes de Alejandro Magno. También se ha argumentado que algunos de estos hombres podrían haberse contentado con quedarse donde estaban, teniendo en cuenta el juicio rápido y definitivo que Pérdicas le dio a Meleagro, pero al final, el punto es discutible. El reino se dividió según el mejor criterio de Pérdicas, y su palabra era básicamente definitiva.

Un nombre que los conocedores de la historia antigua habrán notado en la narración anterior es el de Ptolomeo. Más conocido como Ptolomeo I Soter, fue general del ejército de Alejandro, uno de sus guardaespaldas y de ascendencia griega macedonia. Tras esta segunda partición, se le otorgó Egipto como satrapía y así comenzó lo que se conocería como la dinastía Ptolemaica.

Teniendo en cuenta que se había alcanzado un consenso relativamente pacífico, sería lógico suponer que las cosas siguieran en relativa paz, con los nuevos sátrapas adaptándose a sus cargos y la gente simplemente intentando seguir con su vida cotidiana. Pero, por supuesto, no fue así. En el 321 a. C. ya había hombres que buscaban aumentar el poder que les habían otorgado las dos primeras particiones, uno de ellos era Ptolomeo.

Ptolomeo se unió a otros generales y lideró una revuelta contra Pérdicas. Esta vez, Pérdicas no ganó la batalla ni la guerra, sino que murió en el campo de batalla. Como Ptolomeo resultó vencedor y se necesitaba un nuevo regente, sugirió que Peitón ocupara el cargo. (Peitón fue el primer opositor al nombramiento de Filipo Arrhidaeus como co-gobernante). Para enturbiar un poco las cosas, Ptolomeo sugirió que Peitón tuviera un co-gobernante, que también se llamaba Arrhidaeus, pero no era el mismo que el hermanastro de Alejandro. Para entonces, Filipo Arrhidaeus había adoptado el nombre real de Filipo III. Su esposa, Eurídice, quizá vio la necesidad de que alguien tomara decisiones firmes basándose en la capacidad de manipulación de su marido. Rápidamente rechazó los planes de Ptolomeo. En su lugar, sugirió que uno de los anteriores generales de Alejandro, Antípatro, ocupara el cargo.

Sorprendentemente, a Ptolomeo le pareció bien la idea. El único problema era que Antípatro había sido puesto anteriormente a cargo de Babilonia por Alejandro Magno, y sería necesario reevaluar el reparto de Babilonia. Para rectificar todo esto, se convocó una tercera reunión a fin de volver a repartirse el gran imperio y, con suerte, llegar a un acuerdo con el que todos estuvieran contentos. Esta reunión, que tuvo lugar en Triparadiso, sentaría las bases para la siguiente rebelión, algo con lo que los que vivían en el periodo helenístico iban a tener que aprender a vivir rápidamente.

Aunque la gran mayoría de los protagonistas de los siguientes relatos van a ser varones, vale la pena señalar que hay un importante personaje femenino que suele quedar fuera de los relatos del primer mundo post-Alejandro.

Tesalónica, hermanastra de Alejandro, tiene su propia historia, posiblemente en más de un sentido. Se dice que durante la búsqueda de la Fuente de la Inmortalidad, Alejandro pudo traer un pequeño frasco de sus aguas encantadas. La leyenda cuenta que, en algún momento, lavó con ella el cabello de Tesalónica.

Al enterarse de la muerte de Alejandro, su angustiada hermana intentó suicidarse ahogándose. Supuestamente, gracias al agua mágica que Alejandro había utilizado en su pelo, no pudo suicidarse y se transformó en sirena. Durante años, la leyenda cuenta que nadó por el mar Egeo y otros lugares, preguntando a los barcos que pasaban: "¿Está vivo el rey Alejandro?". Tal vez sea una pregunta extraña, teniendo en cuenta los acontecimientos que la convirtieron en sirena. Pero las historias cuentan que sólo había una respuesta correcta, la que Tesalónica ansiaba oír.

A los que respondían "Él vive, reina y conquista el mundo" se les permitía pasar ilesos. Pero si le decían lo contrario, la joven se transformaba en una Gorgona, algo parecido al personaje conocido como Medusa, y destruía los barcos y a todos quienes iban a bordo. Esto se sale del ámbito de nuestra historia más factual, pero si alguna vez te encuentras con una sirena que tiene una pregunta, ya tienes la respuesta correcta.

Capítulo II - Segunda y Tercera Guerras de los Diadocos

Basta decir que cuando abarcamos un periodo de siglos y un área geográfica que comprende gran parte del mundo entonces conocido, puede haber algunos momentos en los que necesitemos retroceder y aclarar puntos que apenas se han mencionado. La pregunta pertinente que te estarás haciendo tras ver el título de esta sección es: "¿Qué pasa con la Primera Guerra de los Diadocos?". Así que, con eso en mente, haremos una breve sinopsis de las dos batallas menores que condujeron a la segunda y tercera guerras, más grandes e influyentes, además de atar algunos cabos sueltos y quizás tirar de otros hilos un poco más flojos.

Es razonable pensar que, aunque el alboroto político anterior fue sin duda importante, no fue el único motivo de inquietud tras la muerte de Alejandro Magno. Poco después del fallecimiento del soberano, se produjo la guerra Lamiana, una breve revuelta en Atenas y sus alrededores que fue sofocada con relativa rapidez. Además, se produjo la Primera Guerra de los Diadocos.

Ya hemos mencionado que Pérdicas fue finalmente asesinado durante la batalla, pero los acontecimientos que la rodearon y condujeron a ella fueron algo más complicados de lo que se ha detallado en la sección anterior. Los problemas empezaron cuando a Pérdicas, quizá viendo una forma de aumentar y consolidar su poder, se le ocurrió la idea de casarse con la hermana de Alejandro Magno, Cleopatra (no con la mujer que probablemente nos viene inmediatamente a la mente; esa Cleopatra aparecerá más adelante en nuestro libro).

Como era de esperar, esto no fue visto con buenos ojos por algunos de los altos cargos del mundo político, a saber, Antípatro, Crátero y Antígono. Al ver el plan de Pérdicas para este claro movimiento de poder, los tres se aliaron para impedir el matrimonio y evitar que Pérdicas ganara demasiado poder. Esto, junto con los acontecimientos anteriormente mencionados, condujo a la batalla que acabó con la muerte de Pérdicas.

Un par de detalles importantes han sido dejados en segundo plano hasta ahora. Uno es que, en realidad, Pérdicas fue asesinado por sus propios generales, ya que sus hombres vieron la inutilidad de la batalla (se trataba de la aún sin nombre Primera Guerra de los Diadocos) y quizás la oportunidad de vivir para luchar otro día bajo las órdenes de otro general. Sin embargo, un hombre, un general llamado Eumenes, decidió mantenerse totalmente al margen de la contienda y evitó traicionar a Pérdicas. Ten presente a Eumenes; volverá pronto.

La Primera Guerra de los Diadocos tuvo lugar en el 322 a. C., y con la segunda y tercera guerras en el 318 y 314, se puede decir que el clima político no era estable tras la muerte de Alejandro. Dada la extensión del territorio y el número de personas que se disputaban el poder y la riqueza, no es de extrañar que el único resultado probable fueran los disturbios, independientemente de cuándo muriera Alejandro. Repartirse el imperio de Alejandro nunca contentaría a todos los implicados y, hasta cierto punto, sólo sentó las bases para las inevitables guerras. Aunque Alejandro contaba con una serie de personas leales, incluso él tuvo que hacer frente a motines y rebeliones. Una vez destituido este líder, era sólo cuestión de tiempo antes de que varios sátrapas, que se sentían despechados, codiciosos o de muchas otras maneras, decidieran tomar cartas en el asunto.

Es importante tener en cuenta esta idea ahora, ya que la mayor parte de las siguientes historias girarán en torno a lo que sucedió tras la instauración de las satrapías. Aunque las cosas se movieron más rápido en algunas zonas geográficas que en otras, lo que ocurrió esencialmente fue que se creó una paz muy endeble entre una serie de nuevos gobernantes que ya no contaban con el liderazgo de Alejandro para guiarlos. En cierto modo, los siglos siguientes fueron simplemente la misma obra de teatro que se repetía una y otra vez. Se hicieron alianzas, a veces sabias, a veces breves, y durante los doscientos o trescientos años siguientes, las provincias lucharon unas contra otras en un intento de elevar su posición y su poder.

Volvamos al tema que nos ocupa: la Segunda Guerra de los Diadocos. En aras de la claridad, el término Diadocos se utiliza casi exclusivamente para referirse a los generales, familiares, amigos, etc. implicados en las batallas inmediatamente posteriores a la muerte de Alejandro. Sin entrar demasiado en el desglose de la palabra, lo más fácil es explicarla como "los que esperan recibir [algo]". En este caso, eran los hombres que esperaban recibir el poder y la gloria de Alejandro, ya fuera a través de sus últimos deseos o de un nombramiento directo.

Como hemos visto, las luchas internas se produjeron casi de inmediato y se extendieron rápidamente por todo el país. La primera gran revuelta, la *Segunda* Guerra de los Diadocos, comenzó en el 318 a. C. Arrhidaeus (no confundir con Filipo III Arrhidaeus) era el gobernador o sátrapa de Frigia, que era prácticamente la actual Turquía. En el noroeste de esta zona se situaba una ciudad llamada Cízico, que estaba bajo la dirección de Antígono, junto con gran parte de Licaonia, Panfilia, Licia y Pisidia occidental. Arrhidaeus, tal vez aprovechando una oportunidad surgida con la muerte de Antipater, decidió invadir esta ciudad y ampliar el alcance de su poder. Aunque Antígono envió tropas para luchar contra Arrhidaeus, éste ya estaba lidiando con problemas en Lidia, donde Clito estaba llevando a cabo un movimiento expansionista.

Debemos suponer que Antígono era una fuerza a tener en cuenta, ya que parecía irle bastante bien, a pesar de estar librando dos guerras al mismo tiempo. Clito pronto necesitó ayuda y decidió llegar a un acuerdo con Polipercón, a quien Antípatro había nombrado heredero al trono, menospreciando de paso a su hijo Casandro. Juntos, viajaron al sur para reunir más tropas y un mayor arsenal.

Mientras tanto, Casandro, el hijo olvidado de Antípatro, tomó las armas y se puso del lado de Antígono. Con esta ayuda extra, Antígono pudo hacer retroceder a las fuerzas de Polipercón en Atenas y en la sorprendentemente no maquillada ciudad de Megalópolis. Polipercón no estaba dispuesto a rendirse, y aquí las cosas empiezan a complicarse. Aunque puede que esto ya te haga pensar un poco, lo que realmente marca la diferencia aquí es el siguiente movimiento de Polipercón.

Viéndose en una situación desesperada y consciente de que lo que había podido conseguir hasta entonces era relativamente poco comparado con la venganza que estaba a punto de llover sobre él, Polipercón decidió hacer un movimiento político. Volvió a Epiro e intentó llegar a algún tipo de compromiso con Alejandro IV (que era el hijo aún no nacido de Alejandro y Roxana cuando se produjo la muerte del soberano). Incluso si hubiera podido instalar a Alejandro IV como rey, está claro que el joven habría necesitado algún tipo de figura regente. Para ello, Polipercón se había puesto en contacto con Olimpia, la madre de Alejandro Magno.

El plan parecía bastante sencillo, o eso es lo que uno casi puede imaginarse que diría Polipercón. Invadirían Macedonia, colocarían a Alejandro IV en el trono y seguirían adelante desde allí. Pero Macedonia no estaba simplemente allí para tomarla. Filipo III Arrhidaeus (a partir de ahora, y para mayor claridad, nos referiremos a él como Filipo III) había hecho todo lo posible por mantener un gobierno estable.

Aunque al final de la sección anterior mencionamos que las mujeres desempeñaron papeles menores en muchos de los casos de este libro, esto no quiere decir que no tuvieran ningún papel. A Eurídice se le atribuye el mérito de convencer a Filipo III para que se uniera a Casandro. Y teniendo en cuenta que Olimpia ya estaba en el juego, es fácil ver con qué frecuencia la perspectiva, el intelecto y la influencia femeninas desempeñaron un importante papel en estos movimientos políticos.

Por desgracia para Eurídice y Filipo III, habría sido mejor mantenerse al margen. Cuando Olimpia y Polipercón invadieron Macedonia, las tropas macedonias no tenían ningún interés en luchar contra Olimpia. Eurídice y Filipo se dieron cuenta de la situación e intentaron huir rápidamente, pero fueron capturados y finalmente ejecutados.

Cuando Casandro se dio cuenta de lo sucedido, regresó inmediatamente a Macedonia, recuperando la zona y erigiéndose como rey. No era un hombre indulgente y mandó matar a Olimpia. Esto dejó a Casandro a cargo del joven Alejandro IV, de Macedonia y de una gran franja de lo que hoy es Europa.

Ahora es el momento de volver a nuestro general solitario, Eumenes, quien fue visto por última vez cuando Pérdicas murió en batalla. Eumenes no se había quedado quieto todo este tiempo. Inicialmente había levantado un pequeño ejército y era partidario de Olimpia. Consiguió hacerse con uno de los tesoros reales de Cilicia y utilizó el dinero para contratar mercenarios. Hacia 317, se dedicó de lleno a la creación de una armada para apoyar a Polipercón.

Desgraciadamente, Polipercón estaba en guerra con Antígono desde el 318 a. C., lo que significaba que Antígono iba mucho más adelantado que

Eumenes en cuanto a reunir tropas y crear una armada. Sin inmutarse, la armada de Eumenes fue puesta a prueba en la batalla del Helesponto, un enfrentamiento de dos días en 321 que fue, en una palabra, desastroso. Polipercón fue ampliamente derrotado en el mar, y Eumenes, quizás más un hombre de guerra que de lucha, fue perseguido en tierra por el ejército de Antígono.

Aferrándose a lo que parecía saber hacer mejor, Eumenes se dirigió rápidamente hacia el este, con la esperanza de reunir más hombres para su ejército mientras viajaba. Dado que las tierras orientales apoyaban más la causa de Eumenes, tuvo cierto éxito y pudo contener a los hombres de Antígono en un par de batallas y algunas escaramuzas. El problema de este tipo de enfrentamientos es que cada vez que Eumenes se desplazaba más al este para reunir tropas, dejaba atrás sus antiguos campamentos, lo que le permitía a Antígono seguir su camino y saquear todo lo que quedaba.

Y en un giro interesante, esto fue en realidad la perdición de Eumenes. En lugar de seguir persiguiéndolo por tierra, Antígono se dio cuenta de que había saqueado suficiente dinero como para empezar a sobornar a quienes lo rodeaban. Finalmente, consiguió encontrar a alguien dispuesto a traicionar a Eumenes por el precio adecuado y, por fin, el general que había escapado de Pérdicas fue ejecutado.

Así pues, Antígono y Casandro salieron vencedores, y no les quedó más remedio que repartirse las tierras que habían conquistado. Como habrás adivinado, los resultados de este plan tan familiar no fueron tan sencillos como uno podría esperar, pero ayudó a preparar el terreno para la siguiente guerra. Por lo tanto, en términos generales, la disposición de la tierra fue la siguiente. Grecia estaba bastante dividida, con partes que iban a Antígono. Antígono también tenía Asia Menor y las tierras del este. Una parte de Grecia quedó en manos de Casandro, que la añadió a su ya reclamado territorio de Macedonia. Tracia fue entregada a Lisímaco (uno de los guardaespaldas de Alejandro y, si las historias son correctas, un asesino de leones), y Ptolomeo, por supuesto, se mantuvo firme en Egipto y sus alrededores.

La paz no duraría mucho. Como ya se ha dicho, muchos en oriente habían apoyado a Eumenes, y seguían apoyándolo, aunque el hombre ya no estuviera allí para dirigir la lucha. Así, menos de un año después del final de la Segunda Guerra de los Diadocos, comenzó la Tercera Guerra de los Diadocos.

Los pueblos del este estaban descontentos con la forma en que se habían repartido la tierra y el poder, y presionaron a Antígono para que cediera parte de ambos a los otros tres hombres implicados. Aunque esto podría haber parecido una opción lógica si realmente hubiera un desequilibrio de poder, el hecho de que Antígono se viera presionado para repartirse gran parte del tesoro que había adquirido parecía hacer las cosas algo más personales. Naturalmente, Antígono no quería ser parte de esto, pero no se daba cuenta de cómo se estaba jugando con él.

Desde luego, para Antígono, la idea de desprenderse de su poder y riqueza a petición de quienes nunca lo habían apoyado mucho no resultaba atractiva. Pero cuando Casandro, Lisímaco y Ptolomeo se enteraron, de repente se dieron cuenta de que les gustaría tener partes iguales de lo que antes le habían concedido. Quizá este momento, más que ningún otro, resume perfectamente la situación tras la muerte de Alejandro Magno. Cuatro hombres que habían llegado a un acuerdo menos de un año antes se encontraban ahora en una situación de tres contra uno basada sobre todo en la codicia y el poder.

Antígono demostró al menos cierta comprensión de la situación en la que se encontraba mientras avanzaba por Frigia y Tiro, que técnicamente le pertenecían entonces a Ptolomeo. Su objetivo era llevar dinero al Peloponeso y, con suerte, aliarse con Polipercón, que había sobrevivido a la guerra anterior. Proclamando que uno de sus principales objetivos era la libertad de Grecia, Antígono fue capaz de ganar hombres y el apoyo de Polipercón y Grecia. El sobrino de Antígono, Ptolomeo, fue enviado al noroeste de Asia Menor, donde se hizo con más tierras y hombres mediante batallas en la zona.

Con lo que consideraba una fuerza adecuada a sus espaldas, Antígono decidió pasar a la ofensiva y se dispuso a perseguir a Casandro, quien era quizás el primero en su lista de traidores. Dejó a su hijo Demetrio para proteger Siria y Fenicia. Sin embargo, no fue una buena elección, ya que Demetrio fue derrotado por Ptolomeo y Seleuco (otro de los generales de Alejandro Magno y sátrapa de Babilonia) en la batalla de Gaza.

Viendo la necesidad de un nuevo plan, Antígono decidió dividir su ejército con la esperanza de luchar contra Casandro, Ptolomeo y Seleuco en tres frentes en lugar de permitir que dos de ellos se aliaran contra él. Ptolomeo y otro sobrino de Antígono fueron enviados a Grecia para luchar contra Casandro. Demetrio fue enviado en misión de venganza para dar caza a Seleuco. Y Antígono se dirigió a Siria/Fenicia para enfrentarse a Ptolomeo.

Como nota interesante, mientras se libraban las batallas, que finalmente desembocaron en un tratado entre Antígono y sus tres enemigos, Casandro también había estado trabajando entre bastidores. En un momento dado, Casandro ordenó la ejecución de Alejandro IV y Roxana, poniendo fin a la dinastía Argead, que había durado siglos. Lo que resulta especialmente intrigante de este movimiento es que Casandro no hizo ningún intento de anunciar este cambio. Durante bastante tiempo, los generales y sátrapas siguieron luchando entre sí para hacerse con el control de la mayor superficie posible e intentar establecer sus propias dinastías.

Está fuera del alcance de esta breve historia hablar de cada movimiento militar y batalla que tuvo lugar durante este tiempo, pero para aquellos curiosos o quienes simplemente deseen saber un poco más sobre el giro de los acontecimientos, hubo al menos otras dos grandes batallas que tuvieron lugar. Entre 311 y 309, se produjo la guerra de Babilonia, que fue básicamente la lucha entre Antígono y Seleuco. El hecho de que Antígono saliera perdedor en este enfrentamiento prácticamente garantizó que el imperio de Alejandro no volviera a ser uno sólo, y los detalles de esto, así como sus repercusiones, bien merecen ser estudiados a través de otras fuentes.

También vale la pena señalar que hubo otra Cuarta Guerra de los Diadocos entre 308 y 301 a. C. Además de ampliar las guerras posteriores a Alejandro a casi un cuarto de siglo, esta cuarta guerra trajo consigo tres acontecimientos importantes. En primer lugar, Demetrio creció en poder y éxito, resucitando lo que se conoce como la Liga Helénica o Liga de Corinto, de la que volveremos a hablar más adelante. En segundo lugar, Antígono se negó a conformarse con cualquier tipo de paz que se le hubiera ofrecido y acabó muriendo en la batalla de Ipsus, dejando a Casandro, Lisímaco y Ptolomeo la tarea de repartirse el territorio de Antígono. Y, en tercer lugar, cuando el polvo se asentó, Demetrio quedó a cargo de Grecia.

Todo esto, por supuesto, será aún más relevante a medida que avancemos, pero ten la certeza de que sólo hubo unos breves años de paz antes de que las cosas volvieran a estallar.

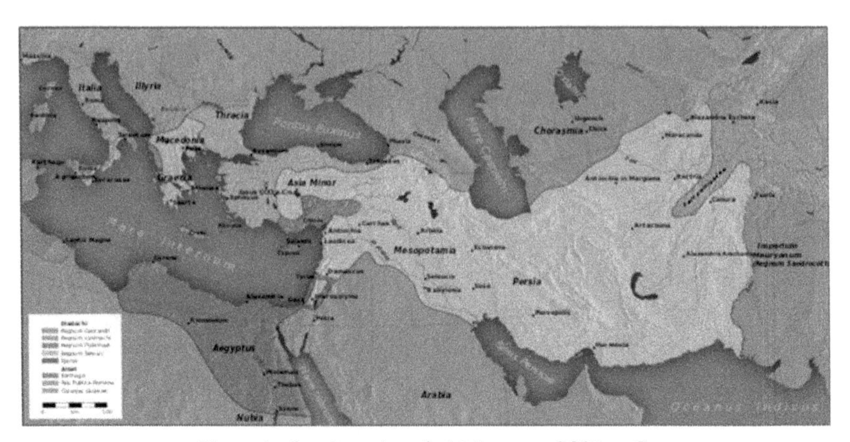

Una mirada a los reinos helénicos en el 301 a. C.

Diadochen1.png: Captain_BloodDiadocos IT.svg: Luigi Chiesa (charla) Esta imagen vectorial incluye elementos que han sido tomados o adaptados de este archivo: Icono de batalla gladii.svg.obra derivada: Homo lupus, CC BY-SA 3.0 <https://creativecommons.org/licenses/by-sa/3.0>, via Wikimedia Commons https://commons.wikimedia.org/wiki/File:Diadocos_LA.svg

Capítulo III - La Batalla de Corupedium

Si bien la batalla de Corupedium no tuvo lugar hasta el año 281 a. C., no debemos dar por sentado que existiese una paz duradera entre las satrapías. Para preparar el escenario de esta gran batalla, es importante comprender lo que ocurrió en los años intermedios. Pese a que hubo una relativa calma durante algunos años tras los acontecimientos descritos en el capítulo anterior, en 298 comenzaron nuevamente los problemas, esta vez en Macedonia.

Ese año, Casandro finalmente falleció, dejando como reyes a sus hijos Filipo, Antípatro y Alejandro, quienes, según la historia, eran reyes débiles y no se llevaban muy bien entre sí. Antípatro destronó a su hermano Alejandro, quien no tardó en llamar a Demetrio para que lo ayudara a resolver la disputa. El resultado no fue el esperado.

Demetrio vio que tenía ante sí una oportunidad y resolvió el problema matando a Alejandro y apoderándose de Macedonia. Más tarde, Lisímaco mató a Antípatro cuando éste huía de Demetrio. Lo que a primera vista parece un movimiento bastante inteligente, en realidad a sangre fría, planteó un problema. Mientras Demetrio se encontraba en Macedonia, aparentemente expandiendo su reino, la tierra que dejó atrás fue rápidamente invadida por las fuerzas de Lisímaco, Seleuco y Ptolomeo. Uno debe preguntarse por qué alguno de estos hombres se sentía seguro confiando en los demás.

Además de la batalla que tuvo lugar en su tierra natal, Demetrio se vio rápidamente envuelto en una rebelión en Macedonia, ya que el pueblo no tenía ningún interés en que el hombre que acababa de asesinar a su rey ocupara su lugar. De hecho, la ira de los macedonios parece haber sido lo suficientemente grande como para obligar a Demetrio a abandonar el país, algo que le supuso un gran problema. Macedonia había acabado con él, y sus tres antiguos aliados le habían arrebatado las tierras que le habían sido anteriormente adjudicadas. Demetrio necesitaba un lugar adónde ir.

Si tenemos en cuenta cómo habían ido las cosas en los últimos veinticinco años, parece lógico que lo primero que pensara Demetrio fuera que necesitaba invadir otro lugar, y eso fue precisamente lo que hizo. Tras reunir al ejército que le quedaba, Demetrio se dirigió al este y, durante un tiempo, tuvo un relativo éxito en su nueva empresa. La desafortunada verdad de los tiempos era que ningún éxito era duradero.

Al final, Seleuco y su ejército capturaron a Demetrio y pusieron fin a cualquier papel que hubiera querido desempeñar en los acontecimientos posteriores. Tenemos que decir "podría haber querido" porque existe la posibilidad de que Demetrio hubiera tenido suficiente en este punto. Tanto si se trataba de una percepción de cómo irían las cosas en función de cómo habían ido o de la fatiga por las constantes guerras en las que había estado involucrado, Demetrio parecía renunciar a sus sueños de gobernar en cualquier lugar. En el año 286, Demetrio murió, al parecer tras emborracharse hasta la muerte.

Por supuesto, el patrón tenía que continuar. Al morir un líder influyente, los demás no tenían más remedio que repartirse sus tierras y prepararse para hacer frente a todo lo que ello conllevaba. Lisímaco y Pirro, el rey de Epiro, se habían enfrentado con regularidad hasta ese momento. Ambos estaban comprometidos en la batalla contra Demetrio y parecían estar en buenos términos mientras Demetrio aún vivía. Pero cuando Demetrio murió en 286, hubo que esperar hasta 285 para que ambos entraran en guerra. Lisímaco fue capaz de reunir suficientes hombres para obligar a Pirro a abandonar el Epiro, asegurándose así la zona noroeste de Macedonia.

Sería ilógico suponer que éste fue el único problema que tuvo lugar durante este periodo. Mientras Lisímaco y Pirro luchaban por el territorio macedonio, Ptolomeo causaba problemas en Egipto.

Ptolomeo envejecía y, viendo que se acercaba su fin, necesitaba elegir a un heredero que gobernara el territorio que había adquirido desde la muerte de Alejandro Magno. Tal vez viendo todo lo que ya había ocurrido, Ptolomeo quiso dejar bien claros sus deseos y nombró como su sucesor a su hijo Filadelfo. Sin embargo, sería pedir demasiado que esto fuera tan sencillo como parece. El problema es que Ptolomeo tenía un hijo mayor llamado Cerauno, que naturalmente asumió que él sería el siguiente en la línea de sucesión.

En lugar de aceptar la situación, Cerauno decidió viajar a ver a Seleuco para que lo ayudara a reclamar el trono que, en realidad, no le correspondía. Ptolomeo, uno supone que casi en parte para su alivio, murió en 282.

Este estaba siendo un gran año para Seleuco. No sólo Cerauno acudió en busca de su ayuda, sino que también estaba a punto de verse involucrado en otra contienda familiar con Lisímaco. En este mismo año, 282, Lisímaco dio la orden de ejecutar a su propio hijo. No existen fuentes fiables sobre los motivos que lo llevaron a tomar esta decisión, pero los hechos parecen apuntar a su segunda esposa. Dado que el hijo de Lisímaco no era de esta mujer, es lógico pensar que intentaba despejar el camino para su propio hijo de la forma más sencilla. Sin embargo, el hecho de que Lisímaco aceptara su idea deja mucho para especular.

Sean cuales sean los orígenes y argumentos de este asesinato, el hecho es que el joven fue asesinado. La viuda del hijo vio una única forma de actuar, y se dirigió a conseguir la ayuda de nada menos que Seleuco.

Busto de Seleuco

Seleuco estaba más que feliz de poder extender aún más su imperio, así que se enfrentó a Lisímaco en 281 en la batalla de Corupedium. Lisímaco resultó muerto, lo que no sólo abrió el territorio que le acababa de arrebatar a Pirro, sino que también abrió una puerta para que Seleuco siguiera avanzando hacia el norte. Esto habría permitido a Seleuco gobernar sobre Macedonia y tener una ruta sólida. Si tenía éxito, se convertiría en el gobernante de la mayor parte de los territorios europeos en poder de Lisímaco.

Sin embargo, como hemos visto una y otra vez, la historia nunca es tan sencilla. La victoriosa campaña de Seleuco iba a durar poco, y su final es otro de los acontecimientos perdidos en el pasado. Por alguna razón, en el año 281 a. C., Seleuco fue asesinado en Tracia. Cerauno, que tan rápidamente había acudido a Seleuco cuando necesitaba ayuda, pareció cambiar de opinión una vez que alcanzó el título de Ptolomeo (todos los gobernantes varones de la dinastía ptolemaica adoptaron este nombre). Al parecer, tras haberle tomado el gusto al poder o tal vez con la intención de ocuparse de un problema antes de que éste se ocupara de él, Cerauno asesinó a Seleuco mientras éste realizaba sacrificios. Parece razonable suponer que Cerauno tenía planes de extender su propio imperio adueñándose de las tierras controladas por Seleuco, sobre todo porque habría podido reclamar casi todas las satrapías restantes.

Lo más importante de todo esto no es el por qué ni el cómo, sino lo que sucedió a continuación. Macedonia se encontraba en estado de agitación desde la muerte de Casandro, casi diecisiete años antes. Luego de los intentos fallidos del hijo de Casandro de gobernar y todo lo que siguió, por primera vez en mucho tiempo, Macedonia se vio obligada a funcionar como un área independiente. No sólo eso, sino que con los principales protagonistas del juego muriendo o siendo asesinados, la batalla de Corupedium y la muerte de Seleuco marcaron el final de los Diadocos.

Por desgracia, como veremos enseguida, las guerras entre los sucesores de Alejandro Magno no fueron más que un problema. Una vez que los Diadocos dejaron de luchar entre sí, dejaron abiertas las puertas para que un nuevo enemigo entrara e intentara apoderarse de los territorios en disputa.

Capítulo IV - La Invasión Gala

En 279, tras el asesinato de Seleuco, las aguas se habían calmado un poco. Sin embargo, la frontera a lo largo del Danubio estaba abierta a cualquiera que se atreviera a tomarla. Los galos estaban más que dispuestos a intentarlo.

Aunque hoy en día el término galo se utiliza a menudo como sinónimo de francés, el imperio galo era mucho más amplio. El pueblo era de origen celta y sus tierras se extendían por toda Europa. Su dominio incluía la actual Francia, Bélgica, los Países Bajos y Luxemburgo en su totalidad y partes de Suiza, Alemania y el norte de Italia. La región no estuvo totalmente controlada por Roma hasta la época de Julio César, y se han encontrado pruebas de la cultura gala tan al este como Hungría e incluso el sur de Polonia.

Cualesquiera que fuesen las diferencias entre los galos y los que se disputaban las satrapías al sur de ellos, una cosa parece haber sido muy similar: si había tierra disponible, había que tomarla. Tanto si los galos habían estado al tanto de la cada vez más complicada situación política como si no, estaba claro que el hecho de que los sucesores de Alejandro ya no vivieran no significaba que los hijos de aquellos hombres vivieran en paz. Desgraciadamente, ofrecer un enemigo común puede que no fuera algo que los galos tuvieran intención de hacer.

Parece que, al menos en apariencia, el objetivo principal de la invasión era el saqueo. Los galos avanzaron hacia el sur de Macedonia en 279, centrando sus esfuerzos principalmente en las zonas periféricas más lucrativas y haciendo todo lo posible por evitar cualquier tipo de ciudad fortificada. Uno de los mayores impactos de esta invasión fue la muerte de Ceraunο. Hacía poco que se había proclamado rey de Macedonia, pero su reinado y su vida no iban a durar mucho.

Sin embargo, para los galos, esto era probablemente lo último en su lista de preocupaciones. Lo que en un principio había sido una invasión llena de ricos sobornos se convirtió rápidamente en una batalla por sus vidas. Los macedonios no se conformaban con permitir que la gente del norte viniera a robarles sus tierras y a matar a su rey, aunque no le tuvieran demasiado aprecio. Una vez más, demostraron que no eran un pueblo con el que se pudiera jugar. Cuando Lisímaco aún vivía, nombró gobernador de Asia Menor a uno de sus generales, un hombre llamado Sóstenes. Cuando los galos se adentraron en Macedonia, Sóstenes fue capaz de reunir un ejército y hacerlos retroceder, expulsando finalmente a los invasores del territorio.

La victoria duró poco, ya que los galos parecían estar más en fase de reagrupamiento que de retirada total. Se especula que, debido al papel de Sóstenes en la defensa de la zona, fue nombrado rey de Macedonia. Aunque está claro que fue elegido, surgen dudas sobre si el hombre fue realmente capaz de gobernar como tal. Se especula con que fue nombrado *strategos*, el cargo más alto en el ejército, y que prefirió esta designación a la de rey (y todo lo que conllevaba). Sóstenes dirigía a su pueblo más como comandante militar que como otra cosa.

Se llamará como se llamará, en 278 los galos ya estaban listos para invadir una vez más, y Sóstenes, al igual que cualquier otro soldado disponible, tenía muchas más cosas en la cabeza. El anteriormente derrotado general galo Bolgios había sido sustituido por Brenno, y este hombre iba a tener mucho más éxito que su predecesor, aunque no al principio.

Quienes estén familiarizados con las muy popularizadas historias espartanas y los "valientes 300" reconocerán el nombre de Termópilas. Hace referencia a una región de Grecia donde antaño había un esbelto paso a lo largo de la costa. El nombre se basa en los manantiales de azufre caliente de la zona y también remite a la leyenda de que es una puerta al Hades. Si bien algo de esto puede rebatirse, lo que está claro es que las Termópilas eran un sabio camino para la invasión.

Quizás conociendo su historia, durante esta segunda invasión, los galos se dirigieron directamente a las Termópilas. Al parecer, los macedonios también habían seguido de cerca su pasado reciente, ya que los galos sufrieron duras derrotas en las batallas iniciales. Sin embargo, curiosamente, los paralelismos con la batalla de las Termópilas de 480 empezaron a crecer en lugar de disminuir. Del mismo modo que los espartanos fueron traicionados por uno de los suyos, al revelar a los persas el crucial camino de circunvalación, parece que los galos, ya fuera con ayuda griega o tal vez sólo con su propia información, fueron capaces de utilizar la misma estrategia empleada por los invasores casi doscientos años antes.

Rodeando el camino montañoso de las Termópilas, las fuerzas galas fueron capaces de rodear a su enemigo y derrotarlo fácilmente. Con esta batalla en su haber, los galos tenían un premio mayor en mente: Delfos.

En un tiempo, Delfos fue considerada por los griegos como el centro del mundo y supuestamente albergaba un oráculo al que se consultaba sobre decisiones importantes. Para los galos, Delfos probablemente sólo significaba una cosa: dinero. El tesoro de esta provincia sagrada era sin duda uno de los más ricos de la zona, y centrando su ataque en un solo punto, los galos habrían podido asestar un duro golpe al espíritu y las finanzas griegas de la región.

Con lo que no contaban los galos era con la tenacidad de los griegos. Aunque habían sido derrotados en las Termópilas, no estaban en absoluto dispuestos a abandonar la lucha. Mientras los galos avanzaban hacia Delfos, los griegos reunieron al mejor ejército que pudieron y se prepararon para un nuevo combate.

Dejando a un lado todas las teorías mitológicas o sobrenaturales, lo que sabemos es que los galos fueron derrotados por los revigorizados griegos y no lograron tomar Delfos, y este punto de inflexión provocó importantes retiradas galas. Su líder, Brenno, que hasta el momento había tenido éxito en su campaña, resultó gravemente herido durante la batalla de Delfos y optó por suicidarse en el campo de batalla. Esto podría haber influido en gran medida en el rápido cambio de ritmo de la batalla.

Los griegos vieron que las cosas se ponían a su favor y persiguieron a los galos, pisándoles los talones y entablando batallas siempre que podían, reduciendo poco a poco el ejército invasor a medida que se abrían paso a través de Macedonia y se alejaban de Grecia. Para cuando los galos fueron expulsados, sus fuerzas invasoras habían sido drásticamente reducidas y quedarían bastante separadas del mundo helénico durante el resto del periodo en cuestión.

Lo que es importante para nuestros propósitos aquí son dos actores principales en estas batallas. Uno fue Antígono Gonatas, hijo de Demetrio. El otro fue el hijo de Seleuco, Antíoco I.

Una vez que los galos abandonaron la región, Grecia comenzó a recuperar la normalidad, o al menos lo mejor que pudo, teniendo en cuenta que había estado en guerra consigo misma o con los galos durante unos cincuenta años. Antígono Gonatas fue nombrado rey de Macedonia. Antíoco, por su parte, había desempeñado un papel importante en la lucha contra los galos en las zonas orientales.

Como de costumbre, los Ptolomeos estaban sentados en Egipto, esperando su momento y aparentando pasar desapercibidos. Estos tres gobernantes principales surgieron para poner orden en el caos que reinaba en el territorio.

La dinastía ptolemaica continuó gobernando Egipto, incluyendo el sur de Siria y el sur de Asia Menor. Antíoco fue puesto a cargo de todas las principales provincias asiáticas. Y Antígono recibió Macedonia y Grecia propiamente dicha. Más importante aún, por un tiempo, la guerra se detuvo, y la gente finalmente tuvo la oportunidad de tratar de encontrar algún tipo de normalidad después de décadas de agitación.

Segunda Parte: Los Reinos y Estados de Grecia durante el Siglo III

Capítulo V - El Reino de Macedonia

Hasta el momento, en esta investigación hemos saltado de un lugar a otro. Y con las diversas áreas fusionadas, divididas y bajo el control de un hombre y luego de otro durante periodos de tiempo muy diferentes, es comprensible que las cosas se hayan torcido un poco una o dos veces. Para rectificar esto lo mejor posible, en esta segunda parte vamos a examinar algunos de los principales reinos y ciudades-estado de forma individual, siguiendo la historia de una sola región en lugar de intentar encajar todas las piezas del rompecabezas a la vez. Al analizar las diferencias entre estos lugares, esperamos comprender mejor cada región y, de este modo, hacernos una idea más clara.

Empezaremos con un nombre que ya hemos oído más de una vez: el Reino de Macedonia. Este lugar es famoso por ser lo que algunos llaman el Estado definitivo del periodo helenístico. Este título se debe a una serie de razones, entre las que se destaca el hecho de que cuando Alejandro Magno aún vivía, Macedonia era considerado el reino más poderoso del mundo, una especie de pináculo de la civilización.

Macedón, o Macedonia, como se la suele llamar, se encontraba situada en el extremo noroccidental del mar Egeo. Tesalia estaba al sur y Tracia compartía la mayor parte de su frontera septentrional. Aunque las ciudades más famosas, como Atenas, Tebas o las Termópilas, estaban técnicamente fuera del reino, Macedonia tenía guarniciones allí de vez en cuando, y su influencia en la cultura, la filosofía y las ciencias era de gran alcance.

Macedonia era un territorio muy ecléctico. La población estaba familiarizada, al menos hasta cierto punto, con las lenguas macedonia antigua, ática y griega koiné, siendo esta última en la que fue escrita la mayor parte del Nuevo Testamento cristiano. Con este tamaño e influencia, no es de extrañar que Macedonia mantuviera su prestigio durante las guerras Diadocas y se convirtiera en uno de los cuatro principales reinos del periodo helenístico, junto con el Imperio seléucida, el Reino de Pérgamo (Asia Menor) y, por supuesto, Egipto.

Inicialmente, Macedonia había estado gobernada por una sucesión hereditaria de reyes, que se rompió por primera vez con el asesinato de Orestes de Macedonia en el año 396 a. C. Ya hemos visto los problemas que causaba la elección de un nuevo gobernante, con cuestiones como si los militares debían elegir a alguien, si debía hacerlo el pueblo o si los hijos ilegítimos podían optar al trono. Aunque esta línea genética pura se perdió, Macedonia siguió teniendo un rey de una forma u otra hasta el año 167 a. C., cuando este linaje fue abolido por Roma.

Cuando comenzó el periodo helenístico, Macedonia no estaba en mejor forma que el resto de los reinos circundantes. Casandro, Antígono y más tarde Lisímaco y Seleuco hacían todo lo posible por apoderarse del territorio. Pero sin las distracciones de otras batallas y sin repetir demasiado lo que ya se ha dicho sobre hombres como Pérdicas y Eumenes, echemos un vistazo más de cerca a la propia Macedonia y a lo que ocurrió dentro de sus fronteras.

Antígono I Monoftálmico (y para los expertos en etimología, sí, se lo conocía como “El Tuerto") era hijo del ya mencionado Demetrio. Esta línea familiar, conocida como la dinastía Antigónida, fue una opción temprana para ocupar el trono en Macedonia. Casandro y la dinastía Antipátrida, por su parte, estaban más que deseosos de evitar que esto sucediera, quizás en parte debido al hecho de que el padre de Casandro lo había desairado a la hora de nombrar un nuevo gobernante en 319, eligiendo en su lugar al conocido Polipercón.

Antígono consiguió que Casandro huyera, y mientras se producía esta retirada, Demetrio avanzó por detrás, poniendo fin a los planes de Casandro de forma momentánea. Antígono y Demetrio tenían un plan mucho más inteligente que simplemente colocar a uno de ellos en el trono. En su lugar, pensaban en una hegemonía o liderazgo dual, con la intención de recrear la Liga Helénica formada por el padre de Alejandro,

Filipo II. En su encarnación original, esta liga unificaba a casi todas las fuerzas militares griegas bajo un mismo liderazgo, naturalmente el de Macedonia.

Sin embargo, en el año 301, Casandro regresó, habiendo reunido refuerzos de una serie de nombres ahora familiares, como Ptolomeo, Seleuco y Lisímaco. En las batallas que siguieron, Antígono fue asesinado y Demetrio escapó, estableciendo la norma para la mayoría de los enfrentamientos a lo largo del periodo helenístico, la de combatir, huir, invadir y repeler, con la única constante de un traspaso sistemático de poder de rey a rey muchas veces.

Sin profundizar demasiado en ninguna de estas historias, a continuación, veremos algunos de los aspectos más destacados de estos conflictos. En un momento dado, Demetrio hizo matar a Alejandro V (hijo de Casandro) para arrebatarle el trono, ante la ira de sus súbditos. Antípatro (el otro hijo de Casandro) hizo asesinar a su propia madre en la misma época por motivos políticos. Demetrio, tal vez en busca de un nuevo estilo político, robó la esposa del rey Pirro en 290, junto con su cuantiosa dote, antes de ser expulsado del país dos años más tarde. Y, por supuesto, ya estamos familiarizados con el nefasto reinado de un año de Seleuco, que terminó con su asesinato a manos de Cerauno en 281 y la muerte del propio Cerauno en 279.

Esto nos lleva de nuevo a Sóstenes y la invasión de los galos. En un principio, Sóstenes no quería gobernar, pero fue elegido de todos modos, aunque pronto murió en combate. Antígono II Gonatas, hijo de Demetrio, derrotó a los partidarios de Sóstenes y gobernó durante tres años antes de perder el trono a manos de Pirro.

Y esto es lo más destacado. Entre 294 y 272 a. C., el soberano de Macedonia cambió la friolera de diez veces, casi una cada dos años. Entre 272 y la abolición de la realeza, aproximadamente en 168, las cosas volvieron casi a la normalidad, con el trono cambiando de manos sólo cinco veces, lo que le daba a cada gobernante un promedio de veinte años en el trono. Quizás esta época de cierta paz se debió a la vuelta de la sucesión, en su mayor parte, a su patrón original de padre a hijo. En 272, Antígono II volvió a gobernar Macedonia, extendió su poder a la mayor parte de Grecia y estableció la dinastía Antigónida, que duró hasta que los reyes de Macedonia dejaron de existir.

Sería demasiado simple saltar directamente al final, ya que necesitamos examinar los últimos ochenta años de Macedonia un poco más de cerca.

Además de la guerra de los Crémonidas, que duró del 267 al 261 y fue básicamente una batalla entre Macedonia y Egipto, se produjeron una serie de cambios políticos de mayor envergadura dentro del reino, sobre todo debido a la influencia de las ligas.

Demetrio y Antígono I esperaban renovar la antigua Liga Helénica. Aunque no tuvieron éxito, la idea de la liga fue planteada una y otra vez durante este periodo. De hecho, las Ligas Etolia y Aquea se habían creado anteriormente casi exclusivamente para combatir el poder de Macedonia en el Peloponeso y sus alrededores.

Se trata de una maniobra un tanto curiosa, ya que, al menos en opinión de Antígono II, éste había hecho todo lo posible por establecer en la zona gobernantes amistosos y bondadosos con los habitantes de sus respectivas regiones. Sin embargo, la opinión del gobernante y la de los gobernados no podían estar más alejadas. La Liga Aquea consideraba tiranos a los gobernadores de Antígono y no tardó en pedir ayuda externa para intentar acabar con lo que consideraban un gobierno prepotente.

¿A quién más se podía llamar en tiempos de necesidad que a las fuerzas egipcias? Quizá uno de los aspectos más intrigantes de todo este periodo sea la inestable relación que los ptolomeos parecían mantener con la gran Grecia. Quizá fuera simplemente una cuestión de geografía, o quizá la dinastía ptolemaica supiera mejor cuándo y cómo involucrarse en la política que la rodeaba, pero hay que admitir que este reino egipcio jugó a dos bandas, y lo hizo bien.

Entre 251 y 240, Ptolomeo y la Liga Aquea ganaron y perdieron batallas contra Antígono. Finalmente, Antígono admitió su derrota e incluso cedió algunas de sus tierras a los vencedores. Sin embargo, dados los patrones que hemos visto hasta ahora, no debería sorprendernos ver que, aunque Macedonia funcionaba bajo una línea de reyes algo estable, nada iba a permanecer en calma durante mucho tiempo.

En 220, las cosas habían empezado a calentarse nuevamente, esta vez entre Macedonia y la Liga Etolia. Antígono II había muerto el año anterior, algunos creen que de tuberculosis, y su hijo, Filipo V, estaba en el trono. Aunque Filipo tuvo éxito en los primeros años de lo que se conocería como la guerra Social, pronto hizo las paces con la Liga Etolia cuando las cosas empezaron a complicarse en otros lugares.

Los dardanios, un pueblo balcánico del norte, habían empezado a adentrarse en territorio griego y, para complicar aún más las cosas, los cartagineses acababan de derrotar a los romanos en la batalla del lago

Trasimeno, en medio de lo que se conocería como la Segunda Guerra Púnica. Filipo se convenció rápidamente de cambiar de táctica y puso sus miras en Italia. Estas guerras posteriores y las ligas serán tratadas con mayor detalle más adelante, por lo que basta con utilizar aquí estas breves pinceladas.

Sin embargo, las cosas no siempre fueron tan sangrientas en Macedonia. Como veremos más adelante, cuando examinemos la influencia de este periodo en las artes y las ciencias, Macedonia se situó a menudo a la cabeza en lo que a innovación y creatividad se refiere. Sin embargo, una vez muerto Alejandro Magno, no parecía haber nada reservado para gran parte de Macedonia y Grecia, salvo un largo y constante declive.

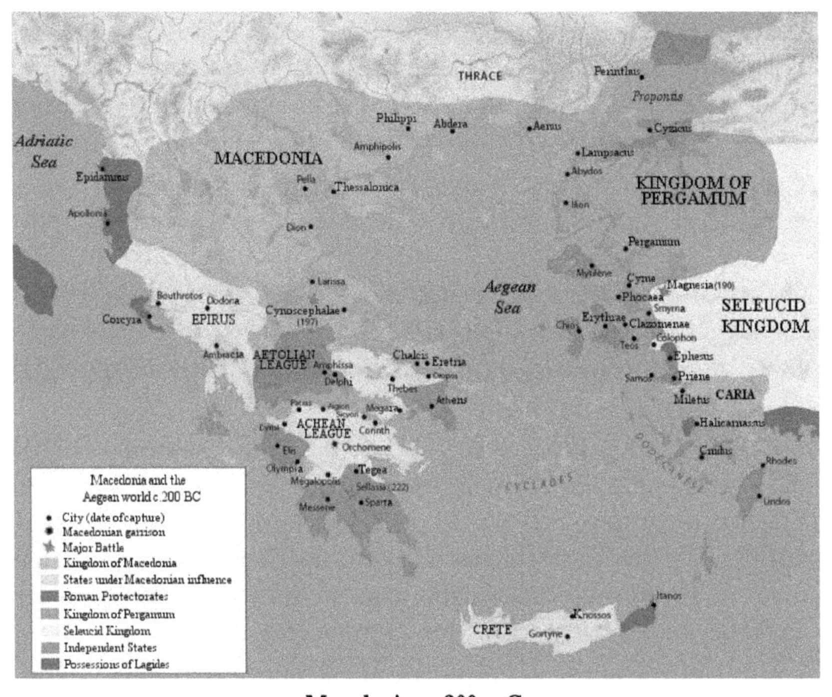

Macedonia en 200 a. C.

https://commons.wikimedia.org/wiki/File:Macedonia_and_the_Aegean_World_c.200.png

Capítulo VI - El Reino de Epiro

Para cambiar un poco de marcha, pasemos de uno de los reinos más poderosos y conocidos a uno de los más pequeños, aunque no por ello menos importante, de la época. Ya hemos mencionado brevemente a Epiro, aunque más que nada de pasada y en gran parte debido a Pirro, su rey más famoso. Profundizaremos más en este hombre, sus acciones y sus consecuencias, y cómo es posible que hoy en día, sin saberlo, nos refiramos a él ocasionalmente. Pero antes, conozcamos el reino en sí.

Epiro se situaba casi al este del "tacón de bota" de Italia, en lo que hoy es el noroeste de Grecia y el sur de Albania. A quienes estén familiarizados con la historia antigua, especialmente en esta zona del mundo, no les sorprenderá saber que los arqueólogos han descubierto pruebas de asentamientos que se remontan al Neolítico. Dada la posición de la tierra, parece lógico suponer que habría sido popular entre la gente de mar, lo que la habría convertido en un puerto conveniente. Y donde hay barcos, suele haber comercio. Con el tiempo, diversos grupos de personas se familiarizaron con la costa y poblaron la zona.

Uno de los primeros acontecimientos importantes en la historia de Epiro fue la invasión de los dorios en torno al año 1000 a. C., lo que demuestra que, incluso hace miles de años, esta tierra ya era valiosa y digna de ser reclamada. Los habitantes de la época parecen haber huido hacia el sur, en dirección a la Grecia continental. Una de las consecuencias más interesantes, sobre todo si se tiene en cuenta que la zona geográfica es relativamente pequeña en comparación con otros grandes países como Rusia o Estados Unidos, es que se produjo una especie de escisión de la población en torno a esa época y con posterioridad a ella.

En lugar de agruparse, los primeros pobladores parecen haberse dividido en tres tribus principales. Aunque no existía un nombre específico para cada una de estas regiones, a menudo se hacía referencia a ellas por el nombre del grupo étnico que residía allí. De norte a sur, eran los caonios, los molosos y los tesprotios. No fue hasta el siglo VI a. C. cuando se utilizó por primera vez el nombre de Epiro para referirse a la zona, nombre que procede de los escritos del historiador y filósofo Hecateo de Mileto.

Un mapa de Epiro

Regiones Antiguas Grecia Continental.png: MinisterForBadTimes (charla - contribs)trabajo derivado: rowanwindwhistler, CC BY-SA 2.5 <https://creativecommons.org/licenses/by-sa/2.5>, via Wikimedia Commons;

https://commons.wikimedia.org/wiki/File:Ancient_Regions_Mainland_Greece-es.svg

Lo que hace único a este nombre no es sólo su significado, sino también la perspectiva de la que procede. *Epiro* viene del griego y puede traducirse aproximadamente como "continente" o "tierra firme". Aunque no es improbable que la gente se refiera a su propio país con cualquiera de estos términos, parece más bien algo que dirían los marineros. De hecho, parece que incluso en los artefactos encontrados en la tierra de Epiro, la gente que vivía allí en aquella época no se refería a sí misma de esta manera y que posteriormente fue adoptado para convertirse en uso común tanto en la región como en sus alrededores.

Dado que la zona era probablemente útil para el comercio y el transporte marítimo, es tan sorprendente como improbable que ocurriera relativamente poco en su historia hasta alrededor del año 400 a. C. Este pensamiento se basa en gran parte en lo que hemos visto hasta ahora en la historia. Una zona con valor económico suele ser buscada para ser "reclamada" o "poseída" por una potencia más fuerte. Sin embargo, Epiro parece haber evitado gran parte de este tipo de agitación, quizás debido en parte al hecho de que era útil para muchas personas diferentes. Perturbar la vida en Epiro no habría sido inconveniente para unos pocos reinos pequeños, sino más bien para cualquier persona del mundo conocido que por casualidad utilizara la ruta. Esto es, por supuesto, especulación, pero vale la pena considerarlo cuando estamos en medio de tantas batallas "menores".

Sea como fuere, Epiro no iba a permanecer eternamente en su pequeño reducto de relativa paz. Alrededor del año 370 a. C., la dinastía de los eácidas molosos dio el primer paso para crear un estado centralizado. En la mitología, Eaco era el abuelo del famoso Aquiles, cuyo primo era Áyax. Los molosos empezaron a formar alianzas con el reino de Macedonia, ya que por aquel entonces ambos habían empezado a crecer en poder. Esto no sólo habría creado una especie de paz entre los dos reinos emergentes, sino que también ofrecía al menos cierta protección contra las incipientes incursiones ilirias en la zona.

En 359 a. C., la princesa molosa Olimpia se casó con el rey macedonio Filipo II. Si te resultan familiares estos nombres, es porque fueron los padres del influyente Alejandro Magno. La cosa se complica un poco con los nombres y los árboles genealógicos, pero al final todo debería quedar claro. Siguiendo con los molosos, Olimpia tenía un tío llamado Aribas, que era el gobernante de la época. A su muerte, el hermano de Olimpia, también llamado Alejandro, tomó esta posición de poder y se convirtió en el rey de Epiro.

Alejandro I de Epiro apoyó mucho a su sobrino, Alejandro Magno. Cuando Alejandro Magno se dirigía a reclamar tierras en Asia, el rey Alejandro de Epiro iba en dirección opuesta, hacia Italia. Esperaba encontrar ciudades griegas en el sur de Italia que pudieran unirse y apoyarse mutuamente contra el creciente poder romano en el norte y las tribus itálicas más cercanas. Aunque al principio tuvo éxito e incluso se enfrentó a estas tribus en un par de ocasiones, finalmente fue derrotado en 331 en la batalla de Pandosia.

En 330, Alejandro I murió, y se produjo un cambio algo drástico en la vida cotidiana de los habitantes de la zona. Por primera vez, las tres tribus se fundieron en un grupo mayoritario, hasta el punto de que incluso se suprimieron los tres sistemas de acuñación dispares, siendo sustituidos por un sistema singular que llevaba el nombre de "Epirotes" en el dinero.

Teniendo en cuenta lo que hemos visto hasta ahora, especialmente en lo que respecta a Macedonia, sería justo suponer que una vez muerto este primer rey, el trono estaba listo para hacer malabarismos durante las décadas siguientes. Pero, una vez más, Epiro parecía desafiar los estándares de la época, y aunque ciertamente hubo traiciones, muertes e intercambios de poder, no fue ni mucho menos a tan gran escala como en el antiguo imperio de Alejandro.

Tras la muerte de Alejandro I, Aquiles de Epiro ascendió al trono. Era primo de Alejandro I e hijo de Aribas. También apoyó firmemente a Olimpia, utilizando la ayuda de Polipercón para traerla a ella y a Alejandro IV de vuelta a Macedonia. Sin embargo, cuando Casandro siguió compitiendo por el poder y presionando a Olimpia, Aquiles se apresuró a enviar a los suyos en su ayuda.

Por desgracia, los epirotas de la época no lo tenían en gran estima. Los hombres de las trincheras, por así decirlo, parecían sentir que había demasiada influencia de Macedonia en los asuntos de Epiro y no veían con buenos ojos que su rey siguiera involucrándolos en tales batallas. Irónicamente, tras expulsar a Eácidas del país, la presión de Macedonia sobre Epiro fue aún mayor. Sin su líder, se encontraban en una situación difícil para retirarse de las acciones militares.

Hacia 313, los epirotas le habían devuelto al trono a Aquiles, quizá con la esperanza de recuperar un mínimo de la vida que había existido al principio de su gobierno y durante el de su predecesor. Pero no fue así, ya que Casandro envió a su ejército, bajo la dirección del hermano de Casandro, Filipo, contra los epirotas. En la segunda de estas batallas,

Aquiles fue asesinado.

El trono pasó a Alcetas, otro hijo de Aribas. Por último, Pirro de Epiro, hijo de Eácidas, fue nombrado rey y ocupó el cargo durante unos años antes de ser destronado por Casandro. Pero teniendo en cuenta que Pirro sólo tenía trece años cuando se colocó la corona por primera vez, no podemos mirar con demasiado desprecio su pérdida de autoridad en favor de un experimentado general. Lo interesante es que, aunque Casandro fue el responsable de la destitución de Pirro, no subió él mismo al trono. En su lugar, el nuevo rey de Epiro fue un hombre llamado Neoptólemo II.

Neoptólemo II gobernaría sólo cinco años. Durante este tiempo, Pirro, no contento con pensar en lo que podría haber sido, se dedicó a buscar la manera de hacerlo realidad. Entonces, ¿qué otra cosa podía hacer en esta época cuando se necesitaba apoyo financiero y militar sino recurrir a los Ptolomeos? Con Egipto a sus espaldas, Pirro pudo volver a Epiro como una fuerza a tener en cuenta. Neoptólemo aceptó la sugerencia de Pirro de gobernar juntos el Epiro, probablemente eligiendo lo que consideraba el menor de los males. No es de extrañar que esto no fuera mejor que abandonar el trono, ya que Neoptólemo murió en combate poco después a petición de Pirro.

Un busto de mármol de Pirro

© Marie-Lan Nguyen / Wikimedia Commons

https://commons.wikimedia.org/wiki/File:Pyrrhus_MAN_Napoli_Inv6150_n03.jpg

Una vez superado este pequeño bache, Pirro volvió a ser el único rey de Epiro, iniciando su segundo reinado en 297. Pirro era considerado uno de los líderes militares más hábiles de la época y era conocido por ser un firme opositor al crecimiento y la expansión de Roma. Utilizó su talento como líder para animar a los griegos de Tarento (aproximadamente en el talón de la bota de Italia) a luchar contra las tribus itálicas y llegó a iniciar acciones militares en Sicilia.

Bajo el liderazgo de Pirro, su ejército fue capaz de derrotar a los romanos en la batalla de Heraclea en 280, e incluso llegó hasta la misma Roma antes de verse superado en número y obligado a retirarse. Esto no fue suficiente para quebrar el espíritu de Pirro. Al año siguiente, Pirro volvió a la carga, esta vez invadiendo Italia a través de Apulia (más o menos la misma zona del bootheel italiano). Pirro se enfrentó a una poderosa fuerza romana en la batalla de Asculum y, aunque se llevó la victoria, se considera el comienzo de lo que más tarde se conocería como "victorias pírricas" (una victoria que devasta tanto al vencedor que bien podría considerarse una derrota).

Como el término aún no existía, Pirro siguió adelante, ya que una victoria seguía siendo una victoria. En 277, derrotó a los cartagineses y tomó su fortaleza en Eryx, Sicilia. Curiosamente, el resto de las ciudades cartaginesas parecieron rendirse y aceptar la derrota en ese momento, y la mayoría de ellas desertaron y se pasaron al bando de Pirro. Desgraciadamente para Pirro, este éxito continuado pareció subírsele a la cabeza o tal vez sacar a relucir facetas suyas poco estelares para un líder. Por otra parte, parece ser que traicionó a Neoptólemo y creó la idea de una victoria pírrica, por lo que quizás deberíamos preguntarnos cuál era su punto de vista.

Fuera como fuese, los griegos de Sicilia empezaron a ver a Pirro más como un déspota y, a pesar de su derrota ante los cartagineses, la opinión general sobre él era tan negativa que se vio obligado a huir de la isla. Por suerte, al menos en su opinión, aún le quedaba toda Italia por la que luchar. En 275, Pirro hizo su última incursión en la península, perdiendo no sólo la batalla, sino también la mayor parte de su ejército en la batalla de Beneventum.

Este no fue el final del reinado de Pirro, aunque siguió teniendo un marcado declive en sus intentos bélicos. En 272, perdió a su hijo mayor en una batalla por Esparta, un intento abortado de destronar al gobernante de allí y sustituirlo por una cohorte. Poco después, Pirro fue requerido para interceder en una disputa cívica en Argos. Deseoso de echar una mano o ansioso por seguir luchando, Pirro estaba un poco demasiado ansioso por trasladar sus tropas a la ciudad. Pese a intentar entrar con sigilo, parece que había hecho poco trabajo previo y se coló en una ciudad llena de callejuelas repletas de ciudadanos revoltosos.

Recordando lo mencionado anteriormente, aunque las mujeres suelen quedar en un segundo plano en este tipo de historias, a menudo desempeñaron papeles fundamentales, y ninguno es más revelador que éste en la batalla final de Pirro. Según Plutarco, mientras Pirro luchaba contra un soldado en una de las estrechas calles de la ciudad, la madre del soldado observaba desde el tejado justo encima. Viendo la oportunidad, o tal vez haciendo gala de sus instintos maternales, la mujer tomó una teja cercana y la arrojó contra el rey de Epiro, derribándolo de su caballo y, si no matándolo, probablemente dañándole gravemente la columna vertebral. Plutarco cuenta que un soldado cercano, llamado Zopiro, decapitó al rey inconsciente en el mismo lugar donde yacía.

Fue un final poco distinguido para un hombre al que, según Plutarco, el general cartaginés Aníbal había calificado como uno de los mejores líderes militares del mundo. Esto es especialmente interesante cuando se considera el término "victoria pírrica". Sí, "ganó" la victoria, pero lo hizo a un coste tan grande que se dejó a sí mismo más vulnerable de lo que era al principio. Incluso se dice que el propio Pirro hizo comentarios del tipo: "Una victoria más como ésta y estaré completamente deshecho".

Así pues, depende de cada uno decidir si el hombre era un gran líder o simplemente estaba decidido a ganar a toda costa. Aquí no pretendemos emitir juicios, sino simplemente presentar los relatos.

Lo cierto es que con la muerte de Pirro, el reino de Epiro había visto a su último rey de amplia fama histórica. Sólo tres reyes lo sucedieron: Alejandro II, Pirro II y Ptolomeo. Estos reinados fueron relativamente anodinos en comparación con el período de Pirro en el trono, aunque cabe señalar que después de Ptolomeo, una reina llamada Deidamia II gobernó muy brevemente, aproximadamente un año después de su primo, Pirro III, quien ocupó el trono durante un período aún más corto.

Deidamia tendría más importancia que ser reina. Debido a la continua agitación política y a las intrigas, Deidamia fue finalmente asesinada para apartarla del trono. Con su muerte y el ascenso al poder de la Liga Epirote (una efímera liga creada para unificar a las tribus epiroteas entre 370 y 320 a. C.), la dinastía eácida llegó oficialmente a su fin en 233 a. C.

Una vez instaurada la república federal, los cambios en Epiro fueron rápidos y profundos. Su capital fue trasladada a Fenicia, y el territorio y el poder del reino se redujeron. Esto no quiere decir que el Epiro quedara completamente relegado a un segundo plano. La región continuó siendo considerada como un actor importante en la política de la zona, pero con la creciente República Romana invadiendo lentamente desde el oeste, era sólo cuestión de tiempo antes de que la Liga Epirota tuviera que leer la escritura en la pared.

Durante la Primera y la Segunda Guerras Macedónicas, la Liga Epirote hizo todo lo posible por mantenerse neutral, tal vez recordando lo ocurrido en décadas anteriores, cuando había acudido en ayuda de Macedonia. Pero no pudo mantenerse al margen para siempre. En la Tercera Guerra Macedónica, los molosos decidieron aliarse con Macedonia, mientras que las otras dos tribus originales, los caonios y los tesprotios, se pusieron del lado de Roma.

Así pues, parece que, aunque se invirtió mucho tiempo y esfuerzo en unificar la zona bajo el nombre de Epiro y la liga, al final las cosas volvieron a su punto de partida. Las tres tribus principales estaban divididas, y los molosos optaron por apoyar a un caballo perdedor. En 167 a. C., Molossia cayó en manos de Roma, y casi 150.000 de sus habitantes fueron esclavizados por esta nueva potencia gobernante.

Capítulo VII - Las Antiguas Ciudades-Estado

En este capítulo, nos gustaría dedicar algo de tiempo a hablar de las dos ciudades griegas más conocidas y de cómo influyeron y fueron influidas durante el periodo helenístico. Por supuesto, estas ciudades-estado no son otras que Atenas y Esparta.

En lugar de intentar compararlas y contrastarlas constantemente a medida que avanzamos, primero vamos a echar un vistazo a Atenas y luego a Esparta y dejar que las similitudes y diferencias surjan de esta manera. Es probable que ya tengas algunas ideas preconcebidas sobre estas dos famosas ciudades, pero esperamos poder aclarar algunos mitos y quizá añadir algunas verdades más intrigantes que no hayas oído antes.

Si vamos a hablar de Atenas, parece justo empezar por el mito que dio origen a esta famosa ciudad. Aunque los eruditos debaten si fue primero la diosa Atenea o el nombre de la ciudad -una especie de huevo o gallina lingüística-, la mitología deja muy claro que fue Atenea quien dio nombre al lugar; antes de ella, no tenía nombre alguno.

Según la leyenda, Atenea y Poseidón se disputaban el territorio sin nombre y decidieron hacer un trato. Cada uno ofrecería algo al pueblo, y quien ofreciera el mejor regalo ganaría la ciudad como premio. Poseidón, dependiendo de la versión a la que uno se adhiera, ofreció el primer manantial de agua salada golpeando el suelo con su tridente o, algo menos dramático, ofreció el primer caballo. En todas las versiones, se dice que Atenea presentó el primer olivo domesticado, lo que quizá sea igualmente decepcionante en lo que se refiere a los poderes de los dioses. Pero si nunca antes se había visto un olivo o un caballo, habrían sido milagros serios. Al final, Cecrops, el rey del lugar sin nombre tomó la decisión final. Eligió el olivo por encima de lo que le ofreciera Poseidón, y la ciudad tuvo por fin una patrona y un nombre.

Para quienes busquen algo con un poco más de respaldo científico, las pruebas más antiguas de la existencia de habitantes en la zona datan de entre el XI y el VII milenio a. C., concretamente en la Cueva de Pizarra. Es posible rastrear con seguridad un poblamiento continuo hasta el año 3.000 a. C., lo que deja una amplia franja de historia por investigar y descubrir a medida que la ciencia avanza.

En lugar de repasar todos los acontecimientos importantes de los cinco mil años de que disponemos, seguiremos centrándonos en el periodo helenístico. Es importante hacer una distinción de términos. Como ya se ha mencionado, el periodo helenístico comenzó tras la muerte de Alejandro Magno, mientras que la época histórica anterior se conoce comúnmente como la Edad Clásica. La Edad Clásica comenzó en el año 480 y se prolongó hasta el inicio del periodo helenístico. Esto se debe a que cuando la gente piensa en Atenas, a menudo evoca imágenes de la Atenas clásica. Sócrates, Platón y Aristóteles fueron filósofos clásicos. Aristófanes y Sófocles fueron dramaturgos clásicos. Cuando se utilizan términos como "cuna de la civilización" o "cuna de la democracia", casi siempre se hace referencia a la Edad Clásica.

Tal vez sea un poco decepcionante, pero todo este prólogo sirve para situar la situación de Atenas después de Alejandro Magno. Sin embargo, durante la Edad Clásica se produjo un acontecimiento muy importante que entrará en juego en breve.

Atenas no era ajena a las guerras y las invasiones, ya que había sido saqueada y capturada dos veces en el plazo de un año a principios del siglo V a. C. Como ya se ha mencionado, la famosa batalla de las Termópilas tuvo lugar en el año 480, y los persas no tuvieron reparos en tomar y volver a tomar Atenas durante sus guerras generalizadas. En parte debido al problema persa y en parte para promover la democracia y los puntos de vista atenienses, el político griego Pericles ayudó a formar y guiar la Liga Deliana, un grupo destinado a unir y fortalecer las distintas ciudades-estado de la zona.

Sin embargo, ninguna buena idea está exenta de repercusiones, y esto es especialmente cierto cuando hay política de por medio. La Liga Délica no tardó en inclinarse hacia Atenas, y los disturbios no se hicieron esperar. En 431 estalló la guerra del Peloponeso, que duraría hasta el año 404, enfrentando a Atenas con su mayor rival por la hegemonía griega, Esparta. Con el paso del tiempo, y a medida que Esparta se involucraba menos en los asuntos atenienses, Macedonia intervino y comenzó a luchar por el poder en la zona. En el 338 a. C., Filipo II había derrotado a un frente unido de ciudades-estado griegas, poniendo fin a la independencia ateniense.

Todo esto viene a decir que no sólo la Edad Clásica de Atenas había quedado en el camino una vez iniciado el periodo helenístico, sino que Esparta ya había demostrado conservar más de las características generalizadas en las que se piensa hoy en día: el deseo de poder o, si éste no está disponible o es abrumador, el deseo de que la dejen en paz.

Naturalmente, uno se pregunta cómo encaja Alejandro Magno en todo esto, ya que cuando Filipo hizo su movimiento en 338, todavía estaba vivo. Una ciudad poderosa como Atenas no dudaba en oponer toda la resistencia que pudiera y seguir haciéndolo mientras fuera viable. Con esto en mente, los atenienses eran a menudo exiliados una vez que eran conquistados, una forma de dispersar a los alborotadores para que fuera menos probable que volvieran a rebelarse.

Sin embargo, el plan, por sabio que parezca, no estaba exento de defectos. Y el mayor error de pensamiento aquí es que lo único que los conquistadores quieren evitar que suceda es lo único que sigue sucediendo una y otra vez. A pesar de haber sido exiliados de Atenas, los atenienses tenían una fuerte tendencia a simplemente reagruparse dondequiera que estuvieran y esencialmente apoderarse de esta nueva área. Un buen ejemplo de ello es el exilio de los ciudadanos atenienses a Samos y el rápido cambio que experimentó la ciudad a su llegada.

Tal vez observando el patrón y pensando que era mejor tener un problema centralizado que muchos problemas dispersos, una de las últimas cosas que hizo Alejandro Magno antes de morir fue permitir que los atenienses regresaran a casa, poniendo fin a su exilio. Esto no fue sin una advertencia, ya que se les exigió a los griegos que renunciaran a cualquier poder que hubieran adquirido en lugares como Samos; era una forma de restablecer las cosas a su estado original.

Sin embargo, hay que señalar que los planes de Alejandro Magno no siempre estuvieron exentos de problemas. Durante sus años de conquista del mundo, Alejandro necesitaba desesperadamente alimentos para sus tropas. Al requisar todo lo que necesitaba de dondequiera que estuviera, creó efectivamente una escasez de grano en gran parte de Grecia, algo que no agradó demasiado a ninguno de sus ciudadanos, independientemente de dónde les dijera que podían vivir. Después de todo, morirse de hambre en un lugar probablemente no es más atractivo que morirse de hambre en otro.

Al morir Alejandro, Atenas vio por fin la oportunidad de empezar a jugar de verdad en la política griega. Cuando comenzó el periodo helenístico, Atenas empezó a fijar sus objetivos más alto de lo que quizás estaba preparada.

Dada la agitación que ya hemos cubierto tras la muerte de Alejandro, no es sorprendente saber que Atenas vio esto como un momento perfecto para atacar el prepotente dominio macedonio. Si se destruía esta hegemonía, no sólo se liberaría a Atenas de su gloria anterior, sino que también se abriría el camino para el posible resurgimiento de algo parecido a la Liga Délica, con Atenas de nuevo en el centro de las cosas.

A pesar de lo que se pueda pensar sobre filósofos, artistas y la estereotipada falta de instinto militar de esta gente, Atenas hizo un encomiable trabajo al apretarle las tuercas a Macedonia. Desgraciadamente, al enfrentarse a una potencia mayor, hay algo que casi siempre tiene el mayor impacto, y es el tiempo. Durante los años 323 y 322 a. C., Atenas y la Liga Etolia sitiaron a Macedonia en Lamia. Antípatro, el general macedonio, no tuvo éxito en el campo de batalla, pero probablemente sabía que si aguantaba lo suficiente, podría conseguir refuerzos y poner fin a la lucha.

Así que esperó. Finalmente, se trajeron más tropas de Asia y, a medida que los macedonios retrocedían, Antípatro pudo liberarse de Lamia y perseguir a la liga hasta Tesalia, donde finalmente fueron derrotados en la batalla de Crannon en 322. En una decisión interesante, Antípatro optó por firmar la paz con las ciudades derrotadas de forma individual en lugar de colectiva. Esto debilitó las alianzas griegas, dejando a Atenas y a algunos miembros de la Liga Etolia básicamente solos. Para evitar el resurgimiento de otra rebelión, Antípatro disolvió la liga e impuso un nuevo sistema plutocrático al pueblo restante. Bajo estas órdenes, sólo los nueve mil ciudadanos más ricos de Atenas podían permanecer en la ciudad; el resto fueron desterrados.

Sin embargo, no hay descanso para los cansados, ya que las conocidas batallas de Diadocos también empezaban a tomar forma por aquel entonces. Grecia también sentía la presión del Imperio romano, que, como siempre, intentaba reprimir cualquier rebelión en la región.

Atenas, Esparta y otras ciudades-estado formaron una alianza política con Egipto, que mantuvo una apariencia de equilibrio durante un tiempo, aunque en 267, esta nueva alianza estaba dispuesta a enfrentarse de nuevo con Macedonia. La guerra cremonidea duró unos seis años, en los que Atenas luchó por su anterior independencia y Egipto trató de eliminar a Macedonia como principal obstáculo para su propia expansión en la zona del Egeo.

Si hay una cosa que sabemos hacer, es ir a hablar con Ptolomeo. Si hay dos cosas, es hablar con Ptolomeo y formar una liga. Por suerte, en este caso, Ptolomeo II Filadelfo (hijo de Ptolomeo I, uno de los generales de Alejandro Magno) se adelantó y eliminó al intermediario, creando él mismo una liga antimacedonia. Tal vez recordando los problemas causados por el acaparamiento del grano griego por parte de Alejandro Magno, Ptolomeo ofreció grano a Atenas y otras ciudades griegas para comprar su favor facilitándoles una de las cosas de las que siempre podrían necesitar más.

No pasó mucho tiempo antes de que un general ateniense, Crémonides, tomara el poder y le declarara la guerra a Macedonia. Aunque las fechas varían un poco, ya que algunas fuentes lo sitúan en el otoño de 268, está claro que, en 267, Crémonides parecía haberse inclinado más hacia la lógica y menos hacia el lado virtuoso de su estoicismo, ya que las batallas habían comenzado.

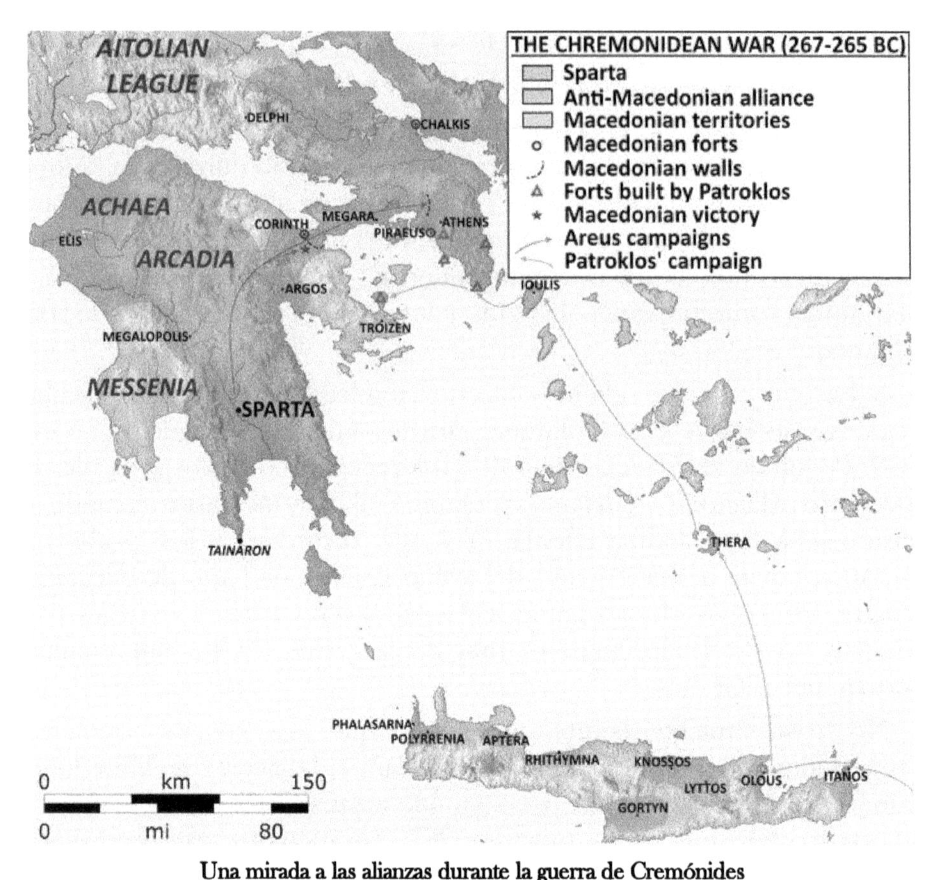

Una mirada a las alianzas durante la guerra de Cremónides

T8612, CC BY-SA 4.0 <https://creativecommons.org/licenses/by-sa/4.0>, via Wikimedia Commons; https://commons.wikimedia.org/wiki/File:Chremonidean_War_-_First_Stage_(267-265_BC).tif

Mientras que en el año 266 el poder osciló de un lado a otro de forma bastante constante, en 265, el rey espartano, Areo I, fue abatido en batalla, y el favor comenzó a inclinarse fuertemente a favor de Macedonia. Los atenienses sufrieron mucho por la pérdida de un aliado tan fuerte y se vieron obligados a retirarse dentro de las murallas de su ciudad, con la esperanza de que Ptolomeo y su ejército y armada fueran capaces de dar un paso adelante y hacer algunos movimientos decisivos contra el enemigo.

Sin embargo, Ptolomeo II parecía no estar seguro de cómo manejar la situación. No fue hasta 261, casi cuatro años después de la muerte de Areo y el cambio de la marea, cuando Ptolomeo finalmente se comprometió a enviar su armada en apoyo. Se puede especular sobre si una decisión más rápida habría ayudado o no, pero al final no pudo ofrecer ninguna ayuda.

La armada de Ptolomeo II quedó aislada y fue derrotada en la batalla de Cos. Para Ptolomeo, esto podría haber sido una decepción, pero para Atenas, fue devastador. Todo lo que había luchado y ganado tras la muerte de Alejandro podía serle arrebatado. Cualquier elemento de independencia, política o de otro tipo, fue eliminado, y a todos los efectos, los atenienses se encontraron precisamente donde habían estado al final del reinado de Alejandro. Eran un pueblo con una gran reputación, pero sus días de gloria habían quedado atrás una vez más.

Aunque esto no nos lleva al final del periodo helenístico, es un momento adecuado para dejar de lado la desaparición de Atenas y mirar a la otra gran ciudad-estado de la época, Esparta. Ya hemos visto que Atenas y Esparta podían llevarse bien cuando lo necesitaban, pero fuera de una película en particular y una serie de libros más o menos precisos sobre la ética espartana, la filosofía, e incluso cosas como consejos de negocios, esta ciudad en particular parece haber ganado una reputación debido a su reputación. En lugar de limitarnos a relatar las historias que todos hemos oído o visto, dediquemos un momento a profundizar en la propia ciudad y en cómo encaja en esta caótica y complicada época.

Al igual que Atenas, a principios del periodo helenístico Esparta ya tenía muchos problemas. Había sido quizá la potencia militar preeminente en Grecia desde aproximadamente el año 650 a. C. Durante un tiempo lideró la hegemonía espartana, pero la batalla de Leuctra puso fin a su dominio político en 371. Sin embargo, a diferencia de muchas otras ciudades-estado, Esparta pudo mantener su independencia política hasta que la Liga Aquea la obligó a unirse en 192.

No obstante, algunos dirían que fue esta pérdida inicial en la batalla de Leuctra de la que Esparta nunca se recuperó del todo. Sin embargo, una posición debilitada no era algo que le impidiera a los reyes espartanos implicarse en incursiones políticas y militares cuando lo consideraban necesario. En 333, el rey Agis III envió a sus hombres a Creta para asegurar la isla para Persia, aprovechando la preocupación de Alejandro Magno en el este. Una vez conseguido esto, dirigió su atención hacia Macedonia, donde se hizo con el mando de las fuerzas griegas y aprovechó sus primeras victorias para acabar sitiando Megalópolis en 331.

Sin embargo, Antípatro y el ejército macedonio no se lo permitieron y marcharon contra los espartanos, derrotándolos con contundencia en la batalla. Los espartanos perdieron unos 5.300 soldados, mientras que

Antípatro sólo vio 3.500 muertos. Pero no sería una batalla espartana sin al menos algún acto excesivamente galante. Se dice que el rey Agis, que resultó herido de muerte durante la batalla, dijo a sus hombres que se retiraran, pero que lo dejaran atrás, permitiéndole crear al menos algún tipo de distracción y quizás frenar el avance de las fuerzas macedonias. Aunque Agis fue asesinado poco después por una jabalina, se dice que aun así mató a varios de los soldados enemigos pese a tener que luchar de rodillas.

Si esto impresionó a alguien o incluso frenó el avance de los hombres de Antípatro es algo que nunca sabremos con certeza, pero podemos ver que cuando las aguas se calmaron y Alejandro tuvo que emitir su juicio final sobre los rebeldes espartanos, fue sorprendentemente indulgente. La única repercusión de sus acciones fue que Esparta se vio obligada a unirse a la Liga de Corinto, algo a lo que se había negado anteriormente, ya que, de hecho, significaba formar una coalición con Macedonia.

Los espartanos no eran necesariamente un pueblo derrotado. En muchos sentidos, el hecho de que la ciudad-estado existiera es bastante sorprendente. Pero sí aporta algo de contexto para lo que podría considerarse su distanciamiento. En este punto, muchos espartanos habían luchado y muerto, y al final de todo, se vieron obligados a hacer algo que dijeron que no querían. Cabe preguntarse si los espartanos habrían preferido la aniquilación a ser despreciados. Sea como fuere, es comprensible que Esparta hiciera todo lo posible por mantenerse al margen de los problemas del resto de Grecia.

Por supuesto, esto no podía durar para siempre, pero antes de adentrarnos en más batallas, hay una característica específica de Esparta que vale la pena investigar. Si bien antes vimos que Pirro sugirió un correinado y que la idea de regentes y co-gobernantes fue al menos sugerida tras la muerte de Alejandro, la idea y la ejecución han estado normalmente en extremos muy divergentes del espectro. Esparta, por su parte, fue capaz de llevar a cabo este tipo de liderazgo con bastante solvencia.

Oficialmente, este tipo de gobierno se denomina oligarquía, y los dos reyes fueron designados por herencia, representando a las familias Agiad y Euripóntida, ambas consideradas descendientes de Heracles, quizá más conocido por su equivalente romano, Hércules. Existen diversas versiones de cómo se llegó a esto, pero en una de ellas, Aristodemo y Argeia tuvieron un par de hijos gemelos. Dependiendo de la versión que se prefiera, Aristodemo declaró que ambos gobernarían por igual o, en una versión un poco más humorística, simplemente no podía distinguirlos y no estaba seguro de cuál era el primogénito.

Independientemente de cómo sucedió, los reyes espartanos compartían las típicas obligaciones religiosas, judiciales y militares, aunque se ha observado que, si bien ambos reyes eran iguales en la ciudad, en el campo de batalla uno solía tomar el mando. Dice mucho del carácter de esta célebre ciudad que un sistema así pudiera funcionar con éxito y durante tanto tiempo. Sin embargo, debemos recordar que no todos los sistemas son perfectos; algunos son simplemente menos malos que otros, y cada uno de ellos sigue estando sujeto a los individuos que ejercen el poder en un determinado momento.

Para profundizar un poco más en esto, examinemos la situación de los reyes Agis IV y Leónidas II en 245 (aunque no el Leónidas de las Termópilas, que data de 240 años antes). En este momento de la historia de Esparta, ésta había caído en una especie de crisis social. La riqueza estaba desigualmente repartida, por lo que Agis ideó un plan para reformar la deuda y la tierra, que tanta riqueza había creado. Leónidas no estaba de acuerdo con esto y sorprendentemente perdió el trono por ello. Sin embargo, Agis ni siquiera se encontraba en Esparta en ese momento, y cuando regresó, él también fue juzgado.

Como las cosas seguían pasando de padres a hijos, el hijo de Leónidas, Cleómenes III, intentó rectificar el problema mediante una vieja y fiable rutina. Asaltó Megalópolis, con la esperanza de traer suficiente botín para ofrecer al menos algún tipo de equilibrio a los ciudadanos espartanos. Naturalmente, la Liga Aquea, dirigida en aquel momento por Arato de Sición, no se mostró muy satisfecha con la decisión de Cleómenes. Incluso los éforos, cinco de los más altos magistrados de Esparta, la desaprobaron por considerar que representaba mal la actitud espartana.

Lo sorprendente de todo esto es que, aunque los éforos parecían tener la misma opinión que Arato, Cleómenes fue capaz de convencer a este último. Juntos, volvieron a derrocar a los éforos. Con los magistrados fuera del camino, una situación que Arato rectificó con creces, y mucho botín a su disposición, Cleómenes comenzó a redistribuir la tierra y a cancelar las deudas de las que su propio padre no era partidario.

Los términos "espartano" o "licurgo" se utilizan a menudo; incluso la frase "ingenio lacónico" proviene de este grupo de personas. Y todos estos términos tienen la misma idea detrás. Una especie de sencillez, disciplina y control se asocia a menudo con Esparta y sus gentes. A los ojos de Cleómenes, esto era algo que había comenzado a desvanecerse en el fondo, y era algo que él quería desesperadamente traer de vuelta. Mientras que algunos veían su actitud y sus acciones como un problema que se avecinaba, los pobres espartanos percibían la revolución en Cleómenes y lo apoyaban aún más por ello.

Con el apoyo del pueblo, Cleómenes comenzó a expandirse, invadiendo y tomando las ciudades y zonas circundantes cada vez que tenía la oportunidad. Si bien tuvo éxito, la mayor desventaja de esta expansión fue que Cleómenes no era diferente de cualquier otro gobernante de la época. Mostraba a su pueblo que no buscaba la reforma social, sino simplemente la gloria y el poder.

Una visión aproximada de la región de Esparta en 228

MapMaster, CC BY-SA 3.0 <https://creativecommons.org/licenses/by-sa/3.0>, via Wikimedia Commons; https://commons.wikimedia.org/wiki/File:Map_Cleomenean_War-en.svg

Aunque Cleómenes trató de repartir parte del poder, sobre todo entre aquellos a quienes favorecía en Esparta, su siguiente movimiento no fue uno que ningún otro gobernante pudiera ignorar. Lo has adivinado: fue a Egipto (ahora gobernado por Ptolomeo III Euergetes) y consiguió apoyo para continuar su expansión.

Lo que Cleómenes no tuvo en cuenta, o tal vez simplemente no le preocupó, fue que, aunque Arato había perdonado aparentemente los asaltos anteriores, el hombre no se quedaba atrás en lo que a política se refería. A lo largo de su vida, Arato sería elegido diecisiete veces miembro de la Liga Etolia, un logro que no podría alcanzar una persona carente de previsión e intelecto. Una vez que Cleómenes estrechó la mano de Egipto, Arato supo hacia dónde se dirigían las cosas.

Haciendo un trato inteligente, Arato convenció a la liga para que se aliara con Macedonia y creara una fuerza. Antígono III Dosón, rey de Macedonia en aquel momento, también tenía algunos trucos bajo la manga. Sabiendo que Ptolomeo probablemente sólo apoyaba a Cleómenes por el posible beneficio que preveía y no por ninguna cuestión ética o moral en particular, Antígono envió a su propia gente a ver a Ptolomeo. Aunque no está probado, parece que Antígono le habría ofrecido parte de sus tierras en Asia Menor a Ptolomeo si el gobernante egipcio dejaba de apoyar a los espartanos.

Una vez que Ptolomeo cambió de bando, los días de Cleómenes estaban contados. Aunque el rey siguió haciendo incursiones en Megalópolis y otros lugares, estaba claro que el ejército espartano, muy reducido, no tenía ninguna posibilidad frente a las fuerzas macedónicas. En 222, en la batalla de Sellasia, todo el ejército espartano fue destruido casi por completo.

Cleómenes fue uno de los pocos que escapó de la muerte. Volvió corriendo a Esparta, donde aconsejó al pueblo que se sometiera a Antígono. A continuación, el rey vencido se apresuró a huir a Alejandría, con la esperanza de encontrar protección en Ptolomeo. Aunque la entrada de Antígono en una ciudad conquistada podría parecer la de otro líder que toma otra ciudad, en este caso es muy significativa. Era la primera vez en la historia espartana que un rey extranjero entraba ceremonialmente en la ciudad. Antígono no sólo restauró a los éforos, sino que también, quizá sin querer, propinó el mayor insulto al orgulloso pueblo al suspender por completo la realeza.

A Cleómenes, por su parte, no le quedaba mucho tiempo. Aunque Ptolomeo III Euergetes estaba dispuesto a apoyar una lucha para recuperar Esparta (aunque cabe preguntarse por qué Cleómenes confiaba en él), este Ptolomeo murió poco después de la llegada de los espartanos. Su sucesor, Ptolomeo IV Filopator, no tuvo tiempo para el depuesto rey, lo desatendió y finalmente lo puso bajo arresto domiciliario. Esto duró hasta 219, cuando Cleómenes escapó. Esperaba incitar una revuelta entre el pueblo de Alejandría, pero se llevó una gran decepción al comprobar la falta de apoyo. Antes que ser recapturado, Cleómenes optó por suicidarse en una ciudad que no era la suya.

Sin embargo, este no fue el final de Esparta, sino que, como vimos con Atenas, ciertamente hubo una tendencia descendente durante la mayor parte del periodo helenístico. La ciudad-estado volvería a ver reyes y recuperaría parte de su antigua gloria militar antes de que su llama comenzara a apagarse. Pero por el momento, dejaremos la ciudad donde está, en proceso de cambio y esperando la llamada para alzarse de nuevo en batalla. Como probablemente habrás adivinado, no tendrá que esperar mucho.

Capítulo VIII - Las Ligas

Ahora que nos hemos acercado un poco a un par de ciudades en concreto y hemos dado al menos una idea de cómo funcionaban estas regiones individuales, es hora de alejarnos un poco e intentar dar una visión algo más amplia del funcionamiento de Grecia en aquella época. Obviamente, hemos mencionado las ligas en varias ocasiones, pero suelen ir y venir, y puede resultar difícil hacerse una idea de ellas. Sin una comprensión general de las ligas, puede parecer que surgen de la nada cuando parece conveniente.

Esto, por supuesto, no es del todo incorrecto, aunque tal vez les dé a las ligas un perfil más azaroso de lo que realmente fue el caso. En cierto modo, las ligas no eran diferentes de los tratados o las alianzas. Estaban muy implicadas en los aspectos políticos y militares de la vida cotidiana. Pero es importante recordar que estas operaciones se realizaban a una escala mayor de lo que uno podría pensar. Mientras que las ligas se ocupaban casi exclusivamente de estos dos ámbitos, tenían muy poco que ver con la forma de gobernar a bajo nivel en las ciudades-estado. Sería algo parecido a si las Naciones Unidas se encargaran de los límites de velocidad en todas las ciudades de todos los países que participan en la organización. Es simplemente demasiado, y ya existen gobiernos que se encargan de esas cosas.

Este tipo de sistema se llama *sympoliteia* o "mancomunidad" en griego, y permitía un sistema de gobierno más ágil. Muchos de nosotros nos hemos enfrentado a las frustraciones de la burocracia de una forma u otra, esperando a completar formularios o lidiando con la llamada "burocracia".

Al permitir que las ligas se ocuparan de los asuntos a mayor escala, los griegos pudieron operar de forma más eficiente para el ciudadano de a pie.

Por supuesto, como hemos visto, ninguno de estos sistemas funcionó a la perfección, y hubo más de un bache en la política, incluso a pesar de las ligas (o quizá debido a ellas). Ya hemos mencionado las ligas aqueas y eetolias. Volveremos a tratarlas con más detalle, pero es importante señalar que, aunque eran las ligas más poderosas, no eran las únicas. La Liga Beocia y la Liga Nesiótica son dos confederaciones menos conocidas que merecen ser estudiadas, e incluso Rodas tuvo una alianza con la dinastía ptolemaica, que también será analizada.

Para empezar, tenemos la Liga Etolia. Estaba situada en Grecia central y existió aproximadamente entre los años 370 y 188 a. C. Es importante señalar que, aunque no fue la primera liga (ya existían los aqueos, como ya veremos), constituye un ejemplo bastante estándar de cómo surgieron estas uniones, por qué y qué ocurrió antes y después de ellas.

Para empezar un poco antes del periodo que nos ocupa, la Liga Etolia no era del todo popular entre el pueblo griego en su conjunto. Se oponía firmemente tanto a Macedonia como a la Liga Aquea, y se acusaba a la liga de estar aliada con grupos de pueblos más bárbaros o peligrosos. Pero la liga era una federación militarmente fuerte y rival para la mayoría de los ejércitos en la época de su creación. Su nombre procede de la ciudad de Etolia, en Grecia central. Cuando se produjeron guerras históricas a gran escala, como la guerra del Peloponeso, los etolios intentaron inicialmente mantenerse neutrales. Sin embargo, una vez que la batalla llegó a sus puertas, el pueblo no tuvo más remedio que tomar partido y unirse a la refriega. Cuando los atenienses intentaron invadir Etolia, el pueblo se retiró, pero no se mantuvo completamente al margen de la batalla. En su lugar, ofrecieron apoyo de forma más pasiva a las ciudades-estado más grandes y pudieron iniciar una especie de alianza a través de un enemigo mutuo.

Desafortunadamente, ningún grupo de personas toma siempre las decisiones más sabias, y aunque los etolios se unieron inicialmente a Tebas para defenderse de los atenienses y, más tarde, de la expansión de Alejandro Magno, no fueron aceptados universalmente por los demás griegos hasta mucho más tarde. Como ya hemos dicho, la muerte de Alejandro Magno causó más de una agitación en la región griega, y los etolios no se quedaron al margen. Durante la guerra Lamiana, se posicionaron firmemente en contra de Antípatro y Macedonia, una postura que mantendrían durante bastante tiempo.

Pero, como ocurre a menudo, los enemigos pueden convertirse en aliados con bastante rapidez cuando surge la necesidad. Esta necesidad se presentó durante la invasión de los galos. Los etolios fueron cruciales para hacer retroceder esta invasión desde el norte, y sus éxitos les granjearon un nivel de respeto mucho mayor a los ojos de Grecia en su conjunto. Esto fue especialmente evidente tras su participación en la expulsión de los galos de Delfos.

Aunque esto unió a gran parte de Grecia con los etolios, este apoyo nunca pudo ser unánime. Macedonia era casi siempre una fuerza a tener en cuenta, y los etolios jamás pudieron entenderse con este reino. En la guerra Social, entre el 220 y el 217 a. C., Macedonia realizó una fuerte ofensiva contra Etolia y, quizás sin quererlo, preparó el terreno para el siguiente gran movimiento de la liga, que supuso un importante cambio en la política y la independencia de Grecia durante mucho tiempo.

Cuando comenzaron las guerras Macedónicas, que enfrentaron a Macedonia y Roma en 215, la Liga Etolia probablemente no había olvidado el duro trato recibido a manos de Macedonia pocos años antes. La Liga Etolia, viendo lo inevitable o quizá simplemente deseando vengarse de quienes la habían atacado tan recientemente, optó por aliarse con la República Romana. Pero con el paso de los años y a medida que el siglo III se convertía en el siglo II, los etolios empezaron a cambiar su giro respecto a Roma.

En la época de la Segunda Guerra Macedónica, la liga estaba cansada de lo que consideraba una intromisión de Roma en los asuntos griegos e intentó contraatacar a la república. Probablemente, la expansión romana contaba con suficiente fuerza como para que ninguna resistencia tuviera éxito, sobre todo tras la derrota de Antíoco III, rey del Imperio seléucida y aliado de la liga en sus posturas antirromanas. Sin el apoyo de los seléucidas, la Liga Etolia se debilitó y presentó poca resistencia a la creciente presencia romana.

Curiosamente, en lugar de aniquilar por completo a la liga, Roma hizo que los estados miembros firmaran un tratado de paz. De hecho, esto convirtió a la Liga Etolia en un aliado sometido hasta cierto punto al gobierno y la dirección de Roma. Sin embargo, la liga seguía existiendo, aunque sólo fuera de nombre. Cualquier poder político o militar que hubiera tenido en el pasado había sido eliminado casi por completo, y la liga se limitaba a funcionar a un nivel mucho más básico.

No es de extrañar que muchas de las ligas griegas corrieran la misma suerte, siendo absorbidas por otras ligas o cayendo en manos de los romanos. La Liga Aquea, que veremos a continuación, no tuvo tanta suerte en sus últimos días.

A diferencia de la Liga Etolia, que surgió y luego siguió su curso, la Liga Aquea tuvo una existencia dividida en dos partes. De hecho, algunas fuentes hablan de esta iteración helenística como la Segunda Liga Aquea.

Originalmente, la Liga Aquea fue creada en algún momento del siglo V a. C. Estaba situada aproximadamente en la zona noroccidental del Peloponeso y existió hasta el año 373. La razón de una fecha de inicio tan imprecisa y una fecha de finalización tan firme es simple: fuerzas externas actuaban, no sólo sobre la liga, sino también sobre Grecia en general. La capital de la liga era Helike, una ciudad que fue destruida por un terremoto y un posterior tsunami en 373. Aunque esto deja algunas dudas sobre por qué la liga no resurgió inmediatamente en una nueva zona, parece, al menos por los registros existentes, que la liga simplemente desapareció durante la mayor parte del siglo IV.

A pesar de lo que parece un comienzo poco estelar, la Liga Aquea se convirtió en una de las federaciones más exitosas durante este periodo de la historia. Aunque esto podría parecer una especie de paréntesis, algo parecido a decir que eres el mejor en un determinado deporte *en tu cuadra*, la influencia aquea sigue vigente hoy en día. El federalismo que se desarrolló, en particular a través de los escritos del historiador Polibio, repercutió en acontecimientos incluso tan recientes como la redacción de la Constitución de Estados Unidos.

Volviendo al periodo que nos ocupa, la Liga Aquea no representaba inicialmente ningún tipo de poder en su nueva encarnación. Estaba constituida únicamente por cuatro zonas: Dyme, Patrae, Pharae y Tritaea. Aunque la liga se expandió con bastante rapidez a lo largo de la década siguiente, no fue hasta el año 251 a. C. cuando un importante movimiento ayudó a catapultar a los aqueos a la vanguardia del mundo griego. Ese año, Árato de Sición, un líder militar y político que había sido exiliado de su hogar fue capaz de derrocar al poder en su ciudad natal y alinear a los ciudadanos con los aqueos. Aunque una ciudad más no parezca una gran adición, lo importante era con quién se aliaba la ciudad de Sición. En este caso concreto, fueron los dorios y los jonios. Su aceptación no sólo abrió la puerta a una inclusión más variada en la Liga Aquea, sino que el propio

Arato sería elegido *strategos*, o general, de la liga en diecisiete ocasiones.

Uno de los aspectos más impactantes de tener a Arato al mando fue su desdén por el reino de Macedonia. En ese momento, los macedonios se estaban expandiendo por Grecia y el Peloponeso. A pesar de la teoría de que su rey, Antígono II, estaba instalando líderes "amistosos" en sus tierras conquistadas, Arato opinaba lo contrario. Desde el punto de vista de los aqueos, estos nuevos líderes no eran más que tiranos, una opinión quizá comprensible cuando uno se da cuenta de que el propio padre de Arato había sido asesinado por uno de estos líderes "amistosos".

Sabiendo que Ptolomeo II tampoco era partidario de Antígono, Arato consiguió ayuda de Egipto para hacer retroceder a los macedonios, capturando finalmente Corinto en 243 y bloqueando más o menos cualquier otra expansión de las fuerzas macedonias en Grecia. El cambio de poder de Ptolomeo II a Ptolomeo III no afectó a la colaboración entre Arato y Egipto, y tras su éxito contra Macedonia, gran parte de Grecia estaba ansiosa por unirse a este nuevo y poderoso líder. Al ver que su ya fuerte enemigo seguía creciendo, Antígono decidió cortar por lo sano en 240 y firmó un tratado de paz con la liga, cediendo al mismo tiempo sus tierras conquistadas.

Como dice el refrán, parecía que ninguna buena acción quedaba impune. Mientras Arato lograba hacer retroceder a los macedonios y dar más estabilidad y fuerza a los aqueos, las demás ligas griegas miraban con preocupación. El crecimiento de una liga podía alterar el delicado equilibrio, y no pasó mucho tiempo antes de que los etolios y los espartanos empezaran a hacer retroceder a los aqueos.

Como referencia, esta es la otra cara de la guerra Social. Como recordarás, esta guerra no comenzó hasta el 220 a. C., por lo que transcurrieron dos décadas entre el tratado de paz con Macedonia y el estallido de una nueva guerra. Lo que lo hace especialmente interesante es que, como podrás recordar, los etolios estaban en guerra con Macedonia. Esto significa que Macedonia y la Liga Aquea funcionaron como aliados durante esta debacle de tres años.

En lugar de volver sobre este tema tan pronto tras discutirlo con la Liga Etolia, pasemos rápidamente por el poco tiempo que le queda a la Liga Aquea, algo que Arato, que murió en 213, se habría alegrado de perderse. En la Segunda Guerra Macedónica, que comenzó en el año 200, los aqueos se habían vuelto de nuevo contra Macedonia y se habían puesto del lado de Roma en el campo de batalla. Pero cuando comenzó la

Tercera Guerra Macedónica en 171, la Liga Aquea se planteó cambiar de lealtad nuevamente, esta vez mirando más favorablemente hacia los macedonios.

Sin embargo, Roma no tuvo mucha paciencia. Para asegurarse un buen comportamiento, Roma decidió tomar rehenes entre los ciudadanos y secuestrar a personas influyentes y respetadas. Entre ellos estaba Polibio, que más tarde escribiría uno de los libros más influyentes sobre el ascenso de Roma.

Con todos estos cambios de lealtades y comportamientos preocupantes en ambos bandos, no es de extrañar que Roma decidiera que ya era suficiente con Grecia. En 146, comenzó oficialmente la guerra Aquea. Tras la derrota griega en Corinto, Roma destruyó la ciudad y disolvió la Liga Aquea. Con este último movimiento, los vencedores pusieron fin a cualquier tipo de gobierno independiente en Grecia durante muchos, muchos años.

El Último Día de Corinto, de Tony Robert-Fleury

Sería muy exagerado decir que estas dos ligas fueron las únicas alianzas importantes que se hicieron durante este periodo de la historia griega, y un rápido vistazo a cualquier cronología de la Grecia clásica o helenística seguramente abrumará a cualquiera con la enorme cantidad de ligas y grupos humanos que existieron en un momento u otro. La Liga de

Corinto, la Liga Beocia, la Liga Nesiótica, la Liga Calcídica, la Liga Délica, la Liga Arcadia y la Liga Bruttiana no son más que una pequeña muestra de los complejos y complicados vínculos políticos que influyeron en la estructura y estabilidad de la región durante esos siglos. Está mucho más allá del alcance de esta visión general sumergirse en todas y cada una de estas uniones, así que vamos a examinar más de cerca una ciudad en particular para poner fin a esta sección.

Además de la ciudad original, Rodas está asociada a muchas otras cosas, entre ellas el Coloso de Rodas, una de las Siete Maravillas del Mundo Antiguo. Lo que quizás no venga a la mente de inmediato es que la ciudad se vio envuelta en este asunto de las ligas tanto como cualquier otra. Aunque intentó mantenerse neutral, la mayoría de las veces Rodas formó parte de la Liga Délica. Una vez que la guerra del Peloponeso estuvo bien encaminada, Rodas decidió dar un paso atrás y apartarse todo lo posible del derramamiento de sangre. La ciudad cambiaría de manos varias veces antes de pasar a formar parte de los territorios conquistados por Alejandro Magno.

Geográficamente, Rodas se encontraba en una posición afortunada. Al ser un puerto y una zona comercial fiable y útil, la zona era económicamente próspera y también se convirtió en una especie de intersección de culturas. Como suele ocurrir con este tipo de ciudades, Rodas estaba casi obligada a recibir lo último en ideas y educación. Aunque la ciudad mantenía una fuerte alianza con la cultura egipcia, también estaba abierta a diversas influencias procedentes de los cuatro puntos cardinales.

Rodas pronto se hizo famosa por sus escuelas de filosofía, ciencia y retórica. Como era de esperar, también era famosa por sus artistas y su cultura. Incluso sus astrónomos eran conocidos en todo el mundo antiguo. Pero quizás nada haya llegado hasta nosotros a través de la historia con tanta fama como una estatua.

El Coloso de Rodas comenzó a construirse en el año 292 a. C. y se terminó en el 280, el momento dulce de la historia en el que todas las Siete Maravillas existían o, al menos, habían comenzado a construirse. La enorme estatua era una celebración de la defensa de la ciudad contra el ejército y la armada de Demetrio Poliócrates, un líder militar de Macedonia. Como gran parte del arte y la escultura antiguos y clásicos que contemplamos hoy en día, el Coloso de Rodas es algo que se deja a la imaginación basándose en las impresiones y escritos de otros. En este caso, nos basaremos sobre todo en Filón de Bizancio, un ingeniero y físico que escribió sobre mecánica en la época en que el Coloso aún estaba en pie.

Según Filón, la estatua fue construida sobre una base de piedra con placas de bronce que formaban el cuerpo real de la estatua. Explica que, para crear una figura tan alta, la gente empezó construyendo en el lugar exacto en el que querían que se alzara la estatua, creando la primera capa y luego rodeando la construcción terminada con tierra, lo que le permitió a los escultores subir y seguir trabajando de un nivel a la vez. Aunque a menudo nos imaginamos al Coloso de pie a horcajadas sobre una vía fluvial, lo más probable es que ambos pies estuvieran en el mismo lado del puerto.

Fuera como fuese, el Coloso no se mantuvo en pie para siempre. En el año 226 a. C., un terremoto sacudió la zona y partió la estatua por las rodillas. Teniendo en cuenta que, una vez terminada, su altura habría sido similar a la de la Estatua de la Libertad de los pies a la cabeza, es comprensible que la gente viajara sólo para ver sus restos durante casi ocho siglos. Lo que lo hace aún más interesante es que, aunque a menudo nos hemos referido a los Ptolomeos de forma un tanto irónica, Ptolomeo III se ofreció a financiar la reconstrucción de la estatua poco después del terremoto.

Sin embargo, cuando se consultó al Oráculo de Delfos, se informó al pueblo de que no debían reconstruirla. Aunque este tipo de mensajes no siempre son los más claros, al menos para los rodios, se asumió que habían ofendido a Helios y decidieron dejar los trozos donde yacían en lugar de arriesgarse a que su ciudad sufriera más daños. Sorprendentemente, lo que ocurrió con estos restos es un misterio perdido en el tiempo. Es evidente que las partes de la estatua permanecieron a la vista durante cientos de años, pero esto no implica en absoluto que recibieran ningún tipo de cuidado o atención. Algunos historiadores sugieren incluso que las placas de metal fueron reutilizadas y que lo que una vez fue una de las Siete Maravillas del Mundo Antiguo fue tal vez vendido o incluso fundido.

Tercera Parte: Los Reinos Helenísticos de Oriente Próximo

Capítulo IX - El Imperio seléucida

Hasta este punto, hemos bailado un poco con la cronología del periodo helenístico y la existencia de otras ciudades-estado, permitiendo cierto solapamiento entre ambas. En las próximas secciones, examinaremos más detenidamente los reinos e imperios que surgieron tras el final de las guerras de los Diadocos y que, en su mayoría, terminaron más o menos al mismo tiempo que el periodo helenístico. Examinaremos en detalle tres entidades principales, a saber, el Imperio seléucida, el Reino Ptolemaico y el Reino de Pérgamo, y luego daremos una breve visión general de algunos de los reinos menores de la época.

Para empezar, el Imperio seléucida duró aproximadamente del 312 al 63 a. C. Originalmente formaba parte del Imperio macedonio, pero se separó en el año 321. Según la geografía actual, habría incluido Irak, Irán, Afganistán y Siria. Bajo Seleuco I, el imperio se expandió hasta incluir lo que hoy serían Kuwait y Turkmenistán, aunque esto fue lo más grande que llegarían a ser sus fronteras.

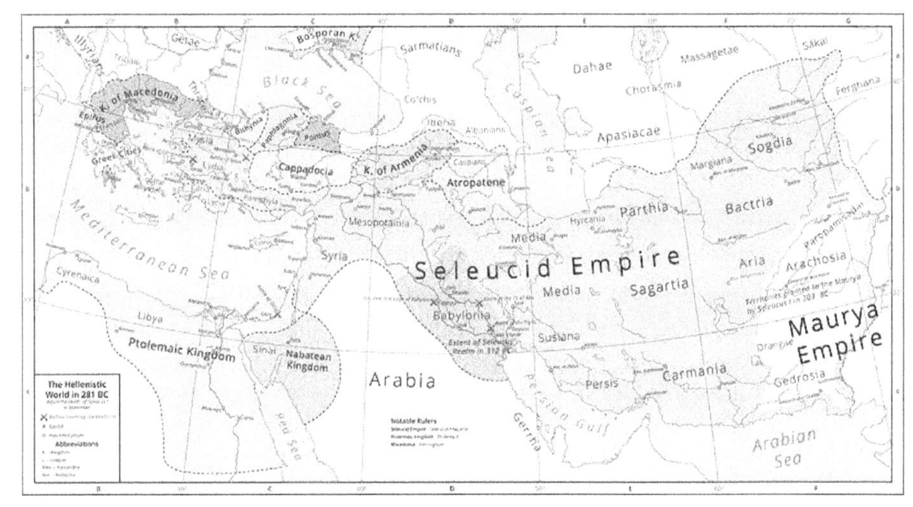

El Imperio seléucida en 281

User:Cattette, CC BY-SA 4.0 <https://creativecommons.org/licenses/by-sa/4.0>, via Wikimedia Commons; https://commons.wikimedia.org/wiki/File:Seleucid_Empire_alternative_map.jpg

El Imperio seléucida era considerado una de las regiones más sofisticadas de la cultura griega, en parte debido a la disposición de su pueblo a aceptar las tradiciones locales de quienes ya residían en aquellas tierras. Los griegos que vivían en el Imperio seléucida constituían una élite. Tenían una gran influencia política en la época y, como era de esperar, esta zona de poder atrajo a un mayor número de inmigrantes. Cuando la balanza empezó a equilibrarse entre los habitantes locales originales y los griegos que se trasladaban a nuevas zonas, las tradiciones de la zona también empezaron a equilibrarse, creando una mezcla de culturas y perspectivas.

En términos generales, los seléucidas no se enfrentaron a la dinastía ptolemaica en Occidente, aunque más adelante hablaremos de ello. Los seléucidas no parecían hacer amigos con facilidad, y a pesar de tener esta estrecha relación con Egipto, tardaron en entablar amistad con la India en el este. Esto fue particularmente evidente en las relaciones con el Imperio Maurya y su gobernante, Chandragupta.

Bajo el reinado de Antíoco III el Grande, los seléucidas intentaron expandirse, pero tanto Grecia como Roma se opusieron, lo que condujo al pago de indemnizaciones y a la cesión de territorios. El imperio funcionaría brevemente como un estado rampante antes de ser derrocado por el general romano Pompeyo en el año 63 a. C.

Esto está bien como resumen, pero profundicemos un poco más en la importancia de este reino griego oriental. Quizá el primer punto de confusión sea el uso indistinto de "reino" e "imperio". Ambos términos son formas habituales de referirse a los seléucidas, ya que muchos de los gobernantes de esta región y de zonas cercanas se autodenominaban "reyes de Siria". Basándonos en lo que hemos discutido antes, parece razonable pensar que esto podría haber sido una visión ligeramente exagerada de sí mismos. Como aprendimos al principio, los hombres a cargo de estas zonas después de Alejandro Magno eran sátrapas, que funcionaban mucho más como gobernadores que como reyes, o al menos esta era la intención original durante el reparto de tierras.

Para aclarar todo esto, lo más fácil es empezar por el principio. Después de todo, "seléucida" no es un nombre que se pueda sacar de un sombrero. Como habrás adivinado, hubo un Seleuco al principio de todo esto. Originalmente fue el comandante en jefe de la compañía de caballería a las órdenes de Alejandro. Tras la muerte de Alejandro, fue nombrado Primer Chiliarca o Chiliarca de Corte, un oficial superior que estaba al mando de mil soldados. Desempeñó este cargo bajo el mando de Pérdicas, pero, por desgracia para éste, Seleuco fue uno de los responsables de derrocar y asesinar al caudillo en el año 323.

Deberíamos ir acostumbrándonos al hecho de que, aunque el poder cambiaba de manos violentamente y con frecuencia durante el periodo helenístico, nunca parecía acabar bajo el control de líderes benévolos. Aunque Seleuco ayudó a destituir a Pérdicas, no era conocido por ser paciente o amable. Si bien en un principio había recibido Babilonia en el reparto de las tierras de Alejandro, se apresuró a expandirse todo lo posible y con poca consideración por aquellos a los que derrocaba. Seleuco acabó erigiéndose en rey, eligiendo Babilonia como centro de su imperio en 312.

Puede que todo esto estuviera muy bien. Después de todo, Seleuco podía llamarse a sí mismo como quisiera, suponiendo que siguiera actuando con algún tipo de respeto o aceptación de su posición como sátrapa. Naturalmente, no fue así. Casi inmediatamente, en 311, Seleuco empezó a tener problemas tanto con Antígono I Monoftalmo como con su hijo, Demetrio I Poliocretes. Seleuco salió victorioso contra el dúo padre-hijo en Asia, lo que lo colocó en una posición aún más segura en Babilonia y le dio la mayor parte de la porción oriental del imperio de Antígono.

Tras dos años de guerra y su exitosa expansión, uno podría pensar que Seleuco estaría satisfecho, y durante un tiempo, parece que lo estuvo. Entre el final de esta guerra en 309 y 305, hubo un breve período de paz para el Imperio seléucida. Pero en 305, la política en la India estaba a punto de tener un impacto en esta región griega.

Anteriormente hemos mencionado brevemente Chandragupta y el Imperio Maurya en la India. Éste surgió en torno al año 321 a. C. y, como de costumbre, pasó la mayor parte del tiempo expandiéndose y conquistando las zonas circundantes. Sin embargo, lo importante para nuestra historia es que en 317 Chandragupta había conquistado todos los sátrapas de Alejandro Magno que quedaban en su territorio.

Seleuco comenzó a empujar hacia el este, con la esperanza de ofrecer algún tipo de apoyo a los griegos expulsados y retomar las satrapías que Chandragupta había reclamado. Seleuco vio el gran aprieto geográfico en el que podía encontrarse si se permitía que progresaran las cosas en la India, por lo que es probable que no estuviera ofreciendo apoyo movido por la bondad de su corazón. Es importante señalar que todo esto son conjeturas, aunque no parece descabellado basarse en los relatos más detallados que tenemos de acontecimientos posteriores.

Pero para jugar a dos bandas, al final Seleuco formalizó un tratado de paz con el Imperio Maurya. Algunos historiadores creen que Seleuco entregó a su propia hija en matrimonio a Chandragupta para consolidar el tratado. Curiosamente, se dice que el regalo de Chandragupta a cambio fueron elefantes. Aunque dejamos a la especulación de cada uno el uso exacto del término "regalo". Lo importante es que, al menos de momento, tras entregar a su hija y ceder parte de sus tierras, Seleuco estableció una frontera muy fuerte en su flanco oriental.

El hecho de que Chandragupta aceptara el tratado de paz no estuvo exento de problemas. Para un pueblo tan proclive a la expansión como los antiguos griegos, establecer una frontera tan sólida impedía de hecho cualquier tipo de esfuerzo de expansión hacia el este. Por supuesto, como habrás adivinado, esto dejaba el oeste totalmente abierto, y fue precisamente allí donde a continuación Seleuco decidió centrar sus esfuerzos.

Con Antígono como su enemigo más cercano y tal vez recordando su victoria pasada, Seleuco se movió contra el gobernante, derrotándolo una vez más en 301. Con este éxito, Seleuco fue capaz de asegurar el este de Anatolia y el norte de Siria. Tras esta expansión, pudo establecer dos capitales más para el creciente imperio, una en Antioquía, en el Orontes, y otra llamada Seleucia, situada en el río Tigris.

Uno esperaría que un imperio en expansión y una capital con su nombre fueran suficientes, pero no fue así. Por desgracia para Seleuco, su ambición de tierras estaba a punto de alcanzarlo. Tras derrotar a Antígono, Seleuco decidió continuar su avance hacia el oeste, enfrentándose a las fuerzas de Tracia y Macedonia. El intento de arrebatar este reino a Lisímaco sería el último gran acontecimiento en la vida de Seleuco. Uno de los Ptolomeos, en este caso, Ptolomeo Cerauno, tenía otros planes y asesinó a Seleuco mientras el gobernante realizaba un sacrificio.

Para hacer un breve comentario, sobre todo teniendo en cuenta que los Ptolomeos utilizaban sistemáticamente este apelativo, Ptolomeo Cerauno era hijo de Ptolomeo I Soter, el general original puesto por Alejandro Magno cuando fueron creadas las satrapías. Cerauno fue el heredero al trono tras la muerte de su padre, pero gobernó sólo brevemente antes de que el pueblo lo expulsara del trono y lo sustituyera por su hermano menor, Ptolomeo II Filadelfo. La destitución de Cerauno le llevó a huir hacia Macedonia, de ahí su posición cuando llegó Seleuco.

El Imperio seléucida no se iba a quedar sin líder. Sin embargo, el hijo de Seleuco, Antíoco I Soter (*soter* significa "salvador"), no fue tan grandioso como su nombre haría creer. Aunque dejó tras de sí un gran imperio, también aumentó la animosidad entre su propio imperio y los de Macedonia y Egipto. No sólo eso, sino que la expansión hacia Asia Menor, que había parecido una buena idea en su momento, se veía ahora amenazada por una invasión de los celtas. Estos problemas se prolongaron durante el reinado del hijo de Antíoco I Soter, Antíoco II Teos. Entre los dos, su liderazgo duró apenas cuatro décadas, con Antíoco I gobernando del 281 al 261 y Antíoco II cubriendo los siguientes quince años hasta el 246. Lo más importante de estos años es que, al final del reinado de Antíoco II, muchas de las provincias del Imperio seléucida estaban dispuestas a rebelarse e intentar la independencia.

Seleuco II Calínico fue el siguiente en llegar al poder y, a pesar de ser el bisnieto del líder que había creado el imperio que llevaba su nombre, parece que las habilidades militares del bisabuelo no fueron transmitidas de generación en generación. Seleuco II fue derrotado ampliamente por Ptolomeo III durante la Tercera Guerra Siria y, por si fuera poco, pronto se vio envuelto en una guerra civil con su propio hermano, Antíoco

Hierax. Tal vez esto supuso la proverbial "gota que colmó el vaso", ya que las provincias que llevaban años ansiando la independencia decidieron que había llegado el momento de actuar.

Bactriana, Sogdiana, Capadocia y Partia se alzaron con mayor o menor éxito. El líder de Partia, Andragoras, sería asesinado unos años más tarde cuando fue invadido, pero esta zona de tierra seguiría siendo conocida como el Imperio parto. Diodoto, que dirigía tanto Bactriana como Sogdiana, se impuso para formar su propio reino greco-bactriano hacia el año 250. Incluso los galos, que triunfaron donde los celtas no lo habían conseguido, fueron capaces de invadir Asia Menor y establecerse en Galacia.

A estas alturas, el Imperio seléucida no sólo estaba perdiendo prestigio, territorio y fuerza militar, sino que su economía también empezaba a resentirse. Con estas debilidades en casi todos los frentes, sería razonable suponer que éste era el principio del fin de los seléucidas.

Es razonable pensar eso, pero no es del todo exacto. En el 223 a. C., el hijo de Seleuco II, Antíoco III el Grande, subió al poder. Antíoco III es considerado por la mayoría como el gobernante más exitoso en toda la existencia del Imperio seléucida, además de Seleuco I. Es cierto que al principio tuvo un pequeño tropiezo, perdiendo ante las fuerzas egipcias durante la Cuarta Guerra Siria, pero esto no era una señal de lo que estaba por venir.

Alrededor del año 215, Antíoco comenzó un viaje que duraría casi diez años y que lo llevaría a través de la gran mayoría de las tierras rebeldes alrededor de su imperio. Partia y el Reino Greco-Bactriano fueron sometidos, al menos a un respetable nivel de obediencia, después de que Antíoco sitiara sus capitales. Para continuar con los paralelismos entre él mismo y Seleuco I, Antíoco incluso llegó a reunirse con el gobernante del Imperio Maurya, tal vez incluso recibiendo más elefantes. Al menos en este caso, Antíoco habría recibido elefantes de guerra, que sin duda habrían sido útiles en las constantes batallas a las que se enfrentaba.

Este es un lugar excelente para detenernos un momento y señalar que, por muy lógicas y fiables que sean estas historias, siguen existiendo algunas dudas que deben ser abordadas. Si bien esta historia de Antíoco viajando a la India y reuniéndose con el gobernante es quizás mundana, las preguntas surgen cuando nos fijamos en el rey del Imperio Maurya de la época, un hombre llamado Sofageseno. La cuestión principal que se plantea aquí no es si se reunió con Antíoco, sino más bien si este hombre existió. En los registros actuales, sólo el historiador Polibio (200-118 a. C.) tiene constancia de la existencia de Sofageseno. Naturalmente, esto podría significar simplemente que ya no existen otras referencias, pero siempre vale la pena señalar el valor de considerar múltiples fuentes cuando se mira tan atrás en la historia.

Dicho esto, lo que sabemos con certeza es que Antíoco seguía adelante con su expansión. Ptolomeo IV, quien había gobernado en el oeste, había muerto, y ahora que Antíoco estaba en la zona, parecía el momento perfecto para empujar en esa dirección. Antíoco no estaba interesado en una repetición de la Cuarta Guerra Siria, sin embargo, planificó con antelación, haciendo un trato con Filipo V, el rey de Macedonia, para distribuir uniformemente todo lo que solía pertenecer a los Ptolomeos fuera de Egipto.

Así comenzó la Quinta Guerra Siria. Esta vez, los seléucidas estaban mejor preparados y pudieron salir victoriosos del campo de batalla frente a Ptolomeo V. De hecho, en el año 200, cuando tuvo lugar la batalla de Panium, la gran mayoría de las antiguas tierras ptolemaicas habían pasado al dominio de los seléucidas.

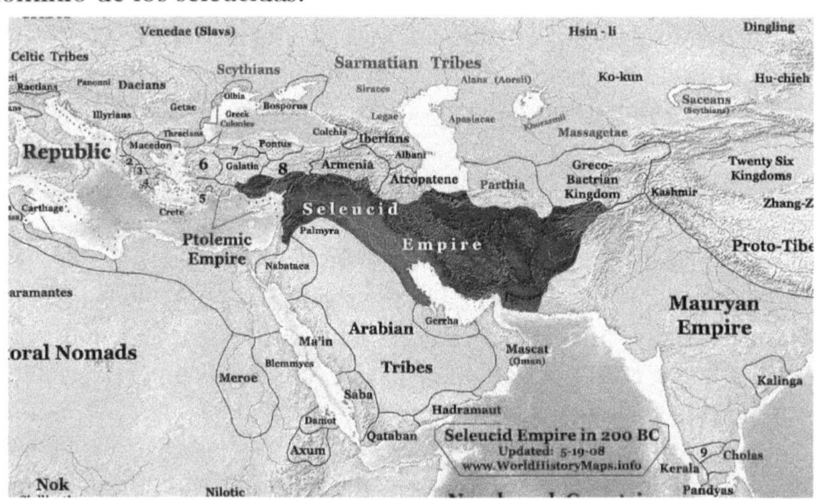

Una mirada al Imperio seléucida en el año 200 a. C.

Thomas Lessman (Contact!), CC BY-SA 3.0 <https://creativecommons.org/licenses/by-sa/3.0>, via Wikimedia Commons https://commons.wikimedia.org/wiki/File:Seleucid-Empire_200bc.jpg

Nada bueno puede durar para siempre y, como parece ser el caso, el constante afán de Antíoco por conseguir más iba a ser su perdición. Tras más de una década de éxitos militares y políticos, no se lo puede culpar, pero su siguiente plan de extenderse por Grecia y el Mediterráneo fue desacertado. Si bien es muy probable que hubiera establecido el Imperio seléucida como el principal órgano de gobierno en Grecia, también llevó a Antíoco a una batalla directa con otro cuerpo grande y decidido: Roma. En el transcurso de unos años, Antíoco sufrió pérdidas de hombres y dinero en varias batallas, lo que puso al Imperio seléucida en una situación desesperada.

El Tratado de Apamea, en 188, fue quizás el último clavo en el ataúd de la expansión de Antíoco. El acuerdo no sólo le impidió intentar expandirse más allá de los montes Tauro, sino que también supuso una pesada carga financiera para el imperio y lo despojó de gran parte de sus tierras en el oeste. Antíoco continuaría recaudando fondos como pudo, pero fue asesinado durante un viaje para hacerlo sólo un año más tarde, en el año 187 a. C.

Durante el resto del siglo II, las cosas no mejorarían para el Imperio seléucida. Campañas infructuosas, deudas y frecuentes guerras civiles se convertirían en la norma para los seléucidas. Antíoco IV, V, VI y VII se enfrentaron a enemigos en todos los frentes, algunos de los cuales provenían de sus propios hogares, con los gobernantes luchando contra hermanos y otros miembros de la familia que sentían que habían sido pasados por alto para el trono o que podían gobernar mucho mejor que el hombre sentado en él. Las provincias que se habían rebelado antes volvieron a hacerlo, haciendo que el Imperio seléucida casi vibrara con su constante fluctuación de tamaño y territorio. Cuando Antíoco VII murió en 129, ya no había un gran líder en la línea o incluso uno medianamente tolerable para mantener vivo el imperio. El declive del imperio a causa de las invasiones y rebeliones llegaría rápidamente.

El siglo I a. C. debió de ser extraño para los habitantes del Imperio seléucida. Unos cien años antes, los seléucidas estaban a punto de convertirse en el mayor imperio de Grecia. Ahora, el "reino" incluía básicamente Antioquía y un puñado de ciudades en Siria. Los gobernantes de los seléucidas seguían llamándose reyes, y parece que el resto del mundo se contentaba con seguirles el juego a esta pretensión de nobleza. Lo cierto es que, según algunas fuentes, el Imperio seléucida siguió existiendo simplemente porque nadie quería molestarse en ocuparlo. La posición geográfica del imperio, que había sido un beneficio y un perjuicio, fue quizá la única razón real para dejar que el imperio siguiera existiendo, ya que creaba una zona de amortiguación decente entre Grecia y la India.

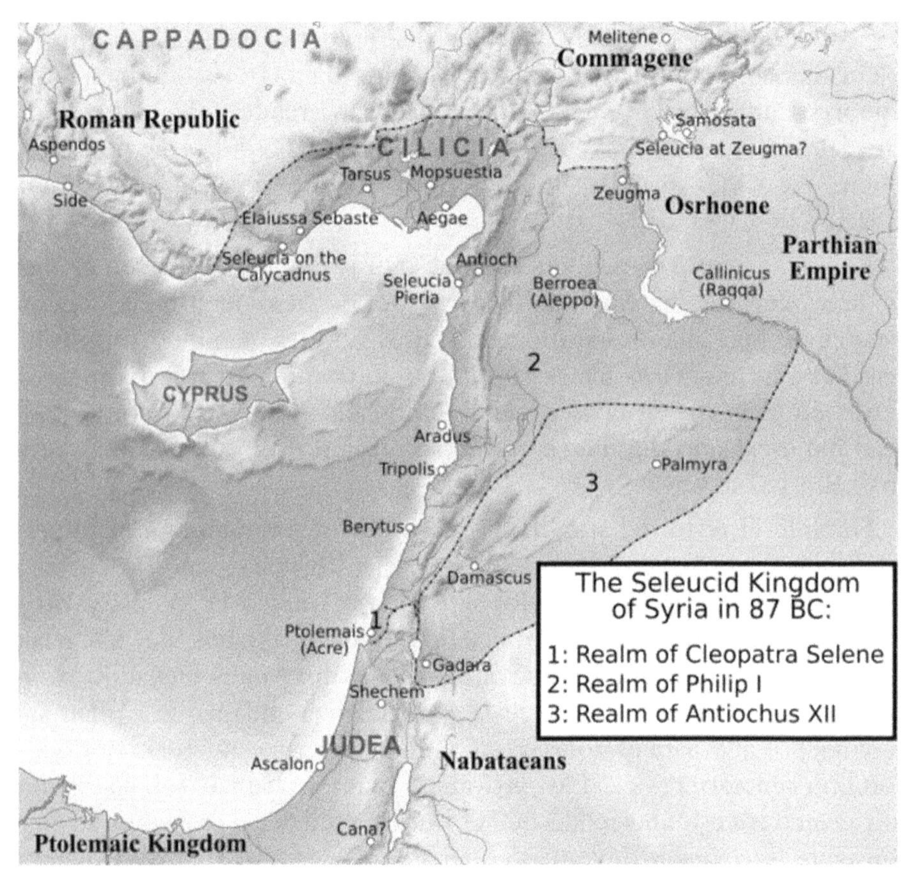

El Imperio seléucida en el 87 a. C.

Constantine Plakidas, CC BY-SA 4.0 <https://creativecommons.org/licenses/by-sa/4.0>, via Wikimedia Commons; https://commons.wikimedia.org/wiki/File:Syria_under_the_Seleucids_87_BC.svg

En el año 83, Tigranes el Grande de Armenia finalmente hizo un movimiento por el territorio. Aunque la mayoría diría que este fue el fin del Imperio seléucida, aún no había exhalado su último aliento. Un general romano con un nombre de trabalenguas, Lucio Licinio Lúculo, acudió en ayuda de los griegos y derrocó a Tigranes, permitiendo que los seléucidas funcionaran como una especie de estado bajo el gobierno del rey Antíoco XIII en el año 69 a. C. El hecho de que hubiera un rey en el poder era una señal de que el Imperio seleúcida había llegado a su fin.

El hecho de que hubiera un rey había significado muy poco para los seléucidas durante bastante tiempo, y ahora no era diferente. Las constantes batallas estaban empezando a convencer a los habitantes de las zonas circundantes de que la existencia del Imperio seléucida, incluso como zona tampón, era más de lo que valía. En el año 63 a. C., Cneo Pompeyo Magno, el general romano quizás más conocido como Pompeyo el Grande, comenzó a renovar la gran mayoría de la parte oriental de las tierras helenísticas. Pompeyo permitió que algunas de las zonas griegas continuaran desempeñando su función como nación cliente o aliada. Sin embargo, el Imperio seléucida fue erradicado por completo y convertido en una provincia romana.

Capítulo X - La Dinastía Ptolemaica

Por fin, después de tantas menciones, hemos conseguido centrarnos en este influyente y complejo reino. La dinastía duró hasta el año 30 a. C., lo que la convierte en la más larga y reciente de las antiguas dinastías egipcias. Pero su declive comenzó mucho antes de lo que uno podría esperar, ya que sólo los tres primeros Ptolomeos tuvieron el tipo de gobierno exitoso en el que uno piensa cuando considera la gran reputación de Egipto a lo largo de la historia. Haremos todo lo posible por destacar momentos importantes a lo largo de la existencia del reino, pero la mayor parte de nuestra discusión se centrará en el principio y el final de los Ptolomeos en Egipto.

Como ya hemos mencionado, el primer Ptolomeo no era egipcio ni mucho menos. Más bien, Ptolomeo I Sóter fue uno de los generales de Alejandro Magno (posiblemente su hermanastro) y, como tantos otros personajes de los que se habla en esta historia, recibió su poder durante el reparto de los dominios de Alejandro. Es importante señalar que, aunque Ptolomeo recibió esta satrapía en el año 323, no fue hasta el 305 cuando se declaró faraón y añadió "Soter" (que significa "salvador") a su nombre.

Se ha argumentado que parte de esta mezcla de culturas se hizo con la esperanza de legitimar su gobierno y obtener algún tipo de reconocimiento. Bajo Ptolomeo I, los procedimientos de gobierno siguieron siendo bastante helenísticos y burocráticos, aprovechando todas las oportunidades disponibles en Egipto. Sin embargo, a partir de

Ptolomeo II, las cosas empezaron a cambiar. Si bien Ptolomeo I permitió que el pueblo egipcio mantuviera el poder a nivel local y no interfirió en ninguna de sus creencias y prácticas religiosas, era bien sabido entre la población que si querían ascender en el sistema y ganar más poder e influencia, lo mejor era que hicieran todo lo posible por helenizarse.

Ptolomeo II empezó a cambiar las cosas. En lugar de que el pueblo se volviera helénico, empezó a adoptar más las costumbres egipcias en cuanto a religión y política, llegando incluso a incluir la práctica un tanto inusual de casar a hermanos entre sí, aunque a menudo esto se debía más a razones políticas que románticas. Con el paso del tiempo, Egipto se convirtió rápidamente en una de las zonas más poderosas y ricas que habían quedado de Alejandro Magno. Teniendo esto en cuenta, quizá cada vez esté más claro por qué tantos otros líderes militares, sátrapas y rebeldes recurrieron a los Ptolomeos en sus momentos de necesidad.

Por supuesto, la posición de la dinastía no duraría para siempre. A mediados del siglo II a. C., las diversas guerras civiles y extranjeras llevaron a Egipto a depender cada vez más de Roma, que finalmente acabó dominándolo. Egipto fue el último estado helenístico en sucumbir a Roma, y enseguida adquirió un estatus superior, convirtiéndose en una de las provincias más ricas de Roma y en un centro de cultura.

Para empezar por el principio, debemos remontarnos a las guerras Diadocas. Ptolomeo I no era inmune a las escaramuzas, batallas y acaparamientos de poder que se producían a su alrededor. Esta época de agitación no dejó prácticamente ninguna parte de Grecia sin tocar. Aunque Ptolomeo I estaba constantemente involucrado en la agitación militar y política que lo rodeaba, al parecer todavía era capaz de encontrar algún tipo de equilibrio entre su vida personal y profesional, ya que tuvo un total de cuatro esposas a lo largo de su vida. Quizá esto sea más bien una prueba de falta de equilibrio, pero lo que es seguro es que hacia el 295 a. C., su tierra en Egipto era relativamente estable. Además de establecer la dinastía egipcia, Ptolomeo patrocinó los primeros trabajos matemáticos de Euclides y escribió una historia de las campañas de Alejandro, que desgraciadamente se ha perdido. Ptolomeo fue también el responsable de la planificación inicial de la Biblioteca de Alejandría. Sorprendentemente, una de las principales características de Ptolomeo I es que murió de muerte natural en torno al año 282 a. C., cuando tenía ochenta y dos u ochenta y tres años.

Gracias a las acciones de Ptolomeo, cuando su hijo, Ptolomeo II Filadelfo, heredó el trono en 282, era el trono de un reino fuerte y estable. Esto no quiere decir que Ptolomeo II no tuviera su buena ración de batallas y expansión. Participó en la Primera y Segunda Guerras Sirias, en la guerra de Cremónidas y en otras batallas.

En lugar de centrar todos sus esfuerzos en luchar y financiar batallas ajenas, Ptolomeo II estaba interesado en expandir su propio imperio. Empujó hacia el sur, hacia Nubia y el territorio kushita, debido al siempre importante oro que allí podía encontrarse. Además, reactivó algunos programas egipcios que nunca habían sido completados o que habían caído en desuso. En particular, pudo limpiar y reabrir el canal del Nilo al golfo de Suez, un proyecto iniciado originalmente por Darío I casi trescientos años antes, en el siglo VI.

Si tenemos que comparar a estos dos primeros Ptolomeos, hay claras diferencias entre ellos en lo que respecta a su tiempo en el trono. Tal vez sin ser culpa suya, Ptolomeo I se vio arrastrado a más acciones militares y tareas políticas que Ptolomeo II. Esto es comprensible, no sólo debido a lo que ya sabemos sobre la zona durante el período, sino también debido al hecho de que estaba tratando de establecer un nuevo sistema y una nueva clase gobernante en Egipto. Sin embargo, el interés de Ptolomeo I por la educación y la cultura se transmitió a Ptolomeo II, que encontró una época más acogedora y pacífica en la que prosperar.

Ptolomeo I había comenzado a hacer planes para la Biblioteca de Alejandría, pero fue Ptolomeo II quien realmente la construyó. Este es el patrón que vemos en gran parte de la historia que involucra a estos dos hombres. Incluso Euclides, que encontró apoyo por primera vez bajo Ptolomeo I, seguiría recibiendo financiación de Ptolomeo II. Si hemos de creer la historia transmitida por el historiador griego Proclus Lycius, es posible que el matemático se sintiera más que aliviado.

Según Proclus, Ptolomeo I no sólo estaba interesado en apoyar a Euclides, sino que también intentaba comprender en qué trabajaba el matemático. Tras leer los *Elementos* de Euclides, Ptolomeo I preguntó si no habría una forma más fácil de dominar la materia. Por desgracia tanto para él como para nosotros, se cuenta que la respuesta de Euclides fue directa y al grano: "Señor, no hay camino real hacia la geometría".

Pero a pesar de su incapacidad para poner a Ptolomeo I a la altura en su trabajo matemático, Euclides siguió trabajando con éxito durante el reinado de Ptolomeo II, y no fue el único. La investigación científica floreció bajo este gobernante, al igual que el trabajo de poetas e historiadores. Quizás lo más notable sea el trabajo astronómico de Aristarco. Fue aquí donde se presentó el primer modelo heliocéntrico del universo, con la Tierra girando alrededor del Sol aproximadamente una vez al año y sobre su propio eje aproximadamente una vez al día. Se discute hasta qué punto llegó el alcance de Ptolomeo en estas actividades más intelectuales, e incluso hay quien afirma que fue el principal defensor de la Septuaginta, que es el nombre que recibió el Antiguo Testamento cuando se tradujo al griego. Hoy en día sería difícil encontrar demasiados historiadores que apoyaran esta idea, pero muestra la tendencia a asociar a Ptolomeo II con una amplia variedad de avances educativos y mentales que podrían no pertenecerle.

Quizá uno de los cambios más interesantes y drásticos que introdujo Ptolomeo II estuvo relacionado con sus matrimonios, en particular, con la forma en que sus matrimonios afectaban a sus parientes. Para continuar con la confusa situación de los nombres que ya hemos establecido aquí, las dos esposas de Ptolomeo II se llamaban Arsinoe. Al principio del reinado de Ptolomeo II, hubo una disputa sobre si él o su hermano debían ocupar el trono. Naturalmente, esto no terminó sólo porque Ptolomeo II se convirtiera en gobernante, y después de algún tiempo, decidió poner fin a la controversia simplemente eliminando a la competencia y ejecutando a algunos de sus hermanos.

Su hermana había sido dada en matrimonio a Lisímaco (el rey de Tracia que hemos mencionado en secciones anteriores), y tal vez para mostrar su apoyo a Ptolomeo II, Lisímaco le devolvió el favor entregándole a su hija, Arsinoe I, en matrimonio al gobernante egipcio. Es importante señalar que de este matrimonio nacieron todos los hijos de Ptolomeo y que es a través de esta línea familiar que encontramos la línea de sucesión. Ahora la parte un poco más confusa.

La hermana de Ptolomeo, esposa de Lisímaco, es la segunda Arsinoe, Arsinoe II. Después de las ejecuciones en Egipto y después del matrimonio de Ptolomeo, Arsinoe II regresó a Egipto. Es más que probable que no estuviera del todo contenta con la muerte de sus hermanos y pronto se encontrara enfrentada a Arsinoe I en medio de una riña familiar excepcionalmente violenta. Se cree que Arsinoe I fue acusada de conspiración por las acciones de Arsinoe II y fue rápidamente exiliada a la ciudad de Coptos, en la orilla oriental del Nilo.

Dado que Lisímaco había muerto unos diez años antes, en 281, Arsinoe II y Ptolomeo II se casaron, creando la primera unión hermano-hermana de la dinastía. Es importante señalar algunos hechos sobre esta boda. En primer lugar, el pueblo egipcio no lo consideraba un acontecimiento insólito. Muchos de sus faraones habían estado casados con hermanos, y casi se consideraba más una parte del oficio que la indicación de alguna relación particularmente tabú. En segundo lugar, Ptolomeo y Arsinoe II nunca tuvieron hijos, lo que lleva a muchos a suponer o quizá simplemente a esperar que esto implique que el matrimonio nunca se consumó. Lo que se sabe es que los griegos estaban absolutamente horrorizados por ello, o al menos querían hacer creer a todo el mundo que lo estaban. De hecho, al recordar que Ptolomeo I añadió "Soter" a su nombre, podemos ver por qué Ptolomeo II se llama "Filadelfo". Y no sólo Ptolomeo llevaba este nombre; Arsinoe II hizo que se lo añadieran a su apodo, aunque es poco probable que a ninguno de los dos le gustara especialmente. Una palabra griega, *philadelphia,* puede traducirse aproximadamente como "hermanos-amantes".

Dejando todo esto a un lado, lo lógico sería que, dado que Arsinoe II y Ptolomeo II no tuvieron hijos, la descendencia de Arsinoe I fuera la que ascendiera al trono, lo cual tendría sentido si Ptolomeo II no hubiera hecho ya un desastre matando a sus hermanos, lo que provocó que su hermana entrara en escena y básicamente renovara toda la estructura del matrimonio. Está claro que Arsinoe II no quería tener nada que ver con la primera esposa de Ptolomeo II, y como sabemos que Arsinoe II había estado casada con Lisímaco, sabemos que había otra línea a la que podían recurrir. Así pues, Ptolomeo II adoptó al hijo de su hermana y su primer marido, que, por supuesto, también se llamaba Ptolomeo. El soberano pudo legitimar a sus propios hijos naturales con Arsinoe I haciéndolos adoptar póstumamente por Arsinoe II.

Puede parecer que nos hemos detenido demasiado en estos dos primeros gobernantes, dado que el reino duraría otros dos siglos antes de llegar a su fin, pero es importante tener en cuenta estos primeros movimientos, ya que sentaron las bases y las normas para gran parte de lo que vino después, haciendo más comprensibles las acciones de los Ptolomeos posteriores. De hecho, cabe señalar que mientras los egipcios no tenían problemas con el matrimonio entre hermanos, algunos griegos incluso empezaban a salir en su defensa, señalando que Zeus se había casado con su hermana, Hera.

Es una pena que no dispongamos de más espacio para sumergirnos en esta dinastía, ya que los Ptolomeos podrían llenar fácilmente un libro por sí solos. Pero por el momento, es mejor avanzar con rapidez. A pesar de los planes de Arsinoe II y de que ya tenía un hijo llamado Ptolomeo, al legitimar a sus propios hijos a través de su segunda esposa, Ptolomeo II sentó las bases para que su propio hijo (sí, también llamado Ptolomeo) ascendiera al trono. Ptolomeo II fue otro gobernante al que se le concedió la bendición de morir de viejo, y Ptolomeo III Euergetes pudo acceder al poder en 246 a. C. sin que fuera necesario ningún incidente importante ni asesinatos familiares.

Poco tiempo después, Ptolomeo III se casó con su media prima, Berenice de Cirene. Ésta habría sido prima del hermanastro de su padre, el rey Magas de Cirene.

Hay algunas teorías que afirman que, independientemente de lo que estuviera ocurriendo ante el pueblo, Ptolomeo II llevaba tiempo trabajando para la ascensión de Ptolomeo III. Hay una figura casi tenebrosa llamada "Ptolomeo el Hijo" que actuaba como una especie de co-gobernante con Ptolomeo II ya en 267. A pesar de que Arsinoe I y sus hijos estaban exiliados, parece que se estaba preparando a alguien para ese papel. Dada la fluida transición de Ptolomeo III al poder, así como la muerte de Arsinoe II en torno al 270, es lógico pensar que esa persona fuera él.

No es gratuito que Ptolomeo III añadiera Euergetes a su nombre. El término significa algo así como "benefactor", y fue bajo este tercer Ptolomeo cuando la dinastía alcanzó su apogeo tanto en poder económico como militar. Mientras que Ptolomeo II no había sido completamente inmune a la llamada de la batalla, bajo Ptolomeo III, el aspecto militar de la vida se parecía mucho más al de su abuelo, especialmente cuando se observa su participación en la Tercera Guerra Siria. Este es uno de los momentos afortunados de la historia en los que, si uno tiene la oportunidad de hacerlo, todavía existe un relato de al menos las fases iniciales de esta guerra, que fue escrito por el propio Ptolomeo III.

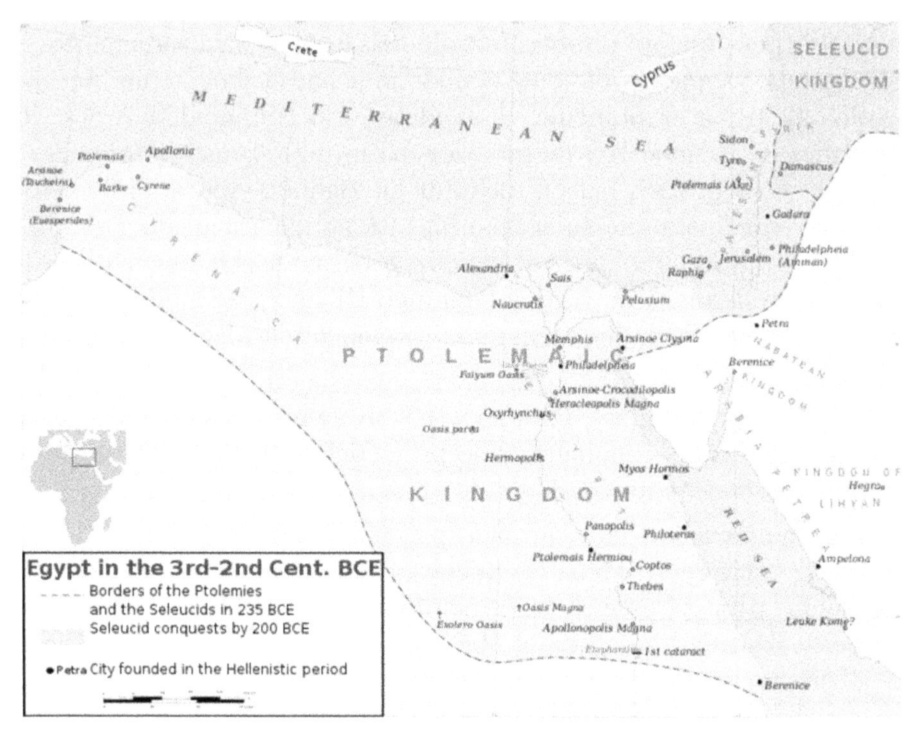

Egipto Ptolemaico alrededor del 235 a. C.

Reino Ptolemaico Siglos III-II a. C. - ru.svg: Kaidor (talk · contribs)trabajo derivativo: rowanwindwhistler (charla) trabajo derivativo: Amphipolis, CC BY-SA 4.0 <https://creativecommons.org/licenses/by-sa/4.0>, via Wikimedia Commons; https://commons.wikimedia.org/wiki/File:Ptolemaic_Kingdom_III-II_century_BC_-_en.svg

Sin embargo, esto no quiere decir que Ptolomeo III no estuviera implicado en los supuestos elementos "superiores" de la vida. Al igual que su padre y su abuelo antes que él, Ptolomeo III se dedicó a apoyar y fomentar la erudición y la literatura de todo tipo, pero de los tres gobernantes hasta el momento, este Ptolomeo era el más interesado en llevar la cultura egipcia a la vanguardia en esta nueva sociedad fusionada. Decir que los planes de Ptolomeo III eran impresionantes es quedarse increíblemente corto. Fue el responsable de planificar y comenzar la construcción del Templo de Horus en Edfu, un trabajo que no se completaría hasta que Ptolomeo XII se sentara en el trono. Una vez más, nos encontramos en una situación afortunada; este templo no sólo sigue existiendo, sino que además es uno de los mejor conservados de su género.

Lamentablemente, teniendo en cuenta que Ptolomeo III fue el punto álgido de la dinastía, a partir de aquí no queda más remedio que descender. En una sección posterior profundizaremos en Cleopatra y en cómo encaja en este interesante y complicado árbol genealógico, así como en su influencia en los mundos políticos de Roma y Grecia. Sin embargo, entre su vida y la de Ptolomeo III hubo doscientos años de comportamiento menos regio.

Guerras de sucesión, asesinatos en la familia, intrigas políticas y puñaladas por la espalda que, si bien estuvieron presentes al principio de la dinastía, pasaron de ser incidentes relativamente aislados a convertirse en una norma de comportamiento. Ptolomeo V y VI gobernaron en cierta forma de paz, aunque lo más probable es que fueran reyes títere, y una lista de Cleopatras llegó a lo más alto, con miembros de la familia que se casaban, asesinaban y ascendían al trono antes de haber empezado la pubertad.

Para concluir esta sección, echemos un vistazo a un interesante fragmento de historia que nos dará algo a lo que aferrarnos en las movedizas arenas de la política ptolemaica. Durante el reinado de Ptolomeo IV, un sacerdote y su hijo se unieron a una de las muchas rebeliones que surgieron en la época y declararon que formaban parte de la verdadera línea de faraones de Egipto. Consiguieron reunir un número de seguidores bastante respetable y mantuvieron la idea de 205 a 185. La razón para destacar este único incidente en una larga lista de personas que hacían cosas inquietantes es que, cuando Ptolomeo V subió al trono, al menos parte de esto se verifica en escritos encontrados en lo que más tarde se conocería como la Piedra de Rosetta.

Capítulo XI - Reino de Pérgamo

Tras el extenso, aunque truncado, repaso histórico de la dinastía ptolemaica, quizá nos venga bien dar un paso atrás y analizar un reino con una historia más sencilla. El reino de Pérgamo ha estado al acecho en el trasfondo de muchos de los acontecimientos tratados hasta ahora, y aunque fue relativamente breve en comparación con los Ptolomeos, no deja de ser una influencia importante a la hora de analizar el periodo helenístico, especialmente en lo que respecta a los tornados militares y políticos que barrían la región en esa época.

A grandes rasgos, el reino de Pérgamo duró desde el 282 hasta el 129 a. C. y fue gobernado por la dinastía de los Átalidas. En un principio, era un estado aislado o, básicamente, un remanente de un territorio mucho mayor. En este caso, se había separado del Imperio seléucida cuando Filetero, fundador de los atlantes, se rebeló contra Lisímaco, a quien Alejandro Magno había confiado originalmente el territorio. Incluso antes de la rebelión de Filetero, la zona había funcionado con bastante independencia del resto del imperio, por lo que cabría suponer que la separación no habría causado grandes estragos. Como veremos, esto no impidió que los atlantes de Pérgamo tuvieran una sana influencia en lo que estaba por venir, pero hasta que fue absorbida por Roma, Filetero y sus descendientes gobernaron la zona sin intervención.

Todo empezó cuando murió Seleuco I, siguiendo perfectamente el patrón que hemos visto para la mayoría de los acontecimientos de este periodo de tiempo. Filetero mantuvo una estrecha relación con la familia de Seleuco, así como con los diversos dirigentes y funcionarios que se sucedieron tras su muerte. Sin embargo, esto no quiere decir que estuviera completamente ligado a ellos. Aunque se alegró de dar dinero, alimentos y otras ayudas a las tropas durante la invasión gala, no se dejó atrapar completamente por los asuntos del imperio vecino, pareciendo contentarse, al menos por el momento, con el territorio que tenía. En ese momento, aún existía un vínculo entre ambos territorios, aunque no duraría mucho.

Cuando Eumenes I, sobrino e hijo adoptivo de Filetero, llegó al poder en 263, se rebeló contra el rey seléucida, luchando por la completa libertad de Pérgamo y la independencia de la dinastía atálida. Sin embargo, Eumenes no se conformó tanto como su predecesor y consiguió ampliar bastante el territorio del reino durante su reinado.

Antes de adentrarnos demasiado en este tema, sería conveniente abordar una cuestión menor que puede o no estar rondando por tu cabeza. En efecto, el nombre de la dinastía Atalida procede de alguien llamado Atalo, aunque no lo hayamos mencionado en absoluto. Esto se debe al simple hecho de que Atalo, aunque gozó de gran prestigio durante su vida, no fue crucial en la independencia de Pérgamo. Más bien fue el padre de Filetero y, por poderes, abuelo de Eumenes I. No fue hasta que Eumenes, que podría no haber tenido hijos, dependiendo de a quién se le pregunte, adoptó a su primo hermano, que encontramos a otro Atalo subiendo al trono. Este joven, Atalo I, llegó al poder tras la muerte de Eumenes en 241.

Aunque es difícil dar un perfil psicológico concreto de alguien, y menos dos mil años después de los hechos, parece que Atalo I no era la persona más fácil con la que llevarse bien. Parecía tener sed de batalla, algo que había prevalecido en muchos de los gobernantes que hemos analizado, aunque esto no siempre fue algo malo para Grecia. De hecho, Atalo desempeñó un papel importante en repeler a los galos cuando intentaron emigrar a la zona y hacerse con el control de las tierras para expandir su propio imperio.

Desgraciadamente, Atalo no centró su agresividad únicamente en los enemigos no griegos. Su relación con el Imperio seléucida fue inestable, casi recordando a las alianzas de ida y vuelta por las que era conocida la dinastía ptolemaica. En algunos momentos, a Atalo le complacía intervenir y ayudar a sofocar las rebeliones entre el pueblo seléucida; en otros, no veía ningún problema en simplemente tomar las tierras de los que se habían rebelado y llamarlas suyas. Naturalmente, esto provocó un ataque contra Atalo por parte del hombre en el trono, Seleuco III.

El mayor problema, o quizá ventaja, según de qué lado se esté, es que el Imperio seléucida no era inmune a las luchas internas y se mantenía ocupado en apagar sus propios incendios. Esto simplemente abrió la puerta aún más para que Atalo hiciera movimientos estratégicos y adquiriera cualquier tierra disponible cuando tuviera la oportunidad. El inconveniente de las agresivas técnicas de expansión de Atalo fue que dio lugar a algunas alianzas cuestionables, en particular con Roma.

Durante la Primera y la Segunda Guerras Macedónicas, Atalo estaba firmemente en el partido opuesto a Macedonia. Aunque esto podría no haber tenido mayores implicaciones durante su propia vida, como hemos visto y como nos cuenta la historia, sumar poder a Roma durante este periodo no iba a acabar bien a largo plazo. No obstante, mientras Atalo estuvo en el trono, pudo oponer una firme resistencia a las invasiones y establecer fronteras más amplias para el reino de Pérgamo. El impacto de sus decisiones se propagó por toda la dinastía.

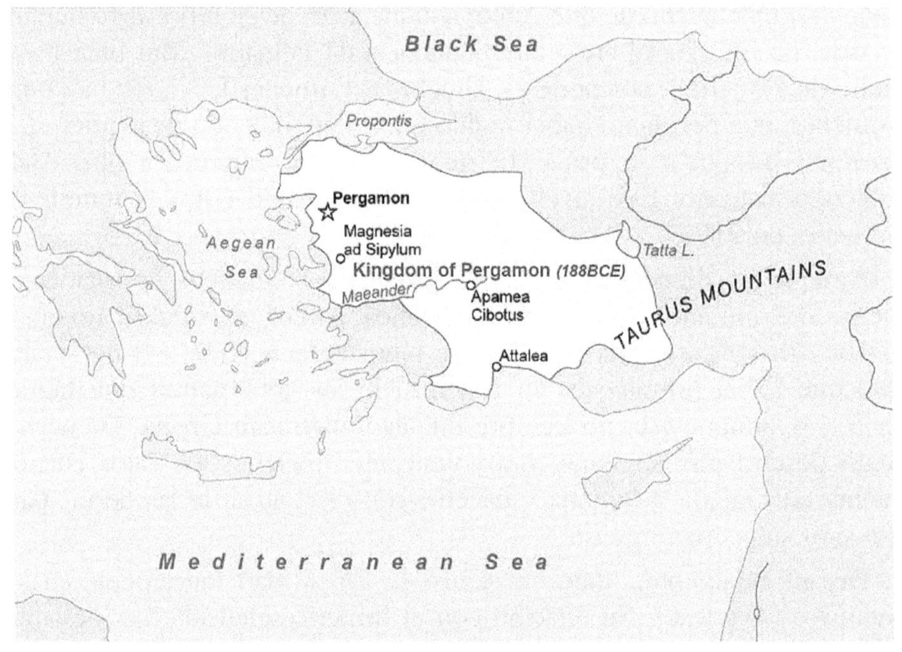

El Reino de Pérgamo en 188 a. C.

Munion, CC BY-SA 4.0 <https://creativecommons.org/licenses/by-sa/4.0>, via Wikimedia Commons; https://commons.wikimedia.org/wiki/File:Pergamon188BCE.jpg

Atalo I murió en 197 y fue sucedido por su hijo Eumenes II. Eumenes se sentó en el trono durante aproximadamente treinta y ocho años antes de ser sucedido en 159. Tal vez viendo el beneficio de estar del lado de Roma, Eumenes continuó la alianza que su padre había iniciado. Alineó sus fuerzas con los romanos tanto en la Tercera Guerra Macedónica como en la guerra Romano-Seleúcida, quizás poniendo el último clavo en el ataúd de la relación Átalo-Seleúcida. Para colmo de males, sobre todo si se tiene en cuenta que las dos familias habían trabajado con los mismos fines apenas unas generaciones antes, Roma le concedió ciudades de Asia Menor a Pérgamo como recompensa por su ayuda. Algunas tierras adicionales fueron a parar a Rodas, pero con el paso del tiempo también se concedieron al reino de Pérgamo, ampliando aún más su dominio.

Sin embargo, el crecimiento de Pérgamo distaba mucho de haber terminado, lo cual resulta un tanto sorprendente si se tiene en cuenta la duración de su existencia y lo lejos que hemos llegado ya a través de la línea temporal. El siguiente rey de Pérgamo fue Atalo II, y considerando que ya era un exitoso comandante militar antes de su ascenso al poder, no debería sorprendernos demasiado saber que su principal objetivo era seguir arrebatándole tierras a todo el que pudiera.

Aunque Atalo II no subiría al trono hasta la muerte de Eumenes II en 159, no se quedó de brazos cruzados. En 190 participó en la batalla de Magnesia, nuevamente del lado romano, en lo que sería la última batalla del Imperio seléucida. También se vio envuelto en la guerra de Gálata al año siguiente y luego comenzó una batalla moderadamente larga con Farnaces I, el rey de Ponto, que duró desde 182 hasta 179.

El hecho de que Atalo II consiguiera por fin ceñirse la corona no significaba en absoluto que estuviera listo para sentar la cabeza y disfrutar de una vida de lujo. Sus lazos con Roma seguían siendo fuertes, y pudo ofrecer y recibir ayuda en las guerras con Bitinia y en el derrocamiento de un pretendiente a rey del Imperio seléucida. La historia también le debe a Atalo la fundación de dos ciudades, Atalia y la Filadelfia original. Curiosamente, por mucho que se haya presentado a Atalo como un rey guerrero, no era completamente unilateral. A medida que envejecía, se involucró cada vez más en las artes y las ciencias. Según algunas fuentes, incluso inventó un nuevo tipo de bordado.

Tras el éxito de Atalo II como rey de Pérgamo, era lógico pensar que la expansión y el crecimiento del reino no podían sino continuar. Al fin y al cabo, casi todos los reyes que habían gobernado Pérgamo habían ampliado la superficie del reino. Sin embargo, este no iba a ser el caso, ya que el rey Atalo III sería el último en gobernar en la dinastía Atalida.

Las cosas se complicaron cuando este último Atalo subió al trono. Mientras que sus predecesores habían estado ansiosos por gobernar y hacer crecer el reino, parece que Atalo III tenía poco o ningún interés en el cargo. Era conocido por su gran interés por la medicina, la botánica, la jardinería y otras actividades similares más intelectuales. Atalo III parece haber sido un poco hogareño, con su nombre completo incluyendo tanto Euergetes (que significa "benefactor") y Philometor, un descriptor algo en la línea de "uno que ama a su madre".

Atalo III no sólo carecía casi por completo de interés en dirigir un reino cuando había otras cosas que estudiar, sino que, además, tal vez sin darse cuenta, dejó a su paso un llamativo problema. A saber, no tuvo hijos varones ni herederos. Teniendo en cuenta las sanguinarias batallas que hemos visto hasta ahora en relación con la ascensión, resulta casi extraño que pensara tan poco en lo que podría ocurrir tras su muerte. Y por suerte, no dejó a Pérgamo totalmente colgada. En cambio, en su testamento legó todo el reino a Roma, quizás por las lealtades que había visto en el pasado o quizás porque simplemente parecía el resultado inevitable.

Pero estábamos en la época helenística y, a estas alturas, sabemos que nada puede ser tan sencillo como un documento jurídicamente vinculante. Aunque la muerte de Atalo III marcó el final oficial de la dinastía Atalida y del reino de Pérgamo, aún había estertores en el reino.

En el año 133 a. C., un hombre llamado Aristónico afirmó que era hijo ilegítimo de Eumenes II, lo que lo convertía en hermano de Atalo III. Tras reunir al pueblo a su alrededor, Aristónico se rebeló y subió al trono, proclamándose rey Eumenes III. Prometiendo liberar a los esclavos y siervos, entre otras cosas, el nuevo rey pudo atacar y apoderarse de varias ciudades vecinas y permaneció en el poder hasta el año 129.

Un giro interesante en esta historia es que, mientras que Atalo III había estado más que encantado de regalar Pérgamo (algo que asesta un pequeño golpe a la pretensión de Aristónico al trono; ¿por qué no darle el reino a él desde el principio?), Roma no estaba muy interesada en asumir la tarea de ocuparse de Pérgamo. Como todo el mundo en aquella época, Roma tenía sus propios problemas políticos y militares que resolver, y que le echaran a Pérgamo sobre los hombros no era precisamente un regalo bien recibido.

Es probable que la llegada al trono de Eumenes III se debiera a esta agitación en los asuntos de Roma. La incertidumbre y la distracción en otras áreas dejaron el camino libre para que un líder motivado y motivador pronunciara las palabras adecuadas y consiguiera el apoyo del pueblo. Lo más asombroso de todo este escenario es que, cuando Roma finalmente hizo un movimiento para resolver el problema de Pérgamo en 131, los romanos fueron derrotados por el líder rebelde.

Sin embargo, la emoción del éxito no duró mucho. En 129, Roma acudió de nuevo a su llamada, esta vez con la feroz determinación de acabar de una vez por todas con la molestia que llevaba tres años molestándolos. Tras triunfar en el campo de batalla, Roma puso fin a la rebelión y a todo atisbo de Pérgamo, anexionándola a la provincia de Asia.

Aunque esta fue una existencia relativamente breve para un reino que se dedicó en gran medida a la guerra, vale la pena volver a mencionar el hecho de que, si bien la mayoría de los libros de historia sobre el periodo helenístico se centran principalmente en los aspectos militares de la época, esto no implica en absoluto que no ocurriera nada más digno de mención. Profundizaremos mucho más en ello en el apéndice, pero ya que estamos en Pérgamo, vale la pena detenerse en dos aspectos singulares de su existencia, uno mitológico y otro arquitectónico.

Tanto Pérgamo como la propia Grecia están repletas de lugares y estructuras históricas que valen la pena visitar, pero hay una en particular que data del periodo helenístico y aún conserva un récord. El Teatro de Pérgamo es una enorme estructura, aún en pie, construida en el siglo III a. C. y con asientos para unos diez mil espectadores. En el siglo I a. C. se añadió un escenario de mármol, pero esto no explica en absoluto la impresionante construcción del teatro en sí. Además de su gran tamaño y su pintoresco emplazamiento, la ubicación geográfica es la característica más singular del teatro. Fue considerado el teatro más empinado del mundo antiguo y aún hoy ocupa un lugar destacado en la lista. El ángulo de ascenso a través del patio de butacas es de unos asombrosos setenta grados, una caminata que aún puede hacerse hoy en día, suponiendo que confíes en tu equilibrio.

Una mirada a uno de los teatros más empinados del mundo

Bernard Gagnon, CC BY-SA 3.0 <https://creativecommons.org/licenses/by-sa/3.0>, via Wikimedia Commons; https://commons.wikimedia.org/wiki/File:Theatre_of_Pergamon.jpg

La otra característica única de Pérgamo se debe a su nacimiento relativamente tardío en el mundo. Tener una conexión mitológica con una ciudad no era algo que se dejara de lado, y los habitantes de Pérgamo no eran diferentes. Por desgracia, no sabían muy bien cómo hacerlo. Dado que la ciudad acababa de fundarse, carecían de la fascinante historia de Atenea y el olivo. Así que, sin pruebas contundentes a mano, hicieron lo que pudieron para que algo funcionara.

Télefo era hijo de Heracles, aunque hay cierta confusión sobre cómo encaja en la historia, ya que no se lo menciona en los mitos griegos de las épocas arcaica o clásica. Sin embargo, se lo asociaba con las historias y, para los habitantes de Pérgamo, eso era suficiente. Lo que era crucial, o eso debemos suponer, era que la ciudad no sólo necesitaba tener un vínculo con los dioses, sino que la gente también quería que implicara a uno de los dioses principales. ¿Quién mejor para exhibir la fuerza y el valor de su ciudad que un descendiente directo de Heracles?

Hay cierto debate sobre el vínculo con Heracles, ya que en estas historias antiguas había un personaje llamado Pérgamo. Hijo de Neoptólemo y Andrómaca, Pérgamo era nieto de Aquiles. Sin embargo, a pesar de este gran árbol genealógico, Pérgamo nunca llegó a ser un personaje importante en los relatos mitológicos. Recibió una especie de culto, pero parece, al menos mirando atrás y haciendo nuestras mejores conjeturas, que Pérgamo no tenía el atractivo de un hijo de Heracles. De hecho, tal vez sea casi más apropiado que Télefo y su dudosa filiación se asomaran a la ciudad. Después de todo, Eumenes III habría seguido sus pasos.

Capítulo XII - Reinos Menores

Hay cincuenta estados en Estados Unidos y cuarenta y cuatro países en Europa, pero la mayoría de la gente se vería en apuros para nombrarlos todos. Lo mismo puede decirse del número de reinos menores y menos llamativos durante el periodo helenístico. Algunos de ellos han sido mencionados de pasada, mientras que otros eran zonas más pequeñas, menos disputadas, pero que seguían siendo parte integrante de las situaciones que se planteaban en aquella época. Así pues, en este capítulo daremos una breve visión general de los ocho reinos más pequeños que no han tenido su propio espacio específico anteriormente.

Para empezar, veamos el reino de Ponto. Ponto, en su mayor parte, se encontraba dentro de la zona conocida como Capadocia. Algunas fuentes lo diferenciarán, refiriéndose a él como "Capadocia de Ponto", pero con el paso del tiempo, el nombre más sencillo de Ponto se hizo más frecuente.

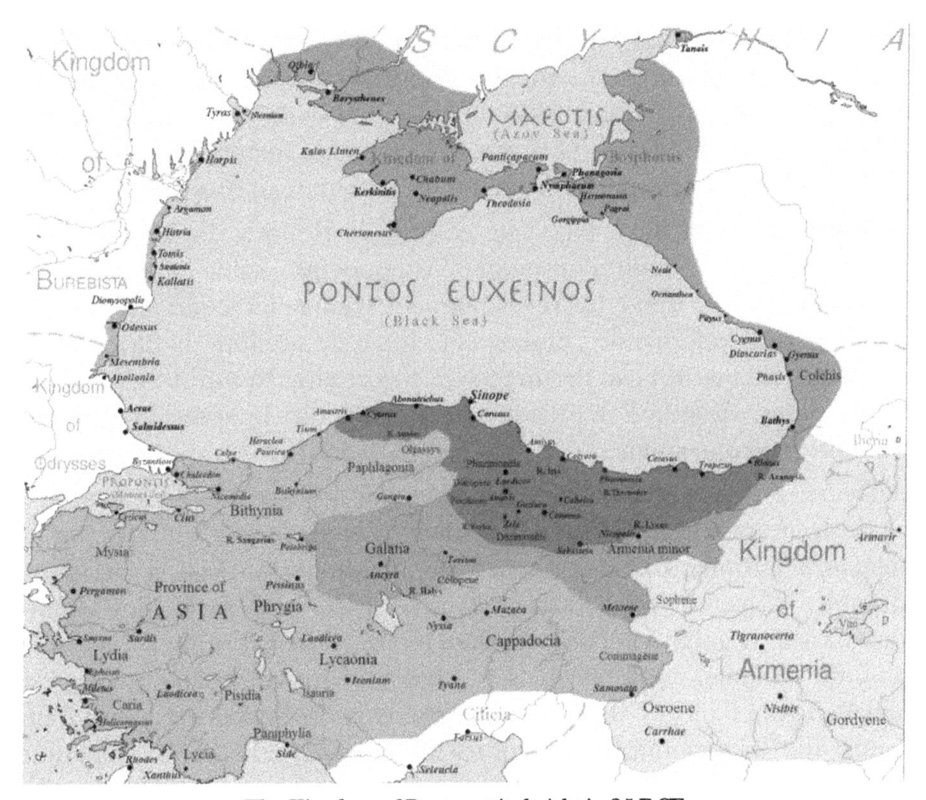

The Kingdom of Pontus at its height in 85 BCE

https://commons.wikimedia.org/wiki/File:PonticKingdom.png

Ponto fue fundado en 281 a. C. por Mitrídates I y perduró hasta que fue conquistado por Pompeyo y Roma en el año 63 a. C. Durante todo este tiempo, estuvo gobernado por la dinastía Mitrídates, que pudo tener algunos lazos de sangre con hombres como Darío el Grande y la dinastía aqueménida. Aunque Ponto participó en las típicas guerras y batallas para expandir el reino, sus principales conflictos militares se produjeron durante la Primera, Segunda y Tercera Guerras Mitrídicas.

En el año 90 a. C., Manio de Aquiles llegó de Roma para intentar extender la República Romana a Asia Menor. Capadocia y Bitinia se enredaron con Roma y, tras retirarse, contrajeron grandes deudas con la república. Para saldarlas, los reinos menores se volvieron hacia Ponto, con la esperanza de llevarse de esta zona suficientes riquezas para mantener a Roma a raya.

Como es de suponer, esto no fue más que el catalizador de una serie de nuevas alianzas, ya fueran antirromanas, pro-pontanas o algo intermedio. Sin embargo, hacia el año 65 a. C., Mitrídates VI y su hijo

Farnaces II habían sido expulsados del reino por los continuos ataques de Pompeyo. A partir de ese momento, Ponto se convirtió en una especie de reino cliente. Como hemos visto en otras situaciones, se trataba de una forma más en la que Roma permitía que el pueblo mantuviera a su propio gobernante, al tiempo que básicamente lo sometía a su control.

Ponto pudo funcionar bajo este control de Roma y duró mucho más de lo que uno podría esperar. Aunque se había eliminado la independencia del reino, los reyes pónticos seguían teniendo cierto poder y continuaron gobernando, aunque sólo fuera de nombre, hasta el año 62 de la era cristiana. En ese momento, el emperador Nerón decidió que ya era suficiente, destituyó del trono al rey, Polemón II, y reclamó la zona como propiedad romana.

Ya que estamos en esta región, parece que lo más lógico es analizar el reino de Capadocia. Capadocia estaba más o menos donde hoy se encuentra Turquía. En sus orígenes fue una de las satrapías posteriores a Alejandro Magno, pero hacia el año 331, una serie de familias comenzaron a gobernar como monarcas. En orden histórico, fueron las casas de Ariarates, Ariobarzanes y Arquelao. Impresionantemente, esto duraría hasta el año 17 de la era cristiana, cuando Capadocia, al igual que Ponto, fue incorporada al reino romano, esta vez bajo el emperador Tiberio.

Capadocia no estuvo menos implicada en incursiones militares que muchos de sus reinos vecinos, pero tenía la clara desventaja de encontrarse en una zona muy turbulenta. Hubo numerosos intentos de crear alianzas a través de la política y/o el matrimonio, lo que le permitió al reino durar casi 350 años, pero no estuvo exento de problemas.

Incluso antes de que el periodo helenístico comenzara, los capadocios no estaban demasiado dispuestos a buscar orientación en otros. Al principio lucharon contra Alejandro cuando éste intentó apoderarse de Persia y también se vieron envueltos en más de una escaramuza con el reino de Macedonia. Hubo un periodo en el que vivieron bajo el dominio de Seleuco durante su época de esplendor, pero en 255, Ariarates III fue capaz de alzarse y arrebatar el trono, poniendo de nuevo el reino en manos de las familias iranias que habían intentado gobernarlo de forma independiente durante tanto tiempo.

Mitrídates VI fue el siguiente en probar suerte, derrocando a la dinastía a principios del siglo I a. C., pero a Roma no le gustó lo que esto auguraba. Esta creciente potencia se puso del lado de los capadocios, haciendo retroceder a los invasores y apoyando la coronación de un nuevo rey iranio, Ariobarzanes I. Esta implicación con Roma no benefició a los capadocios y, cuando surgieron problemas en su país, Marco Antonio se interesó cada vez más por Capadocia, llegando a colocar a Arquelao en el trono.

Arquelao sería el último rey oficial de la región. Fue llamado a Roma para reunirse con Tiberio, y el hombre finalmente moriría allí por causas naturales. Roma, tal vez con la intención de aplacar los disturbios que habían asolado la región durante tanto tiempo, eliminó Capadocia como reino y empezó a tratarla como una provincia más.

Al norte de Capadocia y al oeste de Ponto se encontraba el reino de Bitinia. El momento en que esta zona se separó y pasó a considerarse una región propia no está del todo claro, pero sí sabemos que el primer hombre que reclamó la realeza aquí fue Zipoetes I en 297. La opinión general es que, debido a las guerras de los Diadocos, Bitinia pudo fortalecerse y establecerse como un reino firme e independiente. Esto duraría hasta el año 74 a. C.

Un mapa de Asia Menor en el 89 a. C.

Ilya Yakubovich, CC BY-SA 4.0 <https://creativecommons.org/licenses/by-sa/4.0>, via Wikimedia Commons; https://commons.wikimedia.org/wiki/File:1stMithritadicwar89BC.svg

Quizá sea revelador que algunas fuentes se tomen la molestia de señalar que hubo un periodo de paz en Bitinia entre los años 85 y 73 a. C. Obviamente, esto plantea algunas preguntas, una de ellas es cómo el reino terminó en el 74, pero aun así continuó su período de paz hasta el 73. Esto se debió en parte a una acción conocida de su último rey, a la que nos referiremos dentro de un momento. Lo que también señala, quizá de forma menos obvia, es que para que una época de paz fuera notable, la guerra debió ser constante en esta región. Y la posición geográfica de Bitinia ciertamente no le hizo ningún favor.

Aunque Zipoetes fue el primer gobernante, su hijo, Nicomedes I, empezó realmente a utilizar el poder del trono en beneficio propio y del pueblo. De hecho, al final del reinado de Nicomedes, Bitinia había pasado de ser un reino relativamente nuevo a uno con una fuerza impresionante y que influía en muchos de los reinos más pequeños, sobre todo en los de Anatolia.

Aunque en ocasiones Bitinia intentó mantenerse neutral, sobre todo durante la guerra romano-seléucida y la Segunda Guerra Mitrídica, era difícil no verse arrastrada hacia un lado u otro. Cuando se la presionaba, Bitinia tendía a ponerse del lado de Roma, lo que hace que los últimos días del reino sean mucho más fáciles de entender. Quizá por eso Julio César eligió Bitinia como lugar seguro cuando huía de su enemigo político, Sula.

Pompeyo sería finalmente el responsable de la incorporación de Bitinia al redil romano, pero podría no haber ido tan bien de no haber sido por el último gobernante del reino, Nicomedes IV. Durante su reinado, Nicomedes tuvo que hacer frente a numerosos disturbios, sobre todo en el reino de Ponto. Al parecer, en lugar de abandonar el reino a su suerte, al morir Nicomedes legó el reino a Roma. De este modo, el reino sería entregado libremente a un aliado en lugar de ser tomado por la fuerza por un enemigo. Sea como fuere, Bitinia estuvo en una especie de limbo hasta el año 64 a. C., cuando fue aceptada oficialmente por Roma.

A continuación, nos ocuparemos de Armenia. Desde el punto de vista cronológico, quizá sea uno de los reinos más longevos. Los primeros armenios fueron reconocidos como pueblo, si no como reino oficial, ya en el siglo IX a. C., y el reino duraría hasta bien entrado el siglo V de nuestra era. Aunque hubo reyes entre los siglos IX y VI a. C., la región empezó a funcionar como una satrapía a partir de entonces. Cuando Alejandro comenzó a repartir el territorio entre sus generales, un hombre llamado Neoptólemo se hizo con el poder. Dos años más tarde, con la muerte de Neoptolemo, Armenia volvió a ser un reino, siendo Orontes III su primer rey.

Su dinastía duró poco, ya que Orontes IV fue derrocado en torno al año 200 a. C. Existe cierto debate al respecto, ya que el hombre que tomó el relevo, Artaxias I del Imperio seléucida, pudo estar emparentado con la anterior dinastía Oróntida. Sea como fuere, la época de Artaxias y sus descendientes es conocida como la dinastía Artaxiada, por lo que el parentesco no era suficiente para que el hombre la reivindicara cuando su propio nombre le valía.

En tiempos de Tigranes el Grande, Armenia se había expandido hasta alcanzar quizás su mayor extensión territorial, abarcando partes de la actual Turquía, Irán, Siria y Líbano. Parte de este éxito se debió a la presencia de rutas comerciales a través del país, que permitían una afluencia mucho mayor de bienes y materiales, así como de personas y dinero, lo que le daba a Armenia muchas ventajas claras sobre otros reinos menores.

Armenia en su mayor extensión

www.armenica.org Subido a en.wikipedia por en:user:Nareklm, CC BY-SA 3.0 <http://creativecommons.org/licenses/by-sa/3.0/>, via Wikimedia Commons; https://commons.wikimedia.org/wiki/File:Maps_of_the_Armenian_Empire_of_Tigranes.gif

Sin embargo, lo único que le quedaba por hacer a cualquier grupo de población en torno a Roma era prepararse para el final. Las victorias iban y venían. Aunque Marco Antonio invadió en el 34 a. C., volvería a perder el control en el 32. En el año 20, Augusto utilizó Armenia como moneda de cambio y zona segura entre Roma y los guerreros partos, pero esto difícilmente sería el final de la lucha allí. Los partos y los romanos se intercambiaron la propiedad hasta bien entrada la era común, y Armenia recuperó su independencia en 885.

Ya que hablamos de los partos, pasemos al Imperio parto. Los partos son otro ejemplo de un reino que se estableció inicialmente como una satrapía, pero continuó hasta bien entrada la era común, abarcando los años 247 a. C. a 224 d. C. Esta fecha de fundación es un poco misteriosa.

Partia estuvo primero bajo el control del imperio aqueménida y después del seléucida. La zona fue invadida por los partios y su líder iranio, Arsaces I. Aunque todo esto está muy bien, lo interesante es que Arsaces retrasó el inicio de su dinastía y eligió el año 247, aunque nadie sabe muy bien por qué. La suposición habitual es que se consideró que era el momento en que el Imperio seléucida perdió el control de Partia, por lo que Arsaces se limitó a rellenar el hueco.

Bajo Mitrídates I, Partia alcanzó su apogeo en tamaño e influencia, extendiéndose por partes de Turquía, Afganistán y Pakistán, hasta la región septentrional del río Éufrates. Lo que diferenciaba a Partia en muchos aspectos de los demás reinos era la tendencia de su pueblo a adoptar la cultura de quienes lo rodeaban.

Partia estaba situada alrededor de lo que se conocía como la Ruta de la Seda, que se extendía desde Roma hasta China. Estas rutas comerciales permitían que una gran variedad de culturas influyera en los habitantes del imperio y aportaban los fondos necesarios para que el pueblo se dedicara a actividades más artísticas y cultas. El arte, la arquitectura e incluso las prácticas religiosas que se desarrollaban entre los indígenas florecieron y fueron adoptadas por muchos de los nuevos habitantes.

La relación entre partos y romanos fue larga y complicada, como para escribir un libro. Diversos acontecimientos pueden incluso tomarse de distintas maneras, dependiendo del lado de la batalla en el que uno se situara. Por ejemplo, en el año 53 a. C., cuando Roma recibió los estandartes legionarios que había perdido en batalla contra los partos, Augusto lo consideró una victoria política sobre el imperio. Los partos, por su parte, lo consideraron simplemente como un rescate barato a pagar por el regreso de su príncipe.

En el espacio asignado, sería difícil profundizar demasiado en cualquiera de los numerosos gobernantes, guerras, influencias e idiosincrasias de esta zona. Sin embargo, la bibliografía que se ofrece al final orientará a quienes deseen saber más sobre esta zona.

A continuación, pasemos a uno de los reinos más singulares de la época, el de los nabateos. Utilizamos aquí el término "único" porque incluso los orígenes de los nabateos son desconocidos. No cabe duda de que eran una tribu nómada, propensa a desplazarse por el desierto de Arabia, cuyo principal objetivo era encontrar comida y agua para sus animales. Los eruditos están de acuerdo en esto, pero aún se desconoce quiénes formaban exactamente este grupo. Actualmente, las dos teorías principales son que se trataba de una rama de los arameos o que eran árabes. No intentaremos resolver este debate aquí; en su lugar, nos centraremos más en cómo este grupo de personas, vinieran de donde vinieran, interactuó con los otros reinos de la época.

Un hecho que dificulta un poco nuestra investigación es que los nabateos dejaron muy pocos testimonios escritos. Así pues, la mayor parte de la información que nos llega procede de fuentes que escriben sobre ellos o los mencionan de pasada en otros documentos. En general, se cree que los nabateos se concentraron principalmente en el lado noreste del mar Rojo. Cuando la tierra estaba siendo dividida, Antígono decidió hacer una jugada para el grupo.

Como ya hemos visto alguna que otra vez, estar en una ruta comercial era bueno tanto económica como culturalmente, pero también muy malo si no se quería llamar la atención. Cabe señalar que en muchas de las fuentes que hablan de las batallas de Antígono contra los nabateos, los autores dicen que Antígono fue a la guerra contra los "árabes". También hay que tener en cuenta que la geografía y la antropología no eran precisamente ciencias florecientes en aquella época, por lo que podría tratarse de un término genérico para referirse a los habitantes de la zona o a "otros pueblos", del mismo modo que "India" significó más o menos "algún lugar lejano" durante mucho tiempo.

Los nabateos habían empezado a evolucionar hacia una unidad más cohesionada antes de Antígono, pasando de ser una banda de tribus vagamente relacionadas a funcionar bajo una especie de consejo de ancianos en el siglo IV a. C. En el siglo III, parece que ya funcionaban bajo un rey, aunque los registros no nos dan fácilmente el nombre de esta persona. No obstante, las fuentes de la época tratan a los nabateos como un reino.

Tenemos relatos de guerras y alianzas, como con todos los reinos helenísticos, pero muchos de los detalles concretos son confusos o simplemente se han perdido. Lo que sí sabemos es que Rabell II Soter, el último rey de los nabateos, murió en el año 106 de la era cristiana. Se sabe que su comercio continuó, pero en los cien años siguientes, su construcción y acuñación de monedas llegaron a su fin. Quizá se trate de un caso de desaparición silenciosa, o quizá los nabateos nunca tuvieron la idea de formar un reino. Al fin y al cabo, a lo largo de seis siglos, el principal objetivo de la población fue el comercio.

Para volver a una base más segura, traslademonos al extremo oriental de Grecia y consideremos el reino greco-bactriano. Aquí tenemos algunos datos sólidos y al menos podemos seguir un hilo conductor desde su fundación en el año 256 hasta su final en el 120 a. C.

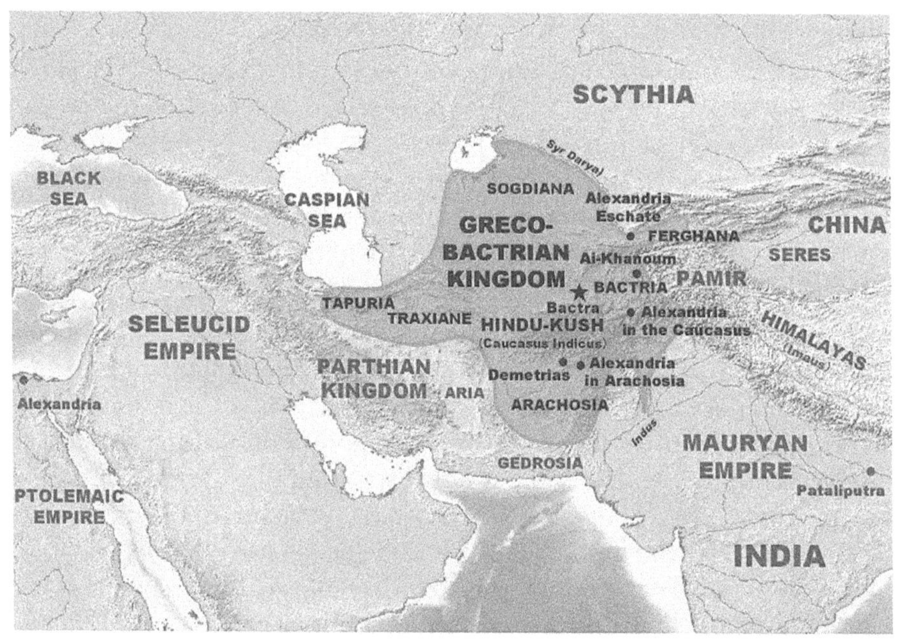

El Reino Greco-Bactriano en su apogeo

No se ha facilitado ningún autor legible por máquina. Se supone que World Imaging (basado en derechos de autor)., CC BY-SA 3.0 <http://creativecommons.org/licenses/by-sa/3.0/>, via Wikimedia Commons; https://commons.wikimedia.org/wiki/File:Greco-BactrianKingdomMap.jpg

Diodoto I Sóter era originalmente el sátrapa de Bactriana, que puede haber incluido algunas de las zonas cercanas. Aunque aquí prometimos más seguridad, hay cierto debate sobre la fecha exacta en que Diodoto se rebeló (las fechas suelen ser 255 o 246 a. C.). Sin embargo, lo que sí sabemos es que se separó del Imperio seléucida, y así nació su propio reino. Su dinastía duraría poco, y sólo su hijo se sentaría en el trono antes de ser derrocado.

Los eutidemidas se hicieron con el poder en 230 y lo conservarían durante casi sesenta años, pero la aparición de Eucrátides I el Grande tal vez devolvió un rayo de esperanza a la familia Diodoto. Existe cierto debate al respecto, pero los estudiosos parecen admitir la posibilidad de que este Eucrátides estuviera emparentado de algún modo con Diodoto y, por tanto, hubiera restablecido la dinastía. En cualquier caso, la sucesión siguió por esta línea hasta el 120 a. C., cuando murió Heliocles I.

Puede que estés esperando la frase: "Entonces Roma llegó y se hizo con el poder", pero no fue así. Los greco-bactrianos cayeron, pero ante los yuehzi. Aunque los yuehzi eran un pueblo nómada y habían viajado literalmente miles de kilómetros desde la región de China, mantendrían el control de la zona durante la mayor parte del siglo siguiente. En la actualidad, lo que fue el reino grecobactriano y luego la tierra de los yuehzi está dividida entre Afganistán, Uzbekistán, Tayikistán y Turkmenistán, aunque en su mayor extensión también se extendía por lo que hoy es Irán y Pakistán.

Para terminar este viaje relámpago por los reinos menores del periodo helenístico, veamos una última zona en el extremo oriental, la del reino indogriego. Esta zona, que se extendía lo suficiente como para incluir algunas partes del subcontinente indio, fue originalmente una rama de Diodoto I Soter del Reino Greco-Bactriano.

En cierto modo, el reino indo-griego tenía mucho más en común con los nabateos que con muchos otros reinos de la época. Al estar tan alejados del núcleo central de la vida y los conflictos griegos, los indogriegos no tardaron en encontrar formas de asimilar su propia vida y cultura con la de los grupos de pueblos indios de su entorno. Aunque hubo una clara sucesión de reyes hasta los primeros años de la era común, sigue habiendo algunos aspectos inciertos sobre cómo y desde dónde gobernaban estos reyes. Ciudades antiguas como Taxila, Puskalavati y Sagala parecen haber funcionado como una serie de capitales regionales, aunque esta lista no es necesariamente exhaustiva ni completa.

Incluso la etnia de los monarcas se ha puesto en duda en más de una ocasión. Aunque Demetrio I Aniceto (quien reinó entre 200 y 180 a. C.) tenía un acuerdo matrimonial con uno de los gobernantes seléucidas, otros reyes podrían no haber seguido su ejemplo. Incluso se ha sugerido que Artemidoro, que reinó en torno al año 80 a. C., era en realidad indoescita. Curiosamente, la mayoría de los estudiosos actuales siguen refiriéndose a él como un rey indo-griego.

El valor de señalar esta posible conexión radica en el hecho de que, aunque el reino duró hasta aproximadamente el año 10 a. C., una invasión de los pueblos indoescitas puso de rodillas al reino indogriego. Aunque hay suficientes escenas de reinos invadidos y destruidos, no parece ser el caso de los indogriegos. Quizá debido a su voluntad de asimilación o al hecho de que estaban tan lejos de casa que se relacionaban más con la región india que con la griega, pequeños grupos de griegos siguieron viviendo en la zona durante siglos.

Como ya se ha mencionado, éste ha sido un repaso extremadamente apresurado de algunos de estos pequeños reinos, pero esto no debe tomarse en modo alguno como un reflejo de su importancia e impacto en la historia y cultura griegas, así como en las de las zonas circundantes. Como hemos visto, el tira y afloja del arte, la religión y el pensamiento estaba tan en juego y quizás tuvo un impacto incluso más duradero que las campañas militares que tenían lugar en la época. Cualquiera que sienta curiosidad por saber más sobre estas zonas se beneficiaría enormemente de la búsqueda de artículos y obras disponibles sobre reinos específicos y de profundizar en las complejas, diversas y a veces desconocidas historias de las gentes atrapadas en estas zonas durante épocas tan intrigantes.

Cuarta Parte: El Declive en el Siglo II y la Conquista Romana

Capítulo XIII - La Caída de Magna Grecia en Poder de los Romanos

Aunque ya hemos dado algunas vueltas, explicando las causas, los resultados y las influencias de diversas batallas en distintos lugares, al doblar la esquina y adentrarnos en el último cuarto de la historia, es hora de empezar a analizar la absorción final de muchos de los reinos y ciudades-estado griegos por parte de Roma. Con esta perspectiva más amplia, es de esperar que podamos reunir algunas de las diversas y geográficamente dispersas historias que hemos tratado hasta ahora y dar un cierre satisfactorio al periodo helenístico en su conjunto.

Para empezar, vamos a centrarnos en el sur de Italia, en concreto, en una zona conocida como Magna Grecia. Se traduce como "Gran Grecia" y comprendía tanto la parte baja de Italia como Sicilia. Curiosamente, desde nuestra perspectiva actual, esta tierra había estado habitada por griegos desde alrededor del siglo VIII a. C., y hay claras pruebas de la influencia que ejercieron sobre los nativos a lo largo de la historia. Desgraciadamente, en la época que nos ocupa, Magna Grecia sufría muchos de los problemas que aquejan a cualquier gran país, como la superpoblación, el hambre, la necesidad de nuevas zonas comerciales (como puertos y oportunidades de comercio) y las constantes reorganizaciones debidas a guerras, invasiones, etcétera.

Hay un hecho interesante que ha serpenteado a través de los siglos para seguir teniendo quizás una de las mayores influencias en nosotros como estudiantes y estudiosos de hoy. Aunque a menudo no se piensa en dar las gracias a los caldeos o a los cumanos, el hecho de que estés leyendo esto o te lo estén leyendo se debe a que utilizaron el alfabeto griego. Éste fue adoptado por el pueblo etrusco y ejerció una gran influencia en el alfabeto itálico antiguo. Con el paso del tiempo, este práctico sistema de líneas y garabatos evolucionó hasta convertirse en lo que hoy llamamos alfabeto latino, el que muchas personas siguen utilizando a diario en una plétora de lenguas.

Sin embargo, no es lo único que ha sobrevivido a los estragos del tiempo. A pesar de las muchas guerras y de toda la violencia de la que vamos a hablar en estas últimas secciones, Magna Grecia estaba lejos de haber sido erradicada. Destruir por completo una ciudad para tener que reconstruirla no tenía más sentido entonces que ahora, así que, afortunadamente, muchas de estas antiguas ciudades siguen existiendo; en algunos casos, están prosperando. Siracusa, Tarento, Agrigento, Reggio di Calabria, Crotone e incluso Nápoles pueden remontar sus caminos al menos hasta esta época de la historia.

La caída de la Magna Grecia fue, en un sentido más amplio, un movimiento relativamente rápido. La primera ciudad, Neapolis (actual Nápoles), fue tomada en el año 327 a. C., y hacia el 270, la dominación del sur de Italia y Sicilia había concluido. Decir que todo empezó en el 327 no es del todo exacto, puesto que las guerras ya habían asolado la zona. Dado que este libro se centra principalmente en el periodo helenístico, esta fecha sería la primera en caer cerca de nuestro ámbito de investigación, pero cabe mencionar que la región ya estaba sufriendo la violencia casi estándar y constante para ese entonces.

Entre el 343 y el 290 a. C. aproximadamente, tuvieron lugar la Primera, Segunda y Tercera Guerras Samnitas entre los romanos y los samnitas, que residían en el centro-sur de Italia. No fueron cincuenta y tres años de batallas ininterrumpidas, pero tener tres guerras importantes en tan poco tiempo da la sensación de que no era fácil pasar una tarde tranquila.

Brevemente, la primera guerra no empezó por una agresión romana, sino cuando los samnitas intentaron apoderarse de la ciudad de Capua. Como suele decirse, la retrospectiva es siempre veinte-veinte, así que tal vez se pueda perdonar a los samnitas por provocar al oso dormido de Roma. Sin embargo, a medida que pasaban los años, Roma hacía cada vez mayores intentos de influir en la política de Nápoles. Durante la Segunda y Tercera Guerras Samnitas, empezó a cambiar las tornas y a intentar extender su propio alcance al centro y sur de Italia. Al final de todo esto, no es de extrañar que Roma tuviera éxito y controlara la mayor parte del centro de Italia, mientras que la Magna Grecia seguía cubriendo el sur de la península.

Si nos tomamos un momento para recordar a Pirro de Epiro y su victorioso, aunque tal vez mal pensado, enfoque militar, estaremos en el espacio mental adecuado. Comenzando en el año 280, nuestra ya mencionada guerra Pírrica encaja en todo esto. De nuevo, brevemente, tuvo lugar justo al lado de la bota de Italia a través de los mares Adriático y Jónico. Los griegos de Tarento, que, siguiendo con la analogía de la bota, estarían más o menos en el arco, le pidieron a Pirro que los ayudara contra la invasión romana.

Tal vez recuerdes que Pirro tuvo éxito al principio, aunque le costó caro. Una cosa que tenía a su favor eran los elefantes de guerra, algo a lo que Roma probablemente no se adaptaría. Pero, como sabemos, ni siquiera los elefantes fueron suficientes para mantener a Roma a raya durante mucho tiempo, y las victorias de Pirro le costaron tantos hombres que pronto se convirtió en una cuestión no de si sería derrotado, sino de cuándo.

A su favor hay que decir que Pirro no era de los que se rendían demasiado rápido. A pesar de sus peligrosas victorias, intentó llamar a más soldados del Epiro y reunir a los italianos a su lado mientras continuaba por el sur de Italia y Sicilia para enfrentarse a los cartagineses en 278. El interés de los italianos había empezado a decaer en ese momento, en parte debido a que Pirro ya había hecho retroceder a Roma, tal y como le habían pedido. Invadir Sicilia nunca había sido parte del trato.

Sin embargo, Pirro siguió adelante y Roma, dándose cuenta de que, aunque podía perder soldados, tenía muchos más soldados que podía perder que el enemigo, regresó en 275. Claro que esta vez Pirro salió victorioso y Roma regresó corriendo a la relativa seguridad de su reino en Epiro.

Con Pirro fuera del camino, Roma quedó libre para volver a lo que había estado haciendo en primer lugar y rápidamente se dirigió de nuevo hacia Tarento. La ciudad cayó en 272 a. C. Esto es importante porque puso a Roma a cargo del sur de Italia. También fue importante por contra quién había luchado Roma. Los ejércitos mercenarios del Mediterráneo oriental no eran moco de pavo, y la victoria de Roma sobre ellos atrajo mucha atención y empezó a configurar su imagen como una potencia emergente a tener en cuenta. Naturalmente, Egipto, tras ver cómo alguien ascendía a lo más alto, comenzó a establecer lazos diplomáticos con Roma, que durarían hasta Cleopatra VII y el final de la era helenística.

Sin embargo, la caída de Tarento no supuso el fin de la acción militar romana. No pasó ni una década antes del inicio de las guerras púnicas. De nuevo, fueron tres, aunque esta vez las batallas se libraron a lo largo de un periodo de tiempo mucho más prolongado, entre 264 y 146 a. C. Roma parecía haberse tomado en serio su expansión esta vez, con batallas que comenzaban en Cartago, pero se extendían por Sicilia, el norte de África e incluso España.

En la época de la Primera Guerra Púnica, que duró del 264 al 241, Roma era conocida básicamente como un ejército terrestre. Esto no es completamente fuera de lo común, sobre todo porque las batallas marítimas desempeñaron un papel menor en la historia antigua. Sin embargo, Cartago era diferente. Cartago era principalmente un imperio marítimo que se extendía por todo el Mediterráneo. Aunque esto probablemente no dio a los romanos la misma pausa que los elefantes de Pirro, Roma se dio cuenta de que necesitaba presentarse como una potencia militar en pleno funcionamiento en lugar de simplemente un ejército fuerte.

Naturalmente, sabemos que muy pocas cosas se interpusieron en el camino de Roma, y Cartago fue derrotada en 241. Como hemos dicho hace un momento, no tenía mucho sentido destruir completamente a los enemigos, y Roma tenía una razón de peso para no hacerlo: Cartago ya era un imperio establecido. En lugar de deshacer tal entidad, Roma volvió las cosas a su favor, instaurando una política de reparaciones de guerra y anexionando también Sicilia como provincia romana.

Pasaron otras décadas antes de que comenzara la Segunda Guerra Púnica en 218. Algunos de ustedes habrán oído una frase sobre Aníbal cruzando los Alpes. Pues bien, si no lo sabían antes, por fin pueden saber de dónde procede. Aníbal era un general cartaginés de gran renombre. Tomando nota del libro de Pirro, Aníbal también llevó consigo a sus elefantes, treinta y siete según la mayoría de los relatos, aunque sólo uno sobrevivió a toda la travesía. Fue capaz de abrirse camino en la Italia continental, habiendo llegado desde su cuartel general en España.

Aunque nadie discute la eficacia de Aníbal como líder, esta podría ser una situación en la que creerse lo que uno dice fue lo que más perjudicó los planes de Aníbal. Es cierto que fue capaz de llevar a cabo una exitosa campaña contra Roma durante unos catorce años, pero no estaba excesivamente centrado en este único objetivo. De hecho, Aníbal también se ocupó de Iberia (España y Portugal, aproximadamente), Sicilia, Cerdeña y el norte de África. Hay que reconocerle su minuciosidad, pero este aspecto generalizado y la creencia de que no se lo podía detener en ningún frente fue quizá su mayor debilidad.

En 204, Roma dirigió sus esfuerzos hacia la patria cartaginesa en África. Aníbal se dio cuenta de que ninguna de sus opciones era estelar en lo que a movimiento militar se refiere, así que se retiró por completo de Italia para intentar salvar lo que pudiera. Naturalmente, en este punto, no quedaba mucha batalla por librar. Aníbal sufrió pérdidas y firmó tratados con Roma con la esperanza de arreglar las cosas de una vez por todas, pero es probable que en esta situación ambas partes tuvieran los dedos cruzados. Independientemente de cuántos acuerdos de paz se firmaran, Roma seguía representando una amenaza para Cartago y, a ojos romanos, Roma se veía amenazada por la existencia continuada de la zona rebelde.

Es de suponer que las cosas no fueron muy pacíficas en los años siguientes, a pesar de que la Tercera Guerra Púnica no comenzó hasta el año 146, casi sesenta años después de haberse firmado los tratados. La ciudad de Siracusa, en la costa oriental de Sicilia, podría haber pasado desapercibida para Roma. Esta zona había permanecido independiente hasta el año 212 (aproximadamente a mitad de la Segunda Guerra Púnica), al menos en parte debido a que el rey Hiero II era un devoto aliado romano.

Pero la lealtad no se transmite por genética. Jerónimo, nieto de Hiero, no tenía ningún interés en plegarse a Roma y se sentía más alineado con los planes y objetivos de Aníbal. Esta fue, como mínimo, una mala elección por parte de Jerónimo, y tras ser asediado por Roma, ésta puso fin de forma efectiva a cualquier resistencia importante en esta zona meridional en el 211 a. C.

Antes de terminar esta sección, y dado que nos hemos centrado y seguiremos haciéndolo en la historia militar, vale la pena dedicar un momento a mencionar un nombre que probablemente le resulte familiar a la mayoría. Arquímedes, matemático, físico, ingeniero, astrónomo, inventor y hombre inteligente, era natural de Siracusa. Vivió entre los años 287 y 212 a. C. y no estaba sentado sobre sus ancas mientras se desarrollaban las guerras. De hecho, al menos según Cstesibius, un inventor de la misma época, y Hero, otro inventor que vivió unos dos siglos más tarde, Arquímedes trabajaba duro.

En lugar de pasar todo el tiempo con la nariz metida en sus libros, Arquímedes empezó a centrar sus esfuerzos en ayudar a Siracusa en la guerra. Inventó y diseñó una gran variedad de armas que utilizaban pesos y contrapesos e incluso aire comprimido para la propulsión. Por alguna razón, sus planes quedaron relegados a un segundo plano o quizás fueron completamente ignorados por los líderes militares. Dado el desastroso resultado para Siracusa y toda la Magna Grecia, es de suponer que no fueron pocas las declaraciones de "te lo dije" que esperaban salir de sus labios.

Capítulo XIV - Las Guerras Macedónicas y la Conquista de Macedonia

Es importante tener en cuenta que la expansión de Roma en el mundo griego no siempre se hizo de un frente a la vez. Este capítulo y el siguiente, que básicamente continúa inmediatamente donde termina éste, son ejemplos de la capacidad de Roma para avanzar en varias direcciones al mismo tiempo y salir victoriosa al final. En este capítulo, nos centraremos únicamente en la situación macedonia y, en la siguiente sección, continuaremos con la batalla final de Corinto.

Para empezar, al igual que las guerras púnicas antes mencionadas, la conquista de Macedonia fue en realidad una serie de tres grandes guerras, que duraron desde el año 214 hasta el 168 a. C. La forma más sencilla de verlo sería como Roma contra Grecia, pero es importante tener en cuenta que los bandos no eran tan tajantes. Roma ya había empezado a conseguir aliados griegos, por lo que estos griegos del Mediterráneo oriental se aliaron con Roma en estas batallas. Cuando el polvo finalmente se asentó, Roma estaría en control de ambos lados del Mediterráneo.

Aunque algunos de estos acontecimientos ya se han tratado en la discusión sobre Macedonia y sus diversos enemigos y aliados, vale la pena analizarlos desde la perspectiva romana y tratar de evaluar cómo las luchas internas de los griegos podrían haber parecido el momento perfecto para llevar a cabo un acto de agresión. Al fin y al cabo, si Grecia no podía presentar un frente unido, sería fácil acabar con los focos de resistencia y ganar aliados, lo que simplificaría mucho las cosas a largo plazo.

La Primera Guerra Macedónica duró del 214 al 205 a. C. aproximadamente. Esta fecha de finalización difiere ocasionalmente dependiendo de la fuente, pero fue alrededor de esta época cuando se firmó un supuesto tratado final. En cierto modo, esta guerra podría considerarse más una escaramuza que una guerra propiamente dicha; para aquellos de ustedes que recuerden los "trabajos" de la escuela, aquí también pueden establecerse algunos paralelismos interesantes.

En aquella época, Filipo V era rey de Macedonia. En las largas listas de reyes por las que ya hemos bailado, éste puede parecer un nombre más del pasado, pero lo que es crucial saber de Filipo V es que acababa de terminar de luchar en la Segunda Guerra Púnica, donde fue aliado de Aníbal. Dado que Roma atacaría Cartago en el norte de África en esa misma década, es lógico que los planificadores militares romanos trataran de anticiparse a cualquier problema y de dónde podría venir.

Filipo seguramente se presentaba como una persona de interés cuando se trataba de este tipo de situaciones, y Roma se apresuró a enviar sus tropas para mantenerlo ocupado tanto como fuera posible. De ahí el término "escaramuza". En retrospectiva, no parece tanto que Roma intentara apoderarse agresivamente del reino macedonio, al menos no todavía. Más bien, al mantener a Filipo ocupado en el este, se le impedía enviar tropas y apoyo a Aníbal en el oeste.

Naturalmente, esto no quiere decir que Roma no aprovechara la oportunidad para apoderarse de algunos territorios a lo largo de la costa adriática. Pero es revelador que los romanos no se limitaran a tomar lo que querían y reclamarlo para Roma; en su lugar, se anunció que las zonas costeras eran necesarias para ayudar a Roma en sus batallas contra la piratería en la zona. Por supuesto, donde había comercio y agua, no podían faltar los piratas, pero este razonamiento parecía más una excusa retroactiva que otra cosa. Independientemente de cómo interpretara la gente las acciones de Roma en aquel momento, el rey Filipo acabó firmando el Tratado de Fenicia.

Sin embargo, como todas las buenas historias, este no es el final de las cosas en lo que respecta a Roma y Macedonia. La primera guerra llegó a un final bastante indeciso, y quizás el mar Adriático tenía realmente un problema de piratas, por lo que tal vez fue una solución aceptada a regañadientes. Curiosamente, esta no fue la única vez que Grecia y Roma actuaron como si simplemente estuvieran cansadas la una de la otra e intentaron tener una paz rocosa, una en la que pudieran ignorar a la otra y esperar que las cosas al final funcionaran.

Pero el año 200 a. C. no era momento para la indiferencia. En Egipto, Ptolomeo IV había muerto y Ptolomeo V estaba a punto de ascender al poder. El mayor problema con esto era que este nuevo Ptolomeo tenía cinco años de edad. Obviamente, como hemos visto antes, el plan era que los regentes trabajaran junto al niño, guiándolo hacia las decisiones adecuadas a medida que crecía como faraón. Pero la idea de niños líderes con regentes rara vez sentó bien a nadie en la historia, y el norte y el sur de Egipto pronto se vieron inmersos en batallas civiles sobre cómo debía continuar el liderazgo del país.

Lo que es muy interesante aquí, especialmente ahora que hemos cubierto tantas historias diversas, es que una vez que Egipto empezó a luchar internamente, las otras zonas de Grecia empezaron a tomar nota. Los macedonios y los seléucidas, que, como se recordará, no eran los mejores amigos después de su separación, decidieron unirse por una vez. Desafortunadamente, su plan era moverse como un frente unido y tomar Egipto por completo. Cómo planeaban hacerlo cuando apenas se soportaban unos a otros es una cuestión sobre la que tendremos que especular. Lo importante es que los reinos griegos más pequeños e independientes no estaban ciegos ante esta repentina alianza y fueron capaces de prever los problemas que podrían surgir si esta cohesión macedonio-seleúcida funcionaba, especialmente si se convertía en el Imperio macedonio-seleúcida-egipcio. En ese caso, los reinos más pequeños no podían hacer otra cosa que tirar la toalla y aceptar lo que decidiera hacer esta superpotencia.

Pero los griegos nunca fueron de los que se rendían sin más ante una posible adversidad. Desgraciadamente, con Macedonia, el Imperio seléucida y Egipto eliminados de la lista de opciones de ayuda, estos reinos más pequeños sólo tenían un lugar al que acudir. Dicen que la adversidad hace extraños compañeros de cama, y ese fue sin duda el caso cuando estos reinos menores comenzaron a recurrir a Roma como su protector.

Para ser totalmente justos, hay que señalar que los griegos e incluso los romanos no parecían muy entusiasmados con esta idea. De hecho, Roma aceptó inicialmente ayudar a regañadientes, pero sólo en forma de diplomacia. Por lo que sabemos, Roma no tenía intención de involucrarse en otra acción militar, algo bastante sorprendente dado el clima político de la época.

Pero las fuentes señalan que, en lugar de ponerse realmente agresiva, Roma simplemente le tendió la mano a Filipo V y le dijo que la campaña tenía que detenerse o habría consecuencias. No debería sorprender a nadie que Filipo, que acababa de ver el resultado vacilante y en última instancia inútil de la Primera Guerra Macedónica, desoyera la petición de Roma. Estaba feliz de continuar sus batallas por lo que parecía ser un premio increíblemente valioso en Egipto sin el mosquito de Roma zumbando en su oído.

El único problema de este plan era que Roma, que inicialmente no tenía ningún interés en la situación, había sido desairada por el general macedonio. Y donde las súplicas de ayuda no funcionan, a veces lo hacen los insultos. Roma reunió rápidamente un ejército compuesto por soldados griegos y romanos y los envió tras Filipo V. Entre 200 y 198, el ejército romano alcanzó a Filipo. Su ejército cedió ante la embestida en la llanura de Tesalia y el liderazgo de Tito Quinctio Flaminino.

Derrotado, pero no eliminado, Filipo continuó la batalla durante un año más antes de sufrir una gran derrota en la batalla de Cinoscéfala. Se redactó el Tratado de Tempea, aunque sus términos eran interesantes y parecían reflejar la creciente indiferencia de los romanos hacia el pueblo que finalmente intentarían envolver. Uno pensaría que Filipo sería ejecutado, asesinado, muerto en batalla, exiliado, o al menos algo más de lo que recibió. Lo único que decía el tratado era que Filipo ya no podía interferir en los asuntos que tuvieran lugar fuera de sus fronteras, que es más o menos la idea básica de las fronteras.

Al año siguiente, en 196, Roma hizo otro sorprendente anuncio. Es difícil extrapolar lo que la gente podía estar pensando hace dos mil años, pero parece que Roma estaba, al menos por el momento, contenta con Italia y Sicilia y no estaba muy interesada en continuar el conflicto. En los Juegos Olímpicos de aquel año, Roma proclamó la libertad de todos los griegos. Seguramente fue una noticia emocionante para los griegos, pero, como harían los romanos más tarde, parecía que se lavaban las manos y dejaban que Grecia se las arreglara sola. Como era de esperar, los griegos estaban más que felices de volver a una vida en la que podían fingir que Roma no existía, y una vez más, tenemos dos grandes culturas sentadas una al lado de la otra y actuando como si no se vieran. Esto duraría apenas dos décadas.

Tal vez esto esté empezando a sonar repetitivo, pero la frase es que la historia se repite, y estamos a punto de ver que eso sucede de nuevo. En el año 172 a. C., Filipo V de Macedonia murió, y el trono pasó a su hijo, Perseo. Cabe preguntarse cuál era exactamente la situación en este caso, ya que no es difícil imaginar a Perseo argumentando que "el tratado era para mi padre, pero no dice nada de mí". Por otra parte, este tipo de razonamiento era probablemente irrelevante para el nuevo rey de Macedonia. Sólo tenía un objetivo: devolver a Macedonia su antigua gloria y poder.

No está claro cómo quería conseguirlo, pero Perseo se vio implicado en un intento de asesinato de un aliado romano. Casi se puede imaginar a los líderes romanos suspirando y diciendo: "¿Otra vez?" mientras desempolvan sus armaduras y se preparan para la batalla, ahora por tercera vez, contra el molesto reino griego. Esta actitud, aunque aparentemente se presenta como una comedia, podría no estar muy lejos de la realidad, ya que a Roma no le fue bien durante los primeros años de la Tercera Guerra Macedónica. De hecho, no fue hasta 168 y la batalla de Pydna cuando Roma pudo derrotar a las fuerzas macedonias y reclamar una victoria final en la guerra.

Las consecuencias de la infausta búsqueda de gloria de Perseo tuvieron un gran impacto en su reino. Roma, tal vez cansada por fin de meterse en las mismas batallas con la misma gente, decidió que Macedonia no iba a dejarla en paz a menos que se hiciera algo drástico. En lugar de crear otro tratado, Roma decidió dividir a Macedonia de una vez por todas, creando cuatro repúblicas clientes de lo que una vez había sido un poderoso reino griego.

Este no fue el final de los problemas con Macedonia, pero Roma estaba mucho más preparada para tomarse en serio las rebeliones. Así, incluso cuando Andrisco se sublevó en 149, proclamando ser el nuevo rey de Macedonia, Roma estaba dispuesta a poner fin rápidamente a lo que consideraba un pretendiente al trono.

Aunque nos hemos centrado principalmente en Macedonia, parece que la postura de Roma sobre la paz griega y su imposibilidad se extendió poco a poco a toda la propia región griega. Tras haberse ocupado de Magna Grecia, Aníbal, Filipo y Perseo, Roma se propuso eliminar cualquier tipo de reino griego y simplemente tomar todo el territorio para sí.

Capítulo XV - La Última Batalla en Corinto

Hemos descrito la Primera Guerra Macedónica más como una escaramuza que como una batalla total entre macedonios y romanos. El incidente en el que se vio envuelto Andrisco también fue similar, por lo que sólo la segunda y la tercera guerra fueron verdaderas guerras. La razón de mencionar esto aquí es que situaciones como la Cuarta Guerra Macedónica mantuvieron los ánimos caldeados entre las dos naciones.

Así, cuando Roma decidió comenzar su esfuerzo concertado de expansión con la guerra Aquea en 146, apenas habían pasado dos años desde que Roma se había enfrentado a Andrisco y sus rebeldes. Otra cosa que hace interesante la guerra Aquea es que este grupo de pueblos había sido aliado de Roma durante la Segunda Guerra Macedónica.

Cuando nos referimos a los aqueos, estamos hablando de un gran grupo de ciudades-estado unidas como una liga. La Liga Aquea no sólo estaba formada por los propios aqueos, sino también por sus aliados del Peloponeso. Pero las buenas relaciones entre la Liga Aquea y Roma se remontaban a casi cincuenta años atrás cuando estalló la guerra Aquea, y el cambio de tendencia en la opinión pública de ambos bandos no carecía de motivos.

Ya durante la Tercera Guerra Macedónica, cuando Roma hacía todo lo posible por subyugar al pueblo, no estaba en contra de tomar rehenes. Los romanos no eran del todo quisquillosos a la hora de decidir a quién acorralaban, y un gran número de aqueos se encontraron en el lado equivocado de la línea entre captor y cautivo. La liga parecía haber resuelto esta situación con un mínimo de sofisticación, pero éste fue uno de los muchos casos, grandes y pequeños, que deterioraron la relación entre ambos grupos.

En el año 148, la Liga Aquea invadió y sometió a Esparta. Esto habría sido una clara señal de la habilidad militar de la liga, y el plan de los aqueos de incorporar a Esparta a la liga como aliada y no sólo como pueblo conquistado debió de llamar mucho la atención en Roma. De hecho, fue en esta época cuando Roma empezó a intentar frenar la expansión de la liga. Sin embargo, los aqueos no estaban dispuestos a ello. Por mucho que Roma intentara mantener la liga bajo control a través de canales diplomáticos, los aqueos seguían empujando hacia la expansión y un mayor poder.

No se puede culpar a los aqueos por querer prepararse ante una potencia inminente como Roma. Al fin y al cabo, Roma había acabado con el reino macedonio, un rival mucho mayor y más poderoso militarmente de lo que la liga podría haber sido sin una gran expansión. Algunas fuentes se refieren a la participación de los aqueos en una guerra con Roma como una especie de misión suicida, pero dado lo que hemos visto sobre el nuevo objetivo de Roma de borrar el problema griego de la zona, podría haber sido una situación en la que la Liga Aquea se sintiera entre la espada y la pared. Si la liga iba a salir, lo iba a hacer tambaleándose.

Roma ya no tenía paciencia para las continuas acciones de la Liga Aquea. Viendo la liga como otro caso más de desafío griego, envió ejércitos para hacer frente a la situación. Dos generales con un total de siete nombres fueron enviados para dirigir las tropas. Para facilitar la lectura, a partir de ahora nos referiremos a Quinto Cecilio Metelo Macedonio y Lucio Mumio Acayo por sus nombres abreviados más comunes de Metelo y Mumio.

Cuando Roma empezó a moverse, la Liga Aquea se apresuró a reunir las tropas que pudo. Critéreo y Diaeo eran líderes experimentados preparados para enfrentarse a Roma lo mejor que pudieran, pero ya fuera por una buena planificación o por suerte, Critéreo se encontraba asediando la colonia espartana de Heraclea en Traquis cuando le llegó la noticia del problema. Critéreo cambió rápidamente su plan y se retiró a Scarpheia, tal vez con la esperanza de encontrar una zona más beneficiosa para enfrentarse a Roma en la batalla.

Desgraciadamente para Critéreo, no parecía importar tanto el lugar en el que participaba en esta guerra como contra quién luchaba. Mientras huía de Roma en general, Metelo le pisaba los talones. Metelo alcanzó rápidamente a Critéreo y derrotó fácilmente al ejército en Scarpheia. Lo que le ocurrió a Critéreo es un misterio. Está ampliamente aceptado que murió en el transcurso de la batalla, pero las teorías y las historias divergen: algunos afirman que se ahogó en los pantanos de la zona, mientras que otros dicen que se envenenó cuando vio que la derrota era inminente.

Perder a alguien tan eficaz y conocido como Critéreo fue un duro golpe para los miembros de la Liga Aquea. En algunos lugares cundió el pánico. Otras ciudades simplemente se rindieron al conocer la noticia, aceptando que, tarde o temprano, Roma las dominaría. Al menos, rendirse supondría un menor derramamiento de sangre.

Sin embargo, no todos los aqueos estaban tan dispuestos a rendirse. Diaeus fue elegido nuevo *strategos* o líder del brazo militar de la liga, y actuó con rapidez y seguridad, aunque no con éxito. En lo que ahora puede parecer cuestionable, Diaeus parecía creer que sólo había una opción de acción: luchar, y sólo había una forma de hacerlo posible: reunir todos los recursos disponibles para uso militar. Estableció levas y llegó a confiscar propiedades y cualquier riqueza que considerase necesaria para mantener la maquinaria bélica en marcha el mayor tiempo posible.

Metelo estuvo en pie de guerra durante toda la elección y planificación de Diaeus. No mostró signos de aminorar la marcha simplemente porque los aqueos hubieran puesto un nuevo líder frente a él. Avanzó por Beocia y fue capaz de tomar Tebas, que había sido una de las ciudades aliadas de la Liga Aquea. Tal vez Metelo necesitaba un descanso, o tal vez sintió que había dado una muestra suficiente del poder del que disponía. Cualquiera que fuese la razón, Metelo ofreció un tratado de paz.

Pero estos eran griegos y romanos en la antigüedad, así que todos sabemos que Diaeus no iba a irse tan tranquilo a dormir. No sólo rechazó la oferta de tregua de Metelo, sino que empezó a acorralar y matar a todos los políticos que encontraba que no estaban de acuerdo con sus ideas. Esto incluía a políticos pro-romanos, pero Diaeus llegó incluso a ejecutar a políticos que simplemente estaban a favor de la paz.

Por aquel entonces, Mummius y su ejército se encontraron con Metelo. En vista de la situación, Mummius envió a Metelo a Macedonia y decidió quedarse y enfrentarse a Diaeus por su cuenta. Mummius reunió a sus tropas y se trasladó a Corinto.

Si echamos un vistazo a los números, parece que debería haber sido una batalla bastante desigual. Mummius estaba al mando de 23.000 soldados y 3.500 hombres de caballería, mientras que Diaeus sólo había podido reunir 13.500 hombres de infantería y 65 de caballería.

Lo que lo hace aún más emocionante es que Diaeus no fue inmediatamente derrotado. Consiguió algunas victorias al principio de las batallas. Pero a medida que Diaeus obtenía más éxitos, su confianza y la de las tropas y el pueblo que le apoyaban también empezaba a crecer. En este arrebato de seguridad, Diaeus decidió atacar a la fuerza principal de Mummius, girando su ejército hacia Corinto, con la esperanza de liberar a la ciudad del dominio romano y tal vez continuar su impulso a lo largo del camino de Metelo también.

Por desgracia, las matemáticas a menudo importan más que la emoción, y sesenta y cinco jinetes no iban a ser suficientes para enfrentarse a un ejército romano. Los jinetes de Diaeus fueron rápidamente derrotados. La infantería romana fue capaz de flanquearlo. Se argumenta que Diaeus podría haberse organizado y al menos haber defendido Corinto, pero tomó otro curso de acción. Corrió tan rápido como pudo hasta Megalópolis, donde, en un gesto increíblemente dramático, aunque inútil, Diaeus mató a su esposa y luego se suicidó.

La Liga Aquea se quedó sin líder y sumida en el caos. Muchas de las tropas que quedaban, así como los desafortunados que vivían en Corinto cuando todo esto comenzó, siguieron el ejemplo de Diaeus (al menos hasta cierto punto) y huyeron de la ciudad lo más rápido posible. Los que se quedaron no tuvieron más remedio que rendirse a los romanos. Dependiendo de quién fueras y de dónde vinieras, esto podría haber sido sabio, o podría haberte costado la vida.

El cónsul romano decidió que declararían la libertad para todos los griegos, añadiendo esta vez la enmienda de que se referían a todos los griegos excepto a los corintios. Todos los varones de la ciudad fueron inmediatamente ejecutados, y las mujeres y los niños fueron esclavizados. Corinto fue destruida casi por completo. Las teorías sobre la motivación de esta acción varían, y puede que las cosas no fueran tan despiadadamente violentas como parece a primera vista. O, al menos, fueron despiadadamente violentas por razones que uno podría no haber considerado.

Por un lado, podría ser que Mummius cediera ante la presión de quienes lo rodeaban y sintiera que necesitaba dar un espectáculo de la derrota griega. Roma no sólo vencería en cualquier guerra, sino que además erradicaría cualquier rastro de quienes se habían sublevado contra ella. Los días de tratar de ignorarse unos a otros habían terminado. Otra teoría, quizá más práctica, aunque de hecho más fría de corazón, es que al destruir Corinto, Roma se deshizo efectivamente de uno de sus mayores competidores comerciales.

El Saqueo de Corinto por *Thomas Allom*

https://commons.wikimedia.org/wiki/File:The_Sack_of_Corinth_by_Thomas_Allom.jpg

Con la caída de Corinto llegó el fin de la Liga Aquea en 146 a. C. Como sabemos, no fue el fin de la influencia griega en la cultura romana. Aunque la ciudad había sido destruida, sus habitantes y muchos otros griegos seguían entrando y saliendo de las provincias y los puestos comerciales romanos, llevando consigo su historia, su lengua, sus historias y su arte. Aunque, para ser justos, puede que este arte no fuera tan apreciado en aquella época como lo es ahora. Se dice que Mummius dio instrucciones precisas a sus soldados cuando saquearon la ciudad. Las obras de arte debían devolverse intactas y, si no lo estaban, el infractor debía reemplazarlas o comprar una nueva. Quizá por eso era general y no escultor.

Capítulo XVI - El Fin de los Seléucidas y los Átalidas

A medida que Roma invadía lentamente los diversos reinos, estados y regiones griegos, es hora de volver una vez más a los principales protagonistas de gran parte de este drama histórico: los seléucidas y los átalidas. Aunque ya hemos hablado de cada uno de estos grupos en otros ámbitos y hemos examinado más de cerca algunos elementos de su existencia, probablemente sería beneficioso dar a cada uno de ellos una pequeña visión general en aras de la claridad y luego centrarnos en los detalles de su desaparición bajo el dominio de Roma.

Para empezar, el Imperio seléucida, en su mayor extensión, abarcaba Irak, Kuwait, Afganistán y Turkmenistán. Los principales desafíos a la expansión seléucida eran Egipto en el oeste y la India en el este, lo que da una idea más significativa, aunque simplificada, de la extensión de esta región en aquella época.

El Imperio seléucida era considerado un importante centro de la cultura helenística y fue responsable de la difusión de muchas ideas predominantes en las artes y las ciencias. Contaba con una élite urbana, término que quizá describa mejor la vida de los seléucidas. El atractivo de este tipo de vida nunca disminuyó demasiado, y la región tuvo un constante flujo de inmigrantes procedentes de toda Grecia.

Mitrídates I de Partia se adentró en las tierras orientales y el reino grecobactriano reclamó las zonas del noreste. A mediados del siglo II, el Imperio seléucida ya no era más que un pequeño estado y en el año 100

a. C. se había reducido a Antioquía y algunas otras ciudades. Si recuerdas, el Imperio seléucida sólo existía porque era una zona tampón muy útil, incluso en guerras tan grandes como las de Mitrídates VI y Sula.

Y a efectos generales, ahí es donde lo dejamos al final de nuestra discusión anterior. Tal vez parezca que queda poco por decir. Después de todo, un gran imperio reducido a un pequeño grupo de ciudades que fueron, en su mayor parte, ignoradas parece un final bastante sólido para una historia. Pero al Imperio seléucida, o al menos a lo que quedaba de él, aún le quedaban unas cuatro décadas para desempeñar un papel en la historia helenística.

Mitrídates VI tenía un yerno, Tigranes el Grande, que se convirtió en rey de Armenia. Vio la oportunidad de avanzar hacia el sur, hacia el anterior territorio seléucida, y de paso expandir su propio reino. Tigranes no era ajeno a los conflictos. Tras guerras civiles y batallas casi continuas, fue capaz de invadir Siria y establecerse como gobernante en el año 83 a. C. Esto parece ser bastante normal a estas alturas. Pero dado el punto en el que nos encontramos, todo el mundo debería estar preparado para lo que sucedió a continuación.

La noticia de los advenedizos en Siria y Armenia llegó a Roma, que se apresuró a enviar a sus propios militares a la escena. El general Lucio Licinio Lúculo derrotó a Mitrídates y Tigranes en el 69 a. C. y restauró los restos del Imperio seléucida bajo Antíoco XIII. Naturalmente, este imperio no era más que un estado de facto, pero quizás el pueblo pudo consolarse con el hecho de no estar bajo el dominio de Tigranes y su suegro.

Incluso los restos del imperio, drásticamente reducidos y casi inútiles desde el punto de vista político, eran motivo de lucha para algunos, y las guerras civiles no eran menos frecuentes allí que en cualquier otro lugar de la zona. Filipo II se apresuró a disputarle el trono a Antíoco XIII, pero la intercesión romana en este asunto, así como con Mitrídates en Ponto, estuvo a punto de poner fin a todo.

En el año 63 a. C., Gneo Pompeyo Magno, habitualmente conocido como Pompeyo, derrotó a Mitrídates por última vez, y Roma tomó la decisión de rehacer definitivamente su zona oriental. Aunque el imperio había servido nominalmente como amortiguador, el mero hecho de que existiera como una unidad cohesionada parecía ser demasiado tentador para los de alrededor, así que Roma hizo lo que había hecho con Macedonia y empezó a repartirse las cosas.

Siria se convirtió rápidamente en una provincia romana, lo que puede haber parecido lo más lógico con las piezas restantes del imperio en su conjunto, pero esto fue simplemente cambiar el nombre del problema en lugar de resolverlo. Otras zonas, como Armenia y Judea, fueron dejadas en paz, o al menos lo suficiente como para que Roma se sintiera cómoda haciéndolo. En realidad, aunque a la mayoría de estas ciudades se les dejó un mínimo de autonomía, en realidad no fue más que eso. Este fue el fin del otrora gran Imperio seléucida. Desde nuestra perspectiva, e incluso desde la de los seléucidas, tras haber visto lo que les ocurrió a los átalidas en Pérgamo, esto no debería habernos sorprendido demasiado.

El reino de Pérgamo fue uno de los principales protagonistas de la vida y la política griegas durante un tiempo. Aunque ya hemos hablado de él en otras ocasiones, vale la pena repasarlo aquí, ya que muestra los mejores y peores aspectos de un reino griego durante el periodo helenístico y cómo los lazos y las alianzas pueden cambiar, romperse y, en ocasiones, reconstruirse en el transcurso de siglo y medio, lo que no es mucho tiempo en el gran esquema de las cosas.

Pérgamo estaba en Asia Menor y, en términos generales, ocupaba lo que hoy conocemos como Turquía. Surgió como un pequeño estado cuando el reino de Alejandro Magno fue dividido en la época de su muerte, siendo inicialmente una parte de la región entregada al general Lisímaco. Todo iba bien hasta ese momento, pero todo lo que hemos hablado hasta ahora demuestra que sólo hace falta una persona, normalmente el hijo o pariente de alguien influyente, para que todo se desmadre.

Esto fue precisamente lo que ocurrió cuando Filetero, uno de los lugartenientes de Lisímaco, se rebeló contra su antiguo comandante y derrocó Pérgamo, entonces conocida como capital, no como imperio. Lisímaco no tuvo que preocuparse mucho por este problema, ya que murió en 281. Después de esto, Pérgamo se separó por completo y se convirtió en una entidad independiente. Sin embargo, en Oriente Próximo la independencia era un juego complicado, y sabiendo que necesitarían algún tipo de respaldo en caso de que las rebeliones, guerras e invasiones continuaran como siempre, los habitantes de Pérgamo se aliaron con los seléucidas, de ahí la conexión que se establece aquí.

La familia de Filetero y sus descendientes fueron capaces de mantenerse en el trono durante unos 150 años, creando la dinastía Atalida. El problema de las dinastías es que el traspaso del poder de una generación a otra casi siempre garantiza algún tipo de cambio de dirección: el rey más antiguo es visto como un tipo de extremo y su sustituto suele inclinarse más en la dirección opuesta, ya sea por política o simplemente por un intento mal guiado de diferenciarse.

Así que, quizás hasta cierto punto, cuando el hijo adoptivo y sobrino de Filetero, Eumenes I, llegó al poder, se encargó de cambiar el enfoque del reino. En lugar de permanecer aliado con los seléucidas, Eumenes luchó contra ellos, enfrentándose a Antíoco I Soter y liberando tierras para que Pérgamo se expandiera. Aunque pueda parecer que despreciamos esta decisión, en realidad permitió grandes avances en la independencia. Gracias a esta rebelión, Pérgamo se deshizo de cualquier vestigio de responsabilidad o dependencia del Imperio seléucida. De hecho, a partir de ese momento (aproximadamente en el año 261 a. C.), el reino de Pérgamo fue abandonado a su suerte y funcionó con un alto grado de independencia durante toda su existencia.

Por supuesto, el Imperio seléucida no estaba satisfecho con la forma en que Eumenes había decidido comportarse, y las batallas intermitentes entre las dos potencias eran una parte casi constante de la vida en las regiones.

Pérgamo no parecía tener demasiados problemas para mantener a raya a su antiguo aliado, lo que llegaría a un punto crítico no mucho más adelante.

Como hemos visto, Pérgamo acabaría aliándose con Roma durante la Primera Guerra Macedónica, una alianza que continuó durante las décadas siguientes, sobre todo cuando Roma entró en guerra con los seléucidas. Pérgamo no sólo luchó contra sus antiguos aliados, sino que también se vio recompensada cuando Roma salió victoriosa. Tras la derrota de Antíoco III en el año 188, Roma decidió agradecérselo al reino de Pérgamo otorgándole una buena cantidad de tierras que, hasta ese momento, habían pertenecido al Imperio seléucida. Todo esto tuvo lugar mucho antes de nuestra más reciente discusión sobre los seléucidas, pero para mayor claridad, se trata de la misma batalla a la que nos referimos como el inicio de la decadencia del Imperio seléucida.

La sólida relación de Pérgamo con Roma fue bastante beneficiosa para el reino, y se extendió lo suficiente como para que cuando el rey Atalo III murió, simplemente legó el reino en su totalidad a Roma. Esto no ocurrió hasta el año 133, y por aquel entonces, Roma mostró poco interés en hacerse cargo de los problemas inherentes a la región en general y con

Pérgamo y sus vecinos. Es importante recordar que incluso el Imperio seléucida se inclinaba más hacia convertirse en un estado aislado en este punto, y teniendo en cuenta que así era como Pérgamo había comenzado, es lógico que Roma hubiera preferido mantener la gran potencia un poco más encerrada. Dentro de tres décadas, el Imperio seléucida se reduciría a un puñado de ciudades, e incluso entonces, los problemas no se detuvieron.

Por supuesto, como sabemos, la entrega de las riendas por parte de Atalo tampoco impidió que surgieran problemas en Pérgamo. Aristónico, como se recordará, se creía hijo ilegítimo del anterior gobernante, Eumenes II, y reunió al pueblo a su alrededor, reclamando lo que él consideraba su legítimo lugar en el trono como Eumenes III. Todo esto ocurrió apenas un año después de que Atalo entregara Pérgamo a Roma, por lo que no es difícil entender por qué los gobernantes no estaban muy entusiasmados con la idea de relegar a la zona. Cuando Pérgamo era independiente, Roma tenía al menos cierto margen para dar un paso atrás y dejar que las situaciones siguieran su curso, interviniendo sólo cuando era necesario. Ahora, sin embargo, las acciones de Aristónico/Eumenes III fueron un acto de rebelión, no contra Pérgamo, sino contra Roma.

Sin embargo, la respuesta algo displicente de Roma a la rebelión de Eumenes alargó las cosas más de lo necesario. Luego de que sus tropas fueran rechazadas el año 131, Roma se vio obligada a reagruparse y volver a intentarlo el año 129. Probablemente con un suspiro colectivo de alivio romano, las tropas tuvieron éxito esta vez, y como habían hecho con Macedonia y más tarde harían con el Imperio seléucida, Pérgamo fue reducida tanto como fue posible y puesta bajo algún tipo de control como provincia romana de Asia.

Capítulo VXII - Cleopatra: La Última Reina de los Ptolomeos

Por fin llegamos a uno de los nombres más conocidos de la época helenística. Aunque hemos seguido su linaje en varios lugares a lo largo de este análisis, ha llegado el momento de hablar de la famosa Cleopatra y analizar no sólo su vida como reina, sino también su relación con Roma al final de esta época. Se han escrito multitud de libros específicamente sobre la propia Cleopatra, incluido uno en nuestra serie hermana, Historia Cautivadora, por lo que el historiador de sillón interesado tiene una variedad de opciones disponibles para profundizar. Nuestro objetivo aquí es ofrecer una breve visión general que sirva de punto de partida para los temas que te resulten interesantes. Y Cleopatra encaja a la perfección.

Cleopatra nació en el año 70 o 69 a. C., hija de Ptolomeo XII Auletes y (presumiblemente) de Cleopatra VI Trifena. Algunas fuentes señalan que su madre también era conocida como Cleopatra V Trifena, no VI Trifena (para que lo sepas, la situación de los nombres no será mucho más fácil a medida que avancemos). Además de ser hija del gobernante Ptolomeo, Cleopatra podía remontar sus raíces hasta Ptolomeo I Soter, el general macedonio original y cohorte de Alejandro Magno. Vivió unos cuarenta años y, aunque su fecha de nacimiento no está muy clara, su muerte se remonta al 10 de agosto del año 30 a. C. Resulta interesante que, aunque la lengua materna de Cleopatra era el griego koiné, la versión más común en la época (lo que resulta apropiado, ya que *koiné* significa "común"), también fue la primera y única gobernante ptolemaica que aprendió y utilizó la lengua egipcia. Teniendo en cuenta que Cleopatra llegó al poder en el año 51 a. C., es decir, con casi 270 años de diferencia con el primer Ptolomeo I, resulta sorprendente que nadie lo hubiera intentado antes.

A bust of Cleopatra

https://commons.wikimedia.org/wiki/File:Kleopatra-VII.-Altes-Museum-Berlin1.jpg

Pero, como hemos visto, los Ptolomeos solían tener las manos ocupadas en algún tipo de intriga política, guerra civil u otro asunto complicado. De hecho, cuando Cleopatra (o, mejor dicho, Cleopatra VII Filopator) estaba a punto de subir al trono, Egipto no se encontraba en una buena situación. Su padre, Ptolomeo XII, había acumulado una gran deuda durante su reinado, que pasó a su sucesor. Para complicar más las cosas, dejó un testamento en el que decía que tanto su hija, Cleopatra, como su hermano, que sería conocido como Ptolomeo XIII Teos Filopator, gobernarían juntos. Ya hemos visto lo bien que funcionan dos gobernantes en cualquier lugar que no sea Esparta, pero la deuda y su hermano no eran los únicos problemas a los que se enfrentaba Cleopatra.

Nada iba a ser fácil para la joven Cleopatra de diecinueve años. Una sequía en el Nilo había provocado una hambruna que estaba causando todo tipo de problemas a Egipto. Y luego estaban los Gabiniani. Se trataba de un grupo de soldados romanos que habían sido traídos inicialmente desde Siria para ayudar a restaurar al padre de Cleopatra en el trono tras un levantamiento en torno al año 55 a. C. Dado que su ayuda logró restaurar a Ptolomeo XII, su líder, el general Gabinio, dejó una parte de sus tropas para mantener Egipto bajo control. Desgraciadamente, sin una tarea real y con muy poco liderazgo, los soldados se entregaron rápidamente a sus propios recursos y pasaron mucho más tiempo causando problemas en Egipto que sofocando cualquier revuelta política.

Por cierto, de ahí también procedía parte de la deuda de Ptolomeo. Se dice que ofreció diez mil talentos en oro al general Gabinio de Siria para que lo ayudara a derrocar el trono egipcio. Aunque esta medida es poco clara y está desfasada, algunos suponen que un talento equivalía aproximadamente a 8,5 gramos. Con un poco de matemática básica, podemos ver que esto equivaldría a unos 85 kilogramos, lo que, en el momento de escribir estas líneas, viene a ser algo menos de 5,5 millones de dólares. No es una deuda abrumadora para un país, pero desde luego es más que los préstamos estudiantiles que tienen algunas personas cuando empiezan su primer trabajo.

Como nota final sobre los Gabiniani, uno de ellos debería sonar familiar. Marco Antonio era entonces un joven soldado de caballería. Si hemos de creerle, no sólo conoció a Cleopatra, sino que se enamoró de ella cuando la conoció durante este periodo. Ella tendría entonces unos catorce años.

Pero volvamos a las cuestiones más apremiantes que nos ocupan. Mientras que el testamento del padre de Cleopatra afirmaba que tanto Cleopatra como su hermano debían gobernar juntos, se supo que otros documentos casi oficiales no apoyaban esta decisión. Las cosas se complicaban un poco, ya que la práctica de casar a hermanos cuando iban a gobernar juntos se había convertido en algo bastante habitual. Así pues, Cleopatra no sólo se enfrentaba a un rival político, sino que además era su hermano menor (unos ocho años) y probablemente su marido. La enorme diferencia de madurez entre los diecinueve y los once años habría sido bastante negativa en cualquier situación.

Sin embargo, esto no impidió que la gente tomara partido, y no pasó mucho tiempo antes de que un grupo de comandantes militares y maestros comenzaran a levantarse contra ella y a oponerse a su autoridad. Esto no tardó en desembocar en una guerra civil. Y sucede que esta no era la única que estaba teniendo lugar en ese momento.

En Roma, las cosas no iban muy bien entre Julio César y su general, el ya mencionado Pompeyo. Pompeyo huía de César, así que se dirigió a Egipto con la esperanza de encontrar algún tipo de refugio y quizás protección. Lo que encontró en su lugar fue un joven fácilmente manipulable por sus consejeros. Ptolomeo XIII hizo que sus hombres tendieran una emboscada y mataran a Pompeyo antes de que César pudiera localizar al general díscolo, de cuyos efectos Ptolomeo no tendría que preocuparse mucho, ya que murió en batalla pocos años después, en el 47 a. C.

Es perdonable pensar que esto resolvía uno de los problemas de Cleopatra, pero no fue así, ya que otro hermano estaba listo para ocupar el lugar de Ptolomeo XIII como co-gobernante, esposo y potencial piedra en el zapato de Cleopatra. Por un lado, Cleopatra ya había intentado alinearse con este hermano menor cuando Ptolomeo XIII aspiraba a más poder, pero la acción tuvo poco impacto en su situación. Ptolomeo XIV, siendo aún más joven que el otro Ptolomeo, no había podido aportar mucho más que un nombre, mientras que ya en el año 49 a. C., Ptolomeo XIII había estado firmando órdenes y tomando decisiones como si fuera el único gobernante de Egipto.

Tal vez esta visión de conjunto sea un poco abrumadora, pero ahora que tenemos una hoja de ruta general, veamos un poco más de cerca lo que estaba ocurriendo aquí.

A pesar de que Roma y Egipto son dos regiones completamente separadas, comenzaron a entrelazarse fuertemente durante los pocos años del co-gobierno de Ptolomeo XIII. Las desavenencias entre Pompeyo y César no sólo influyeron directamente en la situación de Egipto, sino que César también empezó a imponer su voluntad sobre la dinastía. Cleopatra demostró desde el principio que no se quedaba atrás y comenzó a buscar formas de utilizar esta implicación y continuaría haciéndolo durante toda su vida.

Mientras Pompeyo podría haber corrido a Egipto con la esperanza de encontrar el apoyo de cualquiera de los gobernantes, César apeló directamente a Cleopatra. Tras enviar a su hijo a pedir ayuda, Cleopatra le ofreció un trato que resolvería al menos dos de sus problemas de un plumazo. Aceptó enviar barcos en apoyo de César si éste cancelaba su deuda, reunía a los gabinios y los enviaba a luchar en una guerra ajena, librándose rápidamente de su inútil presencia.

Contrasta esto con las acciones de Ptolomeo XIII en la misma época, especialmente la emboscada y la ejecución. Como ya hemos dicho, es muy probable que a Ptolomeo XIII no se le ocurriera este plan por su cuenta, pero siendo preadolescente o adolescente, es razonable que se lo convenciera para que siguiera las indicaciones de sus "mayores y más sabios" consejeros. Además, le dio la oportunidad de decapitar a alguien, algo que probablemente entusiasma a todos los gobernantes jóvenes.

El problema era que César no quería que Pompeyo fuera asesinado. Las intenciones exactas del gobernante para con Pompeyo nunca se conocerán, pero sí sabemos que una vez que Ptolomeo XIII hizo enviar la cabeza de Pompeyo a César, probablemente esperando elogios a cambio, César se enfadó increíblemente. Inmediatamente ordenó que Cleopatra y Ptolomeo se reconciliaran y, una vez hecho esto, tuvieron que separarse, aunque César seguiría apoyando el gobierno de Cleopatra.

Cuando Ptolomeo se enteró de las directrices de César, no las tuvo en cuenta ni a quien se las había dado. En su lugar, reunió a su ejército y se dirigió a Alejandría. Cleopatra, por su parte, consideraba a César no sólo un gobernante, sino también un hombre, y pensó que había más de una forma de caerle en gracia.

El plan de Tolomeo de provocar una revuelta en Alejandría era tan inútil como cabría pensar, y fue rápidamente sofocado por los soldados de César. Una vez más, el romano alentó la reconciliación de los dos hermanos y la llevó ante una asamblea. Puede que se tratara simplemente de un caso de ego ofendido, pero incluso después de que el pueblo hablara, Ptolomeo adoptó la postura de que las cosas se estaban inclinando demasiado a favor de Cleopatra, tal vez incluso debido a la influencia del propio César. Así que, en lugar de buscar formas de trabajar juntos, Ptolomeo pensó que tenía otras hermanas y se marchó enfadado.

Arsinoe IV, la hermana menor de los hermanos enfrentados y anterior aliada de Cleopatra se vio arrastrada a la batalla. Se alió con Ptolomeo XIII cuando éste le prometió que, si triunfaban, la convertiría en reina (y, presumiblemente, en otra esposa). Arsinoe y su hermano consideraron que era un buen trato, reunieron a las tropas y asediaron el palacio real donde se encontraban César y Cleopatra. Lo que resulta al menos ligeramente sorprendente es que, si bien César ya había estado dispuesto a utilizar sus tropas para resolver disturbios, los soldados a sus órdenes no parecían estar a la altura de la tarea de acabar con el ejército que Ptolomeo fue capaz de reunir. No fue hasta casi un año después cuando llegaron suficientes refuerzos para liberar a Cleopatra y César de su improvisado y probablemente nada terrible encarcelamiento en el palacio real.

Con este giro de poder, Ptolomeo y Arsinoe se dieron a la fuga. Pensando que su mejor oportunidad era cruzar el Nilo, la pareja dio media vuelta y se puso a salvo. Pero durante la travesía, Ptolomeo XIII murió ahogado y Arsinoe IV fue capturada y posteriormente exiliada. Por alguna razón, César elevó al trono a Ptolomeo XIV, y a pesar de que el niño tenía doce años y debería haber estado cogobernando con Cleopatra, la reina prefirió seguir viviendo con César. De hecho, a partir de la intervención romana en palacio, Cleopatra apenas fue vista por nadie.

No hace falta ser un genio para darse cuenta de que las cosas habían pasado de una alianza política a una más romántica o al menos física entre Cleopatra y César, sobre todo cuando nació un niño llamado Cesarión en el año 47 a. C. en una situación casi de telenovela, Cleopatra dijo inmediatamente que el niño, cuyo nombre significa "Pequeño César", era hijo de Julio. El padre, bueno, más o menos adoptó la postura de que si no decía nada, tal vez el problema desaparecería. Después de todo, en ese momento estaba casado.

Pero no tenía mucho tiempo para tratar de mantener este tipo de secreto sin sentido. En el año 44 a. C., César fue asesinado. Lo importante de esto en nuestra historia es que César aparentemente pretendía mantener a su hijo potencialmente ilegítimo en secreto incluso después de su muerte. En lugar de que Cesarión ocupara su lugar como gobernante, César nombró heredero a Octavio. Tal vez sintiéndose más que un poco desairada o tal vez no viendo ninguna razón para permanecer en Roma por más tiempo, Cleopatra tomó a su hijo y abandonó Roma para regresar a Egipto.

Y no estaba de humor para payasadas.

Una de las primeras cosas que hizo Cleopatra tras su llegada fue envenenar a su hermano menor, Ptolomeo XIV. Una vez que quitó a su hermano del medio, el camino quedó libre para que Cesarión fuera el co-gobernante con su madre en Egipto. Vale la pena señalar un par de cosas aquí. Uno, hay teorías de que Cesarión no era hijo de César. Posiblemente incluso fue el resultado de una agresión sexual. Si ese es el caso, se podría argumentar que Cleopatra nombró a César padre con la esperanza de adquirir poder en Roma. Dado el cuestionable estilo de diplomacia de la reina, esto no es del todo descabellado, especialmente cuando vemos que no había amor perdido entre Cleopatra y sus hermanos.

La otra pregunta que muchos probablemente se estén haciendo es si Cleopatra se casó con su propio hijo, ya que los gobernantes solían estar casados. La respuesta es que no, hasta donde sabemos. Pero estos matrimonios no tenían por qué ser consumados, así que, aunque se hubiera dado esta situación, no sería el tipo de matrimonio en el que pensamos hoy en día. Quizá la gente sentiría menos escalofríos si se utilizara un término más genérico, como "legalmente unidos". Es una conversación para otro día, pero vale la pena tenerla en cuenta al profundizar en este tipo de situaciones.

Dejando a un lado esta digresión, volvamos al final del reino ptolemaico. En el año 42 a. C., Octavio gobernaba la mayor parte de las tierras romanas occidentales y Marco Antonio había ascendido al poder en el este, formando los dos tercios de un triunvirato político. Antonio no había perdido ni un ápice de interés por la reina egipcia con el paso de los años. Cleopatra seguía dispuesta a leer el panorama político y ver cuál era la mejor manera de trabajar dentro del sistema.

La relación entre Antonio y Cleopatra era mucho más que un romance de cuento de hadas, ya que ambos jugaban tanto el uno con el otro como con la política. Por aquel entonces, Antonio había convencido a Cleopatra de que, en lugar de dejar a Arsinoe IV en el exilio, la hermana rebelde debía ser ejecutada. Aparentemente de acuerdo con la idea, Cleopatra mandó matar a otro hermano y también convenció a Antonio para que pasara algún tiempo con ella en Egipto. Esto ocurrió en el año 41 a. C., y Cleopatra dio a luz a gemelos en la primavera del 40, de los que dijo que eran hijos de Marco Antonio.

Teniendo en cuenta que Cleopatra es conocida tanto por sus proezas como por su belleza y sus amigos en las altas esferas, uno pensaría que al menos habría hecho algún intento por no repetir la situación a la que se había enfrentado con Cesarión. O tal vez, si el niño no era de Cesar no tenía nada que perder intentando el viejo truco de "tú eres el padre". Fuera como fuese, Marco Antonio no estaba dispuesto a enredarse en la situación y poco después se casó con una mujer llamada Octavia, hermana de su compañero de triunvirato.

Pero ninguna situación sencilla puede durar para siempre. El matrimonio de Antonio fue tanto un movimiento político como lo había sido el de Cleopatra con sus hermanos. Cleopatra no parecía tener mucho problema con la situación y era capaz de conseguir lo que quería cuando lo quería. De hecho, en el año 36, tras pasar un tiempo con Antonio, regresó a Egipto embarazada de nuevo.

Tal vez se trate de un caso de "me engañas una vez, me engañas dos", pero los líderes romanos habían llegado al límite de su paciencia con Antonio. En el año 34, Octavio y Antonio estaban enfrentados, y el primero afirmaba que la belleza egipcia le había lavado el cerebro al segundo y que no estaba en condiciones de gobernar nada, y mucho menos su propia casa. Podría haber sido una postura bastante razonable, teniendo en cuenta que "su propia casa" habría sido donde presidía la hermana de Octavio.

Antonio hizo la audaz afirmación de que Octavio no debería estar en su posición, teniendo en cuenta que Cesarión era el verdadero heredero de César. Como era de esperar, Octavio no quedó muy satisfecho con esta respuesta, y Antonio pronto se vio tratando de huir de los soldados romanos con la esperanza de obtener ayuda de Cleopatra y Egipto.

Entre los dos consiguieron reunir un ejército y una armada. En el año 31 a. C. tuvo lugar la batalla de Actium. Cleopatra comandó los barcos en la batalla. Hay que señalar que, aunque esto sería increíble para su reputación de supermujer, se discute hasta qué punto participó en los combates. Su posición parece haber estado cerca de la retaguardia de la lucha, pero se desconoce si esto se debió al deseo de Antonio de mantenerla a salvo o quizás a la propia previsión de Cleopatra (es más fácil retirarse desde la retaguardia).

Lo que sí sabemos es que a lo largo de ésta y otras batallas, la pareja tendía a permanecer unida, independientemente de su implicación en los acontecimientos. Incluso mientras Antonio y Cleopatra estaban en Tainaron, en el Peloponeso, la lucha continuó sin ellos. Tal vez ya estés empezando a ver el problema de una guerra que se libra sin un líder visible, y estarías en lo cierto. No pasó mucho tiempo antes de que muchos de los soldados que luchaban por Cleopatra y Antonio comenzaran a desertar al bando de Octavio.

Poco después, el breve matrimonio entre ambos terminó, y Cleopatra permaneció en Egipto. Su principal objetivo en ese momento, tal vez como siempre había sido, era controlar los acontecimientos a su alrededor. Mientras Cleopatra preparaba a su hijo para el inevitable momento en que sería el único gobernante de Egipto, ella y Antonio empezaron a pedirle una tregua a Octavio. Parecía razonable, al menos a sus ojos, que Cleopatra y sus herederos conservaran Egipto a perpetuidad. Como Antonio era ahora considerado un traidor en Roma, se le debería permitir vivir en el exilio en Egipto.

Octavio tenía una idea diferente. En lugar de ceder a cualquiera de estos deseos, levantó un ejército e invadió Egipto en el año 30 a. C. A su favor, Antonio volvió a dar un paso al frente e intentó enfrentarse a su antiguo enemigo, pero la resistencia duró poco y se vio obligado a rendir su armada en la batalla de Actium al año siguiente. Tras la batalla de Alejandría, estaba fuera de toda duda que los días de Antonio y Cleopatra estaban contados. En lugar de enfrentarse a los planes que Octavio tenía para él, Antonio eligió el camino más sencillo del suicidio.

Cleopatra, siempre con la oreja pegada al suelo, no estaba en mejor situación. Los rumores de la época decían que Octavio había decidido que la dejaría vivir, pero sólo de una manera "justa". Si Cleopatra quería llegar a una edad madura, tendría que hacerlo en el estilo de vida que había concedido a su hermana Arsinoe, es decir, el exilio. Cleopatra siguió los pasos de Antonio y también se suicidó.

Hay cierto debate sobre cómo ocurrió exactamente. Dependiendo de la fuente que se lea y de su antigüedad, se encontrarán diversos detalles. Lo único seguro es que Cleopatra utilizó algún tipo de veneno. Las historias más románticas afirman que dejó que una serpiente llamada áspid la mordiera, pero otras dicen que no había marcas de mordeduras en su cuerpo. Otros afirman que utilizó el veneno de un áspid, pero tal vez lo bebió en un té. Sea como fuere, la muerte de Cleopatra VII supuso el fin del Egipto ptolemaico en el periodo helenístico.

El hijo de Cleopatra, Cesarión, a pesar de la preparación, no iba a durar mucho en el trono tras la muerte de su madre. Gobernó un total de dieciocho días antes de ser ejecutado por Octavio. Después de esto, todo lo que quedaba era hacer de Egipto una provincia romana y poner fin a una era.

Apéndice - Cultura, Arte y Ciencia

Aunque la mayor parte de este repaso se ha centrado en la historia política y militar de Grecia durante los tres últimos siglos, más o menos, antes de la era común, varios libros dan fe de la influencia de la cultura helenística. Si bien nos encantaría profundizar en los diversos ámbitos de la vida que muestran raíces griegas, sólo podemos referirnos a unos pocos antes de dar por concluido nuestro repaso de este período.

Los términos utilizados aquí como subtítulo, "cultura, arte y ciencia", son bastante generales, pero ni siquiera ellos llegan a sondear las profundidades de los avances que Grecia estaba realizando en aquella época. La ciencia puede funcionar como un término general, pero hay que dividirla en categorías más pequeñas y precisas, como la ciencia militar, por ejemplo. ¿Y qué lugar ocupa la filosofía? ¿Es una ciencia? ¿Es un arte? Es probable que muchos se decanten por uno u otro bando. Incluso los deportes llevan la marca de la influencia helenística. Pero antes de entrar en materia, tenemos que abordar la cuestión básica de cómo sabemos estas cosas. Y para ello recurrimos a la literatura.

Aunque la Biblioteca de Alejandría fue quizá la biblioteca antigua más famosa, no fue la única. Se sabe que existían vastas colecciones de textos en Atenas, Pérgamo y Rodas, por nombrar sólo algunas. Por cierto, se cree que Marco Antonio fue educado en Rodas. E incluso con ese hecho, estamos viendo un cambio de perspectiva en cuanto a lo que significaba exactamente una biblioteca en el mundo helenístico. No era sólo un almacén de libros, como tendemos a pensar hoy en día, sino un lugar de educación, casi más parecido a un museo. La literatura, la política, la filosofía y la ciencia se debatían y explicaban en una biblioteca antigua, y la gran mayoría de las personas cultas habían pasado gran parte de su tiempo en una institución de este tipo.

Cuando pensamos en la importancia de las rutas comerciales, es fácil ver cómo las grandes ciudades con grandes bibliotecas tendrían un fuerte impacto en zonas cercanas y lejanas. Pero esto funcionaba de dos maneras: hacia dentro y hacia fuera. Cualquier estudioso de la mitología sabe que los dioses griegos y romanos tienen un gran parecido entre sí, como puede verse en algo tan simple como la situación de Hércules-Heracles. Esta era una práctica bastante habitual para las personas que emigraban a una nueva zona, lo suficiente como para acuñar la frase *interpretatio graeca*, una especie de mudanza en la que los lugareños eran capaces de identificar a sus propios dioses fijándose en las historias griegas, donde surgían personajes y temas similares.

No fue sólo la religión lo que empezó a calar poco a poco en las ciudades griegas. Su estilo arquitectónico influyó en los edificios de todo Oriente Próximo. Algunos dicen que esto se debió en gran parte a la preferencia de Alejandro Magno por el aspecto visual y casi intimidatorio de muchos de los edificios. Otros afirman que fue simplemente una decisión pragmática. Pero, aunque se debiera simplemente a la facilidad de construcción, dice mucho de los arquitectos y de su dominio de las matemáticas y la ciencia para crear tales estructuras.

Esto no quiere decir que las bibliotecas fueran simplemente escuelas muy elegantes. La literatura estaba haciendo sus propios avances como arte y forma de entretenimiento. Durante esta época, se impuso el estilo de la Nueva Comedia. Desgraciadamente, la mayor parte de lo que sabemos al respecto se debe a los escritos de quienes vieron las obras, y sólo una permanece intacta hoy en día. Los poetas también empezaron a buscar a los reyes como mecenas para su arte, algo que continuaría hasta el Renacimiento, aunque algunos argumentarían que sucede incluso hoy en día, pese a que nuestros reyes tienden a ser del tipo sin corona.

En las bibliotecas de Alejandría y Pérgamo se encuentran testimonios de la crítica literaria y de las primeras formas de biblioteconomía. La Biblioteca de Alejandría se lleva la palma en cuanto a fama, pero la propensión a coleccionar y catalogar la palabra escrita estaba muy extendida en la época. Se dice que Alejandría, en particular, exigía a cualquier barco que pasara por la zona que se detuviera el tiempo suficiente para que cualquier libro a bordo fuera copiado para la colección. Aunque los menos optimistas dirán que era más probable que simplemente se llevaran los libros, lo cierto es que la literatura floreció durante este periodo.

Hay ejemplos de novelas griegas antiguas en el *Cuento de Éfeso y Dafnis y Cloe*, aunque las fechas de algunos de estos libros y obras de teatro quedan en entredicho, ya que las copias originales se han perdido para la historia. Lo que sí sabemos es que, ya en la época helenística, las obras conocidas de autores como Homero estaban muy extendidas. En el año 240, un esclavo griego de Italia se encargó de la impresionante tarea de traducir la *Odisea* al latín. Sin embargo, Homero no era el único nombre conocido, y los estudiantes de hoy en día podrían sentirse aliviados al saber que la gente ha estado desconcertada por Virgilio, Horacio y Ovidio durante la mayor parte de dos milenios.

Dado que el periodo helenístico coincidió con la época de Alejandro Magno, no es de extrañar que la filosofía formara parte de la sociedad. Al fin y al cabo, existía una vía directa de conocimiento de Sócrates a Platón, a Aristóteles y al propio Alejandro. Esto no quiere decir que todo el mundo se inclinara por una u otra escuela filosófica. De hecho, la tendencia general de la filosofía fue hacia el interior. Hay quienes sostienen que esto estaba directamente relacionado con el hecho de que Atenas estaba perdiendo sistemáticamente su libertad durante este periodo, y que la situación política del momento repercutía en el propio estilo de pensamiento de los ciudadanos. En cualquier caso, el epicureísmo, el cinismo y el estoicismo se imponían como paradigmas y perspectivas influyentes para la persona pensante.

Sin embargo, no toda la contemplación era tan interna y embriagadora. Las ciencias duras también avanzaban a pasos agigantados. Se empezaba a cultivar plantas mediante fecundación cruzada. Las matemáticas también florecían, basándose en trabajos anteriores. El trabajo de Apolonio con las secciones cónicas, aunque hoy no suene especialmente apasionante, era nuevo y emocionante para los estudiosos de la época.

También era la época de Eratóstenes. Aunque hoy en día no es un nombre que se escuche con frecuencia, todos estamos directamente influidos por él. Tras calcular la circunferencia de la Tierra y su inclinación, Eratóstenes ideó el concepto de día bisiesto y creó un globo terráqueo marcado con paralelos y meridianos. Para no quedarse atrás, Aristarco de Samos calculó la distancia entre la Tierra y el Sol y creó el primer modelo heliocéntrico del universo (lo siento, Galileo).

En medicina, se pusieron de moda las disecciones y vivisecciones de cuerpos humanos y animales. Gracias a estos trabajos, se pudo estudiar el flujo de la sangre por las venas y, por primera vez, se trazó el sistema nervioso del cuerpo. Y gracias a la gran variedad de información científica que irrumpió en el mundo, se creó, estudió y utilizó de forma generalizada la farmacia botánica. La zoología tampoco se quedó al margen. Y algunas fuentes afirman que la Biblioteca de Alejandría, además de ser un lugar de aprendizaje y pensamiento, contaba con un impresionante zoológico. Por último, aunque suene un poco exagerado, Anticitera creó un mecanismo que algunos consideran el primer ordenador. Su dispositivo requería treinta y siete engranajes y funcionaba con un sistema analógico familiar. Gracias a él, pudo calcular el movimiento del Sol, la Luna y los planetas con la precisión suficiente para seguir los eclipses.

En esta época, el arte parecía haber tomado un rumbo más exterior. En lugar de la comprensión interpretativa o emocional a la que estamos acostumbrados hoy en día, los artistas de la época helenística se esforzaban por crear un arte realista. Muchas de las obras que hoy tenemos de esta época muestran situaciones domésticas que la gente corriente encontraría en su vida cotidiana. No todos los cuadros eran mitológicos; se podía crear una obra igual de impresionante mostrando el trabajo de un obrero o una persona corriente.

Para quienes estaban familiarizados con el estilo del claroscuro (crear un fuerte contraste entre la luz y la oscuridad), este uso del color se puso de moda. Las naturalezas muertas y los paisajes empezaban a ganar popularidad, y el uso del claroscuro era perfecto para las delineaciones requeridas en estas imágenes. Los ciudadanos locos por las palabras no se contentaron con dejar pasar esto por alto, ya que nuestros primeros libros de historia del arte empezaron a aparecer también en esta época.

Hasta ahora sólo hemos mencionado una vez los Juegos Olímpicos, pero eso no quiere decir en absoluto que el deporte no formara parte de la sociedad. Aunque pudiera parecer que no había tiempo para nada más que para elegir bando para la siguiente batalla, los reyes egipcios eran conocidos por patrocinar instalaciones y festivales atléticos. En una situación que hoy puede parecernos extraña, estos juegos estaban abiertos a la gran mayoría de los ciudadanos. Se organizaban diversas competiciones, tanto de nivel como educativas.

Cabe recordar que los atletas que participaban en las Olimpiadas y los Juegos Panatenaicos eran todos varones. Pero a pesar de lo que pueda parecer, el atletismo femenino también floreció. Aunque las mujeres tenían prohibido participar en los juegos masculinos, se organizaban exhibiciones y demostraciones públicas en las que participaban tanto atletas masculinos como femeninos.

Por último, sería negligente de nuestra parte no referirnos brevemente a los avances de la ciencia militar. Antes hemos mencionado que, aunque en esta época no escaseaban las grandes ideas e inventos, no siempre se utilizaban, probablemente para disgusto de quienes rechazaban al científico que había detrás de ellos. Lo que distingue a la época helenística es la aparición del soldado profesional. Esto permitió que los ejércitos se especializaran más en su composición y su tamaño. Contar con varios grupos de soldados centrados en tareas específicas dio cierto orden al ejército y permitió el crecimiento de los vehículos de transporte, en particular los barcos. Al empezar a considerar valiosos los territorios conquistados en lugar de simplemente poseerlos, los militares se encontraron en posición de aprender sobre armas y estilos de lucha más diversos y sobre cómo podían integrar estos nuevos conocimientos en su propia campaña. Al fin y al cabo, aunque los elefantes no siempre tuvieran éxito, hoy en día seguimos hablando de su uso.

Conclusión

Repasar la historia puede resultar abrumador. Y tratar de centrarse en un territorio determinado a menudo se convierte en una tarea casi igual de abrumadora. Como hemos visto, no se puede entender a Cleopatra sin comprender al menos parte de la historia romana. Y no se puede entender realmente la historia romana sin ver cómo las conquistas de Roma sobre Grecia influyeron y prepararon el terreno para las alianzas y rebeliones que nos llevan de nuevo a Cleopatra. Pero, además, fue la séptima Cleopatra, por lo que uno debe tratar de entender de dónde venía y qué factores influyentes la convirtieron en lo que era.

Esperamos que este libro haya avivado la llama de la curiosidad por un tema que a veces se considera un campo de estudio polvoriento o aburrido. Quizás el periodo helenístico no tenga un nombre tan emocionante como, por ejemplo, la Edad Media, pero nos gusta creer que hemos mostrado el impacto que estas personas siguen teniendo en nosotros hoy en día.

Quizás Grecia perdió parte de su atractivo una vez que Roma se apoderó de la mayor parte del mundo conocido. También podría ser que gran parte de lo que hoy consideramos "griego" se asemeje más a la época clásica que a la helenística. Pero esta pequeña muestra representativa no es la imagen completa. De hecho, se podría ver que mucho de lo que ocurrió durante este periodo sentó las bases para algunas de las situaciones más controvertidas.

Hablamos del hecho de que Cleopatra aprendió la lengua egipcia, pero también dominaba lo que se ha dado en llamar griego koiné. Cualquier estudiante de teología debería estar muy familiarizado con esta rama concreta del griego, ya que esta lengua fue utilizada para escribir el Nuevo Testamento y todavía se enseña en colegios y universidades de todo el mundo como parte de los estudios bíblicos. Incluso si la religión no es lo tuyo, el hecho de que este idioma fuera la lengua "común" lo hace muy útil para estudiantes de diversos campos.

Al hablar anteriormente de las matemáticas, se ha dicho que se basan en el trabajo realizado previamente. Esto es cierto en casi todos los campos, y la filosofía, la ciencia e incluso la religión se ajustan directamente a esta idea. Es una gran simplificación decir que la filosofía es una persona en desacuerdo con la anterior, pero en cierto modo, esta es una explicación factible de su historia. Como hemos visto, la política de Atenas se vio influida por la política de Roma, que a su vez se vio influida por la política de Egipto.

Esto no es una diatriba sobre la filosofía en particular, sino más bien un estímulo para aprender las lecciones que ofrece la historia. Se bromeaba sobre cómo, si un reino tenía problemas, lo siguiente que se podía hacer era recurrir a los Ptolomeos. Lo que podemos ver desde una perspectiva más amplia es la sabiduría, o la falta de ella, a la hora de confiar en los amigos de mal agüero. En retrospectiva, somos capaces de ver momentos, como la muerte de un rey o el nombramiento de co-gobernantes, y decir que había una alta probabilidad de que los problemas no estuvieran lejos.

Y en un libro tan plagado de historia militar, sería absurdo no fijarse en la mentalidad de los conquistadores y en cómo y cuándo empezaron a cambiar de perspectiva. Al adaptarse a nuevas ideas y culturas, los ejércitos del periodo helenístico crecieron en fuerza e inteligencia. Al considerar las diferencias como fortalezas potenciales, estos grupos encontraron la capacidad de diversificarse de formas que, hasta ese momento, habían sido inauditas.

Esperamos sinceramente haber ampliado tus conocimientos en al menos un pequeño ámbito de la historia y haberte animado a extrapolar el mayor impacto que estos pequeños incidentes tuvieron en la historia del mundo y en la perspectiva que tienes en tu vida cotidiana. Es fácil decir que le debemos al menos algo a Julio César, teniendo en cuenta que muchos calendarios de iglesias ortodoxas aún llevan su nombre, pero es nuestra esperanza que esto pueda ir un poco más allá.

Al final, lo que hemos presentado son las historias de personas en situaciones difíciles, complicadas y a veces violentas. No todas las decisiones de los helenos de las que hemos hablado fueron acertadas. Pero la mayoría de las veces se aprende más de un error que de un acierto accidental.

Te animamos a profundizar en cualquiera de los temas que hayan despertado tu interés. Se incluye una bibliografía para iluminar el inicio de tu camino hacia un mayor conocimiento. Pero, al fin y al cabo, profundizar siempre puede conducir a algo. Eso sí, te recomendamos encarecidamente que te mantengas alejado del té de áspid.

Vea más libros escritos por Enthralling History

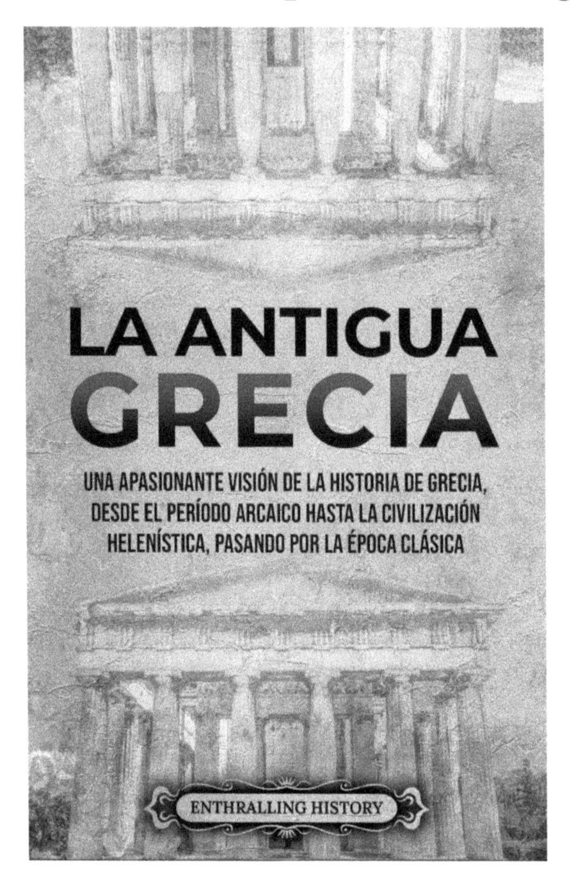

Bibliografía

Angelo, Alberto. *Cleopatra: The Queen Who Challenged Rome and Conquered Eternity.*

Translated by Katherine Gregor. HarperCollins. 2021.

Garland, Robert. *Daily Life of Ancient Greeks.* Greenwood Press. 1998.

Kitto, H.D.F. *The Greeks.* Penguin Press. 1991.

Martin, Thomas R. *Ancient Greece: From Prehistoric to Hellenistic Times.* Yale University

Press. 1996.

Spawforth, Tony. *The Story of Greece and Rome.* Yale University Press. 2018.

Worthington, Ian. *Athens after Empire.* Oxford University Press. 2020.

Breve Lista de Algunos Actores Principales

(Todas las fechas a. C.)

Alejandro Magno (356-323) rey de Macedonia, hegemón de la Liga Helénica, faraón de Egipto. Creó uno de los mayores imperios de la historia, que, a su muerte, necesitó ser dividido, poniendo así en marcha el contenido de este libro.

Alejandro IV de Macedonia (323-309) Hijo de Alejandro Magno y Roxana de Bactriana. Gobernó bajo regencia desde su nacimiento, aunque su derecho al trono fue muy disputado desde el momento de la muerte de su padre, ligeramente anterior al nacimiento de Alejandro IV.

Antígono I Monoftálmico (382-301, también conocido como Antígono el Tuerto) General macedonio griego a las órdenes de Alejandro Magno. Fundador de la dinastía Antigónida, que gobernó en Macedonia hasta el año 168.

Antíoco I Soter (323-261) Hijo de Seleuco I Nicator y posterior gobernante del Imperio seléucida. Primero de los siete gobernantes que llevaron el nombre de Antíoco, línea que continuó hasta la caída del imperio en el año 129.

Antípatro I de Macedonia (desconocido, gobernó entre 297 y 294) Hijo de Casandro y Tesalónica de Macedonia, hermanastra de Alejandro Magno. Gobernó conjuntamente con su hermano (Alejandro V) antes de intentar reclamar el trono para sí. Finalmente fue asesinado por Lisímaco.

Arato de Sición (271-213) Político y comandante militar. Fue elegido en numerosas ocasiones para dirigir la Liga Aquea en campañas militares.

Cesarión (47-30, también conocido como Ptolomeo XV César) Hijo de Cleopatra y Julio César. Último faraón del Egipto ptolemaico cogobernó con su madre hasta la muerte de ésta, luego en solitario hasta que su muerte fue ordenada por Octavio (más tarde emperador Augusto)

Casandro (355-297) Hijo de Antípatro, uno de los Diadocos que luchaban por la tierra tras la muerte de Alejandro Magno. Más tarde mandaría asesinar a Alejandro IV, consiguiendo así la corona para él.

Cleopatra VII Filopáter (69-30) Última reina y gobernante activa del Egipto ptolemaico y descendiente del fundador de la dinastía, Ptolomeo I Soter. Sus alianzas políticas con Julio César y Marco Antonio no consiguieron asegurar la estabilidad en Egipto. Cleopatra murió (supuestamente) por su propia mano.

Crátero (370-321) General macedonio al servicio de Alejandro Magno, más tarde se convirtió en uno de los Diadocos tras la muerte de Alejandro. Firme defensor del legado de Alejandro durante toda su vida murió en la batalla contra Eumenes en Asia Menor.

Diodoto I Soter (c. 310-235) Sátrapa de Bactriana. Tras rebelarse contra el Imperio seléucida, se convirtió en el primer rey de Greco-Bactriana y estableció la dinastía Diodótida.

Eumenes (362-316) General, comandante de campo y secretario personal de Alejandro Magno. Partidario de Alejandro IV y más tarde sátrapa de Capadocia y Panhagonia.

Gneo Pompeyo Magno (106-48, también conocido como Pompeyo) General y estadista romano, a veces aliado y enemigo de Julio César. Miembro del Primer Triunvirato y a veces aliado de la dinastía ptolemaica.

Heracles de Macedonia (327-309) Posible hijo ilegítimo de Alejandro Magno y Barsina de Frigia. Personaje relativamente oscuro hasta que Polipercón comenzó a defender el derecho de Heracles al trono tras el asesinato de Alejandro IV por Casandro.

Lisímaco (360-281) Oficial y sucesor de Alejandro Magno. Uno de los Diadocos y más tarde rey de Tracia, Macedonia y Asia Menor.

Marco Antonio (83-30) Político y general romano, pariente y partidario de Julio César. Tuvo tres hijos con Cleopatra VII, lo que suscitó dudas sobre su lealtad a Roma y su lugar en la jerarquía gobernante. Murió por su propia mano tras ser derrotado en la batalla de Alejandría.

Meleagro (desconocido-323) Uno de los generales más experimentados de Alejandro Magno. Más tarde conocido por apoyar la ascensión al trono de Heracles o Arrónidas en lugar de esperar a saber si Roxana daba a luz a otro heredero varón del difunto Alejandro.

Pérdicas (355-320) General a las órdenes de Alejandro y comandante supremo del ejército imperial tras la muerte de éste. Se opuso firmemente a las ideas de Meleagro sobre la sucesión y apoyó la idea de esperar a ver qué hijo daba a luz Roxana. Fue regente de Filipo III Arrhidaeus.

Filetero (343-263) Gobernante de Pérgamo desde el año 282 hasta su muerte. Mostró alianzas cambiantes durante las guerras de los Diadocos, alineándose tanto con Antígono como más tarde con Lisímaco después de que éste matara al primero.

Filipo III Arrhidaeus (359-317, también conocido como Filipo III de Macedonia) Hijo de Filipo II de Macedonia y Filinna de Larisa, lo que lo convierte en el hermanastro mayor de Alejandro Magno. Fue rey de Persia y Macedonia, así como faraón de Egipto, aunque bajo regencia debido a una incapacidad cognitiva desconocida.

Filipo V de Macedonia (238-179) Rey de Macedonia desde el año 221 hasta su muerte. Activo en las guerras contra Roma, especialmente en la Primera y Segunda Guerras Macedónicas y en la guerra Romano-Seleúcida.

Polipercón (c. 385-304) General tanto de Filipo II de Macedonia como de Alejandro Magno. Muy implicado en las guerras de los Diadocos y nombrado regente del imperio tras la muerte de Antípatro, aunque esto sería rápidamente cuestionado por el hijo de Antípatro, Casandro.

Ptolomeo I Sóter (367-282) General, historiador y guardaespaldas de Alejandro Magno. Cuando se dividió el imperio, Ptolomeo recibió Egipto, donde fundó la dinastía ptolemaica, que duraría hasta la muerte de su descendiente Cleopatra VII.

Pirro de Epiro (319-272) Estadista griego, rey de la tribu de los molosos, más tarde rey de Epiro. Fuerte opositor a Roma y considerado uno de los mayores líderes militares de su época, aunque de su nombre se deriva el término "victoria pírrica".

Roxana de Bactriana (340-310) Princesa bactriana casada con Alejandro Magno tras su derrota de Demetrio. Madre de Alejandro IV, aunque su derecho al trono sería muy disputado antes y después de su nacimiento.

Seleuco I Nicator (358-281) General y oficial de Alejandro Magno, más tarde implicado en las guerras de los Diadocos tras la muerte de Alejandro. Rey del Imperio seléucida y fundador de la dinastía del mismo nombre.

Milton Keynes UK
Ingram Content Group UK Ltd.
UKHW020920070724
445144UK00005B/44

IWA
SF
AN

CW01025127

I COULDN'T PAINT GOLDEN ANGELS

SIXTY YEARS OF COMMONPLACE LIFE AND ANARCHIST AGITATION.

ALBERT MELTZER

Acknowledgments and thanks to all who insisted on my writing this book, and to Chris Pig for his flattering illustrations, Phil Ruff who checked dates and proofs, Stuart Christie for his foreword and encouragement, and Simon Mckeown for everything.

— am

I COULDN'T PAINT GOLDEN ANGELS:
Sixty years of commonplace life and anarchist agitation.

ISBN 1-873176 93 7

Library of Congress Cataloguing-in-Publication Data

A catalogue record for this title is available from the Library of Congress.

IBritish Library Cataloguing in Publication Data
A catalogue record for this title is available from the British Library.

First published in 1996 by

AK Press
22 Lutton Place
Edinburgh, Scotland
EH8 9PE

AK Press
P.O. Box 40682
San Francisco, CA
94140-0682

Kate Sharpley Library
BM Hurricane
London
WC1N 3XX

Photoshop and layout work donated by Freddie Baer.
Cover and woodcuts by Chris Pig.

TABLE OF CONTENTS

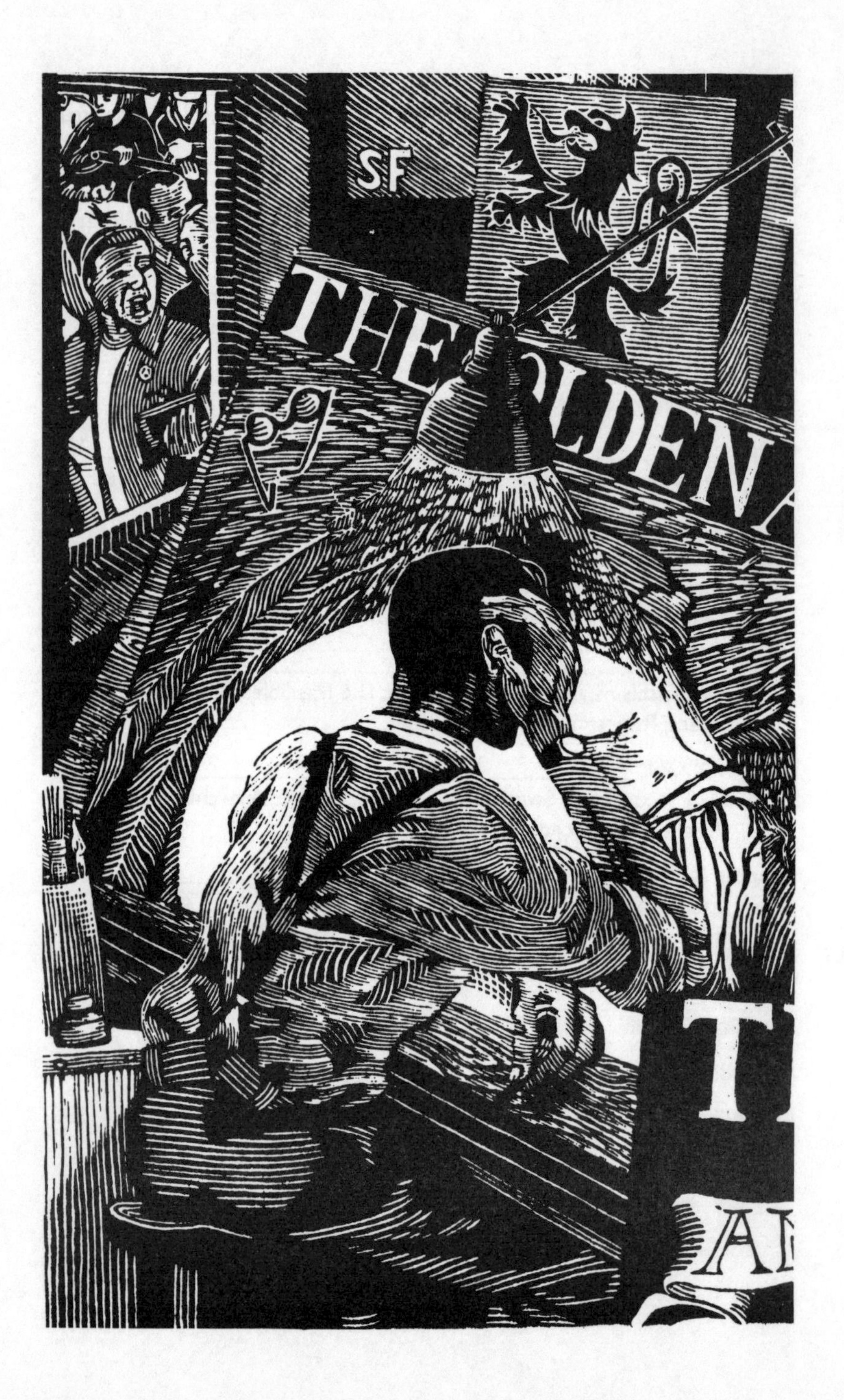
SF
THE
LDEN

FOREWORD

In spite of the self-effacing sub-title, the life of Albert Meltzer has been far from 'commonplace'. It is a witty account of the never-ending and tireless struggle — sometimes Herculean, sometimes Schvejkian — against the hydra-headed nonentities who seek to impose their order and their certainties on the universe.

Since his schooldays, throughout his working life and now in 'retirement', anarchism has been the guiding star which has fuelled Albert's thankfully incurable and infectious optimism and faith in the ultimate common sense of humanity. He is a worker, was active in trade unionism, a tireless but unpaid editor, a traveller, a public speaker and a challenger of humbug. His character, ideas, good humour (mostly) and generosity of spirit have touched and influenced many people in many lands during the past sixty years. I am grateful to have been one of those links in the chain. Others, some of the many younger people Albert continues to inspire, will undoubtedly be the torchbearers of anarchism — a vision of a free, just and self-managed society — into the twenty-first century.

However did Albert Meltzer get to be one of the most enduring figures in the active international anarchist movement in the second half of the twentieth century? How did his commitment to anarchism survive the destruction of the Revolution and defeat in the Civil War in Spain? How did it survive the Second World War? What was the anarchist contribution to the revolutionary impetus of the 1960s and 1970s? How did it respond to the more demanding reactionary challenges of the 1980s and 1990s? These are important questions with a valuable bearing on the human condition in this century. "I Couldn't Paint Golden Angels" does not provide any easy answers but it does provide sharp and invaluable insights into how anarchists are formed and sustained — unpretentious, without illusions, prepared for everything and forgetting nothing.

— Stuart Christie

INTRODUCTION

> "A person is strong only when he stands upon his own truth, when he speaks and acts with his deepest convictions. Then, whatever the situation he may be in, he always knows what he must say and do. He may fall, but he cannot bring shame upon himself or his cause. If we seek the liberation of the people by means of a lie, we will surely grow confused, go astray, and loose sight of our objective, and if we have any influence at all on the people we will lead them astray as well — in other words, we will be acting in the spirit of reaction and to its benefit."
>
> (Michael Bakunin — *Statism and Anarchy*, 1873)

Two tactics of Communism (Marxist and Anarchist) have existed ever since Marx and Bakunin clashed in the First International of the 1860s, over the question of the State. Both agreed that the goal of Communism should be a classless society which had no need of the state; their differences were only on how to reach it. The Bakuninists favoured an immediate, total destruction of the bourgeois state, and its replacement with a federal, decentralised system of free communes and labour organisations. The Marxists, whilst agreeing that the bourgeois state should be destroyed, believed that a new type of state machine, the dictatorship of the proletariat, was needed in order to oversee the dismantling of the old class system during a period of transition to full Communism. This temporary dictatorship would, of necessity, be strictly centralised. Marx attacked the ideas of Bakunin as 'Utopian' and unworkable. Bakunin, in turn, pointed to the dangers of a new class of 'Savants' (intellectuals) being created, in whose hands all power of decision making would be concentrated, leading inevitably to the emasculation of the revolution and a new form of slavery for the people.

The International was strongest in those countries where the workers' movement was more deeply imbued with the libertarian principles of federalism, decentralisation and antipathy to state control. When the International split, and a separate anarchist movement came into existence, it was natural that Anarchism should prosper best among the working class of those countries which had been most resistant to the ideas of Marx: Italy, Switzerland, France and Spain. Spain, more than anywhere else in Europe, proved to be the testing ground for anarchism in action. In the sixty years between the death of Bakunin (1876) and the start of the Spanish Civil War (1936), uninterrupted capitalist repression and unrelenting anarchist activity ("tyranny tempered by assassination", as someone once described Russia under the Tsar) combined to produce a working class anarchist movement that not only resisted Franco's military assault on the Republic, but conducted a social revolution that went much further than anything that had taken place before it in Russia. It was this example of a libertarian revolution that had no need of Marxist leadership, and was outside of Comintern control, which moved Stalin to act against it in Spain.

The tradition of working class anarchism in England, though never as organisationally successful as in Spain, went back just as far. So too did its internationalism. The anarchist movement in England welcomed fraternal exiles from everywhere in the world; some, like the Italians, Russians and Jews formed sizeable colonies, others achieved lasting notoriety through episodes of resistance which, in the case of the Latvians, culminated in the "Siege of Sidney Street" (1911).

The movement in England (and Scotland and Wales) received its strength from being solidly working class. Only under the decimating impact of the First World War, and the fatal attraction of Soviet Communism, did the anarchist movement go into decline. But by the mid-1930s the experience of class struggle anarchism was still sufficiently recent, and there were still enough survivors of the 'old' movement, to pass on the fighting tradition to a likely young rebel from Tottenham who was coming to anarchism for the first time. And the news from Spain was all of revolution.

The Russian revolutionist Emma Goldman possessed many sterling qualities, but her scathing dismissal of the 17 year-old Albert Meltzer as a "hooligan", in 1937, proved only that being a good judge of character was not one of them. An officer in the Special Branch came closer to the mark in 1977, with a back-handed compliment made as an aside to Black Cross members raided in Huddersfield, referring to Albert as "the doyen of the British anarchist movement". After knowing Albert for something over twenty years, I confess that I have never met a more reliable or dependable man. If anyone could be said to qualify as a senior Ambassador of Anarchism, it is Albert Meltzer.

Albert is best known internationally for his championing of the Spanish Resistance during the Franco years, but there can barely be a country in the world where someone does not owe him a debt of thanks for his unassuming solidarity and unceasing commitment in sixty years of activity for the anarchist cause. This is not revolutionary rhetoric. The struggles Albert has been part of have all been real. To my own knowledge, he has never run away from a fight, even when it has not been of his choosing, and all too often he has had to suffer the unwanted, if not unwarranted, attentions of various police forces because of the derring-do or stupidity of others.

Albert has skimmed the surface of his long association with anarchism before, in *The Anarchists in London 1935-1955* (Cienfuegos Press, 1976), but this is the first time the story has been told in full and brought up to date. It is a unique account of working class rebellion.

One of the great things about writing history is that it can only be done after the event, but it can only be understood by keeping an eye on the future. Unlike the Canadian Professor George Woodcock, who ignored the possibility that libertarian ideas were primed to detonate a fresh explosion of revolutionary struggle when he wrote off the anarchist movement as finished in 1962, Albert Meltzer writes about the past ever hopeful that the final chapter of anarchist history is still to come. He should know. He, more than most, inspired the generation that passed Woodcock by and embraced revolutionary anarchism in the 1960s.

The restructuring of the Spanish Resistance on an international level in 1962 was instrumental in reviving anarchist movements throughout Western Europe and beyond. The "British Connection" was first highlighted by the arrest of Stuart Christie in 1964, during an abortive attempt to assassinate the Spanish dictator, but many more anarchists from these islands made their contribution over the years. Through the Anarchist Black Cross, formed after Christie's return from Spain in 1967, Albert helped to turn the defence of class struggle prisoners into a springboard to action by others. And he was the driving force behind *Black Flag*, launched in 1970 when the *Bulletin of the Anarchist Black Cross* changed its name. From these modest but very practical endeavours came a new Anarchist International that defined its existence through activity, not organisational affiliation. The target for intense police reaction, including the murder of three of its Secretaries (Giuseppi Pinelli in Milan, Tommy Weissbecker and Georg Von Rauch in Germany) and the arrest again of Christie in London, the Black Cross scored an impressive string of victories in bringing aid to revolutionaries imprisoned around the world. Miguel Garcia and Juan-Jose Garcia (Spain), Goliardio Fiaschi (Italy) and Martin Sostre (USA) are among those who in some degree owed their release to the ABC and to Albert Meltzer.

Albert's appearance as a witness in the 1972 "Angry Brigade" trial, one of his many calls to the witness box, but for the *prosecution* (something they bitterly regretted), was thereafter seized upon by the press, to cast him in the role of benevolent anarchist "Godfather", linked to every real or imagined act of resistance during the 1970s. Police fears of a "new Angry Brigade" culminated in the 1979 "Persons Unknown" trial, at which Albert was also called to testify, this time for the defence. State paranoia aside, police preoccupation with the spectre of libertarian resistance does acknowledge that there are anarchists who take anarchism seriously. In this respect, Albert Meltzer stands among the "guilty", and is proud of it.

The 1960s and 70s were the years of Albert's outstanding achievement, but he has done much, before and since, of lasting merit. Many episodes in this book, particularly from Albert's early life, will be new even to people who know him. From the attack by anarchists that destroyed a British fascist exhibition about Franco, for which Albert was castigated by Emma Goldman in 1937, to the movement of soldiers' councils in Egypt at the end of the Second World War, Albert's first-hand account chronicles a period of working class anarchism ignored by academic historians.

Albert's refusal to kowtow to the pacifist-liberal Mafia who sought to re-invent anarchism in their own image after the war, and his scepticism of the New Left in the 1960s, have earned him a reputation for "sectarianism". Paradoxically, it was the discovery of class struggle anarchism through the "sectarianism" of Black Flag under Albert's editorship that convinced so many anarchists of my generation to become active in the movement.

Where many younger people have felt content to withdraw from activity, having "done their bit" (often very little) for anarchism, Albert has soldiered on past retirement age, through the 1980s and into the "post Cold War" era of the mid-1990s. Despite his age, he is still travelling the world as an Ambassador of Anarchism, still publishing Black Flag, and still an inspiration for those who believe that the ideal of liberation must be fought for if it is to materialise. "Reasonable" people will always be slaves. Only the "hooligans" of this world will ever live in freedom.

Philip Ruff
London, January 1995

"Her master won't let her have her box because she left without notice."

CHAPTER I

The Box Scandal; Gypsies and Germans; The Film Scandal; The Road to Salvation: In the Van; Lost Millions; Paradise Lost and Regained

The Box Scandal

Nellie, who ten years later was to be my grandmother, sat on the pavement in front of her house in a crumbling North London suburb tossing crumbs to the squawking birds, holding court of the cottages around among her chirping friends. Her husband Joe often remarked in reply to her complaints of the time he spent on charitable committees that she ran a more efficient advice centre and board of help than anything the guardians of the parish did.

Sure as fate Mrs Noel brought her along a hard luck story, a servant girl crying and holding her pinafore over her eyes to conceal her shame. "Her master won't let her have her box because she left without notice," explained Mrs Noel, who faithfully found and put the lame ducks on proud display for Nellie to get flying again. "She won't be able to get another job without a box and without a character. She's got nothing but the clothes she stands up in. What do you reckon we should do?"

The initial answer was always the same. "Bring her in for some chicken soup, then we can think." They all gathered in the little shop-parlour (the shop itself was never used as such, it was always a sort of glory-hole as far as I could gather). Nellie was used to problems: she had twenty-seven siblings — her father had buried four wives in three different countries, having had Victorian-sized families by each, and Nellie being the eldest had looked after them all.

She could discover improbable relations everywhere, ranging from a gentleman-farmer on Long Island, New York, to an embarrassing Dutchwoman who, when visiting London for the first time and speaking no English but an excellent imitator, lifted her skirt and shouted, to Nellie's horror, "Stop the bus, the horse is pissing" to the driver, explaining to Nellie this was the way she'd observed English ladies boarding public vehicles.

"'A character you have, you don't have it given," explained Nellie to Effie, no longer weeping. "If you want it in writing, we'll soon find someone. The job, well, for the wage you were getting, if you'd even have got it, doesn't matter, they're crying out for girls. As for the box, my old man's out totting, maybe he can find you one, and we've always got plenty of clothes. You can pay for them a penny a week, meanwhile finish your soup."

Effie had barely time to stutter her thanks let alone swallow her soup, when Joe arrived and was told her story. "'It's odd," he said. "I got a box this morning. I haven't even paid for it yet. A gentleman stopped my trap and told me he wanted to get rid of it. He asked two guineas but being a toff wanted to be paid in gold. I said I'd have to come home first or pay for it in silver — but he said he knew me from the hospital committee and I could take it away and pay when I was passing."

Effie stared at the box as it was brought in. "It's full of clothes," explained Joe. "About your size, I reckon. There's a stroke of luck for you".

"But it's my box!" cried Effie. "Look. there's my mum's picture, and my letters, and everything. I never thought I'd see it again. Are you sure you'll take only a penny a week?"

"Not likely"' roared husband and wife together, in accord for once. "It's your box," explained Joe. "Take it. Good job I never gave that man the two guineas, I'll give him a piece of my mind instead."

"He'll sue you,"' said Mrs Noel cheerfully. She always liked to prophesy doom. "He's a Justice of the Peace and the case will come before him. You won't stand a chance. Probably end up in prison, all for a penny a week."

"I don't mind paying," said Effie.

"I do."

The gentleman listened sympathetically to the account next day of how he had given the girl back her box. "Very commendable of you, I'm sure. However, you didn't suffer the inconvenience of a girl leaving without notice. If that sort of thing became common one could never sit down to dinner. However we needn't discuss the rights and wrongs of that, just give me the two guineas we agreed on. I trusted you to come back, supposing you to be an honest man."

"I'm not a receiver to take your stolen goods," began Joe hotly but was interrupted.

"Have a care. I am not accustomed to being slandered or of being deprived of what is justly mine, without seeking legal redress. I am perfectly entitled to retain the property of someone who broke her contract, and to sell it in lieu."

"She says she had to go up ten flights of stairs with hot water five times a day, and your son was always pinching her bottom."

"I do not relish either listening to criticism of my domestic arrangements. As it happens, I do not possess kitchens on every floor nor do I intend to carry up the hot water myself while I pay servants their wages. As for my son, he is well over the age when he needs parental consent. So kindly either pay what due or prepare to meet me in court."

Mrs Noel proved wrong in one thing — he didn't sit on his own case, but pointedly left the bench just before. The other JPs rallied to him. It was explained that whether or not he was right in his opinion that he was entitled to retain Effie's box, or not, and that case was not before them, a contract to pay two guineas had clearly been entered into, albeit verbally. Payment and costs were allowed to the plaintiff.

It proved a Pyrrhic victory. In addition to being on the hospital committee and a JP, the gentleman was also chairman of the local Conservative Association, and it was the year of the General Election. Whenever he stood up to address a meeting in this hitherto Tory working-class stronghold, there was a chorus of 'Want any boxes, mister?' and 'Who stole the skivvy's clothes?' The candidate himself never got a word in edgeways, so great was public opinion against his chairship. Even when they withdrew him from meetings, the public was shouting to demand to know where he'd gone and if he'd given notice, or if not, had his box been kept.

The Liberals romped in, even though their candidate ran a pawnshop which was always retaining Mrs Noel's goods when she couldn't pay up. She wanted to know what Nellie would do about it, but all she could think of was raising the cash for the present coat in hock.

Gypsies and Germans

Somewhere I read as a child that a gypsy woman stole two bags from the Roman soldiers at the Crucifixion, containing fifty nails intended for nailing Jesus to the cross, and ever since gypsies have been allowed to steal fifty times a year; but presumably since their confusion with the tinkers and didecois and other travelling people they have ceased to count the exact number.

In our time gypsies have been the subject of the most audacious theft since Manhattan island was bought for a few mirrors. The whole gypsy way of life, as celebrated in the operettas, its independence of money values, its preservation of tradition, depended on two things:

movement and gold. Not only movement has been restricted until there is practically no place to go but on and out, during the various gorgio economic crises of the twenties gypsy camps all over the Continent were raided and their gold confiscated. In return they got currency valueless a few years later. Once the gypsies had to disgorge the loot of centuries it was the end of burning caravans when people died and setting up in them when they married. They had to settle down in slums or as travellers become tramps on horseback — later traded in for old bangers of discarded cars.

By the outbreak of World War I there was a broken-down gypsy encampment on the marshes near Joe's house; the people changed but the site remained until well after I, their third grandchild was born. As he handled old clothes off and on, an old gypsy woman used to come to sell him scarcely worn men's clothing, which she claimed came from her brothers, cousins, in-laws, until after a few months he came to wonder how she had acquired so large a family who never seemed to wear out their clothing. Most of them, too, seemed to be seamen.

One day Joe read in the newspaper how drunken seamen were lured to out-of-the-way spots by the promise of sex by gypsy women whose accomplices then knocked the punters on the head and robbed them of everything, even their clothes. He challenged the woman next time she came. She looked at him with immediate horror.

"You're a German'" she screamed. "I always knew it! You're a Hun spy spreading pro-German propaganda." A crowd gathered. Someone had sent for a policeman. She became more vigorous in her assertions. "I'm not standing here listening to him saying the Kaiser is right!" she cried, and ran off with her mackintosh and seaboots.

"And what have you been saying to upset this patriotic lady?" asked a policeman, as the crowd muttered menacingly. He told him. The mood changed, gypsies being perceived as a more immediate threat than Germans, even in November 1915. They still considered the war might end by Xmas, whereas the gypsies might go on forever.

That same evening the police raided the gypsy encampment, and, being Friday, not only found a lot of new loot but two drunken and naked sailors who hadn't yet been dumped on the highway. On Saturday morning fifteen able-bodied gypsies armed with horsewhips attacked my grandfather's house shouting anti-German slogans (it was reported in the local press as 'Renewed Local Anti-German Riots').

Nobody could have been more indignant than Joe. Neither he nor Nellie had ever even been in Germany, all the family who hadn't been born in London had been naturalised anyway, except Sid — who had come over as a babe in arms, so although his older brothers had been naturalised, it wasn't thought he counted and they had lost his birth certificate anyway. For this offence he spent thirteen months in a prison ship at twenty years old, amongst Germans who thought this Englishman had been sent to spy on them. He got out of it by volunteering for the Army.

He was on leave at the time of the raid, and he and his father fought off the raiders, while Nellie poured water from the top floor over all indiscriminately, Sid's girlfriend Rose ran for the police, Mrs Noel gave ineffectual whacks with her umbrella, while Mrs Nathan next door on the other side persuaded the neighbours not to join in as the police were coming — though this was a mistake, as she thought the crowd were going to help the gypsies, not having noticed Mrs Cummings running around screaming "The gypsies are attacking the soldiers!"

Of the two younger children, one was howling throughout adding to the panic and the other was afterwards criticised for sitting there reading, though there wasn't much else she could do, being only eleven, and her book did explain what to do in times of civil commotion.

The affair collapsed suddenly, chiefly because the gypsies felt surrounded, and not because of the eventual arrival of a policeman on a bicycle. But afterwards a dignified statement in the window, with photographs of Joe, and two sons in uniform, proclaimed: 'Certain people passing through the neighbourhood, without homes of their own' — an obvious backhander — 'have put about the foul lie that I am a German, on the contrary. my two sons are in His Majesty's uniform. I myself am a former sergeant major.' He omitted to say his youthful service was in the Austrian Army.

The Film Scandal

The film scandal happened some years later, when I was about eight years old. Charles Doran was MP for Tottenham and led a crusade on behalf of the film industry, in which he had some sort of financial interest. In his crusade for more British films to be shown and to cut out 'alien' (i.e. Jewish) domination, he was aided by the actor Victor McLaglen, an earlier John Wayne type, son of an Irish clergyman who made his name playing Irish Republicans, whom he detested. The crusade was primarily against American films since Continental films were hardly ever shown before the war, except occasionally at art houses and subject to curious restrictions.

The campaign successfully restricted the American films, at least by law. The Quota Act was passed, by which a proportion of British films had to be screened for each American one. The public was less convinced than Parliament that this was a good idea. West End managements put on cheap British films in the mornings, with the lights up and the cleaners busy, and having done their duty by England, they showed their American films for the paying public in the afternoon and evening, thus preserving their reputation.

But a boom had been opened for cheap film makers, with whose interests Doran was involved, and they began churning out films, two or three a week. Butcher's films in Manchester produced cheap comedies, mostly filmed stage versions of artistes who happened to be in Lancashire and could pop over on two or three afternoons when there were no matinees, to roll off a film or two. Some of these incredibly bad films are still around, to be picked up by television, such as some of the better cheap ones of the 'Old Mother Riley' variety which have become cult movies.

British films did not recover from the blow to their reputation for years. Actors such as Henry Kendall were sidetracked into bad films and their reputations diminished. Others ran off to Hollywood, one of the first being Victor McLaglen, and once the films began to speak their stage experience and diction were in demand. Doran's campaign fizzled out but he was known locally as the man who tried to ban American films, the biggest strike against him, and among a minority, as the man who wanted to form a private army in case of another General Strike (McLaglen, in Hollywood, actually did so) and also as an anti-semite. A few years later he would have been dubbed a fascist, and I believe he had some connection with the Imperial Fascisti, which was formed as a strike-breaking outfit rather than a political movement. It collapsed when one of its principal members, Colonel Barker, was arrested on fraud charges and was discovered not only to be a woman, but to have married a naive Irish girl who suffered so much derision when it came to public attention that she had married unknowingly to the wrong sex that it filtered down to the school playground.

The two prospective Labour members for the constituency, Fred Messer and Bob Morrison, saw their opportunity and they rallied round as many discontented elements as they could, including my grandfather Joseph Meltzer, still a person of some political consequence because of the Box affair, and with influence in the Liberal Party to which he then belonged and in the local synagogue. He switched a vital balance of votes to them, and the Tories went the way the Liberals had gone.

Roads to Salvation

Rose's parents, Henry and Maria, had always lived in Islington, but out of London their roots were in Balllymena (they were second cousins) and throughout their many moonlight flittings through Islington and Hoxton, Maria clung to the vestiges of respectable Ulster Orangery.

The youngest daughter's husband Bob was the last of the tradition. He never dreamed of leaving the house without his bowler hat, and always carried a briefcase to work, though he was not even a plumber but a plumber's mate. Most of his Irish Catholic workmates on the building sites always called him sir, and he socialised to the extent of going to the pub with them on tea breaks — partly at the insistence of the plumber, who wanted to know where the staff was. There he opened his briefcase and took out his bottle of milk and sandwiches. No publican faced with the amount of custom from the thirsty labourers would object — had he done so, they would all have walked out. He looked rather as a prophet of old must have seemed among the heathen, which he undoubtedly considered a parallel.

Maria was a strong believer in the iniquity of drink, which she held to be the road to Roman Catholicism. She was proud that no member of the family had ever become a Roman Catholic (though many had taken to drink). Had they married Papists it was doubtful if she would have held the marriage legal, and though nobody seemed to deny that somewhere part of their ancestry was gypsy, they certainly denied that even before the Reformation they had ever been Catholic. They talked of the Celtic Church coming first and passing on the message direct from Glastonbury despite Rome.

Their exclusiveness did not extend to them objecting in the slightest to Rose marrying and entering the Jewish faith. The objections were all, as usual, on the other side. For them, Jews had their own religion, to which they were entitled, Catholics were merely anti-Christ. Didn't they acknowledge it by calling themselves Roman Catholics, thus admitting they followed the Pope of Rome, when everyone knew he was anti-Christ and wore red socks?

Henry went along with a lot of this but was less convinced about the iniquity of drink. He claimed he could drink any paddy under the table and it had never taken him on the road to priestcraft — on the contrary, he would say with a wink, you'd never find those fellas in the places where he said mass. He worked as a master craftsman at the Royal Agricultural Hall, where every Saturday afternoon Maria would stand and wait for her housekeeping money after he got paid as she would never enter the doors of the music hall-tavern opposite, where he spent the weekend evenings in the 'pulpit' where he 'said the mass' — that's to say, in the chair announcing the turns and calling for order and orders.

He was a popular chairman in the heyday of Collins Music Hall, and was treated to beer all night, which was expensive, as he felt impelled to buy back rounds for every free drink and his wages would disappear if Maria had not got to him first.

Nellie loved to slip away Friday evenings to the music hall when her husband was at his communal devotions, and when she came to know Henry through Rose she often slipped into Collins'. Sometimes the two of them would talk over or even sing the latest songs in her kitchen, while Maria was discussing the denunciations of Rome in the Old Testament with Joe in the parlour. It was a pity they lived long before partner-swapping became acceptable — it never, I suppose, entered their wildest dreams.

Henry had a nodding acquaintance with a large number of the lesser luminaries of the Edwardian music hall, if one could call them that. He had known the mothers of both Edgar Wallace and Charlie Chaplin, and got up collections for both in their impoverished days which were before Chaplin rose from the gutter to become rich and famous, and after Wallace did.

In view of their common non-Catholic background, it might seem strange that Sid and Rose sent their two sons, of whom I was the youngest, to a Roman Catholic school — I never understood why. The troubles were on in Ireland and nearly all my fellow schoolmates were Irish, recent arrivals or first generation in England, whose parents were attracted to the brickfields of the new suburbs. There were about half-a-dozen non-Catholics, mostly Irish Protestants. We had certain privileges — for instance, most of us got Thursday afternoon off — when self-employed people with cars used to take half-holidays. The headmistress seemed to accept the idea that this was a non-Catholic observance. She obligingly switched her main religion classes to Thursday afternoon to avoid disruption. In return we were frequently summoned by the headmistress for an emergency Monday morning conference. "There's a boy just come from Ireland without any shoes, I'll give you a note for your mother to ask if you've any old shoes and you can go home five minutes early when we're having prayers",

My mother used to be amazed and amused with the frequency of these notes. "That woman must think we run a shoe shop," she said, until one day she put down the note murmuring "I don't believe it — there's a boy turned up without trousers". His mother had made him a makeshift covering out of an old skirt, which she claimed was an Irish kilt. Poor lad, he never lived it down in all the years I knew him, though for the next five years wearing my prematurely discarded short trousers too long and wide for him.

The desperate poverty of the local Irish population in what was comparatively a well-off working class neighbourhood generally, was due to the fact that they were refugees who had been chased out of their homes which were burned with all their possessions. Most of them were children of Catholic Loyalists, not wanted by the Republicans and not welcomed in Protestant areas either. Their past associations had been service to the Crown in the forces in one degree or another, and their world vanished with the Free State. Not all thought themselves English perhaps but British certainly, and woe betide any who denied it. Those of my young contemporaries whose families had settled locally before the war regarded themselves English, as I did. They rather looked down on the newly arrived, most of whom had settled in the same few back streets by the tram depot, close to the building fields. The school fervently preached subservience to King and Empire, despite (or because of) the creation of the Irish Free State, Only on the subject of Guy Fawkes did it waver a little from its Englishness. Boys who had been discovered going around with a guy were severely admonished, it being made plain that poor old Fawkes was utterly wrong but he shouldn't have been pushed to the limit he was, which however was a long time ago, like the rebellion in Ireland all of ten years before, and need no longer be discussed. It was difficult to teach history with this approach, and we never got beyond Kings and Queens ending with the young Victoria in her nightdress saying 'I will be good' when she was told her uncle the sovereign was dead.

How much more was science treated with suspicion lest it lead young minds to heresy. One day the class was asked how old the world was — I have no idea even now what answer was expected — I shot up my hand and answered brightly, "Five thousand'" plus whatever it was. There was a laugh and we were told severely to go on to something else and resume that afternoon. I suppose the mistress popped over to the church opposite to ask Father John about my answer. That afternoon I swelled with pride as it was explained I was absolutely right and she had stopped the class because of the laughter. Jews calculated the world's date since the Creation, the way Christians did from the birth of Jesus. Unfortunately for my religious enthusiasms, that was the year (whatever it was of the universe, but 1931 of the usual calendar) when I passed the examination, whatever they called it then, and went into the secular grammar school. It so happened that at our first science lesson we were asked the age of the world. This time my answer, gleaned from occasional attendances at Hebrew school, failed dismally, and we were given some extraordinary story of it being incalculable millions of years old. I protested, but the damage was done, and doubt was sown in the young mind.

At eleven I had spotted a fatal flaw in two religions. Being influenced by what seemed the much more reasonable beliefs of my new schoolfellows at the grammar school, and having picked up a certain amount of the Arthurian nonsense lying around my maternal grandmother's house, I decided to strike out for a third.

It greatly distressed the Church of England vicar when a serious minded 12 year old called on him and asked for a belated baptism. He had never heard of such a thing before — that's to say, he'd heard of baptism but the demand for it was usually from parents clutching infants. He doubted if it were legal and said he might get into serious trouble. So might I, I said, if my parents found out. In fact, when I finally decided to confide in my father, he was more concerned as to what would happen if my grandparents found out. Couldn't he have advanced his career and not just had to drive lorries if he'd chosen the easy way out that I was seeking so young, but he had refrained out of respect for older people who took these things seriously. And (illogically) hadn't my mother changed her religion out of love for him, and how would it look to her? Anyway when I was older I would be mature enough to make up my own mind.

What ultimately put me off the healthy sanitised version of Christianity offered by the Church of England was the fact of finding it too had feet of clay, though in this case one should say feelings of flesh. The curate had enthusiastically espoused my case and offered to take me for baptism classes and even stand as godfather. I could not understand why my schoolmates grinned over his interest and put it down to cynicism at religious enthusiasm. When I ran into the curate in the street one day he was with one of the few Catholic boys who had made their way to my new school — most went on to the Jesuit grammar school if not too poor, as usually the St Edmunds boys and girls were unable to be committed to stay at school longer than 14. He was a very good-looking boy, far too beautiful for his own good, but I thought it was his soul the curate was after. When I learned otherwise, and even then it had to be explained to me, I was disgusted. In my defence I can only say the world was sixty years younger then as well.

As I didn't go to an upper-class school, though Latymer was reckoned so locally, I had only once more encountered that approach in my boyhood. Upstairs on a bus (of the old open-top style) with a German boy, Oscar, my age, about ten at the time. a visiting grandson of an old friend of my grandfather, very blue-eyed and Aryan, a gentleman leered at us and asked his name. The name Oscar set him smiling curiously, his hands moving mysteriously beneath the wet-weather tarpaulin cover: "And you're Alfred, I suppose?" he asked me. "Oscar and his little friend Alfred — well, well." "No, not Alfred, Albert," I replied, but he seemed to take no notice.

"Oscar is a very important name in this country," he said, repeating with enthusiasm, "Oscar and Alfred". I got quite heated trying to correct him but we had to get off at our destination, clearly to his disappointment, and we rushed to ask my grandfather who this great Oscar was.

He banged the table in rage and Nellie asked him why he was in one of his "Kaiser Williams", as she termed them. "He was talking about that scoundrel, Oscar Wilde!" he shouted, "Such people shouldn't be allowed on public transport where there's children!" He grabbed his stick and rushed to the bus depot to complain — I still don't know what they could have done — while we besieged poor grandmother with excited questions as to who Oscar Wilde was, cowboy, gangster, murderer or what. I don't know whether she knew but found it hard to explain, or just said the worst thing she could think of. She whispered to me "He was an anti-semite". I did not know what it was, but I was duly horrified and for years quite unjustly believed that about Wilde, even after I knew his story,

As for poor Oscar, to whom I secretly imparted the thrilling but incomprehensible accusation, he must have heard the word many times afterwards in Germany, and may have been equally confused. His father incidentally was under suspicion with the Nazis for a time — I never learned why — but managed to clear himself, which was disastrous as if he had not done so his son might not have been accepted by the forces. He died on the Russian front twelve years later defending a regime he and his entire family detested.

In the Van

My father, Sid, had originally wanted to be a printer, and thought he was about to commence work at 14 on a free apprenticeship when the father he had presumed dead returned after a dozen or so years absence to take command of the family and raise more children. For years Sid had thought himself an orphan. His mother had taken in mangling and raised three boys. Now he was told he was 15 (Nellie couldn't count), a free year couldn't be spared and working for newspapers was out on religious grounds (it meant working weekends). Joe put him to woodworking though incapability of carpentry was hereditary in the family and Sid turned to odd jobs like photography. The war saved him. He took to cars and afterwards to driving lorries.

He hated to be called a lorry driver. He was a self-employed motor contractor, which is to say he bought his van on HP, paid for petrol, oil, maintenance, repairs, insurance or pension, got no paid holidays or sick pay and in theory worked for himself — in practice, for one firm Barker & Dobson for 25 years, until they told him one week he would be too old for them the next.

There were many self-employed van drivers in those days, all busy cutting up one another until a road magazine was started which started them thinking on organised lines though the official Transport and General Workers Union was largely uninterested in the "cowboys". I seem to recall the magazine was called "Headlight" and was published on Islington Green. It listed overnight lodgings and transport caffs (long before the motorways, one really had to know the roads and could get well puzzled for overnight stays). A lot of caffs advertised themselves as a "good pull up for carmen" (Spaniards and opera lovers never misunderstood). During the war they provided much better meals than the restaurants and in larger quantities than the average ration book family could provide. Because the magazine got people together — it never pretended to unionise them — boycotts could be very effective.

There were Blackpool landladies, for instance, who charged the earth for "rooms" (more likely three in a bed) in the winter to lorry drivers, yet in the summer didn't want to know them. Drivers put up with a lot on the road — in those days men were generally less inhibited about sharing a bed, but in any case "hot beds" (paid by the hour) were not uncommon. It lasted a long time until the boycott system brought in standards. It was an eye-opener to me at an early age.

As self-employed drivers couldn't push up wages by strike action, they tended to work out agreed rates among themselves. The employers could argue on "profits" (wages) but not on hours or miles. When during the depression (they had them in those far off days) wages were slashed, it would have been sheer philanthropy to work on the roads self-employed so low were rates cut (plus the fact that a driver often had to pay for his own van boy in order to get through the deliveries in time — there was no shortage of school leavers at five shillings i.e. 25p per week each, to go on the scrap heap at 18). The drivers finally agreed on the number of miles to (say) Birmingham, allowing for new roads, and the employers tended to check with other drivers rather than send out their own surveyors. And it's remarkable how many hours were lost — i.e. put on wage sheets — owing to roadworks. Otherwise drivers would have gone under.

As it was they tended to be among the aristocracy of workers during the pre-war depression, particularly in London. But somehow many managed to have a strong inferiority complex when faced with clerical workers earning perhaps a quarter of what they did, but dressing formally to do so. As with many other things, I was told I would understand better when I got older, but I never did.

Lost Millions

When he came out of the Army after World War I, my father felt liberated from such dead-end jobs as free-lance photography, and moved from Tottenham to open a second-hand clothing store in Edmonton. This failed in the depression when we moved back to Tottenham, and he took up lorry driving. Edmonton was once a reasonably safe Conservative seat though with a growing working-class population, which gradually pushed out the would-be middle class to Bush Hill Park and Enfield. It was represented in Parliament by a man named Chalmers, who was left a legacy by a maiden aunt named Rutherford on condition he perpetuated her name. Adding Rutherford to Chalmers seemed no great hardship in exchange for a sizeable sum, our MP must have reasoned, and he dutifully did so.

Unfortunately for our MP's political career, the Jehovah's Witnesses had started activity in England and chosen as one of their first meeting places Edmonton Green. "Spouters' Corners" (afterwards confined to Hyde Park) were then a centre of public life and a place where all the neighhbourhood came to listen, which flourished until the cinemas opened on Sunday. That and the growth of motor traffic killed public meetings stone dead. The JW's message was that millions now living would never die and of those who heard and believed, some gave up their entire possessions in immediate expectation of the Kingdom. There may be a handful still living in hope of blissful eternity if present penury. The meetings were addressed by loudspeaker recordings of the earthly founder of the sect, Judge Rutherford, since neither Jehovah God nor his son were available.

It was natural that when the familiar name Chalmers did not come up at the election (the only time he showed up in the constituency) and the electorate thought itself faced with a nutcase Rutherford who believed that the end of the world was nigh, and members of all other religious sects were going to be thrown into darkness, the Edmonton folk reversed the national trend and elected the Labour MP Broad. He stayed in Parliament almost to the end of his life casting poor Mr Rutherford Chalmers into outer darkness, wondering what had come over local people asking him such absurd questions as to whether he really thought the Pope was anti-Christ and accusing him of speaking differently before the election, as if he ever spoke at all.

Most of the lads at St Edmund's went round that election chanting "Vote vote vote for Mr Broad, Chuck old Chalmers out the door", more aware than their Catholic teachers as to whom the MP was. The staff, though in the main Tories, regarded with abhorrence the idea of a man like Rutherford, who equated the Pope with the Whore of Babylon, being their MP. (For some time I thought a whore was something like a Shah and was perplexed to hear grandmother Shelly complaining, when grandfather took my brother and I to the pantomime, about exposing us at a tender age to the wiles of Drury Lane Whores.)

Edmonton became a safe Labour seat, and as Mr Broad was getting on, many local Labour hopefuls waited eagerly for him to retire. Edith Summerskill was well known as a local doctor, who finally gave up in despair and started a new national trend by becoming elected for Fulham in a sensational by-election. Other young hopefuls were not so successful. One or two with their eyes on the constituency "nursed" the succession for years and, despite early successes in municipal politics, never achieved success in the parliamentary lottery. When in 1945 Mr Broad finally retired, threatened by Party HQ (it was said) that if he tried to carry on any longer the Party would have to put him in the House of Lords to finish off the last year or two of his life, the seat went to a carpet-bagger from national politics.

Though by 1932 I was again living in Tottenham, I did not want to change my school where I had been a year and being backed by the independent grammar school (probably on account of some early promise I never fulfilled) the education authorities gave way. Because of this I associated with Edmonton youth activities until 1935. When I started to take boxing lessons at that time my colleagues were Tottenham based and most of my Tottenham associations were later to become involved in petty crime.

The Tottenham Communists (most of whom lived near me, but whom I only met when they penetrated Edmonton meetings) included Ted Willis (who like many East End communists used its Unity Theatre to advance himself, becoming a playwright and later a lord after democratic socialist governments were electable). One of the Edmonton hopefuls was a former pupil at the County School, who made his way in the local League of Youth and became a county councillor (and a governor of his old school only a few years after he had left it — a fine start for an ambitious man, but that was his highspot). He was for a time engaged to the sister of a schoolfriend, Peter, who introduced me to socialism a year before I came to reject parliamentary socialism by the unlikely route of my boxing lessons.

The Labour League of Youth was then torn between factions, one of which supported its parent body the Labour Party — a similar problem everywhere led to the disbandment by the Party of its youth section. There seemed to be three factions — those who admired Stalinism and finally went over to the Communist Party, those who thought a "revolutionary line" could be achieved within the Labour Party and flirted with the Independent Labour Party (then still a force in Glasgow, and with a lingering influence all over Great Britain), and finally the Pacifists. The "revolutionary liners" were for a United Front between the CP, the ILP and Stafford Cripps's Socialist League. Even at 14 years of age I saw through it but the veterans of the ILP swallowed the line until it swallowed them. Most of the ILP disappeared. The Pacifists were strongly for the League of Nations Union but later for the Peace Pledge Union when it started (many great intellects such as Einstein supported both, not realising that they were contradictory).

Labour Party pacifism was fairly solid among veteran older members of the Labour Party who had been World War I conscientious objectors — and who had been quite isolated from the majority of people for years, partly I suspect because of the 'holier than thou' approach adopted for life by people like the Mayor, Councillor Albon, whose pacifism did not prevent them from being reactionary in every other respect. The fact they had gone to prison for not joining the armed forces did not prevent the occasional magistrate in their midst giving an offender the option of joining the armed services or going to jail.

Alan Albon, son of the Mayor, wavered from the Labour Party, though always pacifist. I knew him fairly well when we were at neighbouring schools, in later years more so when he became one of the first liberal pacifists of a now familiar type to describe himself as an anarchist. When James Maxton, the Clydeside agitator who led the ILP and was a brilliant demagogue, came to Edmonton Town Hall to speak he persuaded many of us youngsters to learn more of the ILP. The CP was abandoning the United Front, after uniting with the ILP (and leaving it decimated), and was turning to the Popular Front, in which they wanted to include Conservatives, Liberals and Labour — they had a few Conservatives, some Liberals and some of the Socialist League but the ILP was against it. Its programme was more advanced than its membership, as I soon found out when I attended an ILP Guild of Youth weekend school.

Jennie Lee — wife of Aneurin Bevan — was still in the ILP (like most of the ILP careerists, she eventually went over to the mainstream). She and Fenner Brockway addressed the seminar but she was by far the more dynamic. Typically, both finished not just in the Labour Party but in the House of Lords. I was not the youngest at the meeting (even at fifteen) but several of us felt, despite its apparent revolutionary commitment, it was letting the CP set the agenda, just trying to modify it to British (or more specifically Scottish) socialism, while the adult membership were largely nostalgic for the old ILP and wanted to justify its continued existence. Afterwards Alan Albon joined the ILP though its pure-pacifist membership, later to dominate it, was then a minority. I had meanwhile discovered anarchism (and thought I was the first to do so, at any rate of those living). Oddly I came to it partly through reading Upton Sinclair's "Boston" on the Sacco-Vanzetti case. Not all politics, it seemed, was about power, advancement or money, though I recall my Aunt Alice assuring my mother, who worried I was getting mixed up in politics, that quite a good career could be made that way.

I was never cut out to be in the market place and it is idle to speculate what, if anything, the price might have been if I'd been for sale.

Paradise Lost and Regained

My religious waverings had been speedily dispersed by the age of thirteen, when I began to read, alongside the Bible, the classics of rationalism, Paine, Ingersoll and the like, as well as being influenced by freethought writers like Shaw and Wells. At an age when it seems some of today's kids are just getting into Superman I was almost into Nietzsche, at any rate at second-hand via Shaw. I wasn't precocious — I certainly wasn't different from anyone else so far as any other study or activity went, and behind in anything practical. I was introduced to freethought by some socialist minded friends at school and never found it got much opposition from our generation, who were all sliding out of established religions if not into clarified rejection of it as well as having a cynical attitude to any of the sentiments and sediments left over from before the twenties, especially patriotism and war.

Most of the younger generation, and particularly the imaginative, were sick and tired of hearing about World War I. All we'd known of it was old soldiers standing in the gutter singing "Keep the home fires burning" and saying "spare a copper for an ex-serviceman". There was a popular saying, "Coming the old soldier". The potential officer class, the undergraduates of Oxford, came round to passing a resolution that they would not fight for King and Country (not realising that the slogans would be changed the second time around) but potential squaddies down to the 13 year olds were saying "They won't take me for a mug next time". Coming out of Armistice Day anniversaries every November 11th and parading past the Roll of Remembrance, someone would be sure to say, "I suppose it'll be us there next time" and someone else replied "It certainly won't be me". It didn't take a decade to prove the first right and the second wrong for most of them.

Kids were offered bright hopes in schools like the Latymer School, Edmonton, which was perhaps of the best of its kind, and taught hitherto middle class values to the sons and daughters of the working class. Most of them would move into tedious minor office jobs. We were taught of a bright and civilised future for a League of Nations similar to our Commonwealth of Nations if only one learned not to be aggressive. Ultimately I suppose what was meant by being unaggressive was as a collective part of the nation and as an individual going obediently in response to a mere slip of paper calling them to report for military service.

In due course thousands unaggressively joined the regiments that perished in the Dunkirk evacuation; the brightest and boldest went into the RAF and fell in the Battle of Britain. All those who did so, I suppose, are there on the self same Roll of Honour which I have never had the heart to go back and see. Millions died who had never lived.

Pacifism and the League of Nations had its effect too on the scientific intelligentsia. In their pursuit of a non-violent way of solving problems they were to devote their attention to developing the atom bomb which would ultimately make war, and no doubt the human race too, obsolete, but that was still in the future. The choice appeared to many of the thirties generation to be between first peace and war, and secondly between fascism and communism. It never seemed anything but odd to me that so many of the "greatest" minds of our generation and the one before should have fallen for either or the cause of mediocrity, some until one thing or the other dispelled their illusions, some for life, not a few because their illusions killed them.

My decision to go the road of sectarian politics was taken in 1935 at the age of 15, as an immediate result of my taking boxing lessons. The school most certainly didn't encourage boxing, though it did every other sport, and I suppose this was on grounds of principle. Also, Edmonton had a prospective Labour MP Dr Edith Summerskill, who like many young hopefuls was waiting for Mr Broad, the sitting Labour incumbent, to die. As a doctor she must have known he couldn't have far to go, but he clung on till after the war. In the end she got impatient and left to fight a hotly-contested by-election largely on the peace issue. During the war she became Home Secretary and afterwards Minister of Health, so she had perforce to abandon her pacifist campaign to be able to conscript people for the Army with a clear conscience, and to support the use of the A-Bomb. She sublimated her pacifism to campaign against boxing, but even in the thirties her influence against it was very strong, and independent grammar schools dared not go against her influence. But then the governors didn't have to go through the streets of Edmonton and face the jeering gangs who could never forgive one being overweight or in any way unusual, even if only by way of a grammar school cap.

My first boxing "professor" Andrew Newton had been British amateur lightweight champion as far back as the 1880s. He turned professional and never lost a fight. When he lost an eye and retired from the ring he opened a gymnasium in the Edgware Road, not far from Marble Arch. He was passionately devoted to the art of boxing and to the training of young hopefuls. I understand that originally he specialised in training "Red Coat Boys", or bootblacks (a long vanished species) who looked on the profession as the one way out of a cul de sac. They were employed by the firm where the young Charles Dickens went to stick labels on shoe blacking bottles when his father went to the Marshalsea Prison for debt (and which was immortalised in "David Copperfield"). Later Mr Newton trained well-to-do students but also members of youth clubs, and the social mixture kept the venture financially afloat. Occasionally he found, trained and managed a rising professional, but that was a bonus.

It proved harder to get into Andy Newton's club than to be baptised. Bruises, unlike water, showed and I had to convince my parents I was doing weight training.

They too shared the aversion to boxing, but didn't mind my trying to lose a bit of weight. Andy's courage was infectious. Many who never learned to fight in the ring came away from the classes able to handle themselves in the street. Contrary to the fashionable Summerskill teaching that pugilism would teach them to be aggressive — a philosophy which has flourished in post-war periods, while football has been glorified and produces all the tearaways until they gave that too a bad image — I found a tolerant atmosphere, contrasting with the bitchiness and spite of the academic circles I later discovered. We were able to walk tall and be respected for the mere knowledge of being one of Mr Newton's young men. It meant you were left severely alone by the jeering and accosting crew, who dreaded being individually challenged with fists, even when they were in gangs, for fear of disgrace.

This also applied to girls who took self-defence classes, then more disapproved than being a victim of rape. Boys who might have otherwise drifted to street gangs themselves never did after taking boxing lessons; while even those who drifted into smalltime crime never mixed it with anti-social violence. They might have a go at the police, but mugging as it evolved after the war was unknown, at any rate in our neck of the woods.

Most of those I mixed with in the boxing world were on the left, because the natural enemy was the upper middle class from which the fascists then came, though they recruited hooligans in the working class sector, gradually taking the place of the old street gangs. The boxers, including Andy were often pro-Communist Party, which long before the Molotov Pact or the tanks in the streets of Hungary I never could be. I worked out a strain of stateless communism for myself and was surprised when I later found I wasn't the first. The one who argued with me most, trying to make me a better boxer and also a Marxist, was the "assistant professor" Johnny Hicks. A cabinet maker and professional boxer, Johnny divided his rare leisure between listening to the speeches at Hyde Park and training at the gym. He was a poet as well as a boxer, and, though inclined to the Communist Party, an admirer of its trenchant socialist critic F.A. Ridley.

Frank Ridley often came with his wife (a former Tiller girl) to the gym to watch the boxers after his Hyde Park meetings, a year or so before I met him in Charlie Lahr's bookshop. The coincidence made us friends, though we had many differences of opinion, ever since.

When Johnny Hicks opened his own establishment in North London, I went there. I gave out leaflets advertising it at school, which earned me a lecture from the Deputy Headmaster, Mr Champion, who asked me where I got my ideas about boxing being any sort of sport, and I produced a history of boxing from the school library which I had on me. He abruptly changed the subject to saying that the objection was to the distribution of commercial leaflets in school hours, which was just as well as the book was stamped as presented to the school Library by the Headmaster himself and to crown it, was called "Champions of the Ring".

The "commercial leaflets" were for free lessons, but for once I did not argue. With most of my teachers I got on well (I hope I wasn't a creep) but on one occasion after that a master sent me to Mr Champion to be thrashed. I forget what it was for but I probably deserved it, though I don't suppose I thought so at the time. He was quite apologetic before bringing out the cane, and explained it was obligatory on him to act on a request from a colleague. I was told other members of the staff, for whom I did some donkeywork historical research in my spare time for a proposed book of theirs, were quite indignant at the incident, and that may have been the reason for his hesitation, which is a better thought than that he might have been apprehensive at caning a strapping fifteen year old who had lessons from Andy Newton and Johnny Hicks.

Andy never picked me very difficult opponents. He said as I went to a grammar school it wouldn't have been right for me to take a beating from an elementary school type (more likely it was because I wasn't really very good). However, Johnny, either because he wanted to test me or got fed up with my obstinacy in argument, eventually picked me a first class opponent, partly by mistake, who ultimately demolished both his hopes (not to mention myself in the second round).

Billy Campbell was a tough young seaman from Glasgow, who packed a punch like a sledgehammer, and had the keenest brain I have ever met. He danced around me in the ring and all I could do was to take my punishment while the audience of boys, most of whom never came into the ring themselves, roared with delight at seeing yet another big guy being clobbered (it seemed less funny to me at the time I admit, but I regained my sense of humour when it happened to someone else).

Afterwards, while I was still dizzy and trying to invent excuses to take home to say how I came by the bruises, he came and apologised, and was full of remorse when he found I was Joseph Meltzer's grandson.

His grandmother Euphemia had often told him of how, when a young servant girl, her employer had confiscated her box and all she had and the old gentleman had recovered it for her, and his lady had found her a job just when she thought she was stranded homeless and penniless in a strange town. She had married and returned to Scotland, but her English daughter-in-law, now widowed, lived in Edmonton along with Billy, who sailed between London and Bilbao where his girl friend Melchita lived.

He had been taught amateur boxing and sectarian politics in Glasgow by Frank Leech, a Lancashire man who had settled in Clydeside in a newsagent shop on his Royal Navy pension and was the mainstay of the Glasgow Anarchists. Frank had introduced him to hard line Anarchism of the traditional class struggle type, from which he never varied, but it was strengthened in him by Melchita having introduced him to the seafarers' syndicate of the CNT (the National Confederation of Labour) in which those principles were about to storm the heavens in the mid-thirties.

So it was I came to accept the principles of Anarchism through the principles learned from the long tradition of Anarchism in Glasgow and the Spanish connection. I suppose I can boast of consistency, said to be the virtue of fools, but from strict adherence to these principles I never varied for sixty further years, and it's got a bit late to change now.

The Prince of Wales had a few years earlier gone to South America and exhorted England to wake up, with a view to capturing the South American market. As a result Spanish was being taught in schools, even though it was considered a bit of a poor relation. I made the best progress of my class in Spanish battling against indifferent teaching of the language — so that I could be fit and ready to pass it on to Billy, who was eager to acquire it. I was doing my best to translate articles for him from the libertarian press, not to mention his love letters, when I was still on Selected Texts from Don Quixote, and while still reeling from the voluntary punishment I took in the ring from which he did his best to dissuade me. Between my teaching him Spanish at second-hand and him teaching me Anarchism we formed a friendship which lasted on his side until his early death and I feel until this day.

CHAPTER II

The Coasts of Bohemia; Fighting Fascism; The Battle of Cable Street; Schoolboy Anarchist; Castles in Spain; Frustration on Spain

The Coasts of Bohemia

The first Anarchist meeting I attended was at the old National Trade Union Club in New Oxford Street. The speaker was the well-known Emma Goldman, who was on that occasion talking about arms manufacture, not Anarchism as such. As I was the only stranger at the meeting, attention turned to me when enquiries elicited the fact that I had never heard of Emma Goldman and more particularly when I had the temerity to contradict her. I believe it was on the fallacy that as 'aggression' caused war, boxing, which I then esteemed highly, taught aggression. I was overawed by my elders being surprised at my audacity, and did not continue after her scornful dismissal of the argument. She felt thereafter that she had brought me into the movement from knowing nothing about Anarchism and regretted my intransigence in it, which she never appreciated was an integral part of it, for others as well as herself.

What was left of the Anarchist movement in 1935 was the rump of what had once been an important factor in the British working class movement. As it had not attracted any historically referrable persons according to the notions of bourgeois intellectuals it had been overlooked by history, which, along with the conventional English view that all history appertains to the ruling monarch, works on the principle that workers' actions and opinions must be related to the nearest respectably quotable person available, preferably distinguished in other spheres, and for which purpose women, other than the occasional token 'name', do not exist.

As a working class movement with a high proportion of women activists Anarchism had been totally written off; and so ultimately became in more recent times a virgin field for scholars, when the mass production of theses in the booming university industry has used up all the names associated with Marxism and reformism, and those in search of original material are forced to look round for others as near to the standard criteria as possible.

Though I knew so far as Anarchism was concerned I was backing a lost cause, it didn't seem to matter as every other cause had won at some time but that of the people themselves. At least it threw so hard a light on any other political persuasion

I never had any illusions about any of them. Years later when the press deigned to take notice of us, if it was not by shock horror but kindly condescension, which I always felt came ill from people who fell for one absurdity after another, whether from State communism, fascism, the prospects for capitalism, reformism, or whatever idol was going around for adulation.

Billy and I did our best to extend the Glasgow Anarchists' tradition of struggle to London, and even extend their workshop agitation there, though he was most of the time at sea and I was still at school. The London Anarchists then were a few veterans, and our appearance among them was somewhat of a cultural shock for both sides. They called themselves the London Freedom Group, met at the Trade Union Club, access to which had been guaranteed by John Turner, editor of the paper and trade union leader. They still spasmodically published a paper "Freedom" which had been founded by Peter Kropotkin, though lost to them a few years before when their printer Tom Keell retired with the printing press and moveable assets to Gloucestershire.

Since then the paper's presumed history has become a minor historical cult with some historians selecting its contents for background material. Some tend to think that the paper was continuous from its foundation in 1886, and that the London Freedom Group period did not exist. The editor John Turner, a trade union secretary in his working hours, had died, and the paper was being run by George Cores and a few others, being printed on a clapped-out press in Chalk Farm by John Humphrey, whose other interest was phrenology. Some old-fashioned atheists then felt it had superseded religion, which is the sort of thing I suppose that old reactionary G.K. Chesterton had in mind when he said that when you cease to believe in God you don't believe in nothing, but in anything.

I was sceptical of the value of most of the activities of the London Freedom Group, which consisted of weekly lectures and occasional dinners more in the nature of veterans' unions, and the struggles of years ago seemed to have no relevance. Billy soon found it too much of a bore, but deputed me to go along and see what turned up there.

One of the few who did his best to make it relevant was Mat Kavanagh, who lived in Southend but often came up on a Sunday to speak at Hyde Park, and who was my next mentor in Anarchism. He had worked all his life as a labourer on building sites, propagandising in the open air in his spare time. Later, in his old age during the Second World War, he became a barber — a pretty terrible one by all accounts. As he once shaved George Orwell, whom he lectured (as barbers do) enough to impress his client, his name has actually been preserved in some professors' books.

Few of the many brilliant organisers and speakers that I met in those pre-war days achieved so much! But among the odd assortment of what was then London's Bohemia (when Soho was still 'Sohobohemia') who drifted past the London Freedom Group like exotic birds of passage but found its regular meetings irresistible, and came to explain that anarchism was all wrong, many became famous and several of them passed into world prominence.

The Bohemians thought the Anarchists were eccentric because they worked for a living and yet dissented from the State. Of these were many who attained fame, if sometimes for five minutes and not always that for what they would have preferred. For instance, there was Count de Potocki, who considered himself rightful King of Poland. In truth, though originally a New Zealand milkman, he did have some sort of a claim to be considered, if the Poles ever decided they would revert to elective monarchy. He admitted though, the Pope would have been surprised if they chose a declared Pagan, whose daughter was being brought up by her mother as a Unitarian, to rule the Catholic kingdom. He now and again turned up to suggest that monarchy, being the rule of but one, ought not be so abhorrent to Anarchists, as the rule of many. He thought them the largest party in the country, as the group meetings were often twice as big as the local Conservative and Labour parties. He attended all meetings to try to sell his bonds against payment by his court when established. He stopped coming when it was decided he was too much of a bore, and someone emptied half-a-pint of beer over him. He stormed out shouting 'Sans-culottism' and started his own royalist party. During the war he lived in the same house as a gentleman who considered himself Hitler's U.K. representative. When they quarrelled over women Potocki stripped him of all the titles he had conferred on him, and in turn was listed for immediate internment in a concentration camp. However he neither returned to his kingdom in Poland nor went to Auschwitz. After the war, his poetasting failing, the last of the once feared Potockis returned to his New Zealand milk round.

Potocki's right wing lot had illusions no greater than some on the left, like Jomo Kenyatta, who came to meetings — any socialist meetings, not just ours — dressed in full tribal costume complete with feathers and fly whisk — announcing he would one day go back and become the Kikuyu chief in Kenya. Some of us thought him another nutter like Potocki but he was so convinced he was the great liberator of his country that when he did indeed go back to Kenya after the war, the authorities promptly interned him. The struggle for independence took place while he was out of the way; but by then everyone took him at face value, and when the government wanted to hand over power to someone who had nothing to do with the Mau Mau resistance, the alleged organisation for which they had imprisoned him, the Colonial Office naturally chose him, perhaps being aware of the utter improbability of their courts having dealt justice.

The one in the Freedom Group most in touch with Bohemia was Charles Lahr, a German anarchist who had come to London to avoid military service and stayed forty years. At first there was a suspicion by the police that he had come to shoot the Kaiser, who had unwittingly decided to pay England a visit at the same time, though he did not stay so long. Charlie was shadowed by Special Branch until one cold night he took pity on the detective staying outside the bakery where he worked, and came out to explain to him that the baker himself took sufficient precautions to see none of his nightworkers got away before time either to go playing cards or shoot visiting potentates according to their taste. A few years later the war broke out and he was interned in Alexandra Palace as an enemy alien and was interviewed by the same detective. 'You thought I'd come to shoot the Kaiser,' chuckled Charlie. 'Pity you didn't,' said the detective in a decided change of position.

In his Bloomsbury bookshop in the twenties and thirties, Charlie had been a focus point for the literary set, a few of whom lingered on when I first met him. Charles Duff was one of them. I think he worked in the Foreign Office at the time but he was an authority on the Castilian (and possibly the Catalan) language, like Allison Peers. Both of them had written school textbooks I was using. He was intrigued at my passing on my Castilian lessons to Billy Campbell so he could talk with his Basque girl friend in her own tongue without either of us realising it was a separate language.

In those days newsbills used to announce the startling events of the day more prominently than they do now and they were mass printed. Charlie had a trick of slicing them in the middle and sticking them together again — to make up some such headline as **Pope to Abdicate** or **The King to Marry Mae West**. On the 20th anniversary of the Zeppelin shot down at Cuffley, there was to be a memorial service to which distinguished local German residents were invited. Some less than knowledgeable or perhaps cynical Embassy official had sent an invitation to Charlie. He turned up as the herrenvolk had solemnly entered the church, top hats on arms, and set up a soapbox newsstand with a saucer full of coppers, and the banner headline **Hitler Assasinated** — needless to say, with no papers to back it.

As the procession solemnly came out, von Ribbentrop among them, they looked at the bill and dashed helter skelter for the railway station. When the train came in with the evening paper every copy was grabbed by Embassy officials to the protests of the station master, while indignant shouts came from people pulled out of telephone booths by impatient Nazis wanting to use the phone, but the news of that happy event did not appear for another ten years or so.

The Bloomsbury Set was still in existence in 1935 and centred on Lahr's bookshop in Red Lion Street, Holborn. I met Mark Gertler (not until years after his death did I realise he was a famous artist) who was passionately for the Spanish Revolution and said he would kill himself if it were defeated. When Franco won, he committed suicide. So far as I know, no art historian has recorded the reason.

One of the few who had an influence on me for a long time, so far as religion was concerned, was the writer Frank Ridley, whom I first met as a spectator at the boxing ring. We continued to be friends until his death at 92. He was a distinguished if neglected socialist and freethought writer, totally unappreciated by the literary establishment and only recognised by a coterie on the socialist left. He spent five years on a book on the Jesuits, for about five pounds in royalties, which became a standard work of reference for dozens of other writers.

Years later when Jose Peirats was writing his works of reference on the Spanish struggle while earning his living sewing trousers by candlelight, and dignified and overpaid professors were quoting his works in their books written at public expense, I thought of Ridley. I have often regarded 'op cit' as standing for oppressive plagiarism.

Perhaps influenced by so much literary talent around, I started a small paper *The Struggle* in 1937, when I had just left school, with Billy (writing under the name of McCullough, his mother's original name) and I contributing. But it didn't last long. The duplicator was re-possessed by the hirers. I did not know then that being a minor I could have repudiated the debt. I never learned that point of law until I was past 21, too late make use of it.

Fighting Fascism

I lived in several compartmentalised worlds when I was fifteen. While still a fifth-former and studying for matriculation I was going along to Andy's gym and learning how to box along with much older lads (though they accepted me as an equal), some of whom subsequently became pros. I was never very good nor did it help my studies much. Languages and history were all I was interested in and I got on well with Spanish despite the total collapse of lessons when an incompetent master resigned and went to work in a South American bank, for which I hope he did not need Spanish. However I emerged streets ahead of everyone in that language, perhaps because I was using it to some purpose.

Once I entered schoolboy amateur boxing championships and to the excitement of my friends at school I reached the semi-finals. I was matched against the local Jesuit college — to face to my dismay an enormous West Indian lad (rarely if ever encountered then in our neck of the woods): Rod Strong (by nature as well as name), a couple of years older than I was, and solid muscle. He had furthermore the advantage of two Jesuit priests in black dresses in his corner, clearly praying against me — in contravention, I am sure, of the spirit of the Queensberry Rules. It was like my clash with Billy Campbell all over again.

My usual technique when faced with an opponent I couldn't outbox (though subsequently it was impossible for me to think of either Strong or Campbell as opponents) was to stand and take punishment and then hit out with a wallop, but with the first blow this time I was out cold to the consternation of the referee and concern of my opponent. It was partly the inevitable consequence of my skipping practice for political meetings.

Delighted acquaintances told me how terrible I'd been, and asked if I hadn't heard them warning me of the blow coming, how my best friends had been surreptitiously betting on me and they hadn't thought I'd have let them down, and similar words of consolation, while I was still reeling. Rod, who'd knocked me down, helped me home (and invented a suitable alibi, something about my having fallen downstairs, for the benefit of my mother who disapproved of the noble art. She must have thought me accident-prone, so often were such alibis necessary).

Rod and I became friends, though he never took the same interest in politics as Billy and myself. He always insisted on my being his second and not going into the ring myself; I was a bit disenchanted with it anyway after exciting so much derision even from kids who had never put a glove on and would have preferred an embroidery class any day.

Going along to Hackney Stadium with Billy and Rod to a match, we were quite unexpectedly attacked walking over the marshes by a gang of some two dozen local fascists. At the time Sir Oswald Mosley was supported around the periphery of East London. I might have ignored taunts directed at

"We gave a good account of ourselves."

me and walked on, but my two friends held the opinion often voiced by our boxing 'professor' Johnny Hicks, and to which I have since subscribed, that in such circumstances that is the worst thing to do. It is best to single out one or two of them and give 'em hell or take it. At worst they can only kill you and they would do that anyway if they wanted to and could.

We gave a good account of ourselves and left a few noses oozing blood and mouths spitting teeth, but in the end they all ran away because a police car had arrived. I had the presence of mind to take my grammar school cap from my pocket and put it on my head, and to walk up casually to a policeman and ask the way, while my two friends stood by respectfully. As a result the police didn't connect us with the brawl but asked me impatiently if I'd seen it, and which way they went.

It is ironical that when I got home nursing a black eye this was the first occasion my mother rebelled at my explanation that the Blackshirts had attacked me, and insisted that I had been going in for that dreadful sport in spite of her admonitions. At least, though, I was spared the humiliation of having to say afterwards, as some people did, that they were chased round Hackney by the local fascisti. Fascists attracted those gang-loving youths who liked bullying for its own sake but didn't like being beaten up. Once you got known (however unjustly) for being the sort of thug who'd hit back even if alone, they respected you accordingly and warned others off.

There were other types of fascist than the Hackney variety. The young men who came from the lower middle class, or at least thought that they did, were quite a different lot: there were one or two even at my school. They were prepared to listen to argument, though in the finish they landed in their natural home, the Conservative Party. In the country generally they included that displaced minority, the Irish Catholic Loyalist, unwanted by Republicans who thought of them as Castle Catholics, or by Protestants to whom they were Papists nonetheless. They were enthusiasts for General Franco and stayed on in their morass until disillusioned by their other hero Hitler. There were also a few lower middle class homosexuals who were chasing the rough trade and stuck to fascism in good days and bad. It was, after all, a more congenial hunting ground than prison, and they would never have scored in the Navy.

Mosley himself was an upper-class twit who wandered into the Labour Party by accident after meeting working class people for the first time when he was a WW1 officer, a role for which like many of his type he still hankered. Though he passed his days in high society, once he founded his independent New Party and its cult of Youth with capital a Y, he was easily bamboozled by Jeffrey Hamm into thinking he could get the support of the working class with this tactic rather than by pursuing his 'the old men betrayed us' theme which he was still echoing in his seventies.

Hamm realised there were a few streets in Bethnal Green which had been a no-go area for police until WWI, around which Jewish immigration had circled but not dared enter. It was isolated from the rest of the East End, and knowing Jews only as landlords or employers in the sweatshops, was intensely anti-semitic. After Mosley visited Hitler he was easily persuaded to play the anti-semitic card for trumps and Hamm took him through the 'East End' — the same few streets, night after night. Mosley never knew the difference. He thought he was being acclaimed by the 'East End workers', throwing open their windows and giving the heil. In a way he was, but he thought it wider than it really was and it went to his head.

He could have come to dominate the Conservative Party as a right wing pressure politician, and with precious little opposition maybe have become Prime Minister. He sacrificed it to become a 'great national leader' in his own right, little realising he had turned everyone against him, from the working-class even to the old-fashioned Tory. He plunged on thinking himself Adolf Hitler, and when war came that's exactly who people thought he was.

Steve, one of my mates at school who was going on to university, rare then, to study political science, asked me once to take him round the East End. Truth to tell, I didn't know it too well myself at the time, but gamely took him around what I did know, the neighbourhood of Ridley Road (Dalston). We ran by accident into a fascist demo. Seeing the way the Mosley motorcade moved through the crowds like a conquering army, though these were called fascist demonstrations, they were really police demonstrations with a kernel of fascists in the middle. Steve, a generous lad, was carried away by indignant remarks around us by elderly market women who had been roughly pushed aside.

He picked up a stone and threw it at Mosley as he passed, hand in the air. It missed Sir Oswald and landed on the cheek of a multi-braided police officer narrowly missing his eye. Steve stood out in a fairly sallow and weedy East End crowd for his height and shock of red hair. He was an excellent athlete, whom I thought of as an accurate bowler until that day, and ran. Fortunately he wasn't caught. I didn't attempt to flee, due not to excess of courage but of weight, and discreetly entered a tobacconist, where I found a sympathetic Jewish lady behind the counter prepared to let me out of the back way thinking the lad with the school cap now back on his head was escaping from the nazi hoodlums. She told me one had even tried to put a police officer's eye out with a brick.

I got away but it nearly ended in disaster for all when Steve had feelings of guilt at having left me to face arrest on my own and came back looking for me. As it happened he wasn't recognised by the police. He didn't look the type who would attack an innocent would-be dictator. He survived to confine his feelings about fascism to such restrained outlets as piloting a bomber plane, years later becoming chair of a major quango. If he had been known to be a premature anti-fascist, and if he had been convicted of a violent offence, he would never have been accepted into the Royal Air Force, possibly failed to get into the war against fascism and might have been anti-authoritarian to this day.

The Battle of Cable Street

"Don't forget to tell them about the battle of Cable Street!" is a familiar exhortation to any labour old-timer about to speak on an anti-fascist platform. Someone asked me eagerly only the other day, "You were around then, weren't you? Tell them how we stopped the fascists marching through the East End".

As in the mid-thirties the fascists marched through the East End in greater or smaller number in days before and after "Cable Street", it is hard to know what the great victory was, even if the legend sounds as if it ought to be true. There was certainly real local outrage over this particular march, billed as something special, mixed up with and confused with news from Germany. People the CP normally influenced panicked, and put so much pressure on the local CP and YCL that the party cancelled its own meeting in Trafalgar Square and urged everyone to stop the blackshirts marching through the East End. A barricade was erected at Cable Street though it's hard to say what would have happened if Mosley had carried on with the march — surrounded as he inevitably was with a huge police contingent.

I was a few streets away at an open-air meeting, the first one I ever spoke at, and my first time in the East End proper. Inspired by the incident at Ridley Road, I hadn't known about the march. When I looked back at the three boxing club supporters I brought with me, I found they had all gone off to watch the fun at Cable Street, and I had to make up my mind what to do. I carried on until all the crowd vanished, whether attracted by the noise or bored by me. Abandoning the attempt at enlightenment, I walked up to Gardiner's Corner where I saw Fenner Brockway looking very excited. Later I learned he telephoned the Home Secretary to warn him of possible bloodshed, and the Home Secretary contacted the police and they called the Mosley march off and they went back. No way would the Mosleyites have proceeded without their police guard. The CP version has passed into myth, but that was how Fenner Brockway stopped the police marching through the East End.

Matters were somewhat different in Glasgow. I wasn't there, but apparently the police chief met Mosley at the station and asked him to take his supporters back to London on the next train. He had the station guarded off but said he could not take the risk of letting him into the city as the crowd around would have torn him apart and his officers faced mayhem. When I did visit Glasgow I heard Frank Leech tell a meeting that Mosley should be recommended for the Nobel Peace Prize, as he had got the whole working class, for the first time, including the Taig and Proddy street gangs, united as one to keep him out.

Schoolboy Anarchist

Being streetwise, a no-hope amateur pugilist, and a bookish schoolboy at a mixed grammar school made a curious cocktail with being an anarchist at fifteen and sixteen, still at school. In these present times the latter at least is quite common, when sometimes entire fifth forms are anarchists, at any rate cheerfully accepting the name while lumping it with a whole range of more or less contradictory concepts, though conscious anarchists are at any rate not unknown. In those days it was unique for anyone to have come to anarchism without having inherited it from family connections.

Anarchism had once been fairly widespread in the working class movement; indeed, anarcho-syndicalism had been almost an equal rival with State socialism at one time though never to the extent it was in some countries but lack of sectarianism had diminished its working class base. The miners were typical in seeing no difference between the ultimate aims of either, many supporting one or the other simultaneously, going for direct action when it paid off, and electing MPs, usually out of retired militants, for whatever crumbs it afforded. When the Communist Party came along, with the glamour value of the Russian Revolution tagged on to it, it swept all aside: under the influence of Lenin's vitriolic attacks on "Left Wing Communism" many anarchist and syndicalist militants, in the Clyde, in Tyneside and in the coalfields, abandoned what they saw as the bourgeois influence on anarchism and entered the Labour or Communist Party, to finish in knee breeches and ceremonial costumes as Privy Counsellors.

Further, the pool in which the Anarchists had swum had now been drained: the First World War had isolated the whole socialist movement from the working class, except in the heavy industrial areas where class struggle went on regardless of the war. Many had chosen conscientious objection, then a hard option, but this, however admirable, left them isolated from the mass in the Army, though if they joined the Army they often silently disappeared and it was thought they were lost in the general casualty list.

Years later an old militant who had been in the anarchist and shop stewards movements, Kate Sharpley, revealed to me that every one of the Deptford Anarchist males disappeared that way. She lost her boyfriend, brother and father in the War, the former (an Anarchist) almost certainly by 'disappearance' rather than casualty, and she had thrown their medals when presented in Queen Mary's face.

Though possibly the Anarchists did not lose as great a number to other parties as is sometimes supposed, they rarely recruited anyone in Britain either in the 1920s and early 30s; waxing and waning according to birth and death like a doomed Indian tribe. Everyone in the old London Freedom Group (give or take a few, usually second generation libertarians) was up to fifty years old, or a lot over that. I was a rare exception, and I must be given credit for durability if not for flexibility in that I survived to the days when I am well over seventy, in association with people in their early twenties.

Being a helpless male as far as practical matters were concerned, I was lost when it came to repairs on a coat torn at an open air meeting and some of the older women comrades, like Molly Paul, were inclined to mother me. Matilda Green, a German who had worked with Johann Most on the London Freiheit before that international revolutionary went to America, often used to help me with my German homework, which would have surprised the school if they'd known of it. Someone who had helped translate Most's textbook of dynamite had no difficulty in helping me struggle through "Lotte in Weimar" or "Emil und die Detektive", and could have done wonders for me in chemistry if it had not been an alternative to modern languages on the curriculum.

I think she was the only one among the anarchists, as well as few of the boxing fraternity, who realised I was still at school. George Cores, in his *Personal Recollections* gives a comprehensive account of supporters of the old Freedom Group, with the occupation of every person he names, except mine. He was probably genuinely puzzled, since I never let on that I was still a schoolboy (we never called it being a student then). Similarly, Leah Feldman (whose militancy went back as far as Nestor Makhno's army, which fought both Reds and Whites in the Ukraine) could not understand why when we made appeals among our friends for solidarity, she managed to collect pounds but me only pence. It did not occur to her that while she was working as a fur machinist I was spending my working hours mixing with people whose income came from parental pocket money or paper rounds. I have no idea now, when youth is a lost asset, why I was ashamed to admit how young I was.

Solidarity appeals became an important part of our activity as the Spanish war loomed: originally these were for political prisoners, but when these were released in the spring of 1936 it was appreciated by many of these ordinary men and women that stocks of clothing would be needed in the event of fighting. From seeing the people who called themselves intellectuals and who helped mould public opinion, through the window of the Freedom Group — it never ceased to amaze me how totally ignorant they were.

For them only an idealised version of state communism or in some cases of fascism existed; the press was still in the process of thinking anarchism=shock horror bombs and things. Even people like Charles Duff, who knew Spain inside out and actually resigned his Foreign Office job when he realised how the establishment was almost solidly pro-fascist and was prepared to sacrifice not just Spain but Britain to fascism, had very little clue as to the beliefs of what must have been the majority of workers in that country.

Castles in Spain

In a book on his early life, misinformed as usual about things out of his class or appertaining to struggle, Professor George Woodcock, who established an academic niche by misrepresenting Anarchism, sneered at my being 'self-educated' (I would have thought it an undeserved compliment) and so arrogant that I thought I knew more than he. I admit it still seems to me I knew more than a great many fully-fledged mandarins even at sixteen, so maybe for once he was well informed.

John Langdon-Davies was a great authority on Catalan life and literature. When the Spanish war broke out he published a book on Catalonia (*Behind the Spanish Barricades*, London 1936) apologising for the anarchists in a patronising way. He explained their naiveté in a somewhat more simplistic way than Gerald Brenan, who put their beliefs down to disappointment with religion. When the course of events made the Communist Party twist his arm to be more condemnatory, Langdon-Davies changed his views on them, but meanwhile, like some other writers, treated them in the same manner as sections of the English press now treats the Irish, all clowns and dynamite.

I read that 'after calling for the burning of all churches and cathedrals, for no greater reason than that the bishop might be inside, the anarchist declares solemnly that he swears vengeance on all clerics in the name of the Father, the Son and the Holy Ghost.' I knew better than these learned writers on Spain even before I'd finished "Zalacain el Aventurero" annotated for matric. If I was indeed arrogant, small wonder. And unlike Langdon-Davies and other learned gentlemen I never felt the need to revise my opinions on the Communist Party.

I attended an Allison Peers lecture at the London Polytechnic soon after the 1936 uprising began. I already knew how the Revolution had succeeded behind the war lines, and the workers had taken control, and thought it interesting to hear this as a language student of Spanish. Peers only knew about atrocities which he described as being committed by 'Anarchists with bloodstained overalls' converging on the square where the heroic army was defending itself against the unarmed population that provided its salary: I asked how they came to have bloodstained overalls so soon in the fighting — was it their own blood, were they supposed to have been cutting throats, or what? He answered equally sarcastically that he presumed it was not in the course of peaceful persuasion. It was not until years later I learned from Miguel Garcia, a leading participant, of how Peers might have been right about the bloodstained overalls, even if, typical of his kind, wrong about the explanation.

When the army rose, the Barcelona workers had rushed to the nearest CNT union headquarters next to Columbus Square, the Sindicato de Gastronomica, where the city abattoir workers were holding an hastily-called emergency conference. They obviously joined in, and were prominent among the crowd, which explained the bloody overalls; but the good professor never found out, and to his death must have wept for the innocent nuns and priests whose blood he thought it was.

Billy married Melchita in Bilbao in 1936 and they spent their honeymoon in Paris. I went over on a weekend trip to greet them, my first visit abroad, and met not only Edward VIII's newly acquired but unlikely subject Mrs Campbell, but many Spanish comrades for the first time. A few came through all the tribulations of the next four decades and survived. Many of them had come with lorries, loading up with what arms they could knowing of the coming coup which took the professional politicians, Government agents, spies and skilled journalists by surprise.

Among the CNT contingent was Miguel Garcia Garcia, though we never met at the time. He was with a fruit lorry which was taking back weapons of the type that could still be bought privately. The Grand Old

"Pooh! It's a toy!"

Man of French Anarchism, the orator Sebastien Faure, who had been fighting French and Spanish obscurantism since the days of the Dreyfusards and the trial of Francisco Ferrer, and was in his eighties still a bonnie fighter, presented Miguel at a meeting with a revolver that had some history. It probably had been used in the Paris Commune of 1871, not that anything that could be bought was of modern vintage. "Give this to Buenaventura Durruti," he said impressively. "Tell him to be sure this is the one he carries with him into the glorious battle." Durruti, a tough railroad worker and guerrilla fighter, who became the Civil War's most famous General by sheer charisma, though he never had a rank, had no false sentimentality. I was told by Miguel that when he gave it to him and passed off the message, Durruti took one look, and said "Pooh! It's a toy!" and tossed it aside. Fortunately Sebastien Faure, ever one for the grand gesture, never knew, and possibly told with fervour to many an audience that Durruti carried it until his death at the Madrid front in November.

The most incredible misreporting followed the outbreak of civil war on 19 July. What need to repeat it? Even the story of how the workers prevented the army takeover and in many places took over industry themselves and formed their own militia, has been told, though much less often and without penetrating popular knowledge to this day. But look to the contemporary press hard and long and you will find hardly a mention, though some popular papers did seize on the interesting sideline to workers control, that the prostitutes were running the brothels themselves.

Whenever one told the academically qualified intellectual moulders of opinion about the collectivisation and revolution and the fact that Spain was not just the arena for a struggle between democracy and fascism, or Moscow barbarianism versus Christianity, they dismissed everything one said as lies without adducing a single real fact. They had taken sides.

It can be imagined how the success of the CNT-FAI affected every anarchist group in the world; everyone wanted to be in on the act. We had by now in London a few youngsters around, like Tom (Paddy) Burke, who came out of the Young Communist League disillusioned with state communism, and Scottish anarchists drifting to London for employment in the south, like Alec and Jessie White, Jim Murray and so on, which gave us a small foothold in industry. But whereas in Barcelona they had been able to rally in crisis to their union halls, all we had to rally to was the London Freedom Group, and it was in a bad way, age having caught up with it at last and its never-ending weekly 'lectures' we thought a poor substitute for action.

An attempt to reform it from within by Ralph Barr, who had been a local National Unemployed Workers Movement secretary in Hammersmith, led to George Cores, Leonard Harvey (a speaker at street corners in the days when it was still possible to earn a bare living at it) and John Humphrey breaking away. Ralph Barr agreed to the suggestion that the paper Freedom be wound up and incorporated with Frank Leech's Glasgow paper *Fighting Call*. Leah Feldman clinched the argument by pointing out that the Italian group in London, whose most vigorous protagonist was Dr Galasso, had started a paper devoted to the Spanish struggle called *Spain and the World* — edited by Vero Recchioni, son of an old militant Emilio Recchioni, and it was fair to give it a chance without another competitor in the field, albeit with a circulation of hundreds only. As Recchioni junior (who later changed his name to Vernon Richards) was still at University, the paper was ostensibly published by Tom Keell, which did not endear it to the old Freedom Group, who were not told this was a legal fiction, and still resented Keell's apparent reappearance, after taking the physical assets in 1927 on retirement. Nor did it appreciate the sacrifice of *Freedom* which one way and another had been published since 1886.

Meanwhile Ralph Barr, together with a German, Werner Droescher who was on his way to join the DAS (German anarcho-syndicalist) Column in Spain, started the Anarcho-Syndicalist Union, which at first received a large number of younger supporters, thinking it was going to be a real anarcho-syndicalist union, rather than a talking shop like the Freedom Group. At the same time Barr announced that the famous Emma Goldman was setting up a kind of embassy for the Spanish libertarian movement, the CNT-FAI Bureau, and we were welcome to support its work through the CNT-FAI Committee.

This was exciting news, because just about that time the International Brigade was starting up, and it was thought this would be a version of the same thing. Few, if any, saw the International Brigade in its real light: a propaganda gimmick by the Communist Party — which it had not even thought up itself — and subsequent hype has made it appear this was not just a brigade, but a division, even an army. The myth resembled the Easter Rising in 1916, which must have begun in the biggest Post Office in the world, holding half a million Irishmen who fought to the last beside Connolly and Pearse, to judge from the testimony of people who for years afterwards announced in pubs they were there, or the huge cast of "Casey's Court", judging by the thousands of broken down music hall artists one met in bars who gave Charlie Chaplin his first encouragement and taught him his tricks, to be ignored by him later.

It really started with the alternative Olympics being held in Barcelona (as a counter-blast to Berlin). Some East End CP-ers stopped over, or went over specially, and volunteered to fight. There were scarcely any Party members in Spain, and the Comintern quickly seized the opportunity of getting in on the act. The rival Marxist Party (POUM) was also recruiting foreign volunteers, partly because it too was small, though much larger than the Communist Party. The Independent Labour Party (affiliated to the POUM internationally) sent volunteers, and as George Orwell joined the POUM militia and became famous in an entirely different field years later, one might be forgiven today, going by scholastic hype, for thinking he was a major military figure in an important part of the armed struggle.

Certainly we thought Emma Goldman had come over with a mission to recruit for the armed struggle. The first meeting of the CNT-FAI Committee at the Food Reform Restaurant in Holborn, was, to the surprise of veterans had not seen such a sight since the early days of the Russian Revolution, packed with keen young enthusiasts all raring to pack a bag and be off to Barcelona.

One of the reasons for our enthusiasm at that meeting was that a friend of ours, Kitty Lamb, then in the ILP but an anarchist as heart, as she later became, told us of a similar meeting held by John McNair where he had appealed for volunteers to match the International Brigade, specifically for the POUM militia. Several had already enlisted, like Walter Padley (later an MP), but the ILP had a revolutionary socialist programme far beyond the grasp of most of its membership, which consisted of the older type of sentimental socialist who had no real difference with those who went into the Labour Party. There were also the younger pacifists who were now coming into the party, plus a handful of Trotskyists and a few independent socialists who had no other home to which to go. After years of 'united fronts' with the Communist Party, the Socialist League and finally the Trots, the party had gradually lost its vitality and there were no takers at the meeting, until one middle-aged man got up and said that he didn't get on with his wife, and he'd go.

We guffawed about this story, most thinking the ILP at that stage a bit of a joke anyway. But it confirmed our belief that Emma Goldman, with her revolutionary background, would offer a chance that quite a few would take. Jack Mason, a building worker and a jack-of-all-trades, even turned up at the meeting having given up his job, packed his bag and deposited it in Victoria Station.

The meeting was somewhat of a let down. We sat enthralled while Emma eulogised the achievements of the Spanish workers in the previous months, and how the banner of the CNT-FAI was flying over Catalonia, but we were waiting for the nitty-gritty. There were many anxious questions as to whether there would be any more compromises or the mistakes of Russia (collaboration with the Communist Party) repeated. Emma was in a difficult position there as, though a representative, she knew no more than we did. Optimistically she denied there would be, and when in fact in the space of a few weeks, there were, even to the point of entering the Generalitat of Catalonia and ultimately the Government itself, it was held against her, though she was as opposed to it as much as anyone.

But what totally deflated the atmosphere was her announcement that the CNT was entirely opposed to foreign volunteers. There was a chorus of indignation. Why not? Everybody else was intervening and the most internationally-minded of all were putting up a bar? Not so, said Emma, the CNT-FAI was forming units of Germans and Italians forced into exile and wanting to fight fascism. What they objected to was depopulating the libertarians in countries where they could put pressure on the government and otherwise support the struggle to get arms which they did not have, merely to swell numbers of fighting people which they did have. To further questions, she answered that if anyone had World War One experience, especially technical, and certainly air pilots, they would be welcome, but not otherwise.

As I now see matters, this was understandable, but not imaginative. The Communist Party made a great legend out of its brigade; on a lesser scale (thanks to Orwell) so did the POUM. The legend survived to this day and for many has excused the inexcusable, while the anarcho-syndicalist union movement which made the greatest contribution to the struggle has been passed over in silence. The Communist Party at the time, for all that, was not throwing its partisans into the fray without thought, despite the legend. When one examines the composition of the Anglo-Saxon sections of the brigade, for instance, again with the exception of a few military specialists of WWI experience, we find no one in heavy industry or with a background of industrial organisation: we see mainly Oxford undergraduates, Jewish taxi drivers, and long-term unemployed, amongst whom the CP was recruiting disproportionately and felt it had enough to spare.

Not appreciating the fact that there was not much difference in the attitudes, and knowing quite a number of Young Communists who were off to Spain, we felt humiliated at not being able to go ourselves under our own denomination, but one has to admit that all the YCL people who went were on the periphery of industry.

Emma said that she too wanted to go to the front as a nurse, but Mariano Vasquez, secretary of the CNT, had told her it would be a waste; that with her reputation she would do wonders gaining support for them in

England. But this was certainly an error. They thought Emma Goldman a well known personality who would make press headlines, and this might have been so in the United States, but in England she was virtually unknown, and anyway the press would not have reported anything even if she had been. Her knowledge of Britain, for all her visits, was essentially that of a Brooklyn tourist. This comes out quite clearly in her books and published letters, with references to 'what is not done in England', complaints about coffee and weather, the coldness of the people and so on.

She is once more, certainly within feminist circles, being presented as a great woman, as she undoubtedly regarded herself. Emma had made an immense reputation in the States as a propagandist for Anarchism and for Free Love (rather than for feminism as nowadays understood, and for which she has become famous to a new generation in spite of herself), both of which shocked the American bourgeoisie at the time. She had been deported to Russia for opposing WWI, but soon saw through the Soviet regime, and was deported a second time, this time to Germany, finally marrying Jim Colton. a Welsh miner, who gave her British nationality and therefore the freedom to travel through Europe. Normally she lived in the South of France, making lecture tours of the British Isles. These had earlier led to criticism in anarchist circles in America, where she travelled round the bourgeois women's clubs and businessmen's lunches, accompanied by a manager. Her desire to entertain the bourgeoisie heavily detracted from her propagandist credibility.

For years after her return from Russia she had spoken to workers clubs on the subject of Russia, being sworn at and attacked for daring to criticise the Soviet Union. Her bitterest critics in the labour movement at the time were not so much the Communist Party, but fellow travelling Labourites like George Lansbury (later to assume the prophetic robes of a saintly pacifist) and Ernest Bevin (later to become the arch-anti-Communist and destroyer of Lansbury).

As she saved all her letters, and wrote an extensive autobiography up to 1935 (*Living my Life*), in which she didn't spare anyone, including herself, her character doesn't have to be assessed here. I was prejudiced against her before I met her having read in her autobiography that at the time of the General Strike in 1926 she 'offered her services' to the workers — quite genuinely, though patently in the manner of the Great Revolutionary — but her request to be allowed to help was addressed to the TUC General Council, and as it obviously didn't reply, she flew off to the South of France (by plane, as no trains were running), to where the wealthy intelligentsia appreciated her and offered her a villa. She was the guest of the novelist Rebecca West, the mistress of press baron Lord Beaverbrook and the antithesis of what Emma stood for. I never found anyone outside novel readers who had the foggiest notion of who Miss West was ("Wasn't she a character in Ibsen?" Cores asked me once, having read a declaration of Emma's citing important people who were backing her).

Emma's idea of campaigning for the CNT-FAI was to belabour the workers in general for not coming to the support of their Spanish counterparts, but to try to garner in as many 'intellectuals' as possible, in which category she included not only novelists and musicians but ILP MPs. It was amusing years later for me to read in a book about Emma's days in Britain (*Vision on Fire*) by David Porter that she actually wrote a letter rightly condemning people who wanted to call themselves anarchists but with no intention of doing anything whatever about it, and in the next paragraph welcoming Aldous Huxley (a distinguished member of a 'great libertarian family' as she said, betraying a lack of knowledge of the most distinguished but decidedly authoritarian Thomas Huxley) for calling himself one (only once, as far as I could gather), who did precisely that.

Her idea of 'the British character' were based on observations of upper-class twits and the Russian Jewish circle which she took to be the 'English movement' but which was in reality the rump of what once had been a large Russian Jewish emigrant movement. The males had gone back to Russia in 1917 (when it was possible to do so by joining the army), hoping to bring their womenfolk over when the revolution was won — which it wasn't. The women subsequently intermingled with dockers' families, as a legacy of the German anarchist Rudolf Rocker having successfully organised the Jewish tailors' strike in East London, and afterwards (realising this would dispel anti-semitic feelings stirred up by marches of pauper aliens during that strike), helping the dockers' strike by arranging for dockers' children to be looked after by the families of tailors who had won their strike.

The so-called Jewish (by virtue of language rather than race or religion) anarchist movement disappeared long before my time, though the women survivors largely kept in touch with each other plus the males who were left, or managed to leave Russia later. The people Emma mixed with were the rump of those more concerned with their material advancement and not really committed to anarchism even in their best days, who by now were respectable business people in various parties who liked occasionally to meet, when Emma was visiting, and talk about the old days. She wondered why she could never get them to do anything.

Typical among them were William Wess, formerly a union organiser but long since in the Labour Party, who still liked to call himself an anarchist, and his sister Doris Zhouk. They had fallen out with the anarchist movement in World War One, but Emma never realised it and they never liked it mentioned in her presence. They were still going in WWII, after which they were reduced to a small group with others such as Sam Dreen, not only in the Labour Party but a Zionist to boot.

I fell out with Emma when at one of her early meetings she was, to our group's dismay, proposing to work with the ILP officially. Though I quite liked some of the London rank-and-file, who were good comrades, the Party was even then as dead as mutton. Emma was dismissive of criticism, which we didn't mind taking from her, but she had in the chair a 'comrade' named Sutton, who whatever he may have been twenty years before, was in the Liberal Party then. He went purple in the face when I mentioned this, only because it was in front of Emma, who didn't believe it anyway, and asked what right I had because he involved himself in trying to work for social justice and whatever to speak of him as some sort of criminal. I pointed out I had not, unless membership of the Liberal Party was a criminal offence, which was less remote then than ever.

It so happened that the next time I confronted Emma Goldman at a meeting — Campbell liked to keep a kind of watching brief on what was going on for the benefit of the Glasgow people, though it scarcely affected us. On this occasion Doris Zhouk raised breathlessly the subject of someone purporting to be an anarchist burning down a fascist centre which was housing an pro-Franco exhibition, and this was clearly designed to give us a bad name, just when, after years, the press had laid off us (indeed put a blanket of silence over our existence).

Ralph Barr, who was Emma's secretary on the committee, a former unemployed workers organiser, said it must be an agent provocateur — he always blamed any action on them! — but this was too much for me. I knew it was members of our group, then calling itself the Revolutionary Youth Federation — we kept changing the name — who were responsible. I could have named them, but didn't like to do so, so I boldly claimed responsibility myself, knowing if it came to the attention of the police I had a perfect alibi, the school register, I was naive enough in those days to think that alibis counted.

Sutton went into a harangue about irresponsible elements, saying he might be accused of being a Liberal but . . . I brought out a Liberal Party handbill with his name on it and he became silent. William Wess, a dear old man with a shock of white hair, took up the refrain with a noble harangue about craftsmen who lovingly built buildings which they never intended people to burn down. Had it been constructed by me, what would I have thought? You would have thought it was Westminster Abbey rather than a hut and I always hated this phoney pacifism. Emma referred to me as a young hooligan who knew nothing about anarchism. Matilda Green was quite delighted with the incident — she had never forgiven Emma for her own youthful hooliganism in using a whip to Most, when in his old age he denounced Alexander Berkman's attack on the industrialist Frick.

It was decent of David Porter in *Vision on Fire* to refer to my differences with Emma, though he seems not to have noticed they occurred when I was a teenager and she was well into her sixties, and I perhaps could be excused a little intolerant impatience, yet omit the epithets she used such as 'rascal' and 'hooligan'. Emma put herself in an impossible position by being held responsible for the errors of people in the libertarian movement who had compromised with the government in Spain; she was constantly attacked by irresponsibles, including myself, for matters over which she had no control and which she deplored, yet she tried to raise the matter with Spanish comrades and give advice and was treated as irresponsible herself. Never the most patient of people, one can see how sorely tried she was. But her administration of the CNT-FAI Bureau was a total failure and a sheer waste of time and money. I hotly criticised it and was denounced for my pains in her letters to the propaganda bureau in Barcelona.

All my letters were carefully preserved and were actually taken out of Spain after the defeat, with the presumed intention of showing I had dared to criticise EG no less. Maybe they too didn't know how old I was.

No one was readier to say how wrong I was than Ethel Mannin, the novelist, who was Emma's right hand all during the Spanish campaign. Ethel was under the almost hypnotic influence of Emma. When the latter died, she wrote several books taking exactly the same position that I had regarding the maladministration under Emma and herself, except that she blamed it all on Emma and Ralph Barr.

CHAPTER III

Off to Work; The Guy They All Dread; Early Days; Ebbtide; Attempts on Dictators; Around the Left

Off to Work

Meanwhile I had started work, not fit for anything much, at the age of 17, for the gas company, who paid the magnificent sum of 17/6 per week (75p in today's coinage). Even so it was reckoned to be a prize at a time when office jobs started at around 12/6d per week. It's no good saying things were a lot less then; they weren't, one simply had and did less. I had a friend in the company, George Plume, who had started there a year or so before. I had known him since I was 11, he was a little older and had been a form or two higher at school, and we had been friendly until he joined the Young Communist League. Now we resumed contact, I finally wore him down on Stalinism, and he joined the ILP. We tried to organise the gas company: its fitters and engineers were unionised but not its clerical staff.

Within a couple of months I was sacked. He survived a bit longer, it being considered he was not the ringleader in the conspiracy as it had begun when I joined, but as he persisted he eventually got sacked for 'disloyalty'. To get those wages and be expected to be loyal was a bit much, but the company took a different view.

I tried a few more jobs without success. I did temporary work on the tote at the Hackney Wick Stadium, being recommended by my boxing contacts, as even with the depression there were plenty of jobs of that sort around in London, and then a regular job in the administration of the J.T. Davies pub chain. The boss was a Sir Alfred somebody, who never went near the place, was a Tory M.P., a super-patriot — who hated Irishmen — an ungrateful attitude in a pub owner. He even banned Irish bar staff, loathed all foreigners except Nazis, and lived ten months of the year in the South of France, where presumably he could hate everyone.

I made the mistake of giving proper references (the first and last time I gave real ones), and the gas company gave me a reasonably good references with just a mention of my 'differing' from them on union activities'. When Sir Alfred next visited England on his parliamentary duties the manager showed him the references of all those taken on since the last time he had condescended to visit not just his constituency or his business but the country itself. It may have been impolitic to show him the accounts in view of the amount of fiddling. Next day I was told I was sacked.

The manager, Mr Morgan, told me it was useless to complain as Sir Alfred was dubious even about my name. "It sounds German." "So does Morgan," I told him. "Oh, it would be all right being German if you weren't a trouble maker or a refugee, provided you weren't Irish, that is" he explained.

As the firm was in Russell Square, I had spent my lunch hours popping round to Charlie Lahr's bookshop in Red Lion Street, where the last of the Bloomsbury set used to meet. Charlie's wit was infectious and verbal sparks flew, though not many books were sold. After one lunch-time session at which I managed to hold my own with the literati, Charles Duff said I ought to write jokes for music hall comics. I have a sneaking idea now he was being friendly-sarcastic but I took him seriously at the time. I began freelancing jokes which at 21/- a time for one joke was more profitable than working a whole week for the then privately-owned gas company, and only slightly less profitable for five minutes work than a week's work for J.T. Davies, with nobody worrying about class consciousness or ethnic origin.

Becoming indifferent as to whether I had a job or not for all the financial difference it made, and being put wise by Jack Mason as to the ways of the Labour Exchange, I could pick and choose jobs, and with that confidence landed a position as a trainee reporter on the *Sunday Referee* with references from the Charlie Lahr circle. It was a free-and-easy atmosphere. Everybody mucked in doing each other's jobs. The boxing reporter had actually seen me perform, and chose me to accompany him to bouts, take down his copy and add bits of my own, allowing me to go on my own to amateur and schoolboy matches. I was less successful with other sports reporters, not having a very clear idea of what on earth was going on in cricket, which I had always dodged at school.

It tended throughout life to shock but wherever I worked, people would come up to me when Test matches were on and ask anxiously, "How are we getting on?" to my utter bewilderment, which hardly went with sports reporting.

The sports editor Cecil Hadley also wrote a humorous column of political comment; but his problem was that he knew nothing of politics, which in those days was a bar to writing about them, and he used to corral lines from various junior and other reporters for his column. I gave him a few anti-fascist jokes and the proprietor complimented him upon them, which lifted my stock enormously.

The firm was owned by Maurice Ostrer, whose brother ran Gaumont British and Gainsborough, and whose daughter Pamela starred in one of GB's epics, receiving, unsurprisingly enough, major praise in the *Referee*. She married her cameraman Roy Kellino and later enjoyed temporary fame as Mrs James Mason.

As one of my bosses seemed to be anti-fascist I tried my luck at asking him for a cheque for Emma's Spanish Solidarity Fund. She was adept at touching the consciences of the intellectual bourgeoisie who never seemed very rich, and I thought I would pleasantly surprise her for once with my netting a millionaire. I spoke to him in his office while he carried on writing, as tycoons do, and to my surprise, at the end, he looked up and said, "One has to support these causes" and handed me a cheque for twenty-five guineas. I had never before seen so large a sum and did not grasp at first the significance of the odd shillings and pence.

I took it proudly along to Emma thinking maybe I might even get a word of praise though there was no hope of getting into her good books. She questioned me closely when she found out the circumstances (he had been stranded in Spain and rescued by CNT militia who escorted him to Gibraltar). She tossed the cheque on the desk angrily. "The Spanish workers saved his life and he gives a cheque for twenty-five guineas!" she snorted. "Why didn't you let me see him? This is what he gives to a Jewish charity!" She was quite right, of course. She could have got a lot more out of a bourgeois with a conscience — if that's what it was. But it was not encouraging for a youngster, however keen,

She treated everyone the same way, even Paul Robeson. He was then at the peak of his fame, and a fellow-traveller of the Communist Party, who idolised him. He also happened to be a friend of Emma's. When she held a concert (April 1937) at the Victoria Palace in aid of the CNT-FAI and asked Robeson to top the bill, it was quite an achievement. He was well aware of Emma's unpopularity with the Communists since her return from Russia, and the Party line was to ignore the Anarchists, or equate them with 'Trotsky fascism' in the world at large, while in Spain maintaining a discreet formal alliance coupled with a determination to knife them in the back at the first opportunity, even at the cost of losing the war. Added to that the Communist Party fixed a rival fund-raising concert that same night when they heard about Emma's, but he had given his word. He was by no means subservient to Moscow at this time as the American authorities years later pretended.

The Communist Party dared not discipline Robeson in view of his importance to them as an international star and leading Black singer, and Robeson appeared at the concert. In a backstage briefing just before the performance, Ethel Mannin was addressing a group of Anarchist and ILP stewards who were going to take the collection. I remember they included Kitty Lamb and Patrick Monks (newly arrived from Dublin, whom I met for the first time). Ethel stressed that it was most important for us not to identify ourselves as she had managed to sell loads of tickets to Quaker and pacifist organisations through her husband, Reg Reynolds. She turned to Emma who had just come in, a little upset by recent news from Spain and only fortified by gin, who snorted dangerously when told to be careful what she said, but instead turned to Robeson.

"What do you think of your friend Stalin now?" she shouted and began rating him though everyone tried to hush her, especially Ethel, and Robeson, towering above her, patted her shoulder sympathetically, It seemed a trifle tactless just before he went on for a purely voluntary performance, especially since he had turned down the rival Communist Party fund-raiser that same night.

Worse was to come.

When at the interval she asked for a collection, and remembering Ethel's advice about the Quakers, remarked with bitter sarcasm, "I am told that I cannot ask English people for money to buy arms. Well, I am not going to do so. But there is a shortage of writing paper and pencils, and people in the trenches want money to enable them to write home". She let this sink in to the consternation of rich Quakers and earnest pacifists: though I didn't mind this myself, and somewhat enjoyed it, it was hardly the way to get them to part with their money.

Though the Freedom Group buried *Freedom* on 1937 in order to support *Spain and the World*, this was unacceptable to Cores, and when Ralph Barr launched the Anarcho-Syndicalist Union, Cores revived the Freedom Group with a determination to publish *Freedom* once again. We were all a bit impatient with both. The ASU wasn't into direct action any more than the old group and as is usual with young people (who are usually right about it) we blamed the older people for being over-cautious.

Sutton tried mollifying us by offering Tom ("Paddy") Burke a job with Stepney Borough Council. He hadn't worked since he came to London two years before. It was a position as bailiff's assistant and we were surprised he accepted it and he thought our objection was to working for the council. But people have to work at something. We did not realise he thought a bailiff was a farm manager, never having heard the term in Ireland in any other sense. One can imagine his surprise when after sitting round in an office for a week, possibly wondering how Stepney Council happened to have a farm, he was asked to carry some family's furniture from premises from which they were being evicted. He promptly upped and left the job and so lost his unemployment benefit, cursing Sutton for thinking he would act as a bum-bailiff, and asking why we hadn't warned him.

My own stand on principle was similar but less dramatic. I was asked to write up a knocking story on an actress — I forget what she was supposed to have done but we were losing circulation to the *News of the World* with its salacious reporting, which was accounted a good enough reason. I declined but one could get away with that on the *Referee* if it wasn't too obvious, and I was put on another knocking story about a bus strike. When I wouldn't do this either Cecil Hadley decided for my own good I should be carpeted and I faced Mr Ostrer, who listened to me astounded. He gave up and sent me back to Mr Hadley to be instructed in the ways of journalism.

Mr Hadley, who liked to be known as Uncle Cecil, explained that I couldn't have principles and be a reporter. If I became as famous as Hannen Swaffer I could say what I liked and he would be pleased to employ me, but he asked me to see reason and admit the idea of a trainee deciding on ethical standards was absurd. I agreed, to his delight (he hated being tough) but was dismayed to find I had agreed only that the idea was absurd, and I had given up my reporting career before it started. I doubt if it was a great loss to the profession.

He couldn't bear to give me the sack, however, so he suggested I work in the general office as a copytaker. He pointed out, which I discovered over the years to be true, that one could earn just as much money as the run-of-the-mill reporter (in later years much more). While one would never be anything more, one could have the luxury of being utterly without responsibility for the product if that was what one wanted. One was a cog, taking down copy over the telephone, all written by others, and one was no more responsible for what was being written than a secretary or a telephonist, provided it was spelled right and taken down accurately.

I also saw the added advantages that one could work at it, leave it, and come back any time, and that as a printworker rather than a journalist one was in a key position of industry; and I reckoned the revolution was coming in a few months anyway, so I accepted.

Before the war copytakers were much more versatile than since, especially on Sunday papers. I translated, others wrote up telegrams as stories, took telephoned advertisements or did odd features. Another did secretarial work and was also given the job of writing up the astrology column. She protested she knew nothing of the stars but was given good advice such as never being specific and always using a calendar. Having learned those basics she subsequently became a prominent soothsayer and national figure.

A rival newspaper astrologer failed once to take the advice about not being specific and prophesied there would be no war, which is what people wanted to hear. He came back the week after this, when war had been declared, with the statement that Hitler had been mad enough to defy the stars, and would pay for it by losing the war, which it so happened was right.

But that was ahead; and meanwhile through 1937 I was immersed in political activity outside working hours, and also to a large extent inside, until at long last my long-suffering employers' patience broke, perhaps also because they were cutting staff owing to their losing battle with the *News of the World*, to which they thought the answer was economy and my £3.10s would help cut costs.

I did not really worry. I got through Christmas that year quite well on a chance remark I heard in a pub about someone looking as if he needed Bob Martin's dog conditioner. I sold it to a dozen panto comics and it appeared in so many pantos, and subsequently entered a sort of panto common stock, forcing the manufacturers to send a letter of complaint around the music hall profession asking that derogatory remarks (not that it was such) should not be made about their product. Not all companies took that attitude: some soap powders actually gave comics the odd few guineas to get their products plugged, and freelance gagwriters were trying to find out how to get the dame to mention the fact that she used Omo or whatever.

A caustic remark I overheard that someone was so broke "she couldn't even get a credit account in Woolworths", which I transmuted into a remark by Baron Hard-up in pantomime, netted me quite a handsome profit. It might be a bit obscure today when one thinks nothing of producing credit cards in Woolworth's, but they had up to then claimed they sold "nothing over sixpence" and were still a sixpence and shilling (five and ten cent) store.

I might have stumbled into the music hall profession, though hardly as a performer, but for the fact that many of my friends thought it was hardly a serious way to earn a living. Nor did I. Some, like Tom Brown, who was a very lucid speaker but inclined to generalise, thought it an integral part of the capitalist system. He had never met the dejected performers sitting stranded with their baggage several hundred miles from home when the manager had absconded with their salaries, and thought all music hall people went around in furs and diamonds.

Brown, who had been a shipyard worker in Durham and had drifted down south to work in aircraft, was a perceptive comrade generally, and he gave a bit of life to the Anarcho-Syndicalist Union into which he brought a breath of the workshops. He was one of several excellent speakers the ASU had at the time. Another was Captain J.R. White. (Years later I wrote up his life in a pamphlet, *From Loyalism to Anarchism*). White, son of a British General (White of Ladysmith) had a strong Protestant Irish background. He had resigned his own Army commission to help train Connolly's Citizen Army, but when they fell out with the police in defending strikers from baton attacks, they were considered less than respectable by the Irish Volunteers. They originally declined to use them in the 1916 uprising for that reason but Connolly over-rode the objection.

White was in the Old IRA and a Communist Party sympathiser, as well as being a fervent Orangeman. It was still possible. Though beset with personal problems with a running quarrel with his estranged Roman Catholic wife and her ecclesiastic advisers who periodically kidnapped his daughter, he went to Spain to train and lead the largely Old IRA column in the Connolly section of the International Brigade, which incidentally both on the boat and in the field clashed with the Irish brigade led by General O'Duffy that went to fight for Franco.

White became totally disillusioned with the Communist Party in Spain, and also with the cause of Irish nationalism. O'Duffy had not only official government support but many Republicans supported him in "the war for Christianity" which White, an anti-clerical but a Christian nevertheless, saw at first hand. He supported the CNT-FAI and the "irresponsibles" — those who would not agree to the compromises the libertarian movement had officially made and were prepared to resist Communist domination by force. White organised a plan for sending arms which was quite ingenious — he set up an official arms buying company registered as a proper export company, from an impressive address used by a large export company in Soho Square (actually it was the attic workroom of a very active anarchist, tailor Alf Rosenbaum) from where it applied for licences to buy arms for Franco, from Czechoslovakia. Though the Board of Trade refused licences under the Non-Intervention Act, it did not seem to mind what happened after it refused when the arms were destined for Franco-occupied Spain. The goods were bought and boarded ship at Hamburg under the eyes of the German authorities; needless to say they were never landed at the designated port though they got to Spain all right.

In the finish the German authorities discovered the hoax and alerted their British colleagues to how the Non-Intervention Act was being breached. They thought at first we were engaged in a massive theft, but there was outrage when it was discovered the arms had been legitimately bought. It all ended with minor prosecutions, though as a footnote, Rosenbaum actually earned a bonus for his sales abilities by the Czech company, the news not having percolated through the departments. With it he organised public showings of a documentary film of collectivisation in Spain (which fifty years later actually appeared on ITV incorporated in the series *The Civil War in Spain*, so swift is democratic news gathering).

I enjoyed this, though my part was peripheral, consisting of invoice typing and listening to White endlessly relating the crimes of the Catholic Church, which I knew from my grandmother, in a strangely different context. It is odd to reflect that today White would have easily mixed with any of the factions in Northern Ireland, and he would have been at home in the Army, which was his original background. Looking the part of the retired English Captain, he could have mingled with any of the Orange factions and any of the Republican groups.

He had a lot of experience in common with any of the paramilitary forces and with some reconciliationists too. For those who have a bourgeois conception of caricature-Anarchism, White would only have been totally out of place as an anarchist, but he was a sincere one, though out of his element with either day-to-day run-of-the-mill, propaganda activity or the work scene.

When our few months of adventure were over, and as Billy was seldom in London having gone on the regular 'potato run' to Bilbao, I felt a bit deflated. I went to Glasgow to fix up some matters for him, and while there contacted Frank Leech, but I failed to appreciate his sterling worth at the time. He was by far the most durable of the anarcho-syndicalists around: a former Royal Navy seaman, ex-heavy-weight boxer, who had set up a newsagents shop with his gratuity, he was a popular soapbox speaker and attracted large crowds. But he was an unqualified admirer of Emma Goldman and supporter of the paper *Spain and the World*, and I was less than enthusiastic.

Everyone in Glasgow knew Guy Aldred. I met him in his usual speaking pitch at Glasgow Green, and he helped me with some official business I had regarding the Campbell family. He had heard of me and was keen for me to invite him on a tour of London, perhaps mistaking the amount of influence I had, and it was very flattering to a youngster to have so well known a man asking me if he could come along and help in any way, and I invited him to London promising the support of our group, without quite realising what it was he expected which was barely enough to live on. I am afraid it was beyond our means. He felt he should be supported by a serious local group — he was right, but mistaken as to how wealthy we were or indeed how old I was.

"The Guy They All Dread"

That was a saying Guy Aldred liked to quote — I suppose it *was* a quote. He was an old-fashioned socialist agitator, who stuck to Victorian-type knickerbockers (like Bernard Shaw) rather than trousers, and who early in life conceived his career as a professional street-corner speaker. It is something now inconceivable, and reliance on collections (which may now seem a little like begging, or at any rate busking) made for a hard struggle with poverty for most of his days until about a year after I first met him. He was a very clear speaker on religion, having started as a boy preacher before becoming an atheist, and could run rings round any orthodox Christian or neo-Humanist philosopher, but was not a very deep thinker on socialism, equating Marxism and Anarchism and scorning reformism, careerism, parliamentarism yet equally any form of industrial action or individual resistance. There was very little left, but to him it was the 'incessant work of Propaganda' which he felt would bring about the revolution.

A Londoner, he moved in the First World War to Glasgow sensing it was by far the most revolutionary city. He was popular with workers not because of any industrial involvement, of which he knew nothing, nor because of any theoretical understanding, in which they were more advanced than he, but because of his pioneering conception of offering advice and appearing before tribunals on housing matters. Even political opponents in difficulties came to him for help with their problems.

He had possibly learned this from Rose Witcop, birth control pioneer for working women centred in Hammersmith, with whom he had lived in London. He married her in Glasgow long after they parted (either because married men were temporarily exempt from conscription, or to save her from deportation, whichever side you believe). She was Rudolf Rocker's sister-in-law, and extraordinary family feuds arose out of this. Indeed. in 1938 Aldred published a one-off paper *Hyde Park* devoted to their family squabbles which he put forward as a critique of Anarchism.

When he came to London I had not expected that he relied for support on collections, which were pitifully small since the tradition of paid al fresco lectures had almost died out here. I was now earning nothing and could not supplement him. When Billy returned to London on his next trip, he smiled but refrained from saying, as he might have, that he could have told me what a handful I had taken on.

After the publication of *Hyde Park* in 1938 support for Aldred in London fell off and he had burned his bridges in London and Glasgow, but then an extraordinary chance ended his days of poverty. Sir Walter Strickland, a millionaire whose family practically owned Malta, had during the First World War taken to him and was disgusted with the British Government after the Versailles Treaty. In acknowledgment of the newly created State of Czechoslovakia, the first fruits of League of Nations liberal idealism, Strickland became naturalised Czech, though he never went to that country. In 1938 Strickland died and left a fortune to Aldred, who promptly formed the Strickland Press, bought a hall, bookshop and machinery and proceeded reprinting all his old pamphlets, before actually getting the money. Then the Strickland relatives brought a suit saying the will was invalid. Strickland had said in his will he left the money to Aldred "for socialist and atheist propaganda", illegal under Czech law. There was a complicated legal case which ended as such things usually do, with the money in the hands of the lawyers. Aldred, used to defending his own cases personally and handling courts with ease on matters of obstruction and sedition, found himself outgunned among the moneyed lawyers.

Then yet another eccentric millionaire stepped in to save him. The Marquis of Tavistock (later Duke of Bedford) came from a family with a tradition of hating the eldest son. His family owned most of Bloomsbury (Tavistock, Woburn and Russell Squares being named after them) as well as Woburn Abbey, which they had stolen from the Church at the time of the Reformation. He took on Aldred as one of his lame ducks, and campaigned on a peace basis for him, establishing Guy's monthly *The Word,* at the same time as supporting Social Credit and an obscure British People's Party which after 1940 attracted the rump of the non-interned and non-enlisted fascisti. All of this made Aldred increasingly isolated as he became a prolific publisher, entirely of his own works, mostly bitter personal attacks on the past and present records of prominent socialists, though he always retained a few admirers. The Stone brothers, old time anti-parliamentary communists, thought him the greatest man in the world, like many of this old Hyde Park public, and said so frequently.

The brand of anti-parliamentary communism espoused by a few old-time socialists like the Stones who still stood up for Aldred was unusual in that they did not seem to accept the theory of workers councils, unlike most of the older veterans of that theory. No anarchists now supported him, though he always insisted he was the one true anarchist. His support came from some right-wing pacifists, as well, oddly enough, from some Trotskyists, who were less concerned about Bedford and thought the anarchist criticism of Guy was because he had denounced the compromises, and everything else, in the Spanish war, which was to them a justification of the Trotskyist line which was unidentifiable from the pacifist ("what they needed was not arms, but a clearcut Marxist analysis").

The Marquis became Duke of Bedford, and managed to thwart his father's intentions of leaving the money away from him. After the war, he came to the conclusion that if he died on a particular date, his son, then in the Army and well integrated into the Establishment, would be burdened with such heavy death duties it would then deprive him of his inheritance. He therefore calmly killed himself on the appropriate date. It proved to be a useless sacrifice, as the new Duke decided against the advice of his accountants to give Woburn Abbey to the National Trust and live on his rents, but instead gave Bloomsbury to the Government. He decided that as everyone hated landlords anyway and sooner or later he would be likely to lose it, he might as well live in Woburn Abbey like a traditional Duke and enjoy life, however much he in turn would probably hate his own son.

Against professional opinion that he could not afford to pay the upkeep, he had the then novel idea of making it a leisure centre, game park, fair and tourist attraction. The idea caught on around the aristocracy, though first scorned. The only effect of the pacifist Duke's death, therefore, was to leave Aldred in the cold, as he apparently completely forgot to make provision for him. Though Aldred continued to publish *The Word* until his death, he attracted only spasmodic support from eccentric vicars and peers around the pacifist movement. Ethel MacDonald and Jenny Patrick, always his strong supporters, never deserted him, and continued to set the type as long as they lived.

Some thirty years afterwards Aldred himself died leaving one fervent apostle, John Caldwell, who had the melancholy task of closing up the hall he had established, a solitary standing edifice amid a house clearance scheme, and giving away the huge stocks of Aldred's literature.

Needless to say, when the 1930s and 1940s became a memory, the university thesis industry discovered Aldred, and what escaped pulping can be sold at high prices but he himself has been forgotten. For all Aldred's inconsistencies, he was solidly in an English and Scottish radical tradition and, as he said himself, if he had been better dealt with in his youth he would have achieved much more. With his influence in some matters such as counsel to those unable to afford legal advice, he pioneered something taken up by many in recent years, and in acting as a "barrack room lawyer" as well, dealing with cases legal advice couldn't reach, he was far ahead of his time. It was one great lesson I learned from him, notwithstanding his dreadful inconsistencies brought about by exaggerated pacifism.

During 1938/9 Emma Goldman hired the upper floors of premises in Frith Street in Soho (even seedier then than now, but central) to house the CNT-FAI Bureau and *Spain and the World*. She hired the upper floors, the ground floor being a shop and the basement, unknown to her at the time, a knocking shop. It caused some problems with the respectable people she was attracting. I remember one couple, both civil servants, who assumed Emma's offices would be in the basement and found themselves in the middle of a scene of shame which caused them to flee and never be seen again.

In the course of our activity in South London I had found an Anglican vicar, anti-fascist and even more anti-Catholic, who agreed to lend his church hall for a meeting on Spain. Ethel Mannin organised it and subsequently incorporated it into a couple of her novels. It was unusual for Emma Goldman to face a large, hostile proletarian crowd as she had become used to intellectuals of the CP heckling over Russia. She stood up to the jeering but failed to identify what the opposition was about. When she mispronounced a word, in her strong Brooklyn-Russian accent, one fascist-minded individual shouted to her to "go back to Russia".

She paused dramatically, and pointed to the embarrassed heckler. "You see the hypocrisy of the Stalinists," she said. "When a Russian bows down to Stalin, the Russians are great. But if not — they say Go back to Russia! Yes, my friend, and why do you want Emma Goldman to go back to Russia? Because your friend Stalin will kill her!" Ethel Mannin was whispering at the table that the man wasn't a Stalinist at all, but whether Emma knew or not, it quieted the fascist opposition, at a loss for repartee.

The parson, from the floor, then said a few words about Catholic repression in Spain. A communist interrupted to the effect that the anarchists were guilty of atrocities against the church. It was the current CP line that there were really such outrages, but by the anarchists, not condoned by the Republicans. Emma whaled into him too, denouncing "your friend the gallant Christian gentleman Franco" and seizing on the fact that he had mentioned a church burned down by the anarchists but omitting to say (he probably didn't know) it was in the middle of a garrison currently in arms against the people. Being denounced as a fascist, and finding his friends looking askance, the luckless Stalinist literally ran out of the hall. Ethel was still trying to whisper that she'd again got her hecklers in a twist. But what did it matter? Both sets of interruptions were quashed.

Ray Nunn, a libertarian student (then rare) who was at the meeting, felt we should try to re-group our scattered scene, after experiencing

Aldred's obsession with propaganda that never involved action, and came together with Ralph Sturgess, who had succeeded William Farrer as secretary of the Anarcho-Syndicalist Union, which had still not got off the ground. Partly because it was totally committed to supporting the CNT line in Spain, thick and thin, it collapsed well before the war.

They started to collaborate with *Spain and the World,* a paper which had been founded two years previously, edited by Vernon Richards. It had been the brainchild of the Italian Anarchist group who constituted the bulk of the Italian anti-fascists in London. The daughter of an Anarchist militant killed in Barcelona by Stalinists, Marie-Louise Berneri, had settled in London and married Richards. It was her influence that helped the ASU group, the youth groups, and even some of the older members of the Freedom group (though not Cores), not to mention myself, to merge and give support to the paper.

She had the same vitality and determination as Emma Goldman, though after the murder of her father she had a more publicly critical approach to the increasing compromises in the Spanish struggle than either Emma, or indeed Richards. She would certainly have made a great contribution to anarchist theory had she had any work experience. Unfortunately she had the same weakness for over-estimating the value of the "intellectuals" as Emma, though she was so sympathetic an individual that if this was a fault, it was overlooked in appreciation of her goodness and energy.

It was around this time that some of the "progressive intellectuals" were changing from Stalinism which had long dominated the universities, though they seemed to most working class anarchists to be people who as students had scabbed during the General Strike and this suspicion died hard. But the declaration in 1937 of Herbert Read, influential art and literary critic, poet and essayist, that he was an anarchist, led some of his literary clique to say the same, though he had no other influence.

Bourgeois historians always ascribe any theory to the nearest literary or historically acceptable person by their standards, and just a few years ago the National Archives had as its only reference to anarchism the correspondence between Read and the Catholic sculptor Eric Gill, while Woodcock of course cites Read, if not himself, as the leading anarchist of his day, though Read never claimed this, any more than Kropotkin did. He addressed some meetings of Emma Goldman's, and even one of Cores', but otherwise apart from writing one or two articles took no part in activity, instead addressing the literary public through his books on philosophical anarchism but not allowing it to interfere with his position in the Establishment.

In contrast, an art critic with similar Establishment ties, and with whom he often crossed literary and political swords, was Anthony Blunt, active for the Communist Party and, as we now know, recruited to the Soviet Intelligence network. He rose to be Keeper of the Queen's pictures, but was subsequently disgraced as a spy. Such an indiscretion would never have happened to Read but anyway he had no such adherence to a foreign State to tempt him.

The other notable "convert" to anarchism was painter Augustus John, but I only once noted him intervening for us, in unusual circumstances. Werner Droescher, who had returned from Spain where he had fought with the German Anarcho-Syndicalist battalion (DAS), was met by the police on arrival with the information that he could not possibly stay in Britain but need have no fear, he would merely be sent on to Holland.

On arrival in Holland he was met by the Dutch police who brought him straight into Germany, and he was immediately taken to a concentration camp. Droescher's English girl friend, a member of what is now known as the "Carrington set", was sitting for Augustus John. She wept the story to him. He had the ear of Queen Mary, whom he was painting, and thus was a captive audience. She only committed herself to saying she would speak to Sir John Simon, the Home Secretary. Droescher, to his surprise and I imagine of his fellow-prisoners too, was taken a few days later out of the concentration camp and returned to England, from whence he emigrated to New Zealand. I met him by chance in Coptic Street on a return visit, thirty years later.

1938 was a frustrating year for me. At the end of it I was on strike for three months. I had got a job as publicity assistant for a fairground, which sounded grand but consisted of putting up bills and arranging accommodation. I was in on the first attempt (I suppose) of fairground workers to try industrial action but by the very nature of their life, once on strike they all drifted elsewhere to work. I was left stranded in Middlesbrough, which I found cold and unfriendly to strangers. To add to my being sacked, I had been invited to speak to a meeting on Spain but the organisers had not realised I was anti-CP and I got a really hostile reception, after spending the last of my available cash in getting there.

I had just enough to pay the landlady but next day had to walk to Stockton, quite a distance away. I had not heard of hitchhiking. Until the war made it universal, one thought of it as begging. From Stockton I had a valid return to Leeds where I switched to the London line, getting on without being asked for a ticket. When the ticket inspector came round I explained I had been sacked owing to the strike and promised to repay the fare when I got home. He said he could not agree to that and would have no alternative but to put me off at the next station. My heart sank until he winked, when I remembered the train was non-stop. Later the buffet staff brought coffee and sandwiches gratis. I hadn't eaten for 18 hours and that was the best railway meal I ever tasted. I always seemed to fall in with people like that when things were worst. Next time I visited Middlesbrough, which wasn't for another forty years, I made the warmest of friends and wondered why I ever left it cursing the town which has become a second home.

At home on the old political scene, Patrick Monks, who had been a mainstay of our group ever since he arrived from Dublin, went to sea, Billy Campbell finding him a job. What disappointed me most was that my old friend Rod Strong decided to join the Army. True, he had never been much interested in anarchism, though he liked a good scrap against fascists. He was unable to get on even the bottom rung of the job ladder. I don't suppose his colour helped, but it was not a burning issue in those days when there were so few Black citizens. With the best brains and muscle I knew, of utter integrity, he had one job in the years I knew him: a few months casual labour with a backstreet rabbit skinning factory. For almost the whole time I knew him, Billy and I put aside part of our pay to keep him going, and he always intended to get himself straight when he started work, but he never could. Enlisting was his answer. After we said goodbye, he promised to keep in touch, and in fact repaid the advances we had made him — not that we wanted or expected him to do so. I saw him once or twice until the war and then never saw or heard from him again, though I always looked out for him in the years that followed.

When I think of the phoney intellectuals I met who were to swan through Easy Street, none of whom, even those extolled by thesis writers of a later generation, ever raised a blow in anger for anarchism or socialism or against capitalism, I excuse myself for being thought of as arrogant by them.

Ebbtide

Not unnaturally I suppose, after the Munich Agreement any discussion of anarchism was at a low ebb. The press had long since dropped the caricature William le Queux image of the mad bomber (to be revived years later). Instead it had deliberately censored news of the revolution during the Spanish War, and Popular Frontist propaganda slandered all anti-Stalinist revolutionaries as "Trotsky fascists" yet it is clear the Comintern was preparing for accommodation with the fascist powers.

Public opinion was only interested in Democracy v. Fascism, or Communism v. Fascism, whichever way they chose to interpret the world situation, though even without hindsight it is obvious there were other alternatives. Meantime whatever democracy there was shrank.

Though most of my contemporaries, and nearly but not quite all the veterans of anarchist struggle, were giving up in one degree or other of despair, worn down by either grinding poverty or increasing family commitments, some streak of obstinacy made me go on, though there seemed little hope of success. It was a bit flattering that Special Branch chose to visit me on one or two matters, even when I was only 18 and still living with my parents who were utterly incredulous that I was taken as seriously as that, or that there was a political police at all.

It was possible for anarchists to work with the local ILPers on some issues. For instance in East London ILPers and anarchists formed the tenants' action committees, against increased rents. It had the predictable result that the Communist Party infiltrated (and took over) and the less predictable but more welcome one that the local fascists totally discredited themselves by opposing the largely successful rent strike, teaching an unintended if inevitable lesson in racism.

The fascists had previously attacked 'Jewish landlords' but when it came to fighting landlords, and Jewish and non-Jewish slum tenants alike joined in, Mosley prevented the fascists from doing so and upsetting his impeccably Norman-blooded slum landlord friends. It smashed the populism of his movement.

The Labour Party was divided between official Labour policy, then dominated by some trade union leaders, with Attlee and Morrison as contenders for the leadership; the followers of George Lansbury, its former leader, who had now become an ultra-Pacifist; those who followed Ernest Bevin, and were working towards a national war policy but would have no truck with either the Left Labourites following Stafford Cripps who wanted to unite with ILP and Communists (the ILP rejected this eventually) and popular frontists who wanted to include Tories as well; and the remnants of the older working class movement being imperceptibly but gradually edged out by the rising professional class.

The Communist Party had an unofficial co-operation with the Conservatives, some openly, like the Duchess of Atholl (wife of a feudal laird, and herself a Tory MP, who later became an intense anti-Communist), some surreptitiously, like Viscount Mountbatten. The Trotskyists were obsessed with the Moscow trials and the charges against Trotsky, and opposed action in or on Spain or any other country against fascism, until it reached the countries in which they were living, when they called for defence of the Soviet Union and themselves.

Outside Spain, and inside too after the defeat, the anarchists were internationally on the defensive in the two post-Munich Agreement years rather than taking the attack. They seemed to have lost both their constituency and consistency. Most opposed the coming war and fascism alike, supporting the struggle in Spain but opposing the compromises made there, for which they were blamed either way. The Stalinists, and their many apologists, said the CNT-FAI did not co-operate with the Government, the Trotskyists that they did, too much so. But liberal elements were coming to the fore in the loss of the working class support, and the attitudes of almost all well-known if not "leading" anarchists were decidedly ambiguous if not downright paving the way for abandonment of their principles.

Attempts on Dictators

Jumping over the years, back and forward, I should record there had been several abortive attempts on Mussolini's life by Italian anarchists in the 1920s and 30s. Now came the attempts on Hitler's life. Had any been successful, everybody knew the show would still have gone on, but without the leading player, as happened in Spain. A few years before the Dutch anti-parliamentary communist van der Lubbe had set fire to the Reichstag in the hope it would spark off a rising of the German Red Front, which had been trained in Moscow and paraded up and down to popular acclaim until the Nazis took power and, without a blow, it was overnight reduced to a few cowered people hiding if not rounded up in concentration camps. The training wasn't lost: some of the 'generals' they trained turned up in Spain and sneered at the Spanish workers' primitive ideas of military resistance, such as fighting.

Following the attack on the German vice-consul in Paris, not by an anarchist but by a personal victim of Nazism, there were two or three such plots within Germany. Few details have ever been available because the German Federal Republic chose to publicise only the Junker plot at the very end of the war, when Hitler would not admit Germany had lost, and was opposed by patriotic generals who had gone along with him in conquest but were not prepared to do so in defeat. The attempts on Mussolini are still looked on as the sort of thing that gives the anarchists a bad name.

Even well-known figures in our movement, always cursed by the personality cult, like Ruediger and Rocker, took this attitude in 1948 as regards the attempts on Hitler, and would not co-operate in publicity about it though they had the documentation at a time when the

"I felt queasy."

Bundesrepublik was almost canonising von Trott, whose part in the Generals' Plot came only when they knew there was no chance for victory.

There was one attempt on Hitler planned in 1938, in which I was asked by a German anarchist resistance group, "Schwarzrot", using Birmingham as a base, to travel to Cologne to pass over some documents to Willy Fritzenkotter. I stayed with Willy Huppertz, miner and pioneer member of the FAUD. It was safe in that I had a British passport, though I admit once when I saw a big Nazi procession approaching and everyone hailing Hitler, I felt queasy. I was faced with the dilemma of doing the unthinkable and giving the salute or facing who-knew-what, like Hitler himself at the time of the Munich Soviet. It would be no use the British Consul saying afterwards they had exceeded their rights and must apologise, so I did what Adolf may have done all those years before. I disappeared into a public toilet partly to avoid saluting and partly for necessity, where I found a large number of Germans had the same idea or compulsion and the attendant grinning all over his face.

I thought the documents related to emigration. A dozen years later, I met Fritzenkotter again and he told me they related to the escape of the planned attacker, but the plot had not come off. I did not meet him then — he had already been deported to England. One of the other people on the periphery was John Olday, who had been in contact with the Marxist (non-CP) resistance, which included Hilda Monte whom I met with Fritzenkotter.

Olday (properly August Wilhelm Oldag) was born of mixed German and Scots-Canadian parentage, and though he had lived in Germany all his life in very poor circumstances, was a British subject and had been bullied at school in the First World War as a consequence. He had married Hilda Monte to give her nationality (he was homosexual, and they did not live together). In England he wrote a moving book *Kingdom of Rags* (1939) and contacted Ethel Mannin, who had the same publisher (Jarrolds) but did not contact local anarchists until he had been conscripted into the British Army.

Hilda Monte made another attempt on Hitler's life, someone obtaining for her the unlikely financial backing of G. N. Strauss M.P. (millionaire industrialist, later Father of the House of Commons). Hilda, after an unsuccessful attempt, went to England; I think, to help achieve her original plan, though Strauss pulled out when the war finally came, perhaps thinking he was being inveigled into a Nazi plot. When the war broke out she was interned as the authorities were not unnaturally suspicious of a German, recently married to a British subject with whom she did not live, and did not know or care she was far more anti-Hitler than they. However, she not only got her release but was allowed by British Intelligence to return to Germany as a saboteur because of an influential intervention, with which I shall deal later.

She was captured by the Nazis. Her marriage was no longer a protection and as a Jewess married to an "Aryan", a revolutionary, and a "foreign agent" her death was inevitable, and doubtless gruesome.

The anarchist movement in Germany was unknown to the world until the defeat of the Nazis, when the Americans seized the police archives and opened them up to scholars. It had been thought that it consisted of a few scholars. It is clear now a large anarchist working-class had existed during the Kaiser's period and through the years of Weimar and Hitler. The FAUD (a real anarcho-syndicalist union) was strongest in the Ruhr, where the Nazis wisely left the coalminers alone in their opinions provided that was all. It would perhaps have been easy for them to act against the miners, but they still needed coal.

Willy Graf of Ulm discovered an ingenious way in which the majority of other German comrades saved their lives. He was arrested and placed in a concentration camp (of the original type, actually a barracks). The commandant was pedantic about properly classifying each prisoner in their proper category. Graf found that the Jehovah's Witnesses with whom he was confined were almost as unbearable as the Nazis. It was possible to apply to the commandant, who told him that among the 'real Germans' he had only two anarchists, who had either to go to the Communist section or the 'Bible searchers' section whichever was more appropriate.

Graf replied that he was really a criminal prisoner, pointing out a dictionary which stated anarchists were 'bandits' who 'believed in disorder'. The commandant, a martinet of the old school, was disturbed in his notions of justice, which he confused with neatness, and examined the records, which said that Graf had been involved in an attack on the Braunhaus in Munich and been imprisoned for it under the Republic. He said that Graf must then surely be a Communist and should leave the JWs. But Graf, fearing the Stalinists might be as bad as the jehovahs, said his gang was only after the treasury, whence the satisfied commandant promptly re-classified him as a criminal.

Subsequently, when the war came, he was out, together with other anarchists who had heard of the magic of the dictionary on the grapevine, and learned that they had to be criminals to be allowed to go free, sometimes to the indignation of neighbours ("our boys are being called up and the red scum are coming home"). Many of the older comrades had to work on forced labour but we here did not learn about this until after the war, and assumed all had been killed.

The other anarchist imprisoned with Graf, either because he did not wish to pretend he was a criminal or out of a feeling of solidarity, claimed falsely to the commandant he was of Jewish origin and so was moved with the Jewish inmates to wherever it was they went. His folly seems incredible now, but it was inconceivable to most Germans then that race could lead to anything more than deportation at worst. Like Graf, he gambled in a game of Russian roulette but was unlucky.

One who followed Graf's lead in Hamburg, Carl Langer, was later a cause celebre. After years of forced labour and showing signs of age, he had been directed to work as a bank messenger. During the last days of Nazi Hamburg, when they thought the Russians were coming, the bank staff had fled and the bank was looted. When order was restored, Carl retired from work, bought a house and opened a hall and press for the re-created anarchist movement. There followed a series of prosecutions by the bank at which he asserted his legal right not to testify against himself when the now officially denazified former directors tried to claim their lost treasures, amid general public amusement.

Three years after the war, the taxi driver who took me from the station to the Langer house laughed when I told him the address I wanted, and said Carl was the only man on forced labour who had managed to save enough to retire comfortably out of a wage of a pfennig a day and he only wished he had the secret.

Around the Left

Returning to the two pre-war years, it was inevitable I should meet persons on the parliamentary and extra-parliamentary Left, among whom, with exceptions, I never felt comfortable. That this attitude was shared by the bulk of the working class movement was later made clear though while my instinct and logic was to become more revolutionary than they, many became instead as or more reactionary. I am glad that I did not realise at the time that, little as I appreciated the Old Left, the New Left when it came would be infinitely worse. Even the old British CP was a paragon compared with most of the later student Trots.

Jon Kimche was one of the left-wing of the ILP, whatever the term meant in that context. He was associated with the German section aided by the ILP before the war, quite contrary to British and Labour Party foreign policy and quasis-illegal. I believe Hilda Monte was also in touch with them. He also ran the Socialist Bookshop at 35 St. Bride Street, just round the corner from Ludgate Circus. I say "ran", as it was thought by most, including the ILP itself, to be the ILP bookshop. Their headquarters was above and the extensive bookshop below. As in the later case of Freedom Press and Vernon Richards, the question of ownership became blurred, and it finished up as his.

Kimche was Swiss-born but had quite a good knowledge of German affairs though I doubt if he was as knowledgeable about what Hitler was going to say to Goebbels next day as his newspaper articles made out. Later during the war, when the bookshop was declining, he moved in on Fleet Street journalism as a German expert, encouraged to write on German underground resistance to Hitler which up to a few months before would have been unthinkable. The papers would not have printed it, and the police would have investigated if they had.

Like Dr C. A. Smith, a former Wood Green schoolteacher and later WEA tutor who moved into professional politics, he went from becoming an avid member of the presumed Left of the ILP to move sharply right. Whereas Kimche went first into journalism, turning his former knowledge to good account, Smith, with whom I was well acquainted from Tottenham days when I had attended his WEA classes, went into Common Wealth during the war. During or after the war both became converted to Zionism. Smith organised the Labour Friends of Israel. I don't know what moved him (he was not Jewish, though his wife may have been) but Kimche went to Israel and became part of the Intelligence Service. Whether his Intelligence associations pre-dated his move from the ILP I cannot say.

Both Smith and Kimche became very right wing in the following years. I lost track of them. Smith, like John McGovern who has been vehemently anti-war, both an extreme pacifist and hailed by Fenner Brockway as the "English Karl Liebknecht", became a fervent anti-Communist. It was odd that McGovern joined his old opponent the Duchess of Atholl, who had been the most fervent Communist supporter when McGovern opposed them from a revolutionary angle in every US Government backed activity during the Cold War.

Another person I remembered from the Tottenham days, though I only saw him at meetings, was Ted Willis, a Young Communist League organiser. He called me a "subjective supporter of the ruling class" at one meeting. After the war he wrote a play or two for the Communist-backed Unity Theatre which introduced a number of ardent CPers and amateur actors to the professional stage. He seemed to catch on and is now known as the "Dixon of Dock Green" creator glamourising the police force. He mellowed with the years, and moved to the Labour Party. It can be done so easily in Britain — think what American screen writers and actors who backed the Communist Party had to go through! As he was made a Lord I am entitled to assume he is not merely a subjective supporter of the ruling class and if we ever mixed in the same social circles, which I think unlikely, he could revise his judgment on me.

I never met any of the other Unity Theatre people, who came from the East End, where the Communist Party was growing and where I had virtually no contacts at the time. Someone who seemed to be more or less in that milieu, though of a later generation, was Bernard Kops, a playwright. When I came across him in the forties or so he was selling second hand books from a barrow in Cambridge Circus or at least going through the motions, the stock being so uninteresting it was left unattended for hours at a time. The local bookthief clique (solidly Bohemian and CP), who formed a community of their own, derisively referred to him as "Shakespeare" because of his literary ambitions. As he came from the East End I expect he had hung round Unity Theatre, actually in King's Cross. He frequented CP haunts and Soho cafes but I certainly never heard of him as having anything whatever to do with anarchists. Years later (1988) I read David Gillard's column in the *Radio Times* saying he had written a radio play about the "anarchists" he had known in his youth. "They were utterly broke but they had a wonderful vision of what they'd do when things change. They'd even discuss the government posts they'd have when they came to power". Could one get a radio play produced or write in the *Radio Times* knowing as little as this pair about anything else but anarchism?

His play put anarchist words on to CP backgrounds — there was the "Kafe Kropotkin" which the *Radio Times* thought real, but it seemed like the Coffee An' in St. Giles High Street where the bookthieves hung out. It was really about East End Jewish Stalinists with a veneer of anarchist-sounding phases ("we fought the commies in Spain" — "I thought the fascists were the enemy" ; "Emma Goldman be with me" and so on).

But, as usual, I am letting myself get ahead of my story.

CHAPTER IV

War Clouds; The Taste of Defeat; War at Last; Internment and Discernment; Splitting the Atom; Blackpool Breezes; Prison; Division; Military Detention

War Clouds

Getting back to 1938, as it drew to a close I began to work at a North London hospital. It was well paid for the time — hospitals have slid back since like everything else in local government but there was great competition for such municipal and therefore presumed secure and pensionable jobs. The nurses themselves were less well rewarded, then as now being regarded as dedicated and expected to put up with low pay and poor conditions. There was no possibility of my getting into any trouble here, since the non-medical staff was unionised but apathetic. This was a bit upsetting as I had a seeming compulsion to bash my head on brick walls. Wages were set according to national standards, and the non-nursing medical staff were only interested in their careers.

Even when I started talking anarchism I couldn't shake the complacency around me. One pompous technician assured his assistants that they need not take me seriously as he knew my family well and was sure I would grow out of it. Over half a century has gone by and I haven't done so yet. But as his brother used the same garage as my father, he felt himself an authority on my future.

Political talk, apart from my trying to stir things up, centred around the coming war. There were one or two incredibly soppy Christian Pacifist types, it being the last despairing days of the Peace Pledge of Dick Sheppard. Their opinions ranged from "Well, if the country really were in danger, we could probably be absolved from our pledge" to assertions that Mr Chamberlain, or in some cases Jesus, was trying to do his best, which tended to arouse blasphemy, not to say obscenity, in the majority.

Though I joined in the campaign against conscription like everyone else in the Anarchist movement and even most on the extra-parliamentary Left (all for differing reasons) it was self-evident the workers were not prepared to resist it even though they were not for war. If peace-time conscription came (as it did, a few months before the war) it would be accepted (as inflation and unemployment were) with fatalism, almost as an act of Nature, and resistance would be regarded as cranky.

The Peace Pledgers, along with League of Nations and World Government types, had unwittingly ensured *that*, with the incredulity their ideas provoked. Though to be sure their belief that the superior power of non-violence would look after matters was no more nonsense than other ideas going round, such as that we had to fight a war every 25 years for each generation to prove its manhood, or that the Jerries hadn't been properly taken care of last time, or that it was because the government was spineless that we hadn't smashed them before. It was also sometimes whispered by a shamefaced political minority that it was going to be a war for democracy.

The 'old sweats' whose opinions carried weight, comprised most of the portering staff. The hospital had been an old workhouse, converted in 1914 and remaining so after the war, taking on as portering staff and X-ray technicians many who had worked their way up from patients. They gave assurances that they 'knew' as they had been in this or that section of the trenches in WWI, and young men couldn't know what it was all about until they had 'served' and conscientious objectors were 'syphilitic cowards'.

Some of these patriots were inclined to favour Hitler who had been 'in the trenches' and was 'for his own people', while 'our' Prime Minister had gone to him 'pleading'. This might be thought a caricature, but it was not untypical. Radical thought had got totally out of touch with the reality of working class life. The 'Left', as distinct from the working class movement, had moved in to take over the heritage of radical thought. The end of the thirties was the start of the collapse of a long tradition of which the anarchists were once the far-out wing and finally the last survivors. The thirties was a period of pop-frontism which was directed at the lower middle class rather than at the workers, who gradually withdrew from their own movement.

I recall Eleanor Rathbone, an indignant academic lady who was Independent MP for the Universities and according to her own lights a sincere liberal, telling an embarrassed women's co-op guild that in German concentration camps there were distinguished professors, poets, scientists, "people respected for their achievements all over the world" — nobody else seemed to matter — and they were *forced to scrub floors*. There was an embarrassed silence from ladies who had done this all their lives as a matter of course rather than as a punishment, but it was no doubt the worst thing Miss Rathbone could think of.

The marriage between 'the Left' — which is to say the politically conscious 'progressive' middle class, and especially the failed academics who saw themselves as 'the intellectuals' — and the working class movement broke down in the thirties, more especially when the 'universities' rallied to Communist pop-frontism but culminating with the middle-class takeover of the Labour Party.

Though seeing the political scene clearly, and understanding anarchism well enough to travel around to explain it in almost every town in the country, always at my own expense, I was not yet able to see clearly what we could do beyond the creation of affinity groups that could withstand oppression created by war or fascism.

In Birmingham I met one affinity group that had weathered the storm, a group of German anarchists who had originally jumped ship at Glasgow (and taken refuge with Frank Leech) and now were forming, in the house of a sympathiser, the 'Black and Red *(Schwarzrot)* Group'. They intended to launch a counter-terror campaign in Germany and there were already some German civil engineers working there forming an anti-Nazi nucleus.

The sailors had close connections with Hamburg but were wise enough to stay in an inland city rather than in Glasgow, where they could more easily be traced. Several seafarers came to this haven in Birmingham, among them Ernst Schneider, a veteran of the Wilhelmshaven revolt, a marked man and unable to return. Most of the others did go back. Thirty years later I met one of them in East Berlin who told me of some attacks on the regime that had taken place, but had ceased with the war when resisters became totally isolated, if still alive.

There was a curious sequel in Birmingham nearly forty years on (1977) when the local and national press, apparently relying on German police information, suggested that local anarchists were among those responsible for the kidnapping and killing of Hans-Martin Schleyer, the employers' leader (and former SS officer), by the Red Army Fraction and named Peter Le Mare of Birmingham as being connected. This caused some surprise, to put it mildly, as Peter was an ultra-pacifist who knew nothing of Germany but did run a little magazine called "Red and Black". Though he had not even been born forty years before, the German police (who had lost their records to the Americans) may have tipped off a British journalist. There was certainly a notorious Nazi named Schleyer (hardly that one) scheduled for attack (I don't know whether successfully or not) by the Black and Red Group of 1938 and named in their bulletin. The British police did not follow up the local paper's somewhat belated tip to uncover an anti-Nazi plot, possibly knowing better. I dare say they would have been only too glad to follow it up, true or false, in 1938.

The Taste of Defeat

With the defeat of the anti-fascist forces in Spain in the Spring of 1939 it hardly seemed to many of those abroad, who had pinned so many hopes on it, worthwhile carrying on. Though the Spanish Revolution had been lost in 1937 and most of what followed was defence against a fascist victory, it came as a bitter disappointment.

It is still not appreciated that after his victory Franco killed more Spanish people than Hitler killed German Jews, indeed only a fraction less than there were Jews in Germany at all, a remnant of whom perished from war, want, age and causes other than State murder. Hitler had the rest of Europe to choose his victims from, making the number he killed greater, which must have made Franco envious. Despite my own family background, the Spanish experience affected me personally more deeply than the subsequent Nazi Holocaust, and I knew many involved in it. It spurred me on despite the prevailing feeling of hopelessness at the triumph of both fascism and war.

In Glasgow the anarchist movement was flourishing more than ever with its own hall and huge open air meetings at factory gates, carrying on a tradition of integration in the working class movement which was lost in England, where the old movement had decayed. Such groups as there were in London, including *Spain and the World.* collapsed. Almost the whole working class support in places like Wales, a minority though it was, disappeared. Cores in London continued virtually as a one-person band, arranging for weekly 'lectures' from a wide range of speakers, which was the last flicker of the old London Freedom Group.

These were held at the Emily Davison Room. Frank Ridley spoke there on occasion, the last time on the need to marry anarchism and Marxism, the subject of which sparked off a debate in the ILP paper *Controversy* in which I was vociferous and entirely negative. There were heated discussions among young anarchists and radical socialists on what to do if war came. It was taken for granted that complete dictatorship would clamp down immediately, yet at the same time many were advocating conscientious objection as the only alternative to "supporting the war", which supposed a situation like WWI.

I was convinced, assuming one were allowed the choice of conscientious objection even under the difficult conditions of WWI, that this had caused the gradual isolation of the working class ideals from the working class. Yet to enter the Army, when one knew the upper class was going to seize the officer positions and was fascistic in the bargain, was equally intolerable. It was a dilemma that was never resolved, and a price had to be paid for striving to avoid either compromise.

Meantime the fragmentary groups of conscious anarchists in London got together and formed the Anarchist Federation of Britain, in reality a group declaring it would be the basis of what would be a national organisation, and that it would publish a new paper, to be called *Revolt!* (early in 1939) under a separate editorial committee. I was persuaded by Tom Brown, and Billy Campbell, who was always pushing me forward on these matters, that I could hardly stand aside, though I had sceptical reservations. The Anarchist Federation set-up seemed to me a formula for isolation.

An editorial committee was elected, including Ralph Sturgess, Tom Brown, Marie-Louise Berneri and Vernon Richards, who it was hoped could bring some of the support *Spain and the World* had, though in reality this had vanished. Its support had come from a wide range of groupings, many conventionally anti-fascist rather than anarchist, some generally leftish and even, in the case of the South African supporters, Trotskyist. I was co-opted to help with circulation and wrote a few articles. Richards was elected treasurer in default of anyone else. Sixty years later he still regarded himself as treasurer-for-life and proprietor of the accumulated assets since 1886 by virtue of this decision. Both Sturgess and Brown tried to bring the paper round to a class struggle position but the paper only ran a few issues.

Tom Brown, though a Geordie by origin, was living with his wife and daughters in Paddington and working in aircraft. Ray Nunn, Jack Mason and I would go round to his flat to discuss how we could go ahead in the case of war. Tom had clear ideas of getting into industry and organising there but younger people could not do so. Ray was entirely for making a stand by conscientious objection and Jack, who remarked jocularly that he would be certain to do well as his latest job was engraving tombstones, was cheerfully all for what was shortly to be nicknamed the *debrouillard* position. It was later translated generally to the more homely 'skyver', which implies more or less wangling one's way through everything somewhat in the manner the *Good Soldier Svejk* (the first, heavily cut, translation was at last available). I never made up my mind what position to adopt until a decision was forced on me.

Sturgess dropped out of activity with the collapse of the paper. Like a great many others who had been very active in the movement, he felt then that it was finished, and perhaps like a great many others in the working class movement, was washed away with the pressures, not the passions, of war.

Yet our feelings of failure were not to be compared to others. I recall the arguments I used to have with a young woman at work who worked in X-rays and who resented my criticisms of the Communist Party. She insisted I must have a personal reason for disliking Soviet Russia, but restrained her rage to a muttered "Lies — all reckless lies", the typical response of the bewildered idealist. One morning I looked in her office and told her Molotov, for Stalin, had just signed a treaty with Hitler. Had I known, it was not the most tactful time to break the news. She had been on night shift, was tired, and had not heard the radio. She flew into a temper and I retreated before her wrath with unused X-ray plates flying at me. Later I thought she might have cooled down and the news was in the papers anyway. I looked in her office to find her in floods of tears. I guess many pop-frontists felt that way then.

One mature staff nurse at the North Middlesex was an old-fashioned Ulster Tory. She had been a Queen Alexandra nurse in WWI and still dressed in the starched collar tradition, completely defying the modern style introduced by the radical (but boorish) Medical Superintendent, a very competent surgeon named Ivor Lewis. They carried on a feud by giving contradictory instructions to the younger nurses, complicated by the fact that, despite being a large overbearing man, he seemed shy to face up to her, and she always spoke her mind outright. However, she was my greatest ally in the place, partly because she liked to see someone standing up to the management even for totally different reasons and also because she too loathed the Franco regime. I suppose this was because of its Catholicism. She even asked me if "my lot" wanted someone to train nurses for the refugee camps in France. I don't know how serious she was but I introduced her to Emma Goldman and they clashed immediately.

One young doctor, very upper class, who had been tongue-lashed by her on several occasions after hesitatingly reminding her of a new and unnecessary ruling by Mr Lewis, found her amicably arguing with me, I suppose about Spain, and he facetiously remarked, "I hope, staff, you're not going to become another anarchist." She vehemently retorted "No, sir, I am a King and Country woman and my service proves it — but I do detest damned smug complacent upper class young English Conservative twits". "I suppose that squashes me," he remarked mildly.

I once got her to a meeting addressed by Jack White. She somewhat put White out by saying afterwards she hadn't entirely agreed with him, but she had served in South Africa as a young nurse under his father General White so she knew his heart must be in the right place. White had drilled Connolly's Citizens Army, and his activity in Spain would hardly have commended itself to his staunch Imperialist father who had in the Boer War defended (or it may have been relieved) Ladysmith, but he only smiled.

That must have been one of the last meetings held by the CNT-FAI committee. It transformed itself into SIA (Solidaridad Internacional Antifascista), a worldwide aid organisation for the refugees now flocking from Spain. However too much of the CNT-FAI committee had centred on Emma Goldman, and as she went to Canada that spring, it collapsed despite Ethel Mannin's attempts to keep it going. It was in a way quite a satisfying personal end to Emma's last period of life. In London she had been unknown, had desperately sought publicity but was ignored by the press and public. In Canada, where the influential newspaper publisher Pierre van Paassen had been an admirer, she got immediate press publicity from the start. She was still known everywhere from her years in America, which meant nothing in England.

Though she only spent a few months in Canada before her death the finale was as she would have liked, She had daily press headlines, packed meetings, and a new campaign (to save some Italian anarchists from deportation and certain death — one of them I met over forty years later). She was finally allowed back into the USA after her death and is buried at Waldheim Cemetery, Chicago, a union-funded site of the graves of many anarchist pioneers in America. Renewed personal interest in her came decades after her death, and the place where she died is almost a radical women's shrine. They built a monument to her near the Chicago Anarchist Martyrs, though unfortunately the graves of leading Communist Party apparatchiks like William Z. Foster are now all around.

Marie-Louise Berneri had the same force and energy, with a greater theoretical grasp, as Emma Goldman. She had the same naive belief in "the intellectuals" as Emma, but she had no illusions of her own personal "greatness" and worked with the movement in a manner inconceivable to Emma, who had been conditioned by the American lecture circuit's star system. M.L. was always prepared to come to meetings at factory gates or distribute literature in the streets. After her death, Ethel Mannin, obviously thinking of the contrast with Emma Goldman, whom she had also known, said there were many more prepared to die for the revolution than to scrub floors for it. It was an unfortunate comparison (thinking of Eleanor Rathbone) but I take the point intended.

The influx of Spanish political refugees, from immediately after the civil war had ended until the world war began, meant there was plenty of metaphorical and some literal floor-scrubbing to do. The great post-Franco exodus had begun, It took years before the complete picture could be known (and only parts are recorded). Elsewhere the treatment of the refugees was shameful. They were herded into concentration camps in the

South of France and later delivered to the Nazis or to Franco unless their own resistance prevented the democratic French government from doing so.

An irony was that the majority who went that way were Catalans escaping into the part of Catalonia previously seized by France, and they were treated like criminal invaders or at best, if released, as an alien rabble come to take the bread out of the mouths of citizens. Having fought against tyranny and been told they were the front line for democracy, so-called democracy put them behind barbed wire on sandy beaches, with no sanitation and little provisions. Today, those sandy beaches are pleasure resorts, and at the formerly notorious but now delightful Saint-Cyprien-Plage one can now see a rare monument to the gallant Spaniards, if in a manner that might lead the unwary visitor to suppose that this was an atrocity of the invaders, or at least of the collaborationists.

Some families managed to escape, to live three families to a room (for which they gave thanks); other males volunteered for the Foreign Legion to get themselves or their families freed, some were subsequently returned to Franco by force; some handed over to Hitler for forced labour or the concentration camp. A sizeable number managed to break away during the war and were the first to create the Maquis resistance. That was a springboard to the post-war Franco resistance, with whom I later became well acquainted.

The Spanish Libertarian Movement (MLE), to use the term it used in exile to cover and cover up the whole anarchist spectrum, was over–whelmed by the calamity that had fallen on them. It was remarkable though, over the years how cohesive they remained almost like a vast scattered family, although there were considerable differences as to what had gone before and how to respond in the future.

In the main the Spanish movement was divided between those who had entered the various government posts (the Ministries were only the tip of the iceberg) in whose view the Allies had now taken up the anti-fascist struggle and at least were better than the Communists, and those who had been actively in opposition in the May Days of 1937 and after, and who determined somehow to go on fighting, placing no hopes on any governments.

There were also a large number, especially with large families, who were destroyed, if not physically so, by the whole tragedy and were fighting for survival in exile, but who still remained loyal to their principles. Of those who originally came to England most seemed to be in the third category.

Those who had been integrated into one bureaucracy now tried to integrate into another, and soon found jobs with the BBC and so on. Those who were struggling to survive got jobs in industry or joined the Army. They were luckier than those in France, where people were still herded into concentration camps right up to the German victory, when many were delivered over to Franco or the Nazis. Others lived in abject poverty, some entering the Foreign Legion in despair. Many of those who came to Britain formed a tight little ethnic community until Franco died when in a mass exodus many went back, some as entire families, and with British or French old age pensions one could live well in Spain. Those who had stayed on and struggled lived in beggary after years of prison, no pensions being paid to the defeated even when a socialist government succeeded Franco.

Though the Spanish exiles presented no threat to internal stability until the wave of international resistance in the sixties, and then only a handful, it was natural that the secret police would like to keep an eye on them, if only bearing in mind the reputation of Barcelona anarchism. Yet they had to go carefully as most people on the Left still rightly suspected the Government of being lenient to fascism and hostile to anti-fascism.

One of the people who took an immediate interest in the Spanish CNT refugees was Sonia (Edelman) Clements, the daughter of John and Rachelle Edelmann, American libertarians of the old school. Her interest may have been sincere enough. She had worked with "Spain and the World", lending her name at one time as publisher, though she wasn't. She was in the Labour Party and a friend of its main strategist Herbert Morrison. She certainly clashed with Jack White and others in the Anarcho-Syndicalist Union which led to its demise, and had a knack of being able to get support in committee from people who otherwise took no part in its activities, a tactic familiar in political parties. Her arguments were all for involvement with the Labour Party or at least no criticism of it.

When Herbert Morrison later became Home Secretary, he had a highly evolved technique of using people in key positions in political movements as his informants. He used the technique for years successfully to defend the Labour Party against Communist infiltration. After years of non-involvement with anything but the Labour Party, Sonia Clements returned first to *Spain and the World* and then to infiltrate the Spanish refugees. It so happened, given the circumstances in London, they were clean from a security point of view — only interested in the downfall of Franco who, though courted, was viewed as a potential threat and was at that period openly anti-British. Her intervention, therefore, was useful in this instance, which might have eased her conscience. A different state of affairs was seen four years later when the role of Morrison's agent had uglier implications.

For the moment, the Spanish exiles enjoyed freedom from persecution in stark contrast to the Italian exiles of twenty or more years standing. For years the Italian anarchists had been noted as "Dangerous" by the police force of both countries. However many years they were here, they were denied naturalisation and always subject to surveillance. The fascists though loyal to Mussolini could easily obtain naturalisatiion papers if they wished. When in the following year Italy declared war, fascists went unscathed because of the prudent spate of naturalisation in 1939 denied to anti-fascists. Consular officials went on shopping sprees before returning home and wealthy restaurateurs were spared the worst excesses of internment, though a few unnaturalised patriots were detained. Anti-fascists, most of them anarchists, were bitterly hounded. No excuse of anti-fascism sufficed. This was what Churchill meant when he said "Collar the lot!" The victims and opponents of fascism suffered the humiliation of internment and many were drowned on the "Arandora Star" — even the veteran Dr Galasso, doyen of the resistance in Italy and indefatigable worker for the under-privileged of Clerkenwell and Soho, particularly but not exclusively among the Italian community.

War at Last

In September 1939, after twenty years' talk of war, it finally broke out in time for routine protests on a Sunday. Though everyone thought there would be immediate bombing raids, large crowds gathered at Hyde Park to listen to the empty bombast against it. Hyde Park was then still a serious political forum though it had its comic turns, but these gave way to the passionate speakers that day. As what they were saying was "Stop the war" the crowds listened intently. The best speaker of all was Tony Turner of the then oratorically active though tiny Socialist Party of Great Britain who spoke for some ten hours, long after night fell, ignoring closing time. He outspoke everyone that day, and in true SPGB style gave a history and analysis of capitalist economics.

It was a scene repeated in many other towns. There were occasional patriotic cheering crowds but unlike World War I, they were few. The only result was that at the end of the day the park keepers, or in other squares the police, herded the reluctant crowds home, and they peacefully went to war. I've never thought much of mass meetings since.

Within the first week I was at two smaller meetings. One was at Tom Brown's house where there was a gathering of some anarchists and sympathisers affected or about to be affected by conscription. He personally was in a reserved occupation, and I suppose over military age anyway. We determined on a plan to show our opposition to war by registering as conscientious objectors, making as defiant a statement of principles as possible, and then entering the armed forces. This seemed the closest one could get to making a stand for one's principles without adopting the ultra-pacifist stand which meant very little, isolating oneself from the workers.

The first of our circle who adopted it was Ralph Mills, who was unconditionally exempted but medically rejected when he 'volunteered'. The second was Ray Nunn, unconditionally exempted and then volunteering, being accepted in the army. He still got isolated from the forces, as he was promptly made an officer, having been at an OCTU. George Plume, who was in the ILP, got unconditionally exempted on purely 'political' grounds on the strength of his unequivocal socialistic statement, but the Ministry appealed against the decision, and he was deemed to have enlisted, so he went missing. I never quite understood why: if it were a question of not wanting to join, he had only not to take the medical.

In my case and that of several others, though we were not exempted, the Ministry then refused to call us up nor was it possible to enlist for anyone who wished to do so. Most waited for their calling up papers like the entire nation did, but in my case it was not four days or four weeks but four years. I have no idea how many were in this position but I was certainly not alone. For four years of the war we were in this state of limbo. The Ministry of Labour was actually calling on me to register for other forms of civilian labour, which I declined, and when I spoke at meetings the police sometimes turned up and demanded to see my identity card. When I produced it I left them baffled. This was by no means unique. The Government was determined to "avoid the mistakes of last time" and was content to let us stew in our own juice.

The other private, but in its small way historic, meeting was a private one, again with Tom Brown, and M.L. Berneri, Vernon Richards and myself. We decided to publish a bulletin, *War Commentary,* as *Revolt!* had collapsed and we were all that remained of the production team. With the support of Jack Mason, who obtained an accommodation address at Newbury Street and designed the logo, we were off. By the second issue we were able to print it, and for a few issues got articles from a number of people from the anti-imperialist groupings more or less around the left of the ILP — Ethel Mannin, Reg Reynolds, John Ballard, George Padmore, Dinah Stock. The rest included Krishna Menon and Jomo Kenyatta, though they normally took a hostile attitude to us, being already conscious of their coming destiny as world statesmen, and clung to the Fenner Brockway line within the ILP.

During that winter M.L. Berneri and I organised a series of discussions on the events of the Spanish Revolution, partly in Enfield and partly in Holborn, to which some members of the Forward Movement Group of the Peace Pledge Unioncame .The PPU was moving in various ways but the Forward Movement looked for radical non-violent solutions. Indeed some of the Forward Movement had gone with other COs to the Channel Islands, to spend the war in agricultural work, which they thought of as opposing it. When the Germans invaded they joined the British volunteers for the Nazi army, the Legion of St. George, which in its way was non-violent enough as all it did was to strut around towns to show the German workers there were actually soldiers in Nazi uniform with British shoulder straps.

Most in the Forward Movement were put off by this tactic of the PPU, at any rate with hindsight, and followed John Hewetson, a medical doctor who came first to our meetings and then into association with the anarchist movement. The guru of the Forwards, Frederick Lohr, who was at heart a German Catholic Nationalist though a pacifist of British nationality, and might well have followed the Channel Islands lot, was by profession a horse trainer with a fairly upper-class background (either by origin or his horsey interests). During the war he became a copytaker at the *Daily Telegraph*. When I took the same job twenty-five years later he was still remembered by old-timers for having come in as a war-time substitute and then scabbed during a dispute.

Others included Lawrie Hislam, not distinguished for much other than throwing tennis balls at No. 10 Downing Street as a protest against war, who endeavoured, after John Hewetson went over to us, to get the whole Forward Movement to declare themselves "anarchists" and thus began the infiltration of bourgeois pacifism into anarchism, which altered the character of the movement and led to its distortion for years. This is why Professor Woodcock (one of that periphery), in the first edition of his Penguin *Anarchism* makes an otherwise inexplicable reference to Hislam as having been the bridge between "the old anarchism and the new".

It soon became apparent to all working class anarchists that they were going to be faced with a major influx of middle class pacifists, who had themselves increased beyond measure. Though that class generally had become patriotic as never before, bourgeois pacifism flourished, no doubt because of the changed State attitude to conscientious objection.

There was a vast difference between the treatment of objectors to military service in WWI and WWII. In the first world war many suffered, some even more than if they'd joined the Army, being taken to the front and given No. I Field Punishment and even shot. In the second world war, anyone articulate and knowledgeable enough to give a fluent case, preferably a Christian pacifist one though they'd sometimes settle for a secular pacifist one, could get total exemption, provided they didn't make any slips ups. Christian cases sometimes ended in conditional exemption if the appellant hadn't done his homework. Jehovah's Witnesses only needed to produce a membership card.

There was more opposition to the State involved in joining the Army, and trying to work for soldiers councils. The State saw that too, something we never reckoned on. They were determined not to repeat the mistakes of the First World War and were looking at the consequences of the end of the war more than they were at the waging of the war. I followed our agreed procedure of signing on as a CO and making a provocative statement they couldn't possibly accept, but hadn't counted on the State then not doing anything about it.

I was sacked from the hospital for "industrial misconduct", as they didn't believe I'd signed on, and the little industrial action group I'd built up collapsed. They all, even my friend the staff nurse, thought I was being victimised for the organising, which would have pleased me in a way, but it wasn't so. The Ministry of Labour declined to pay me any dole for six weeks though I appealed against this and won. Their claim that I had not registered was shown to be mistaken. I was hardly to blame, legally anyway, for their inaction, which also puzzled the industrial tribunal. Many subsequent experiences show that the British secret political police, if not the worst in the world, are the most secret. The writer C. S. Lewis says the greatest success of the Devil is to persuade people he doesn't exist, which makes it easier to get them to obey him. I never had any experience of this, but it certainly applies to the secret political police. Perhaps Lewis was understandably confusing the two.

For months I did not work at all and after a few weeks the Labour Exchange stopped paying me. I mainly supported myself by my old trade, or racket, whatever you wish, scribbling pieces of dialogue for variety people, whose profession was booming as never before, but it seemed a terrible waste of energy in 1940. Perhaps I should have tried serious writing, but it never appealed to me as a profession. What I wrote otherwise I wrote from conviction not for cash. Jack Mason thought I didn't appreciate my luck, and Tom Brown urged me to take advantage by holding meetings and writing the occasional political article.

The newly formed Anarchist Federation opened Freedom Bookshop in Red Lion Passage: the editorial group of *War Commentary* had taken over the distribution of Keell's stock and called itself first Freedom Press Distributors, and then Freedom Press. The Freedom Group was left reduced to George Cores, too old and ill to do anything. In an unsuccessful attempt to prevent the consequences of almost a mass "conversion" of the Forward Group, the Anarchist Federation settled for a programme based on two parts: the first an anarcho-syndicalist programme, and a second part, excluding both those who supported the war and those who were pacifists. On this basis the Glasgow Federation joined in.

The blitz came on while I was still idly lazing around Highgate Ponds. I was a keen swimmer, and the Ponds seemed to attract the swimmers and the skyvers both in war and peace. There I scribbled stupid bits of music hall dialogue, and in the evenings, when other people weren't working, I attended meetings. I volunteered to help around the bookshop and did some unpaid work helping people move after they were blitzed, but it was a frustrating period generally with little I could or was allowed to relate to.

I discovered the unlisted headquarters of the Ministry of Labour by reading my file upside down at the labour exchange and vented my frustration on them, but all I could get out of them was a vague statement that they would let me do agricultural work "as if you'd been conditionally exempted", but that "as you're a red hot anarchist we're not putting you in the army". Or even, it seemed, anywhere else, even where my presumed violent views were acceptable. Then another official would some other time say that as I was liable to be called up "any moment" they could not offer me a job but I was at liberty meanwhile to find something temporary. Employers would then ask the labour exchange if I could be employed and they would give the same answer, which hardly commended me to anyone.

I had always taken Billy Campbell's advice in these matters, but I had not met him for some months during the first half of 1940. I had thought of the merchant marine, about which I knew nothing. Meanwhile it seemed odd he had not contacted me with a postcard from some port or other, but I assumed it might be difficult. He had ambitious ideas of how seamen could be organised as they had been in the past: and how the revolution that would, we firmly believed, follow the war would be composed of soldiers', seamens' and workers' councils. There was now a blank. I wondered if he had been imprisoned by one or the other enemy, and finally went to enquire at his mother's house. It was an emotional meeting, the first time I met her. He had been drowned when his ship was torpedoed.

That night a local boxing ring was short of a professional boxer. He had been picked up that day for not answering his calling up papers, and I stepped in. It was the only way I could give vent to my feelings. I was out of training, hopelessly outclassed, and not much good anyway and received the biggest hiding of my life. The manager was afraid he would be brought to book for letting an amateur step in but the crowd adored it. Forty-odd years later when I was working in print, an old Saturday casual came up to me and recalled how great I was, which shows how much my beating up was enjoyed, rather than any ability. At the time all I heard was a sarcastic remark from the crowd that if I was medically fit enough to stand up to that sort of punishment, I was fit enough to be in the Army, which was certainly true. But in the closing years of my working life I heard every Saturday evening what a great career I had wantonly thrown away.

I had bruises for the next few months, and a ringing in my ears for the next couple of decades, but I had no other way to express my grief. There was no sexual attraction of which I was in any case ignorant, but I see my feelings in retrospect as calf love with Rod Strong and Billy Campbell, none the less deep. Both of them were invariably kind to me and at a period when everyone else, even Special Branch which must have had full documentation, assumed me to be years older than I was, treated me as protectively and affectionately as they would have a kid brother. Wilson Campbell (he never liked using his forename — he was born at the time of President Wilson's bringing America into the war) was every way an anarchist. I don't just say this because he was a dear friend, but now when people ask which anarchist influenced me most, Bakunin or Kropotkin or whoever, I just don't talk their language when I say Billy Campbell.

Internment and Discernment

After the fall of France new emergency regulations came into force, in particular internment both of enemy aliens and suspect natives. Press stories of "German soldiers dressed as nuns" who had been parachuted into Belgium were meant to inflame the situation, though most of the people I ever spoke to dismissed this with obscene mirth.

Italy came into the war despite the long Tory friendship and kinship with Mussolini. Military Intelligence had for some time known local Fascist cells were leaking military information through the Italian Embassy, via spy Tyler Kent, but it was useful to them as a means of misleading the German Army. Now the embassy was closed down, the Home Office was free to arrest Kent and order the internment of fascist sympathisers likely to act as spies, under Regulation 18b. The Labour members were keen to get the British fascists.

On the weekend that the secret order was made law, enforcement chiefs throughout the country, chief constables and sheriffs were warning fascist gentlemen to join the army quickly to avoid detention, and there was an influx of officers. Only people as notorious as Oswald Mosley could not avail themselves of the chance to "rejoin their regiments" and were interned, some like Mosley with their families under privileged conditions, though the ordinary punters were unwarned and less lucky. Captain Ramsay (Conservative MP), having privileged access to secret sessions of the House of Commons though believed to be a Nazi agent, went into internment apparently to preserve his Parliamentary status which prevented him from being excluded from debates,

We thought this must, judging by the Italian anarchist experience, herald a clamp down on British anti-fascists as had happened in France. In fact only Southend was affected this way. This was presumably considered a vital invasion point of entry — close to London — and whether by orders from above or by local police malice or ineptitude. All members of the local anarchist group were arrested with the Independent Labour Party, many members of the Peace Pledge Union, and a member of the IRA but no British or British-naturalised Italian fascists, though there were a sizeable few of both in Southend.

The anti-fascist internees had a voluble spokesperson in the anarchist Matt Kavanagh, who protested vigorously to the commandant at the internment centre at their being lumped with fascists. They accepted imprisonent philosophically, thinking this was a repetition of what happened in France, but that was adding insult to injury. John Humphrey went to see Matt. A retired railwayman, John had been the printer of *Freedom,* and his house at Malden Crescent, Camden Town, was the HQ of the old London Freedom Group. His advanced age and benign appearance must have made him seem to be harmless enough to let through. "I can't think why you're here among the fascists," he grumbled to Matt. "They think I'm an enemy of the State." he replied. "Well, so you are, and have been these last forty years to my knowledge," he said, correctly but, as there were guards present, perhaps not too tactfully.

Afterwards he, Tom Brown, Fay Stewart (born Robertson) and I discussed action. We thought there was nothing that could be done about imprisonment as internment was under emergency legislation, and we would probably all eventually go the same way.

What we thought we could do was to get a bit of logic into the situation by persuading the authorities to separate the prisoners before there was major trouble. There were already fights every day. Fay, who was a nurse, and had been in my now disbanded group at the North Middlesex Hospital, had heard from a fellow-nurse, a German Jewish refugee, that it was far worse in internment camps for Germans, where Germans, Nazis, anti-Nazis and Jewish refugees alike, were mixed together. Many elderly people were beaten up regularly. Some were asking for separate internment camps and Humphrey came up with a brilliant if simplistic idea: why not ask them to put British, Italian and German anti-fascists together, and Nazis, Italian and British fascists together? "They'd get on OK, it would be less trouble for the authorities, cost no more and occupy only the same amount of space." he argued. "And that way we'd help our Italian comrades too."

We had thought to approach George Strauss, who had helped Hilda Monte, now also interned which was very humiliating for someone only wanting to go back to Germany and kill Hitler. He couldn't believe she wanted to get back to Germany to kill Hitler, and declined to help further. So for Matt we decided to approach Major Nathan, MP for Wandsworth, with this barmy idea, never believing it would be taken seriously. But he was Fay's local MP, she seemed respectable and he had been sympathetic to a delegation about the fate of refugees deported to Australian camps, according to the nurse working with Fay.

It was quite a lucky choice as Major Nathan just then happened to be one man Churchill was depending on politically. The war cabinet needed Ernest Bevin as Minister of Labour. Bevin was just the man to dragoon the workers into giving up trade union rights they would never have surrendered to a Tory. All that was needed was to find him a safe Labour seat in the Commons. Someone had to be pushed upstairs to the Lords, and Major Nathan was prepared to undertake the necessity.

The Major was a leading figure on the Jewish community and chair of an organisation concerned about the German Jewish refugees and our idea seemed reasonable to him. Perhaps it seemed to him it was a small thing for him to ask when he was about to make the supreme parliamentary sacrifice. It could hardly be refused by the Home Office without appearing to be an offensive rebuff. They could not know whose idea it was.

Tom Brown had said very logically, between ourselves, that they could not possibly agree or it would make nonsense of the whole war propaganda to divide internees into fascists and anti-fascists. It would probably give the latter the worst end of it, but he agreed it might call into question the whole reason for interning anti-fascists at all. What went on in Home Office circles I do not know, but that weekend all the Southend anti-fascists were out, while the fascists stayed in.

Matt, with his usual good humour, told us the IRA man, who had served a conviction for bomb offences, had thought he alone of the anti-fascists would be kept in among the fascists, so they had agreed to let him claim he was in their anarchist group, deciding that alleged membership of the PPU or even ILP would be stretching it too far. "That's providing you don't disgrace us to by going to Mass in the meantime," Matt had admonished jocularly. He answered, ruefully, "We're excommunicated anyway".

It was a nice little victory, sweeter for being unexpected, though unfortunately it did not help the Italian anti-fascists, who had nobody influential to speak for them. Matt was unable to return to Southend, possibly for economic reasons, and came to London where he worked as a barber, starting at the age of sixty-odd. His gift of the gab impressed casual customer George Orwell to write him up. Kavanagh had far more influence than Orwell in convincing workers of Stateless socialism over the years, but "history" will accept Orwell's patronising, though not unkind, appraisal.

Having time on my hands I had spent some time looking after the bookshop in Red Lion Passage we had started. It was burned down during the blitz and there was no chance of getting down to industrial activity without a job. With industry under such tight control, many forms of struggle became counter-productive, and our sole activity was propagandist. Even Tom Brown, a skilled engineer and a union-recognised shop steward, found himself in an isolated position at work. The Glasgow Anarchists, who now joined with us in forming the Anarchist Federation, were able to overcome this isolation which did not exist on the Clyde.

Aldred became an embarrassment to them. He was then in the full flight of his pacifist kick, supported by eccentric aristocrats and wholly disinterested in industrial matters. Though he retained popularity in working-class localities through his counselling it was not translated into political support or even interest, and he made little impact on the anarchist influence in Glasgow (except that they had to be always disowning his later antics) and none on the places of work, which was a pity as he could have been an exceptional figure in a British revolutionary movement.

I went up once or twice to speak. I never lost a fixed prejudice about accepting fares or money, which was just as well, because I was never offered any, and found it a strain in view of my economic situation. But I unexpectedly got the chance to travel round the country with fares paid, by taking up scriptwriting, advance publicity and secretarial duties to a music hall revue. Many friends urged me to take it, though I am sure some of them thought I needed to move around lest I be "picked up". Even in our circles few understood the situation, though there were dozens (to my personal knowledge, and, as I since learned, hundreds) in the same position, some taking it more philosophically than I did, though it was more common with those with International Brigade experience.

Though for Home Guard training some British veterans of the Spanish war were recruited as instructors, and Spanish combatants were accepted in the Army, there must have been some criterion as to who went where. Certainly, suspected active support of the anti-fascist side seemed to mean exclusion from the forces.

Before an industrial tribunal which wanted to know why I declined their offer of going into agriculture, I found a representative of some unnamed department on the platform. I was told I did not have the right to challenge his identity for "security reasons"! He made it clear I was not eligible for the forces for reasons so secret that I was not even allowed to be told what they were, to the surprise of the lay members of the tribunal and the total consternation of the statutory trade union representative.

In view of this attitude it was at first sight apparently contradictory that the Spanish refugees in Britain did not suffer discrimination, during the war at least. Most males were allowed to stay unmolested providing they joined various forces. Others could get jobs, including the BBC. I think this was due to the fact that Sonia Clements had reported back to Morrison favourably. She had gained their confidence and found that most of those in England believed there might be intervention in the peninsula with the downfall of Franco, and they were eager to participate. This belief that the British Government was anti-fascist because its main enemy was fascist fooled a great many on the Continent too.

Herbert Morrison had another plan up his sleeve too. He hated the Communist Party for political and personal reasons. For years he had fought their penetration of the Labour Party and built up an internal counter-infiltration system. Early in the war he had banned the *Daily Worker* though after Russia came into the war he could not continue to justify it. As a Coalition Home Secretary of a country which unexpectedly came into alliance with Russia he could hardly denounce the Communist Party for supporting the Allies, but he knew that if left alone, the Trotskyists and the anarchists would certainly ridicule this newfound flagwaving opponent of workers rights, and the fact that they would puncture the Churchill myth possibly also gave him private pleasure, as there was no love lost between the Prime Minister and his Home Secretary (later described by Churchill as the Minister he was most glad to lose when the Coalition broke up).

There was free speech for minorities, except for fascists, and then only those actually interned, right until 1944, when it was expedient for the anarchists and the Trots to be curbed and the fascists let out, despite restrictions on the popular press. As a result the post-war Communist Party was derisory. Though it emerged with strength in Europe because it could never be exposed when it was most vulnerable, only their right-wing critics being vocal at the time, here it was under ultra-left attack.

During 1941, though one could not say that support for the war, or at any rate passive acceptance of it, lessened, the various dissident groupings increased their strength. The Trots, more or less united for the first and last time, made inroads into industry at the expense of the Communist Party. The Communist Party, despite its accession in numerical strength because of its flagwaving for Russia and identification with 'Uncle Joe', had become in effect a right wing party. The Trots had taken up their former role in industry. It was a major disaster for the Anarchist movement that they were only organising industrially in Glasgow; though attempts were made in Kingston (London) to form a syndicalist union of bus personnel.

We did however make considerable progress within the Armed Forces where many for the first time found themselves up against the State in its elementary form. The Communists, calling for the Second Front all the time, were naturally unpopular among those who would have to be directly involved, however much the overtime monarchs applauded them in production. The anarchists vied with Common Wealth, a new party grouping, for popularity amongst soldiers. Common Wealth supported the war but opposed the government: it was largely composed of officers and NCOs inside the Forces, and middle class outside, who were taking over from the Labour Party,. Bound as it was by the electoral truce, they succeeded in making gains from Conservatives in seats which the Socialists were not contesting.

The spreading of Anarchist propaganda through the lower ranks was a return to working-class origins. Fay Stewart (as secretary), myself and several soldiers and air force personnel brought out a bulletin *Workers in Uniform* and we built up quite a network. Olday had meanwhile deserted, and became a regular contributor both to *War Commentary* and *Workers in Uniform*. Among those we contacted was one in the Free French forces, who later became secretary of the French Anarchist Federation, and a couple in the Polish Army. The majority were from towns all over Britain where the anarchist message had not been heard for two decades.

I thought that at any time I would be called up and decided to make as many contacts as I could while travelling around in the North with the music-hall revue. I also had a more personal motive. I had always been too wrapped up in political and industrial activity to have any sort of private life, not that celibacy until the twenties was any rarity then. My first love was Rosalind Shepherd. She was separated from her husband, who was living with another woman on his leaves from the Army. As she was in a touring chorus and did not want to give it up we did not set up a home, believing optimistically we would do so at the end of the war.

Splitting the Atom

The Anarchist Federation, the second grouping to take the name, got off to a good start in that it incorporated the Glasgow and London groups, and attracted many smaller groups of industrial activists in different parts of the country, took over *War Commentary* and appointed an editorial committee, which was also responsible for Freedom Press (the 'Distributors' part had been dropped), in no way then a separate group. The Glasgow end put its entire backing behind the publishing venture. With difficulties in printing *War Commentary*, financial in the case of the original printers C.A. Brock, and political nervousness in the case of Narods, the next printer, a derelict press in the East End of London (Express Printers) was purchased.

Such an asset (which increased with value over the years), was a double-edged sword in view of the difficulties into which the movement ran as a result of its increased support since once the British anarchist movement had assets it was worth someone's while getting hold of the property.

Meanwhile I was involved in a series of acrimonious exchanges with the Ministry of Labour which felt it had the exclusive right to direct one to work but wouldn't do so. There was not much they could do in the event of my refusal to co-operate since the normal alternative was sending people into the Army and I decided, rightly or perversely, that was where I ought to be. I suppose I ought to have just accepted the situation like a great many others did, Pat Monks for instance, and they put it down to sinister motives or sheer cussedness, both of which I suppose was true.

The faceless Ministry served me with a summons but when I told the magistrates I preferred going into the services to going into some suggested dead-end job in agriculture (to the discomfiture of our pacifist so-called allies). Without explaining the political background, which the prosecution also failed to do for its own reasons, they were sympathetic and gave me only a nominal fine. The local press waxed indignant at the unfathomable ways of bureaucrats.

During the period when I was out of London there was a large intake of membership in the Anarchist Federation, unfortunately an imbalance in that much of it came from those we were guarding against, thinking that a constitution barring pacifists would exclude them. What we were really trying to guard against was a bourgeois 'intellectual' takeover. This failed in that people like Fredrick Lohr, and in particular George Woodcock, came in, signing but ignoring the constitution. Woodcock's attitude was careerist, something not thought possible. How could we provide or further a career? We had not reckoned how valuable an asset a press was for an aspiring writer.

During that period of the war the activists of the anarchist movement were steadily collecting arms, like many left groups, though there was a marked difference with the pacifist elements that had come in under cover, especially when the Independent Labour Party which had gathered them to its fold began to blow hot and cold on the war issue. Fenner Brockway managed to unite the two elements within the ILP, pacifist of Maxton and pro-war of C. A. Smith, gradually losing the pacifists to an amorphous mish-mash of which we got some of the spill while Common Wealth got others.

Common Wealth had a run of political luck during the war. The Communist Party was totally outdoing the Conservatives in flagwaving and Churchill-praising after Russia came in the war; the Labour Party was less uninhibited but being in the Coalition bound to a war-time truce. In any by-elections Labour and Conservative stood down, but Common Wealth stepped in with some success and picked up the Labour vote. Everyone then thought it either a fluke or a great surge for Common Wealth but it was simply the foreshadowing of a Labour victory at the post-war General Election, when CW simply faded away, though with the rump of the money it collected on its heyday it never completely disappeared.

The Trotskyists picked up the mantle of the Communist Party in industry, and we hardly got a look in, partly due to the insidious middle-class pacifist influence with which we had to contend. However, with the absurd 'revolutionary defeatist' line preached though not practised, it was never popular in the armed forces, where nobody was going to stick their neck out even by talking about it. The Communist Party, especially after its turn-round to support the war and urge a Second Front to aid Russia, was never popular in the Forces. Anarchist influence made an impact on the forces, not only following possibly inevitable lines of skyverism or the cult of the Good Soldier Svjek, but in actual political context. In the surreptitious publication of *Workers in Uniform*, at its height we had some four thousand circulation, which was twice as high as the open publication *War Commentary*, published nominally by Freedom Press but in fact the organ of the Anarchist Federation. The actual existence of both the new AF and of WiU was kept a secret in case of repression. This had organisationally disastrous consequences.

The interest in anarchist ideas seemed confined to the forces, and also to the liberal pacifist elements that persisted in seeing them as relevant at least to their temporary situation. Despite the efforts above all of Tom Brown, it seemed impossible to reach the industrial workers, except in Glasgow where Frank Leech made headway. There was certainly an element now nominally amongst us that had no direct interest in reaching industrial workers.

I felt politically isolated and personally totally irrelevant, despite speaking at numerous meetings everywhere and anywhere, from scattered meetings of three and four to a thousand in Glasgow, and helping, despite some fundamental political disagreements, to edit *War Commentary*.

Workwise I did various jobs around the theatre, and became a theatre shop steward in the West End when Rozzie moved into town. The film extras, who once had been grossly exploited, were, with the new demand for crowd scenes, desperately sought. Even stagehands and house electricians, not to mention servicemen on leave, were roped in. Leslie Howard was filming *Pimpernel Smith*, an anti-Nazi film that did not follow the line of 'victory' but 'revolution in Europe' and the script called for 'communist prisoners'. By the time he came to make it, in 1940 the Russians had invaded Finland, and the script was changed to 'anarchist prisoners'.

Howard, who like most actor-directors was very testy, objected to the actor scheduled to play the Nazi commandant. He complained that "he sounds like my maiden aunt", and having successfully replaced him, turned his attention to the 'anarchists'. None of them seemed real, he said. The various hamming up of stage-Anarchists failing, because the caricature had long since replaced reality, someone suggested having real anarchists, to whom Howard couldn't object. It was mentioned to me and that was how I came to a minor film role as a concentration camp inmate which many friends were playing for real at the same time.

Howard was intrigued as to what anarchism was, evident from other parts of the script, as we seemed fairly normal to him. I do not know what he expected us to be. He invited me to tea and he asked me why, if anarchism was supposed to be about assassination, we hadn't had a go at Hitler? I said it wasn't, but we had. All efforts had been frustrated, partly by finance and partly by police, and not just Axis ones either. Howard, though the public thought of him as the archetypal Establishment Englishman, was Hungarian by origin and passionately anti-Nazi. He asked if he could help. I put him in touch with Hilda Monte and the Birmingham people, and they suggested an international resistance group located in Lisbon. It is hard to know what came of it though I know he managed Hilda Monte's attempt and persuaded Military Intelligence to let her get on with it. I guess that if this was the case, they took the attitude that if a Jewess was prepared to risk going back to Germany, and she was a spy, there was no risk to them. I understood from Olday it was done through Portugal.

Later Howard was travelling from Lisbon in a civilian plane and was shot down by German aircraft. The official story was that the slender, handsome film star was mistaken for Winston Churchill. One can only assume the need for manpower led Hitler to recruit deaf and blind agents in Portugal.

Blackpool Breezes

During 1941 to 1943 I was working in Blackpool for a while for a likeable North Country comedian, Roy Barbour — the only employer I ever had with whom I was friendly. He mentioned he had heard about my attempt at organising circus hands, a piece of gossip which travelled far and wide in provincial show business circles for its audacity and lost nothing in the telling. To my surprise, he wasn't hostile but wanted me to help him with tightening up the local branch of the Variety Artistes' Federation, though adding quickly it was all in the name of helping others and there wasn't anything extra in the pay packet for doing it.

I never did get paid anything for speaking or organising bar problems so that was all right, but the set-up I encountered was weird and wonderful. The Variety Artistes Federation comprised the music hall profession, including stars and others who, whether self employed, on the circuits or working in shows, were in their own turn employers. They paid supporting actors, feeds, chorus girls, property hands and so on. Even some of their employees, lesser acts or troupe organisers, were employers too. It was born of the famous Music Hall strike when the stars of the profession came out in support of the sweated, exploited and underpaid members of the profession. But they had come to have a belief in the magic properties of having a union without any clear notion of what it was supposed to do.

In the course of time some of the lesser members of troupes were members of Actors Equity, and there was a certain amount of rivalry between them. Coupled to this was the fact that in the last boom of prosperity of the music hall, agents and managers were making fabulous sums, and only the stars were keeping up with the situation. It was certainly not clear at the meeting held at the Central Pier, at which only the stars got up on the platform to speak while the dancers and feeds held back shyly, what they were calling for except that everyone had abuse for the agents and jokes about theatrical landladies. The place sparkled with wit on the stage and beauty in the stalls, but had little substance.

I had a dazed feeling I was in a madhouse, especially when a popular local comic, Dave Morris, suddenly turned to where I was trying to taking notes and whipped them out off my hands, shouting "A spy from Moss Empires!" which brought the house down, eclipsed when Ben Warriss explained "He's taking minutes" and his stage partner Jimmy Jewell responded "He's taking bloody hours!"

As a result of the cross-business that went with the patter, I fell off the rickety chair on which I was perched, to tremendous laughter. Billy Bennett ("Almost a Gentleman") remarked "None of this is rehearsed, you know", a deadpan remark which even to me sprawled on the floor sounded funny. Roy Barbour came in with, "Why doesn't he write these laughs in my scripts?" As Jewell and Warriss were stage partners I am sure they had worked the gag out between them but the pratfall was my own clumsiness.

Despite one serious speech by Wee Georgie Wood, the midget comedian who hated his stage description and occupation, about how the stars of the old music hall had supported the underpaid members during the Strike of thirty years before, nothing was proposed or done for any underpaid members. Except one. To my surprise, the comics who had used me as a foil made a collection among themselves afterwards. Ben Warriss, who sadly ended in a theatrical retired home supported by a charity he had sponsored, handed me an envelope, the only tip I ever had and the only time I ever got paid for "union" activity. I did not open it until afterwards, thinking it a letter of thanks, which it was but with what amounted to about my month's pay at the time. I might have refused the generous gesture but for reasoning it was the laughs they were appreciating. I consoled myself for waste of time and loss of dignity with the thought I could forever after claim I had appeared on stage with the cream of the variety profession in Blackpool, and possibly England, and got the biggest laugh of the morning.

When Rozzie's tour came to an end in 1944 I returned to London. I thought I would I wear down my secret blacklisters in the end by taking the army medical in Preston instead of London., though they had the last laugh. ('Twas ever thus?) One day many months later some police officers came into a theatrical agent in Regent Street (where I had arranged to meet Roz Shepherd) and asked me to step outside. This was nothing new to me as frequently police officers had questioned my being at liberty and it was amusing to confront and confound them.

Once in Doncaster, the local police chief, a war-time special named Thompson who owned the theatre we were visiting, chortled with joy as he told my boss (whose playbills he objected to having displayed around the neighbouring villages for his following week's visit to Leeds, thus possibly prejudicing that week's takings) that he had got a special message through to London and that would be the end of his publicity campaign by eliminating me. However, whomever he contacted presumably didn't mind my going round placing adverts and addressing small meetings so long as I was out of their way.

Naturally I assumed the Regent Street episode would be another such incident, but to my surprise on this occasion they said that I had not responded to my call up papers and was technically a deserter. What call up papers? I had just spent the larger part of the war arguing about why I hadn't had any; I had even tried volunteering at one point to force their hand. The Ministry had been quite adamant before the Tottenham magistrates that they had issued the requirement for agricultural work because, for some reason they could not disclose in court (I made great play of this) they could not call me up for service.

Now I was told this was incorrect, that they had in fact done so and I had ignored the call-up! It was also alleged I had changed my address and not notified the authorities. I had, it was true, been travelling around, but this was permitted as long as one applied for the necessary ration book, which I had always done. My home address had changed in that I was now living with Rozzie, but my permanent address was still my parents' house and no call up papers had arrived there.

It was a trick such as I have never seen recorded, but which was played on a number of people. To my knowledge alone, there were five others in similar circumstances sentenced around the same time as me. Later I met dozens and heard tell of hundreds. For 'non-reporting' I was sentenced, as a civilian, to twenty-one days imprisonment. My possessions vanished. As Rozzie was away up North, the police took some things and the landlady seized others. When I got word through to my parents, they called on the landlady, who explained that she had been afraid everything might have been stolen property, as the police had taken some items, so being an honest woman (as she explained) she had sold the rest!

Prison

Brixton prison had been transformed into a centre point for 18B (mostly fascist) detainees earlier in the war, but the growing prison population had obliged the authorities to remove these to the Isle of Man, the woman's prison at Holloway and some council estates in the North, and restore Brixton to criminals like me. I had been taken from a theatrical agent's office to Bow Street magistrates court and sentenced to six weeks imprisonment on a charge I have yet to understand. I was said not to have notified my change of address for six weeks. But my permanent address was the same as it had always been, and my absences had been for regular periods of a few weeks only for four years. Naturally I smelt a rat, indeed several, with pinstriped suits, bowler hats and umbrellas.

I met one or two coster acquaintances from the boxing fraternity who were petty thieves. They looked at my joining them in jail with flattering disbelief, feeling I and others like me justified their own predicament. There were several other prisoners of blameless lives and of whom one might have thought any country would be proud. One or two were in my position, having been prevented from joining the armed forces for years, but were now told papers had been served on them, of which they knew nothing. It made me realise it was a deliberate Ministry of Labour ploy introduced around that time. Granted some of these might have received and not responded to their calling up papers, but it seemed odd that in very few cases had they changed their addresses even nominally. Two had been arrested at their own breakfast tables.

Prisoners included not only politicals but people who had fallen foul of innumerable regulations especially in industry, and a few in the Services, as some commanding officers seemed to let offenders go to the civil courts and so serve sentences in civil clothes, rather than have their regiments represented in Army jails.

There were also a few conscientious objectors, though nothing like as many as in the First World War. These had not been exempted by legal tribunals. Most articulate persons could pass their tribunals if not the first time, in which case they got a year's imprisonment, then at least the second time. Few got back for a third term, though there were two I met, inarticulate and scarcely literate who had gone back to jail again and again from barracks, though unquestionably genuine in their pacifism, for the crime of not being able to express their ideas in court.

All the spivs, black marketeers and burglars I met seemed to think the non-criminal element raised their tone. On one occasion a warder was shouting out "You're thick, the lot of you — born stupid!" because some order had not been obeyed. I was standing at the back with a peace-time schoolmaster sentenced to six weeks jail for taking a week's unofficial paternity leave from an engineering factory, a job he hated, as he was trying to get in the forces. All eyes turned to us, there were grins on every face, and the screw actually blushed.

With being regarded as a scholar, at least among the illiterate, and being accepted as 'one of us' being supposed to having been in the fight game (which was exaggerated by my pugilist friends), I spent almost the entire twenty-one days writing letters and petitions for people, and tended to enjoy the stay. Olday was in another wing: he was depressed and in virtual isolation, writing despairingly of conditions, even of torture, to mutual friends outside. This contrasted with my cheerful remarks not unnaturally baffled them, especially when he wrote to say somebody had told him how well I had stuck out a terrible beating-up. This referred to my last fight, long before the prison fortnight, but he misinterpreted it.

He had been arrested before me, for carrying a portable typewriter in the blackout, which was regarded as suspicious. Taken to the police station, he was found to have a identity card someone had lost, though the owner of the typewriter came forward to explain he had lent it to him and it was quite legitimate. As he refused to speak in court about the identity card he went from one court to another. By the time he reached the Old Bailey in 1944, they knew his identity but as he was still silent he got a huge sentence, in years instead of months, for this minor offence.

There was one little tailor in jail who had been sentenced for some trade offence or other, who was quite bewildered at what had happened to him. He had however learned the warders received (I forget the exact amount) maybe fifty shillings a week. It shocked him. As the warders shouted and raged at him, or anyone else, he muttered to himself, or to anyone standing nearby, "Tt-tt, to be such a bastard for fifty shillings." By the time I came to leave, he had merely to shrug his shoulders and mutter "For fifty shillings, I ask you" to make it known that he, or someone, was in trouble again.

Six weeks went and I was supposed to be released. I was detained in a communal cell 'awaiting escort'. "Your unit is coming to pick you up," explained a warder. There was a slight hitch because there were several escorts turning up and they asked me, I suppose from the prison point of view not unreasonably, which my unit was. Unit? I did not even know which regiment. They could not believe it. "How can you desert from a unit and not even know which one?" I was asked. I replied that it seemed evident one could.

One warder explained, thinking me stupid, that if I hadn't reported for duty, the unit would be the one mentioned on the calling-up papers. What calling up papers? They accused me of being deliberately obstructive but when it transpired there were several in the same predicament and several escorts waiting to take prisoners to differing destinations, they saw the light. There was a lot of frantic telephoning before we were all sorted out and taken to our respective railway stations, some of which happened to be the wrong ones though not in my case.

It was a stroke of luck that the corporal in charge of the escort knew me by repute. He had a friend who received Workers in Uniform though he was not himself in agreement. We spent the seemingly interminable train journey to North Wales by an ever-halting train amicably arguing. He took the cuffs off me and at a couple of stops sent the other soldier with him to bring coffee and sandwiches. He was a bit shaken by the way I had been treated and quite unnecessarily apologised for whatever part I might suppose he had to play in it. Orders, he explained apologetically, but it was before the Nazi trials made this a cliche.

The corporal was on compassionate posting in Prestatyn, but the private, a Liverpool Irishman, was from the Pioneer Corps located there, into which I was deemed enlisted. The camp itself was 'a bit cushy', he told me — nobody gave a damn about anything, though it was run by a mad colonel, Greenwood, who was supposed to have the VC. The joke went it must have been for learning how to run. He was anti-Irish and was supposed to have served in the Troubles. It was best not to run up against him, particularly for Irish soldiers. When the private had been on a charge the colonel asked his name, and when he replied it was Flanagan, was told that was a black mark from the start.

The Pioneers did not have the military 'cream' of the Irish like the Irish Fusiliers but Colonel Greenwood was a curious choice as commanding officer for a unit which had something like thirty per cent Irish and fifty per cent Liverpool or Glasgow Irish.

The Pioneers had originally been intended as a labour corps and possibly a non-combatant one. It had then become a fighting unit but with non-combatant and labour units attached. There were German and Spanish refugee units from which people had moved into fighting units. There was also an attached corps for conditionally registered conscientious objectors. Then some time in the war it had been transformed into a fighting unit but with people deemed of lower physical or supposedly mental (in fact, educational) capacity. This made membership of the Pioneer Corps a 'disgrace'. Men who didn't feel any resentment at the fact of an officer class felt embittered at being not considered good enough even for the infantry.

This attitude was seized on by the Army and when officers despaired of handing out punishments to recalcitrants or did not wish to have the slur of recalcitrancy on the good name of their regiment, they transferred offenders to the Pioneer Corps using it as an oubliette. By the time I arrived it was a disciplinary regiment on the lines of those reported in the French Army in 1939/40, but different in application.

The British ruling class differs from the French or German. The offspring of the French ruling class got transferred to units far from the battle, and the crack German soldiers swaggered round Prague showing their uniforms while the politicals and criminals were sent to the front. It was not a good idea tactically as the front not unnaturally collapsed when it was expedient to do so. The British ruling class, brought up in the public school tradition, thought dying for their country an honour, and dashed over the lines shouting "Follow me". Now and again nobody did. It wasn't unknown for the occasional unpopular one to be shot from behind. The disciplinary units were kept away from combat, deprived of the chance to die for the empire until a last desperate stand was needed.

It was these attitudes that caused the exodus from county regiments to the Pioneer Corps, and embittered regular officers like Colonel Greenwood were given a ragbag assortment of officers who had been Army bandsmen, civilian policemen or talented refugees from various countries, all commissioned to meet a need. He took his disappointment out on the Irish. He wasn't too fond of Scots either, not liking anyone much, but he had the whole camp at Prestatyn wakened with a Highlands piper every morning at dawn. Someone said it was an excuse to make a regular sarcastic remark to his orderly officer, an Austrian Jew, in front of the assembled troop, of how it should stir his Highland blood.

I should add as a note that the Pioneer Corps had a happy ending from a military point of view, after it had fulfilled its latter-day role as a penal battalion while conscription lasted. In peace-time and after conscription ended, under its new title of Royal Pioneer Corps no less, it changed its image and became a normal service corps.

Division

During 1944, prior to my arrest, there had been a clamping down on the whole extra-parliamentary opposition, which had been tolerated even during the blackest days of the war. One could see the hand of Herbert Morrison. The anarchists and Trotskyists had played their part in weakening the Stalinists and so helped make the British Communist Party a negligible force in the post-war period, which incidentally helped the Labour Party politically. It also weakened the Tories. At the Election of 1945, the C.P. was to be their unlikely ally, supporting Churchill for Prime Minister, but of a Labour Government. The CP then won only two Parliamentary seats, a

Scottish miners seat they'd had for years (which 25 years before had been an anarchist stronghold), the other a temporary hold on a vanishing seat in Whitechapel Mile End. The only other place they might have had credibility was Morrison's own seat in Hackney, which he prudently swapped in time for Lewisham, which had lost its former middle-class status.

So in 1944 the government proceeded to attack both anarchists and Trotskyists without much resistance. Both were first weakened by what appeared to be internal dissent engineered by Labour Party moles. The divisions had to be there, of course, but they were accentuated so far as the anarchists were concerned by Woodcock's literary clique and partly by Sonia Clements' machinations.

The Anarchist Federation as then constituted was anarcho-syndicalist and endeavoured to exclude pacifists, supporters of the war, and non-syndicalists, though this did not always work out. But there was by now a major difference as to what Anarchism was all about. Either it was a marble effigy of utopian ideals, to be admired and defined and even lived up to by some chosen individuals within the framework of a repressive society, or it was a fighting creed with a programme for breaking down repression.

Berneri and Hewetson seemed to take the first point of view but as they were activists in their own way it could be passed over as a mild difference. But the crux came when Woodcock, admired by them as an aspiring intellectual, wanted to use Read's influence and the movement's assets to build his own literary clique by means of a magazine (*Now*). At least one of the people he referred to as a libertarian was in fact a Trotskyist (Julian Symons), and at least one other (Adam de Hegedus) even some sort of fascist, but all of them were on the make in literary terms and their politics nebulous. Tom Brown wanted the press used for its proper purpose, industrial agitation. There was no doubt as to the press being a collective one, belonging to the Federation, but Berneri, Hewetson and others working on it full time though voluntarily, had effective control, Richards had the accumulated assets in his name and they created a new grouping calling it the Freedom Press Group, saying they had not taken over the press by doing so.

Brown and one or two others had a scuffle with them, amusingly exaggerated in some subsequent books, but were outflanked in the actual manoeuvres, and Richards took over. He had a small group around him, and they soon claimed they were not just the new Freedom Press Group but the old Freedom Press itself.

Brown's group accepting Sonia Clements, whom many realised was a mole, caused a division with most anarchists, though it got them the support of the group of Spanish exiles not into Resistance, with whom she was associated. Brown was unquestionably right on his analysis of the situation, and proven so by subsequent events. *War Commentary* had been re-named "*Freedom*", though it was specifically said this was not the old *Freedom*. Within a few months of their taking over, totally unconstitutionally, and denying they were doing so, they were speaking as if they were the same people who owned the same paper ever since 1886.

As the official clampdown came more or less at the same time, and many in the old movement were facing one sort of harassment or another, the argument raged only between a couple of dozen people in London, and its conclusion became a fait accompli. What prejudiced most anarchists was the totally coincidental factor that the scuffle (in some accounts published since greatly magnified, especially by Woodcock, who even suggests the IRA was involved!) happened at the same time that the police were about to prosecute for sedition.

The police had already raided Fay Stewart's flat for *Workers in Uniform*. Her dog bit a policeman who had come in through the window, and while she was bandaging him she slipped the address list in the fire. A few months later she was killed cycling home in the black-out. There is no way one can say it was not accidental, especially as her death was known at the time only to her own family, who had no reason to suspect otherwise.

The police then raided *War Commentary* going through its files for the whole of the wars, saying it showed it was calling on soldiers to lay down their arms, though this was nowhere stated and many articles in *War Commentary*, which was not a pacifist paper, would have shown clearly this was not exactly Anarchism. Perhaps picking up their arms and using them appropriately would have been much more abhorrent.

As named proprietors Richards, Hewetson and Berneri were charged with conspiracy, though they had not written the articles under complaint, as was Philip Sansom who happened to be in the office when the police called. As the law then stood, Berneri was acquitted when the case came on in 1945, because a husband could not conspire with his own wife. The others received two years. Woodcock, for whose sake they had made themselves registered proprietors, announced publicly that while he was not concerned and did not agree with them he would defend to the death, etc.

The prosecution, which everyone thought would have produced more drastic sentences, undoubtedly deterred others from pointing out that these were not the proprietors, only two were editors, and the main responsibility was collective. The argument "why go forward and be a martyr, you only add one more hostage" was made by many, including those charged.

We thought the time had come to go underground, but after the trial everything proceeded as before, with the same type of article and the same type of activity. It happened with the Trots too, to the indignation only of the Communist Party.

Military detention

It was naive of me to think that having been 'deemed enlisted', and served a sentence for not knowing it, that would be the end of harassment. They had gone to some pains to get me in even if I had been neglected so long. Other people 'deemed enlisted' at the same time as me went straight into training. I was to be court-martialled for desertion, after being taken from prison having been convicted of the offence of neglecting to notify change of address, which only a civilian could commit.

At a preliminary interview to the court martial, I was told the prison sentence should never have been imposed, but that was no concern of theirs. Fortunately I was able to convince them that not only had I never served in the Army and been excluded by mysterious command, but would be able to demonstrate that at the time of the alleged serving of call-up papers by the Ministry of Labour, they were prosecuting me for declining agricultural work. The officer briefed to prosecute me said ruefully, "If that's so, there's no desertion case for you to answer" which proved to be the case. They therefore switched the charge to absence without leave, which was equally absurd.

The less than impartial court-martial had an anonymous observer to whom the court martial judge, Captain Le Strange, held I had no right to object and to whom I otherwise would not have known there was a clear objection. The judge then explained carefully to me, before hearing a word of evidence, how important it was to make an example of someone like myself who might give a lead to others. He proceeded to dismiss my evidence as irrelevant and awarded me two years imprisonment for absence without leave, exactly the same sentence they were handing out for desertion.

It may be remarked in parenthesis that there was a marked contrast between the punishments handed out in World War One and those in the Second World War and immediately after. Undoubtedly the Labour Party influence was responsible. Death sentences were no longer freely handed out as in the Reign of Terror run by the military in 1914-18 and subsequently. The Labourites might want to preserve conscription to boost their egos, but they had less blood lust than the old Liberal-Tory coalition in the first war. At the front five minutes absence meant the firing squad in WWI but never, I think, in WWII. Three years for desertion or whatever was given or off the field two years imprisonment, and sometimes that got suspended after a few months. Perhaps that is why civil servants felt free to engage in artful political connivance.

I was taken from Prestatyn (a converted Butlin's holiday camp) with a chained gang of prisoners to Stakehill military detention camp, which then had the most notorious reputation in England. I confess to being despondent, especially when we changed trains at Bradford and I saw a playbill for Rozzie's troupe playing locally, but felt I had to keep spirits up. When the sergeant in charge of the convoy asked me how I managed to get in the situation in which I found myself, I answered "Easily enough".

Stakehill had hit the news because a prisoner had been found dead. The Church of England chaplain is usually in such circumstances a minor administration official but in this particular case an enthusiastic young parson objected to the guards declining to take their peaked hats off when escorting prisoners in church. Without their cheesecutter hats they had a human-like appearance and they weren't going to take them off out of misguided respect for the divine presence.

He had protested but to no avail. Then one day he was down in the detention cells and heard cries. He rushed in to find that two warders had just hit a man who was lying on the floor. One of them was saying to the other, with heavy sick sarcasm.,"Kick him staff, he's still breathing". When the horrified padre asked what had happened, the other staff sergeant said, with an equal heavy attempt at jocularity, "Don't mind him, sir, he's always lying on the floor crying."

Unfortunately the man had hit his head when falling and was dead, and the staff sergeant was a Welsh Calvinist and not to the liking of a High Churchman. The story unfolded at the subsequent enquiry, when the chaplain told of the terrible death of "a man to whom I only that Sunday given Holy Communion". The country, which had just been given the facts about Belsen and Buchenwald, compared it to them. One accidental death in six years, even if during rough handling, was hardly the same but Stakehill acquired a dreadful reputation because of a sick joke taken at face value. Even one of the incoming prisoners who had served time at HMP Dartmoor said he dreaded it.

Once inside we found it seething with incipient mutiny and the officers and staff were doing their best to mollify everyone. It is strange to reflect that all the boon companions I met in that converted mill were regarded as convicted criminals. Stakehill was called a detention barracks camp rather than a military prison. Shepton Mallet qualified for that description though it never got a quarter the notoriety of Stakehill. But prison it was. There may have been a few there guilty of crimes against society, but not many, as these went to civil jails. The overwhelming majority were a credit to the nation, though the State treated them as a debit. These were fine people who could have been, and many who had been or subsequently were, useful to the community. Yet for some minor infraction of absurdly imposed regulations or breach of discipline, and sometimes not even as much, we were kept in cages. It was Brixton Gaol all over again but more so.

I was treated with immense kindness by fellow prisoners, or soldiers under sentence, as the preferred phrase was. There was a general belief I had been treated shabbily though I don't suppose I had been treated worse than anyone else. It was from a personal point of view a considerable downgrading when, after Christmas (needless to say celebrated in captivity) the establishment was closed down and everyone transferred. I went to Sowerby Bridge, a hell in comparison to the much-maligned Stakehill, though it is conceivable Stakehill had been as bad before the tragedy. It was on my birthday that January (listening to different 'cases') I determined some day I would do whatever lay in my power to help political prisoners and those unjustly or unfairly convicted. I hope I kept that promise.

The staff at Sowerby Bridge had been told that the incoming prisoners from Stakehill were near mutiny. They were told we had been pampered and needed to be treated with brutality. The truth is at no time would there have been actual mutiny. It needed only a few rumoured buzzwords like 'Amnesty by Christmas', such as visiting VIPs liked to spread, plus a few 'suspended sentences' with soldiers released and returned to their units or even discharged, to restore normality. and quell incipient riots.

There was more dismay among some soldiers to find they'd been released but transferred to the 'chunkies' — the Pioneer Corps — than among those staying on in their third year of captivity.

Pack drill 'at the double' was the norm at Sowerby Bridge, though this form of punishment did not go as far as it did in most countries, and in the British Army too in previous (and I suppose later) years. If one simply declined to go 'on the double' there was nothing whatever the staff did or could do. There were insults, but few if any beatings up. Occasionally people became violent under persistent insults and assaulted a guard, and were knocked down by a few staff ganging together; even so the guards were very careful after the Stakehill incident.

In the main the people prepared to 'skive' and not go on the double were in the Pioneer Corps already, or did not mind being transferred to it on release, whereas the others were under psychological pressure to show they were good soldiers. There were exceptions, such as a few old soldiers (some who had WWI experience) or some who felt they were on the way out. But some had been in the army for years and lost the benefits of their past service, whether pensions or discharge money, for some drunken spree, and were hoping to regain it by good behaviour.

One RAF ground staff prisoner from the British West Indies, was persistently racially insulted by the staff and unused to such taunts as he might have been today. At that time Afro-Caribbean troops were popular among the public and their arrival in Britain from the boats greeted with huge applause. He went berserk under the verbal pressure and was taken to the punishment cells, where we could hear his roars of pain. There were shouts of protest that could not be quelled from every one of the mass cages, and had the warders dared to unlock the doors for parades outside there would possibly have been mass mutiny. Afterwards things did ease a little. I did not see the Jamaican again but was told he had been transferred.

On one occasion Marie Louise Berneri was visiting some Spanish soldiers stationed nearby, and came to Sowerby Bridge to see me and John Olday. Visitors were absolutely forbidden. But she was allowed in, partly because the commanding officer was intrigued at the situation. Here was a beautiful foreigner calling in casually asking to see two entirely different prisoners, neither of them related! He detected a spy drama, and picked up the word 'anarchist'. God knows what it meant to him.

To my surprise I was ushered in to a pleasant chat with her, but surrounded by screws, one or two even carrying sidearms. One shorthand writer, trying to look inconspicuous, was frantically trying to keep up with us while the others were trying to understand the plot; or at least the jargon. At one point she was politely asked "keep the conversation in English, please", having used some undoubtedly French word like 'bourgeois' and there was no interpreter available.

Meanwhile Olday, who had been plucked from a different cage, was outside waiting his turn under an equally formidable guard, and having seen me go in, was wondering just what was going on. The only phrase dropped in his earshot was an ominous 'attempted international anarchist intervention'.

This proved to be the only social visit I had. When I applied for compassionate leave on hearing from Rozzie that she was to have a child, it was greeted with derision, though as we weren't married it probably would have been rejected anyway. Eventually an entirely unexpected situation brought about my release after some fourteen months. I had persuaded a lot of my colleagues that we should make common cause with the Jamaican RAF personnel, pointing out that when the staff got away with insulting them, they felt safer in abusing us.

I did not feel myself making much headway until one day, a staff sergeant shouted on a strenuous parade, "Okay, the two coons fall out and let me see how the rest of you manage", particularly uncalled for as the problem was that the two West Indian aircraftsmen were doing the drill well, and the purpose of having them fall out was to correct the others. Quite spontaneously, sixty out of seventy Whites fell out. The staff was livid, and (though I wasn't present) one of the informers, of whom there were always a few, claimed afterwards it was due to my urging as indeed I hope it was.

I was being accused of planning mutiny before I even knew what had happened, and the unexpected punishment was that I was put on the next batch of suspended sentences, and out of the place within twenty-four hours.

It was so sudden that I was taken to a King's Royal Rifle Corps depot and told I was to accompany their unit to Greece, which as it was in revolutionary turmoil at the time seemed inconsistent, though I didn't object. The commandant seemed determined to get me out of the country come what may. I had no time to get kit, not even a cap, and did the journey in a steel helmet and what I stood up in.

Once again I was lucky in that the KRRC corporal escorting me to the Dover Castle asked permission of the young officer to let me off handcuffs, and enabled me to phone home and arrange for my parents to meet me on the platform when we changed trains at London. They gave me some cash, which I lived on for the next three weeks. When we stopped over in Dover others on sentences, only suspended once at sea, arrived in handcuffs and were locked up for the night. They had no money and no pay day for three weeks. I however could go out for a drink with the KRRC. Once again I had found a friendly corporal who said to me, "I don't know how you got into detention with such nice parents", thinking of it, as some do of prison, as the result of neglected upbringing

CHAPTER V

On 'Active' Service; the Marquis and the Maquis; the Cairo Mutiny; Bounty on the Mutiny

On 'Active' Service

We crossed the Channel in early 1946 and took a train, so packed that men were even sleeping on the luggage racks, across France to Marseilles. Our only contact with the outside world was with the dispirited people we saw at stations, and the main thing they were interested in was cigarettes. 'Liberation' had worn off a few months earlier; now, when anyone stole anything, they referred to it as 'being liberated'.

We stopped over a day in Marseilles. Most of the draft, young men out of England for the first time, went off looking for the brothels. A couple of KRs attached themselves to me thinking I, with my knowledge of French, might lead them to a good time, but in the first bar we entered I discovered a Catalan railwayman with connections with the local Maquis. He invited me to meet his family and told how the Spanish anarchist exiles had been the originators of the underground Maquis, and the first to march into both Toulouse and Paris.

I felt humble having little to tell but an exercise in futility, and enjoyed the news and the hospitality. I wish I could say the same of my two companions, whom I had taken to a political discussion they could not understand, rather than sex, and whose contribution could not go beyond "Tell him he has a beautiful daughter." Neither spoke French though one of them had spent five school years 'learning' French and had probably passed examinations in it, but his oral best was to produce endless cigarettes saying, "Tres bon, cigarette, tres bon." The other could only repeat the inevitable "wee wee wee". They boasted afterwards of having had a good meal with 'some locals' but I suspect they would have preferred an evening in the brothels like the rest.

The Marquis and the Maquis

Perhaps I should insert the anecdote of the Franco-Spanish Marquis here, though I was told it some years later, by Paco Gomez, and later had it confirmed by Miguel Garcia. It was one of the lighter ways in which the

Spanish and Hispano-French Resistance maintained itself during those difficult years,

A Spanish conde of the old school, arrogant and vindictive like most of the kind but not wanting to risk his own life, had sat out the civil war in the comfort of Biarritz and fallen in love with the French way of life as experienced by the upper classes. He settled in a Paris chateau and, like many a rich Frenchman, discovered how pleasantly Nazi occupation changed life for them by crushing the working class completely. The only thing to mar his pleasure was the absence of cheap domestic service in plenty owing to the exigencies of war, and he sent, naturally enough, for Spaniards. El conde failed to consider the only workers wanting to get into Nazi-occupied France were those wanting to get *out of* Franco's Spain.

The whole staff from butler to chambermaid were his sworn enemies but the poor fool probably was proud to be among Spaniards who had been taught their place. After a few weeks domestic bliss, the noble pair attended a function one night in 1940. The Polish opera singer and film star in (pre-1939) London and Berlin, Jan Kiepura, was giving a charity concert to which all society was present.

After the glittering occasion, and a bafflingly slow ride home, the marquis and marquesa returned to find their chateau stripped from top to bottom, the staff gone, every stick of furniture and all their possessions bar what they stood up in ransacked, down to the wine cellar (I said to Miguel, who liked his bevvy, "I bet I know who had that"). As they stood at the door stupefied in their furs and diamonds, the chauffeur drove off forever with the car. Hopefully it was raining and there was an air raid at the time, but that I don't know.

The Cairo Mutiny

Well, talking of spoiling the Egyptians, I duly arrived in Egypt. We were taken to the camp of Heliopolis, just outside Cairo. The KRRC draft went from there to Greece, but I was detached to go to a transit camp 'to await my own unit'. This was another of the Army's games. The KRRC shoved its 'trouble-makers' into the Pioneer Corps, and it wasn't having the reverse apply. The Pioneer Corps, having no other corps in turn in which to shove people they didn't want, sent their unwanted overseas, and 'lost' them in a transit camp. In the so-called 'transit' camp in Abbassia, to which I was transferred, some had been waiting for a posting for years.

Four Irish lads in the Pioneers permanently 'awaiting posting' had actually got posted the week I arrived despite Republican associations. They had been flown down as reinforcements to guard an internment camp for Jewish terrorists from Palestine in Kenya. The first day they were there, a break-out had occurred through one omitting to lock the gates, and the commandant had asked sarcastically if they realised what a prison was.

"We should do," one answered laconically. "We've done enough bird ourselves". The commandant, a military man of the old school, was so indignant that GHQ Cairo had sent him people with a 'bad record' he flew them back next day. Their trip cost a small fortune at a time when at home austerity was being rigidly enforced, but anything goes in the sacred name of Defence. Someone who had said goodbye to the lads on Tuesday in Cairo met them on the Friday and asked if the plane had been delayed!

Everyone was looking forward to demob. The magic words were being uttered 'Demob by Christmas', which had a familiar ring. Yet the actual conditions of this type of existence, especially compared with detention, were hardly onerous when one thinks of how other armies treated their malcontents.

One could take a tram into Cairo, even spend weeks in private houses and wear civilian clothes, and provided one kept in touch 'to see if a posting came up on the board', no regulation was infringed or if it did no one gave a damn; whereas hanging about the camp dutifully and aimlessly meant one could always be called upon for routine tasks.

The people in charge were the camp police, and as our mail had to be picked up from their guard room they knew we hadn't gone over the hill. They were just unpaid lance-corporals who had got stuck in transit themselves, sometimes because the unit to which they were attached had moved on while they were in hospital. There were always one or two ready to oblige by notifying the few who had 'gone private' if we were wanted. One would even arrange to pick up the pay for people in return for the odd favour.

I was among rare exceptions in 'going private' — or 'going wog' as they put it (two or three others who did so were locally recruited people who had homes in Cairo). It seemed to me incredible, and still does, that the overwhelming majority would not even leave the barracks, when they would have discovered other soldiers walking about freely. They believed themselves under siege.

To walk out into the street and mingle with the crowds seemed to them the height of foolhardiness. I was regarded as mad because I would leave the main gate of the barracks and disappear down a sinister dark alleyway opposite, the short cut to the tramway. Everyone expected me to get my throat cut gratuitously. Some might go in a pick-up truck to a Services canteen but only twice did I persuade a few, really daring, to go to a downtown cinema with me (it was "The Al Jolson Story" that did the trick) as opposed to the camp cinema. Even so, they wouldn't take the tram and preferred a taxi and only then because we were four passengers to the driver, one of us was a particularly tough character and I was reckoned to be in the know as to what was going on in the town, which indeed I was — it was tranquil.

People lounging round in such circumstances, living an utterly pointless existence just because somebody in Whitehall thought someone might run off with the Suez Canal, and with an indeterminate date of service, become bored. A lot sought out jobs around the transit camp, for instance in the cookhouse, for the sake of something to do. When the war had been on, people could be persuaded that staying in the army was inevitable or even worthwhile. Even that consolation had been deprived the minority held back from the front by policy; now the forced time-wasters were in the majority. Under the slogan 'Roll on demob' rather than anything high-falutin, the background developed for Soldiers Councils.

I digress, to show how things get distorted. Forty years later a Richard Kisch was writing a book (The Years of the Good Soldiers) purporting to show how brave the British Communists were in war and how valiant in resisting conscription in peace. To attempt to prove this crap, he phoned me out of the blue. I had never heard of him but it transpired subsequently he was the father-in-law of a minor journalist who closely collaborated with a bitter opponent of mine. He asked me if I had ever met Brendan Behan. I said I had met the novelist once, in company of many others, when he was released from prison for his involvement in an IRA bombing campaign but knew nothing more about him. He asked if I had anything to do with the Cairo Parliament. Many so-called researchers confused the 'Parliament', a debating forum, with the much later strikes and councils. I explained I hadn't — it had happened before I was ever in Cairo and probably not one of the people concerned remained in Cairo by the time I was there. That was all I said.

On the strength of this information he wrote his account, audaciously thanking me, "an Anarchist writer" (he wouldn't mention my paid occupation, that was for "real workers" i.e. CPers) for my help, in an introduction. He wrote that I had been involved in an IRA bombing campaign; gone to prison but been released on condition of joining the Army; had sought political refuge in Common Wealth (about the unkindest cut of all) which had formed the 'Parliament', and had tried to form soldiers councils to sabotage the war effort 'the way the Anarchists did in Catalonia' (real Stalinist malice). This farrago of nonsense was later supported by Philip Sansom, whom he seemed to have consulted, and was presumably deliberate distortion. I asked the publishers to retract, but they would not without a solicitor's letter. The wretched Kisch went missing when he feared a libel action, which someone had previously assured him I would not bring Nicolas Walter, the managing director of the Rationalist Press Association, and Sansom and his cronies crowed derisively how I had muzzled poor Mr Kisch and so much for my belief in free speech.

The issues debated by the much earlier Cairo 'Parliament' foreshadowed the coming event of a Labour Government, when Common Wealth (which ran it) melted away overnight in its sun (though the Tory-Fascist GHQ had thought it dangerous). It had nothing to do with the situation that developed in 1946 throughout the Middle East, when Labour Government was in power at Westminster. What happened in 1946 was a wave of strikes, not a debating society on political issues.

The UK newspapers gave little prominence to the strikes for demob. So far as I know, only a couple of paragraphs appeared in the home press, though anybody with cursory knowledge of how the Army worked must have known, as officers insisted, that there was in the military sense no such thing as the word 'strikes' in the industrial sense: it was mutiny.

The mutiny, if that is really how one should describe it was triggered off in an atmosphere some years in time and light years in atmosphere from the optimistic and loyal Cairo 'Parliament' which was concerned with the better life after the war socialism would bring about. It was now 1946 and supposedly the better years after the war with socialism in power! Everybody was sick and tired of the Army and excuses for being in it had run out. Those who had been held back from actual participation in the fighting were even more bitter than those who had been fighting and were due for earlier demob and none too happy when told they should think themselves lucky.

This was especially so as the majority of people in such a position had been strong anti-fascists, and the Army officers in Cairo at the time appeared to be fascists. This may be accounted partly by the fact that the professionals, who had served in Palestine, were anti-semitic and pro-Arab as far as rich Arabs went but despised 'wogs'. They also hated the new Labour Government, and looked down on the 'common soldiers', contrasting them with the well-disciplined German prisoners of war. Almost the only exceptions were among the non-career officers.

When there was an announcement that fewer boats could be spared for demobilisation purposes, and that it had to be slowed down anyway because of resettlement difficulties at home, an unofficial meeting in Ezbekiah Gardens in the centre of Cairo, which even got transit camp soldiers out into the open. We decided to send a respectful enquiry to

GHQ at Kasr-el-Nil, composed of a few soldiers making legitimate enquiries of welfare officers before any protest action was taken.

A sympathetic non-career officer explained that front-line service was still needed in Greece, Palestine and Malaysia, as well as holding down liberated territories against the Russians, and that was why demob was held up. It wasn't a question of punitive action, except perhaps against the sort of riffraff that had been shipped out to the transit camps. They would be kept out of England for some time, but all decent soldiers could reckon the Government would get them home as soon as replacements came.

This, conveyed back to the next Saturday meeting at Ezbekiah Gardens, caused an uproar. One after another got up to call for action. Those in the 'decent' category protested at the idea they were going into battle again, hardly to oppose Nazism which they were supposed to have been enlisted to fight. I got up on behalf of the 'riffraff' to say if this was how a 'sympathetic' officer viewed us, one could hazard a shrewd guess at what the fascist type thought of us. Were we out here to be transported slaves? I got carried away with my own rhetoric, but that's an occupational hazard of speaking and never did any harm.

There was still hesitation as to what to do and when someone put forward a resolution about writing to MPs and it got carried I started a separate group, making no secret of my own position. One of the active fighters in this group was a squaddie named 'Ginger' Foran (it must have related to his verve, not his hair), formerly a Republican (De Valera brand) who later emigrated to Australia. Another in the group, Mick O'Callaghan, was someone who had come along to one of the camp meetings I used to have with the intention of disruption, but, though I never was much of an orator, stayed to agree with every word. He became the first to raise the question of Soldiers Councils.

We learned that Royal Air Force personnel in the Canal Zone and in other parts of the Middle East had stopped work in protest at the same news conveyed even more tactlessly to them (the reference to 'riff raff' was misheard as 'RAF'). We had no contact with the airmen, who were in isolated airfields. I suppose it was confined to ground staff but without them the planes could not move. We convened another meeting and this time a strike was agreed on. Mick put forward the plan of a meeting to co-ordinate activities, composed of councils from every unit serving in Cairo and the Canal Zone. Though it was agreed to suspend all drill, rosters and work, we could not get the majority to agree not to do guard duties. They were under the impression that the Egyptians would break into garrisons and kill them if they did so.

There was considerable unrest in the main cities but nobody outside our small group would listen to the idea of making common cause with Egyptian civilians. Any deficiencies in aims or organisation were made up by the type of enthusiasm unleashed by VE and VJ days, the feeling that the years of war were at last really over and the type of joy in liberation shown in Europe. Our tyrants had been blander, partly because they had been forced to be, but they were not loved better for that.

For weeks formerly arrogant young officers found themselves insulted and even attacked, and some took to going round the streets only by car at the expense of H.M. Government, rather than be observed in Army jeeps. GHQ was scared out of its wits fearing revolution, though with no civilian backing it was not on the cards. Staff officers even condescended to address us, largely on the theme of how 'our' Labour Government was threatened by our actions, and though we were letting it down, surely we did not suppose that it was going to let us down. A few did fall for this line. Another, more convincingly, told us, "'You don't suppose it's us so-called militarists who want you in the Army? It's a bad time for us as well as you — we want to get back to real discipline and to the ways we're accustomed. The damned socialist bureaucrats make us take you, and have you, but if it were left to us we'd send you home tomorrow and good riddance".

Though few believed this, he proved to be speaking the truth, as ultimately peace-time conscription was ended once the Tories were back in power and there was no need for Labour reformers to 'prove' their patriotism. The 'so-called militarists' reverted to the skilled militarist professional army. The German POWs were in an anomalous position. By this time they had been put into regular slave labour units, often controlled by the Pioneer Corps. Even more than the British soldiers they longed for repatriation, but they felt hardly in a position to go on strike, and they had no orders as to what to do if nobody turned up to guard them. So their own NCOs took command and they carried on their duties, even driving trucks through the town in a disciplined manner that won the admiration of the officer class. As a result, it was more than ever determined not to part with them a moment too soon.

In November 1946 there were stoppages in Tel-el-Kebir followed by Port Said, Suez, Abbasia and Cairo. From being Saturday-only strikes — when the meetings were held — they had become general. Still there was no attempt to get local support, while at home the House of Commons was put off with vague statements: 'everything was again normal.'

There was no real contact with the RAF where the strike was soon led by a group of Communist Party members, especially Aircraftsman

Cymbalist. I ran him into him years later, running a small buckle manufacturers, a bit shaken by his experiences. They had more difficulties than we. It was easy for the Army to threaten detention or the dreaded transfer to the chunkies, or to appeal to tradition. The RAF could neither transfer nor use other deterrents bar discharge or severe penalties. They proposed instead to move base, a move prevented by the Tel-el-Kebir disturbances. The combined RAF and Army came down heavily on the strikers at Tel-el-Kebir and Suez. Several dozen NCOs and an unknown number of squaddies were arrested and charged, but in Cairo the strike went on.

It was finally ended by Garrison HQ in Kasr-el-Nil assuring us all that release dates would be restored. I don't know if there was any pressure outside the Middle East but that was the main demand. They explained that National Service was going to be introduced in which 18 year olds would serve for a fixed period of time. Meanwhile demobilisation would proceed according to numbers to be issued. They hotly denied anyone had spoken of 'riffraff', saying we had misheard "RAF".

Many units went home for demob right away. Even those of us on the outcast list were assured that we would go into normal units immediately and all service taken into account, which had never been expected. Entitlements of leave and demob when due would be restored.

The soldiers councils only lasted two months. It was exhilarating while it lasted — almost a foretaste of workers power. One can see why it has been glossed over by journalists and distorted by historians, even confused with the debating society of a few years before. There were no martyrs in Cairo so far as I know, though it is true the Army has ways of hushing these things up. Some of the RAF were charged and received enormous sentences but in almost all cases they were not confirmed, or cut drastically.

It was decided a policy of forget and forgive was the most expedient. There was no victimisation in the Army. An adjutant at Kasr-ele-Nil looked into 'individual grievances' which he conceded, but was unable to rectify. As a result of my grievance I was even granted a month's local leave in Palestine, others receiving similar douceurs. I think they thought we were being mollified. It was an unusual ending for something that had been described as mutiny, and a great feeling to find the awe in which we were held when there was nothing more we could do anyway!

Bounty on the Mutiny

When I returned from home leave in 1947, which followed on the additional local leave I had previously had, I found I was posted to a regular

Pioneer Corps unit that had arrived in the Canal Zone near Ismailia, and for the first time was expected to take up regular Army duties. It was somewhat of a climax after the heady days of soldiers councils, for others as well as me, but 'normal service had been resumed', or as far as we were concerned, started.

While home, Roz had begged me to finish off normally without getting into any more trouble. I had already faced two court-martials, and she felt I would I never get out. There was, however, one more incident in which I lost my temper with a fairly obnoxious garrison major and hit him. In for a penny, in for a pound: I also put the boot in. I had been several times unjustly convicted but on this occasion I was acquitted, so I can fairly say justice was done. I therefore decided to play it a bit cooler, though I became what is known as a barrack room lawyer.

Professional officers sneer at a soldier who takes up the problems and wrongs of his comrades. They think these should be referred to the welfare officer or the padre, and sometimes one or the other can actually help, but usually even then not unless the soldier has been told what to say and how to say it. It is something like being a shop steward, though one can only go so far. Nobody has ever paid them tribute yet it was not the qualified lawyers from the Inns of Temple, but the so-called barrack room lawyers who kept the flame of liberty alight in the Services through its darkest years.

All that happened to me as the result of constantly taking up cases, sometimes as 'soldiers' friend', and playing a fairly active part in the councils when they existed, was that I was made a corporal. Majors did not want to disgrace court-martial officers by having to deal with a smart-alec private. I do not think my promotion (I jumped lance-corporal) was for soldierly qualities or loyal service, unless perhaps someone saw something I missed. It seemed it was, like the time I got released from Stakehill, a case of bounty on the mutiny.

The Army was in a virtual state of war with the Jews in Palestine when Ernest Bevin, having stated firmly he was determined to hold on to the colonial mandate, suddenly abandoned it in the face of terroristic attacks by a section of Zionists. The forces, who had no real interest and no ideological excuse for being there, were totally disillusioned with the whole set-up. There were anti-semitic songs going round about 'The holy but now hostile land'. It did not affect us, now in Moascar, except that a group of deserters known as the Schofield Gang were active buying and selling arms, while in Cairo itself many local Jewish agents were buying arms from Egyptian and British soldiers alike and smuggling them over.

I did my best to persuade people not to become involved. For a few quid it wasn't worth it, though very tempting for soldiers who had been rebuffed for years or whose services had been devalued by detention. One elderly civilian I had often met in town, known as Weizmann though this may have been an alias (he was not the Jewish leader, later President), in the local newspaper offices and in Groppi's (a centre for ice cream and intrigue), proved to be one such agent. He was sentenced to twenty years in a desert fortress. Though old and frail he escaped after a week, it was said by overpowering his guards and making his escape through the desert into Israeli-held territory. I can only assume that he had suddenly produced a cheque book which made his guards helpless. Soldiers, though, were less likely to be so agile.

What was making headway now amongst soldiers was the Communist Party. The cold war was beginning, sympathies switched to them. Troops coming back from Greece were particularly susceptible. It was hard for me to be both cautioning people against getting involved with arms trafficking to Zionists, and to be also attacking State Communism, yet trying to differentiate oneself from the Establishment. I was a voice literally in the wilderness. It was the more humiliating because one could do nothing else and some officers thought the rank of corporal might be having its effect. Fortunately, as National Service was beginning, my services and those of almost all in my position were no longer required. They did not want us corrupting a new start.

National Service, for a fixed term of two years applying to all eighteen year olds, was now in effect, though demobilisation of the old conscripts had not been completed. The first peace-time conscription was the militia call-up in 1939, which had brought in the twenty year olds allegedly for a definite period, in practice for six or seven years, and had been superseded by the indefinite all-round call-up. But National Service did not last, unlike on the Continent. The Labour politicians loved standing in civilian clothes and getting saluted and felt it would be unpatriotic to abolish it though the Service chiefs felt it was more trouble than it was worth. Finally, the Tories abolished it and reverted to the skilled professional army.

I sailed on the "Otranto" from Alexandria to Southampton, and was demobilised at Aldershot with a good character reference. It had been upped from 'Fair', which is almost the lowest category and had been static for years, when the company commander realised this was a nonsensical grading for someone upped to acting sergeant, and cast an unfavourable light on the commanding officer. Not that it ever mattered in the slightest.

CHAPTER VI

Back in the Old Routine; The Spanish Resistance; The 374 Monster; Ruling the Waves; Three Minute Celebrity

Back in the old routine

I was now at the break in life routine and at the age when enthusiasm tends to wane, and if one carries on any longer one becomes known as a 'veteran'. Stubbornness carried the day against the advice that it was certainly now 'high time to settle down' as my family and friends said in principle and most of my contemporaries were doing in practice. Any pretence of there being an anarchist movement had collapsed with the effects of the 'split'.

Most of my previous political colleagues had gone into purely trade union activity rather despairing of any chance of other activity in the drab era we were facing. When Orwell wrote of the bleak world of *1984* he was satirising 1948, not prophesying, but the learned critics misunderstood his message. In the same way, when he wrote *Animal Farm* he was attacking the Communist Party from a left wing angle, but this time he was too clever by half and the right wing enthused.

Any enthusiasm for the Labour Party among the working class had waned considerably though the more vociferously the media attacked it, the more it retained some credibility. What was left of the old working class movement was steadily being taken over by outsiders, a process which had begun during the war when defending class seemed less relevant than opposing war.

I had been discharged from the Army in much better condition than a great many, certainly physically, but I had no gratuity — just enough to live on for two or three weeks, no possessions, and a then incomprehensible blank wall against getting employment though there was plenty of work about.

In addition, Rozzie decided to return to her husband, whose companion had died or been deserted He offered better security for her old age which was a long way off — she was only twenty-six at the time. It is ironic that he died forty years later leaving her penniless, and I paid the funeral expenses for old time's sake.

My parents were supportive, but I didn't want to live off them and they couldn't have borne to see me sink. At pains I got a job, but it meant false references and a slight change of identity (I juggled with my forenames) which would seem an unnecessary price to pay for indifferent warehouse employment. It would seem, though illegal, one way to beat the secret compilers of blacklists, presumably the Economic League.

Notwithstanding the glowing references I had given myself, there was the usual humiliation of a job interview — how I loathed that process of selling oneself! I was asked what interest I had in the textile trade. Some people might be interested in the textile trade at that end of it, but most surely would only be doing it for what cash it brought in. That was considered a dreadful confession only counter-balanced by the brilliant ability and experience conveyed by the references.

It was the heyday of the textile trade, when clothes rationing meant woollen merchants could not put a foot wrong, They ordered stock and by the time the mills had completed their order, it was worth many times as much as the merchants had contracted to pay, and there was a shrinking supply and growing demand on top. The mills could not be bothered to sell to the tailor in smaller qualities, and the emphasis on export meant the home market was glad to pay any price. Those were still the days when the tailor still boomed: everyone wore suits and even the poorest had a best suit, even if it spent a lot of its life in the pawnshop. Yet while profits were soaring, wages were still low and hours needlessly long.

The smallish firm for which I worked was not the worst for wages in Golden Square, headquarters of the wholesale textile merchants, but the managing director would spend hours in the morning holding up work, in one-sided conversations with his meek partner. He'd then go on until three in the afternoon haranguing different members of the staff in turn, and then expect them to work until all hours to finish their long-delayed day's work. Even the office staff worked every Saturday morning, but as his habit was more or less the same on that day too, some of them, especially his long-suffering and devoted secretary, stayed until four and regarded those who did not as disloyal clock-watchers. They had been working there twenty years or so and put the firm first.

Trying to organise a small staff like that, and one accustomed to bullying in the bargain, was a herculean task, especially as all were of different trades and there was no union interested. I tried to link up with some other firms around Golden Square and as strike action was well-nigh impossible, with only two or three per house prepared even to talk about it, Iadopted a tactic well in accord, one would have thought, with Conservative principles. As there was a labour shortage, I persuaded people I contacted in the local lunch bars to exchange notes on the 'market' state of wages and conditions. Some firms were not too bad, others utterly deplorable, and all were prepared to grab one another's skilled staff.

Hell hath no fury like employers thus scorned by ungrateful scoundrels treacherously conspiring to raise their wages, especially when the dangerous reds from the Board of Trade said there was no case for prosecution. This for them was socialism red in tooth and claw and anything more would have caused spontaneous combustion. The only remedy they had was to appeal to staff that the Labour Government blessed their efforts at the export trade; and when that didn't work, to raise wages. Mine had trebled until one day I came into work to find the door locked against me with a message that I was sacked — I was handed a coat I had left, and got a fortnight's wages in lieu of notice on my threatening to sue. Apparently someone seeking advancement had mentioned my name, as well as others elsewhere. It didn't do the firm any good — within two months most of the staff, other than the faithful secretary, had departed. Though the effect of years under minor tyranny was they gave notice when the hectoring managing director was on an extended sales trip, preferring to face his meek partner with intimation of their disloyalty in leaving.

I translated a couple of books to keep the pot boiling, but I did not do too well on translations financially. On the first the advance was paid to someone else who had originally contracted to do it and I was left with the remaining royalties. Even so the publisher, Arthur Barker, brought out a paperback edition without informing me, and complained bitterly when I discovered it inadvertently. On the second, after I had typed and re-typed it, I was persuaded by the publishers to pay a professional typist for the finished job, which meant she got more for typing one draft than I did for typing two and translating as well. It was hardly economic, so I joined Reuters as a translator, to find I could earn as much as a copytaker, and do a lot less work. I gave up translating for copytaking. The translators, then at any rate, cut each others throats while the copytakers organised with others in the print.

I quite enjoyed the atmosphere at Reuters, which at that time was fairly free-and-easy for copytakers. Unionwise it was fairly tightly sewn up. Later Reuters declined in comparative organisation and wages, and as far as copytakers were concerned became a place where they started in Fleet Street and then, having learned the trade, moved on.

Around that time, visiting Spain, I had met some of the veterans of the anarcho-syndicalist CNT. Abroad, the emigration kept itself intact, almost an extended family. The exile group in London was moribund. It followed the quietistic lead of the ossified organisation in Toulouse, now unwilling to call itself by its own name (and referring to itself as the MLE — Spanish Libertarian Movement). It gave no help to the CNT-FAI Resistance within Spain. It was years before anyone outside learned much about the Resistance which was then at its peak. The harsh situation in which the exiles found themselves meant they could not mount a challenge to the Toulouse-centred organisation, but within Spain the syndicalist union was painfully being reconstructed despite the genocide.

There had long been an illusion in Spain that 'the democracies' would not allow Franco to get away with it. It was painful for them when one argued against this illusion, still going strong up to ten years after the war. The Allied powers had not gone to war to 'preserve democracy': they had gone to war to preserve themselves. The enemy in the second world war was totalitarian just as in WWI German militarism and monarchy was the enemy in the first. But in no case did any Power go to war for ideology, neither to smash totalitarianism, nor monarchy, nor militarism nor capitalism nor imperialism or any other ideology, nor did saying so serve any purpose other than propaganda. The only exception in the warring powers was Hitler, who did allow ideological considerations to override commonsense. Russian State Communism had allied itself with Nazism, then with the capitalist West, but it was thinking of national boundaries and State interests. Though the British Embassy had made full use of the anti-Nazi activists in Spain, it had no intention of giving any reward.

In the action group of Barcelona I kept hearing about 'la inglesa' from Bilbao who was their contact with Andalucia, where she now lived. Catalans are fond of nicknames and they are not always accurate (I hope — I became known as 'el gordo'). When I was due to meet 'la inglesa' I found that, though Basque, she had British nationality and used the access it gave her to maintain foreign contacts and to travel around freely, even in the days when others were in French concentration camps. I met her — and, to my surprise, she was Melchita, widow of my friend and mentor Wilson Campbell.

We made an appointment in the gardens of the Alcazar, Seville, and I recalled bathetically the first time I had met Billy was at the Alcazar, Edmonton.

The Spanish Resistance

From then on I got hooked into the Spanish Resistance. The quietistic bunch of exiles in London had not made much impression on me up to then. I subsequently found there were much better comrades than I thought amongst them but it is understandable that many had got settled into English ways and exile politics, with no idea as to the way ahead. Inside Spain, those who were not in prison were either into action groups which I did not then meet myself, as it would have been unfair to expect them to blow their cover, or trying to rebuild their unionisation structure.

It was very slow work for them as the police were everywhere, swarming over the country as if it were a conquered province, as indeed it was. So tight was the security that when, with the first wave of tourism, a London doctor came down into Catalonia by road in a touring caravan, his family camping out in the picturesque scenery and enjoying the sun and fresh air as countless thousands have done since, the Civil Guard assumed it was the head of an invading force of guerrillas coming over the border and shot the entire family down. They later blaming Sabater, who wasn't even in the country at the time.

Gradually the Franco regime adapted itself to tourism. Even the Church had to give up its insistence on the police maintaining a strict watch on beaches, not fearing invasion but too-revealing bathing costumes. Grim-faced Civil Guards, who had carried out mass murders in the post-war genocide were detailed to order ladies back to the huts to put on approved bathing costumes. Meeting my contact Francisco Gomez with some papers I had brought from London, we decided the best place to meet was on the beach at San Sebastian. I panicked when the Civil Guard approached almost directly before I met him, but it was just that my London-bought trunks were not 'sufficiently ample' and threatened the morality of the Christian State. Strange to think my bodily charms, never before or since the subject of flattering comment, imperilled the vile regime!

Within a year or so the entire atmosphere changed. The tourist invasion with its huge spending broke down the dress restrictions, and police gave up supervising foreigners altogether. When I came in, first on charter flights and buses, often with football crowds, I was ignored by Spanish Immigration and Customs control. Later, when I came by car, I was waved through unquestioned, not even the passport, let alone the baggage, being checked. Even the occasional Spaniard in the car, whom we explained away if passports were actually requested as being a guide or interpreter, only impressed the Customs officer with the importance of tourists who could afford such luxuries. But usually an English number plate meant no questions asked.

Strange that the only place where searching questions were asked; cars and baggage searched; delays made up to two or three hours; dissident literature regarded if not equivalent to explosives, at least possibly indicative of their presence, was when one came back to England, where dissenting literature had been freely and legally printed and distributed for 150 unbroken years.

The 374 Monster

Since the split of 1944 I had been somewhat a lone wolf even in the few *soi-disant* anarchist groups. True, the majority of the remaining anarchists took the same position that I did, which was that neither of the two factions involved in the personality clash were viable groupings. The older workers were dying off and the younger dropping out of activity as everyday commitments grabbed them and the possibility of real achievement became remote.

A part of the majority section of the Anarchist Federation had become the Syndicalist Workers Federation and was fairly alive to industrial action. It was obstinacy on my part that I could not be reconciled with them owing to their domination by the Spanish exile group which supported the Toulouse centred organisation and opposed the Resistance, with which I felt personal ties.

On the other hand, the Freedom Press Group, which I never joined because of their lack of interest in class struggle and increasing fixation with academia, especially after the death at thirty-one years of age of M. L. Berneri in 1949, became quietistic up to the point when it even offered apologies for Herbert Read's accepting a knighthood four years later.

Frank Leech was typical of many who, though unwilling to accept that Freedom Press had become Richards' fief and was no longer owned by the anarchist movement, thought it was fantasy to say that Read, this lucid writer on anarchist philosophy, had taken a knighthood from Churchill. When told of it by a member of a factory gate audience at one of his outdoor Glasgow meetings of it, and assured it was in the *Sunday Record*, he said, "Blethers, I dinna believe what it says there — wait until *Freedom* comes out next week and we'll hear the truth". When he read that not only had Read accepted the knighthood but the *Freedom* editors offered 'explanations' and apologies, this great fighter dropped dead of apoplexy. It may have had no connection but I saw the warning: either I decreased my blood pressure or ceased effective collaboration with those liable to cause it to rise alarmingly.

Any remaining confidence I had in them vanished. I still wrote a few articles for *Freedom* here and there, seeking some new contacts, became secretary of this or that group and fresh attempt at an organisation with some purpose but knew it was a waste of time. A lot of my friends in the Labour Party felt the same way about electoral activity.

Ch'en Chang, a doctor in China — whom I had met in London in 1938 when he had been a medical student — was in contact with me from China where despite incredible problems, the rump of the once vast anarchist movement was struggling on. From India, Mohandas P.T. Acharya was still striving on his own in the whole sub-continent to establish a movement. Melchita from Spain, who was in touch with the Resistance, was now a regular correspondent.

I felt quite ashamed that, with no problems, there was no movement here to support them, and everything had gone down the drain. I formed an Asian prisoners aid committee, with support of some friends at work, to give some aid to Ch'en Chang to pass on, but it was woefully small. There was only one thing to do — try to re-structure the movement at least to give some solidarity back-up abroad.

The first attempt to do this, though it lasted a year (1953) and was a publishing success, was a failure in practical results. With Albert Grace, an old docker friend, and one or two others, we published *The Syndicalist*, a monthly paper which, it was hoped, would be the basis for an anarcho-syndicalist movement that was not tied to the SWF though it might at a later stage be able to co-operate. To produce it we sought the co-operation of Freedom Press. I still hadn't learned my lesson, and supposed it still to belong to the anarchist movement, if in practice under the control of Richards. They still, however, recognised some sort of obligation and it was printed free at their printing press by Philip Sansom who also contributed some articles. He fancied himself a successor to Tom Brown in writing syndicalist articles for *Freedom*, though he had never worked outside Freedom Press and freelance art, and indeed later echoed the belief that working for a capitalist boss was some sort of shameful compromise, which didn't say much for his interest in syndicalist organisation.

After a year's run, Sansom announced the paper was to close because it was costing too much. Had it appeared twenty years earlier or twenty later it might have made an impact, but given the period, it passed without a ripple.

Although I gave up much hope after that of achieving anything, at least with them, I formed a private tenants sector in St. Pancras and we had some minor rent strikes but this fizzled out as people got rehoused. I carried on with some meetings, tried with some flagging interest in various libertarian groups and wrote a few articles. I had not realised that the

Freedom Press Group, since it had broken away from the old Anarchist Federation, was degenerating into a privately owned publishing house. Any venture like *The Syndicalist* only boosted their credibility. Articles in *Freedom*, however they opposed its policy, did the same.

Suddenly I got a request by Acharya to stage an art exhibition of the works of his companion Magda Nachman, who had just died. She had joined him in Moscow in the early Twenties, when he had been in the Comintern as a fervent young Indian nationalist until he lost his illusions in State Communism. They had moved to Berlin and had shared the problems of exile. She was making a name as an artist, and was featured in Hitler's famous Exhibition of Decadent Art when they moved to Bombay. Starting again from scratch, she had specialised in Indian subjects. Acharya wrote me despairingly he could not bear to think she would be forgotten and asked me to arrange an exhibition in London.

I knew the art world wouldn't be impressed by a letter from me in furnished rooms. But simultaneously I was asked to open an office as a front for the Spanish Resistance by Francisco Gomez. He had some connection with the campaign that followed the smashing of the Tallion Group in Spain after Sabater was killed and many arrested, Miguel Garcia among others being sentenced to death (commuted to twenty years as the result of pressure).

On two counts I had, therefore, to open an office. It was then impossible to get a house or flat, at least with the nil resources I had, but business premises posed no problem. I took a couple of office rooms at 374 Grays Inn Road: it is worth commenting on the building, which had played an important part in Dissident London since the early thirties. Over a milk bar almost facing Kings Cross Station there was quite a warren of small rooms all suitable for letting out. It had housed a moneylender on the first floor, but above that had been the offices of a variety of left-wing causes, from the embryonic Unity Theatre to the International Brigade Association, various Indian prisoners associations (all rival), peace groups and breakaway unions. Later there were also the Connolly Association, the Militant Tendency and the Oehlerites, until it finally passed into the hands of *Time Out*. Some rightist commentators later thought there was some sinister connection between them all. But it was quite fortuitous. It was simply cheap and run-down.

The owners were a railway excess properties trust, headed by Sir Bernard Docker, which enables me to say misleadingly that when I finally became the superior lessee, the famous international socialite of the Sixties, Lady Docker was my landlady.

The lessee who had taken over the lease when the moneylender had ceased business and the building had become vacant was entertaining, plausible and shady. For what it was worth he totally took me and a great many others in, though he never did very well out of it. He had been working for the type of space-selling trade directory in which a small business is persuaded to part with cash for an entry in a trades directory and the seller and publisher get half each. There is no salary or other contract. [The publisher gets half of each sale, even if the salesperson doesn't make enough sales to cover bus fares, and doesn't publish until they have enough revenue (some not at all).] The value to the client, who often forgets ever putting in an 'entry', is nil.

The publisher can't lose, but Levene had been a successful salesman, with a technique based on straining people's politeness till they either threw him out or gave in. The company offered to take him on salary. He felt this a trick as indeed it was. He was earning too much for their liking, and he tried throttling the managing director, which strained his relationship with the firm, and he therefore set up in his own. This is what pushed him into dubious dealing — he had never done so before. He produced dummy copies of directories and papers that never appeared and to cover the rent of the building let out the top floor to a business lady who was somewhat coy as to what her business was.

I told him I wouldn't stay in the same building once her clients, though respectable enough in their bowler hats and suits, made it quite clear to me what the business was. He persuaded me to come into publication with him when he had got her out. I am afraid I was a sitting duck. I produced a dummy fashion trade magazine, not that I knew anything about fashion. My girl friend Evie did and she persuaded me into the venture. He offered me twice as much as I was earning at Reuters to work for him. I gave up my job accordingly.

We started a trade paper, based on his financial castle in the air. It was built on kite-flying, which is arranging with the bank to clear cheques immediately instead of waiting, and then swopping cheques with someone else who probably had nothing in the bank either but whose cheque would be honoured if another piece of paper could be found to cover it. This way two trade papers actually got off the ground but meanwhile I found that all the money coming in, such as it was, was going to him and only a fraction of my supposed salary going to me. I was being made responsible without realising it for all the gradually mounting debts.

Meanwhile he was letting out various rooms there, including the Movement for Colonial Freedom, many of whose supporters became important figures within independence struggles, much as many of Cores's old Freedom Group speakers and habitues — George Padmore, Jomo Kenyatta, Krishna Menon — had done before. Some of the more sincere of this wave found themselves sidetracked, like Joseph Murumbi, or imprisoned like many others once national freedom had been achieved. Another was Abdul Rahman Babu, who zealously worked the duplicator. When he returned to Dar-es-Salaam it was as a Minister of State but not for long. He soon found himself in President Nyerere's prisons.

As there were a number of Spanish emigre supporters of the MCF through Fenner Brockway, its chair, Gomez preserved his cover by claiming to be writing for the trade mags to explain his presence in the building. Levene suddenly discovered of himself — or so he said — that he had been made bankrupt years before and was thus illegally obtaining and living on credit, so he took the opportunity of my saying that I was Gomez's employer by holding me out to his creditors as owner of the whole enterprise, and finally switched the lease to me.

He did find me an art gallery prepared to stage an exhibition of Magda Nachman's paintings. It was things like that which made it hard to break off connections with him. Unfortunately, Acharya died suddenly. The Indian authorities blocked the export of Magda's paintings and stated they had been claimed by Acharya's legal widow, whom he had married at fifteen by parental arrangement and not seen for fifty odd years, and who thought she had come into unexpected treasure. So they vanished from sight.

Within eighteen months of my leaving Reuters I was going around without the price of a cup of coffee in my pocket at any one time, yet everyone I knew thought I was making a fortune. Why, I was managing editor of two papers. I had even a member of staff, Gomez, paid just for writing one article a month. I attracted unpublished writers like a magnet. As commercial television was about to start, one nutcase freelance tried to persuade me to start a magazine to cater for its audiences, with its programmes which he had learned the *Radio Times* wouldn't carry. He was hesitant — yet insistent — on revealing his wonderful idea to me lest I start it and exclude him, as he knew it would be a money-spinner.

Indeed it proved to be so when, the following week, the *TV Times* came out — financed by somewhat more money than I carried round in my pocket — and this idiot felt I must have betrayed his confidence as nobody else could have thought of such an original idea, and if he's still alive the poor sap probably thinks I still compete successfully with the *Radio Times*, and the fact that for years millions knew their Channel 3 and 4 programmes was due to his unfairly stolen brainwave.

Meanwhile I was visiting the county court regularly. Sometimes I had never heard of the creditor concerned, but Levene had run up debts in my name. Confronted with any reproach, he had an asthmatic seizure. It always occurred when confronted with reality — he was not conscious of defrauding anyone and lived in a fantasy world and always insisted he was trying to do his best for me.

I cut my losses and made a break with him though he never gave up popping back with fantastic schemes. Even I was not to be fooled when he began collecting subscriptions from back street East End tailors to place a deposit on a battleship. The idea was that having paid a small deposit, it would be sold to the Czechs, whose sole buying agency would deal with him (he insisted) as a still loyal Communist, as distinct from a normal trader. He had pointed out to all there was only one per cent commission — but on several million pounds. It is incredible that successful, but semi-literate, punters fell for this.

I have no idea from what port they thought the Czechs would operate their fleet, but in the course of his looking for backers, he had stumbled across Will Owen MP secretary of the Master Ladies Tailors Organisation, who had listened sympathetically. An old miners' union official, in the Morpeth parliamentary seat as Buggins' turn but a political and commercial innocent, he let himself be a sponsor. The Czech trading Consul approached with the bizarre scheme, dismissed it instantly but Czech Intelligence was attracted by the MP (it's just possible they confused him with Dr Owen, the Foreign Secretary). For the next fifteen years they invited him to dinners, flattered him, gave him expense accounts for write-ups from trade magazines. Thus poor Mr Owen fell foul of British Intelligence. "Denounced" by a dodgy defector from Czech Intelligence, Josef Frolik, as a spy, though he had not even the chance of spying on anything or anybody, they brought a prosecution. The press thought him a left-winger, though he had always been well to the right if anything. He was an unsophisticated participant in someone else's fantasy, as became clear in court. He was acquitted though disgraced and resigned his seat.

Meanwhile Levene had suddenly dropped dead in his thirties of a genuine asthmatic seizure, thus disproving everyone who had thought his attacks over-dramatised.

Ruling the Waves

While the idea of a successful *TV Times*, least of all financed by peanuts, did not impress me, I was somewhat more interested in the announcement in 1961, I think it was, by Pye of Cambridge that they were now in a position to build a hundred or so radio stations, which could be operated inexpensively. They submitted plans to the Pilkington Committee, set up to deliberate on the British Broadcasting Corporation's monopoly.

Tories jumped at the idea of commercialised radio and television. Large advertisers could be guaranteed to preserve their domination of the waves. Most liberal and socialist people demurred at the idea, preferring the quasi-State monopoly. Nobody had considered the question of freedom of the airwaves. I reasoned that if broadcasting had been invented *before* printing, struggles for Freedom of the Airwaves would have ensured *it* became the sacred cow of liberal thought and there would have been an established British Publishing Corporation. The idea of extending this to printing would have been regarded as "revolutionary".

True, the profit motive counted in print as much as anywhere else. But at least one could get a word in edgeways. Not in British radio. Yet in America everyone and anyone could buy time for any commercial, religious or political cause whatever, without necessarily owning a radio station. When one wanted a book printed here, one did not have to own a printing press. A publisher could apply to a printer, but the law prevented a radio producer buying time on a station.

Unfortunately, when I submitted my arguments to the Pilkington Committee, the unfortunate reference to America put everyone off, since American radio and television were held in such low esteem. But were they worse than British journalism?

I formed the short lived campaign group, the Radio Freedom League, supported by the rationalist J. M. Alexander and Kitty Lamb. We got nowhere, I am afraid, The idea of anyone having access to the air, the way anyone has access to a printing press providing one can pay the bill (a heavy obstacle, agreed) — as distinct from owning the works — was too wildly democratic. Anyway, the Committee decided to keep the stations limited, and make the most of commercial advertising.

Like many seemingly wild ideas, freedom of the air withered on the legal vine. But twenty years or so later the restrictions on broadcasting were challenged when the technical possibilities proved even simpler. Pirate radios challenged the law, some operated by commercialised music, some by the new sub-culture, even one or two by anarchists. To meet the challenge of the pirates, many more than Pye's modest 100 stations now operate legally in the British Isles though there are still illegal ones. The latest notion is that if you can claim an "ethnic need" you might get one. They order these things better in France, where Radio Libertaire, doyen of free radios, is still flourishing without the least commercial backing.

Three Minute Celebrity

There was a very good Spanish Society in Liverpool, run by a Republican exile, situated in the modern languages school in Tithebarn Street. Purely for social purposes I went up there once at the invitation of Gomez. As usual, I had no idea what he was up to but he wanted me to cover for him. It was a literary occasion at which a number of the Spanish community was present, and politics tactfully ignored. My cherished friend Evie was due at a fashion showing at the Stork Hotel on the same night so we went up together by train, first class, entering it on her expenses. The carriage was empty but for us and the next compartment though it was standing room only in the rest of the train.

When a young ticket collector came in, he said excitedly, "Cliff Richard is next door".

"Really," she remarked but I broke in, "For God's sake don't tell him we're here".

"Oh, no, sir, of course not," said the collector, who must have wondered who I was (I felt that way too sometimes). He seemed pleased at having two celebrities in one day and I later explained to Evie I had a friendly feeling for ticket collectors and inspectors ever since my Stockton to London journey all those years ago, so I never disillusioned him by saying he had but one. She riposted, "Cliff Richard's quite famous, too, in his own way".

The pop star had an enormous and excited crowd waiting at Liverpool. He and his companions stayed in their seats while we walked out and I acknowledged the cheers of the crowd at least one of whom waved back, Gomez. The singer and his entourage slipped out of the coach on the other side and made a dash for a waiting van which some fans pursued screaming as he scuttled off like a criminal. Such is fame.

We all went off to our respective appointments — Evie, I and Francisco to our hotel, and Cliff Richard and his group to theirs. We went to the Stork, where I met Republican exiles, as distinct from confederals, for the first time in any number. One of them was Luis Portillo, a socialist. He spoke on the philosopher Miguel de Unamuno, and mentioned in passing his famous last lecture. He had written it in Spanish and we reproduced it as a pamphlet in English, though it was not exactly our line. The elderly philosopher had spoken on Columbus Day at Salamanca University, in the company of senora Franco, shortly after the outbreak of civil war, and movingly defied the interruptions and outcries against Catalans and Basques by his audience. He publicly told the ferocious

General Millan de Astray, whose battle cry was "Long live death", among other things that he was a necrophiliac; that he could conquer but not convince; and that he would make Spain a war cripple like himself, with one eye and one arm lost in battle. Shortly afterwards, as might be expected, Unamuno died suddenly.

One Spanish lady came up to me at the reception, as one of the few non-Spanish present after the language students had gone, and showed me her infant sons. "What do you think of my little Englishmen?" she said proudly, offering them for an embrace. I kissed one of them dutifully. In later years I had an uneasy feeling the mother might have been senora Portillo, and the baby I kissed her son Michael, who grew up to come to a bad end. Fortunately it wasn't, as it would never do for the reputation of either of us if the *Sun*, say, got hold of the story that I kissed a Tory Minister. It would certainly make me a celebrity for a few minutes, though I doubt to popular acclaim. Mrs Portillo, who was English, did not come to the meeting. Fortunately Gomez later assured me the proud Spanish lady was the wife of one of the other gentlemen playing at being Ministers, or family history would have repeated itself.

When my grandfather was in his 80s he woke up one night with a start and remembered that once as a youth in Vienna his father gave him, to throw in the bin, a long greasy coat discarded by a beggar to whom great-grandpa gave his own old coat. Instead he had given the coat to a charity collector, who had turned up its nose at the smelly rags at first. Sixty years later he read that Hitler as a young man in poverty had been handed just such a coat from that very charity, and it occurred to him with a shock that it might have been the identical coat that saved Hitler's life that winter, and what seemed a minor good deed at the time cost millions of lives. He was not to be consoled by my grandmother working out, for all that she could not count, that this must have been at least twenty years before Hitler turned up in the city of song. Coats like that, he, he said mournfully, never seem to get scrapped but are constantly exchanged for newer ones.

Mr Portillo has not in the interim turned out as bad as Hitler, though one must give him time. Some mothers do have 'em but I wish they wouldn't offer them in their arms for strangers to kiss. I wonder how the other infants turned out, but it couldn't be as badly.

CHAPTER VII

Bookselling; The Thetford Pain; Bookselling, the Lack of; Tales of the Housing Acts; The New Left; Squatting; International Spy

Bookselling

In the course of eighteen months the premises on the upper floors of 374 Grays Inn Road had become increasingly grottier. It had needed total re-wiring when the finance company moved out. The next sub-lessees, Levene and his original partner Bush, who had since disappeared, had not a shilling's worth of capital between them. Even the structure of the building was unsound, which was one of the reasons commercial firms were not interested in the vacant offices available for sub-letting. The council was, not unreasonably, pressing for something to be done by the next lessee in line, whoever he might be, and to my surprise it was supposed to be myself.

During the period of trade paper publication, Levene had passed over worthless shares in the company to me in lieu of wages, and I discovered I was presumed to be the new lessee in place of Bush. I did not know how to disembarrass myself of the situation, and alterations made to the lease at the time of signing were so great only the solicitor who drew it up, Mr Harraway, could understand it. Just at the weekend he decided to go to court he went on legal business to a Guy Fawkes party at film star Diana Dors' Thames-side bungalow and a drunken reveller threw a lighted match at the glamorous film star's stack of fireworks, burning the house down and the only sedate and sober partygoer to death.

I was asked by his firm to produce the lease which he had taken to study with papers relating to her divorce pending court hearings, as all had gone up in flames, including himself. I gave them my version of the original draft, with a remarkably lenient transfer clause, declining to part with the lease which I never had.

I knew casually Ted Grant, the ageing Young Socialist organiser, one of the Trotskyists who had come over from South Africa before the war to replace the Anglo-Catholic priests who made up the original Trots. They called themselves railway clerks, the nearest they could reasonably get to sky pilots, and Trotskyist histories omit the prefix 'Father' to their names. Meeting him by chance in a cafe, he asked if I could help his Militant Group to get premises. It was an ideal chance for me so I transferred the lease for nothing and got myself the name of a woolly-minded philanthropist which, I reflected, might be an insurance against some Siberia one of these not-so-fine days, more unlikely than ever now. I read years later in one of those academic know-all books that they got the lease through 'a sympathiser'.

Later the 374 Monster overwhelmed them too, when the landlords insisted that repairs be carried out and that I had left the premises in impeccable condition. I could have testified otherwise but the notion of county court action was too much for them. As they now had subsidies from their wealthy Ceylonese supporters, they took over premises round the corner from the defunct London ILP, and finally moved into Hackney, in a derelict Labour Party hall more suitable of reconstruction.

Ultimately *Time Out*, at first a radical chic magazine but with substantial capital, took over the monster and spent the necessary sums to make it habitable. Gomez was no longer able to stay in England, and I was free of the 374 Monster, but I had horrendous debts which made me a regular visitor to the county court. I obstinately refused the easy option of bankruptcy and countered with a series of manoeuvres, which experience enabled me to write a Debtors Guide. There were many handy guides advising the creditor, but none advising the debtor. Notwithstanding the debtor being asked to swear his testimony on a book which states that debtors should be forgiven and recommends the practice of dishonest debt or long-firm fraud (the parable of the unjust steward), non-fraudulent debtors got harassed and treated like criminals for want of lack of money and knowledge. Most people I met in the courts thought the 'Dickensian' laws still in existence (they weren't when Dickens wrote about them). My booklet went like wildfire locally, though duplicated — much later I could have afforded to print an up-to-date version, but the laws had changed and I was no longer learning the laws of debt by experience.

I decided to return to industry, but could not understand why I found so many jobs blocked. I eventually uncovered the source of the industrial discrimination. One prospective employer told me of my 'prison record', and said he had been given it over dinner with a police inspector. It is possible, but with what motive? Now I know the Economic League was responsible.

I couldn't settle for a badly paid job, with so many debts to pay off and having an expensive flat which I had moved into with Evie. However difficult houses were, it was still easy to get a shop without having to pay anything until next quarter, and I found one just around the corner in Gray's Inn Road. At the same time, the stock of Simpkin Marshall was being liquidated. Shareholders of the old-established book wholesalers had made Captain Robert Maxwell managing director in what they thought a rescue bid. The main asset, the building passed into the hands of one of his other companies, the only multi-national which happened to see it advertised in the pages of an obscure local paper. The company was wound up and the firm left stranded, while the book stock was sold to an auctioneer. The latter had already sold everything of value when I walked in but he persuasively managed to sell me everything else, which made up in quantity what it lacked in discriminate choice, but had the inducement of very delayed payment.

Being a bit carried away by events, I entered into an agreement and was able to open a bookshop, indeed, several bookshops at different times in the next five years, on a net capital of zilch.

The bookshop in Grays Inn Road lumbered on for some years with debts being paid off by incurring others. It took years to settle the auctioneer and removed any conceivable possible profit for him or me however well I did. His son is now a multi-millionaire playboy though I don't think I contributed to the family fortunes.

What is ironic is that as a result of being obliged to take the bookshop, I incurred gradually increasing debts to some of the very people who probably subscribed to the Economic League, something which one sees more often in the building trade, where people regarded as agitators are blacklisted, start cowboy outfits and eventually have to walk away from large debts to those who could have employed them for a fraction of what them cost in the long run.

One of the minor curiosities I found when bookselling was that one was constantly asked for tarot cards. For years these had been illegal — the 'devil's bible' — and imports were banned. Any pretext that it was 'only a game' was dismissed by Customs. Tarot readers lined up at Bow Street every Monday, to be fined with the prostitutes, palm readers and graphologists (the latter have since blossomed out as forensic scientists). Then the post-war Labour Government abolished the Witchcraft Act in 1946. It was a favour to the journalist Hannen Swaffer who had campaigned in the mainstream press for the Labour Party for years but refused an offer of the Lords. He merely asked for political relief to be given to the spiritualists. They were banned under the Witchcraft Act, and it was such medieval nonsense one could not amend it so it was abolished and so incidentally dream interpreters, psychics, tarot readers and soothsayers were legalised. Thus Britain emerged officially from the Dark Ages.

They kept the Blasphemy Act, though, which thirty years later caused a problem when Muslims felt it unfair racial discrimination that people could be fined for blaspheming against Christianity yet not executed for blaspheming against the Koran.

It was in order, therefore, to import Tarot cards but they were taxed 'as a game'. For years it had been insisted they were not a game. If they were religious appurtenances even of witchcraft, now legal, or at least not illegal, they could not incur tax. I tried fighting the Customs on this, but with no success. I could never afford to sue them, but tried to persuade the main importers, John Waddington, to do so. They, however, preferred paying tax and having it kept as a 'game'. It is curious how this nonsense upset the police. The bookshop was actually raided to see if I had imported Tarot cards and not paid tax on them. The police were quite apologetic. When I explained about the Witchcraft Act they were not sure if I was being sarcastic or not. Neither was I.

The Thetford Pain

Blasphemy and treason, somewhat belated, beset my official invitation from the Mayor of Thetford, Councillor Richard Easten to attend the unveiling of the statue of Thomas Paine, in the presence of the French and American ambassadors. I am sure Cllr Easten didn't realise what it was about. The grandly-sounding Thomas Paine Foundation had decided to start putting into effect the words of Ralph Ingersoll that a statue of gold should be erected to Thomas Paine in every city where freedom was cherished, or something like that.

A slick Brooklyn go-getter, Joseph Lewis, had started the Foundation and raised cash for building statues of Paine, already succeeded in getting one in America, and had got another erected in Paine's birthplace, Thetford. He had invited all Freethinkers of any prominence plus the local US troops, the Deputy Mayor, Cllr the Lord Fisher and any local dignitaries who cared to come, as well as the two unsuspecting ambassadors and the local MP. But the plans had encountered a snag.

The statue had been due to face Paine's birthplace but it was now occupied by the British Legion, who protested indignantly that Paine had fought for the Americans and French against the British, which made him a traitor, and they weren't having him looking at them even in gold (it turned out to be brass). This was in accord with aristocratic Tory tradition. English gentlemen like Washington, Franklin, Jefferson, Hamilton were not 'traitors' but historically justified rebels and in retrospect gallant opponents. Cart construction worker still plain 'Tom', however, who subverted the folks at home, they could not forgive after 200 years.

The statue had therefore been built outside the parish church and I went along with some stalwarts of the National Secular Society invited as an old friend of their prophet F.A. Ridley. The NSS was still in its proletarian god-bashing period, as the days of the new Humanism, when new academic became old cleric writ large, had come but not yet conquered. The American gentleman was determined to cash in on the academic boom and had prepared a lengthy address, to be published "as read at the Thetford unveiling". It rained bucketsful in heavenly disapproval of the event, as it was seriously stated locally, while he droned on in a Brooklyn Jewish accent remarking "I guess if you folks can take this weather, I can". Their excellencies the ambassadors were drenched, as they sat in the places of honour while the small crowd took refuge in doorways. Finally the local Tory MP came to speak and said no more than "Rain stops play" and pulled the strings that unveiled the statue, to the gasps of horror of all bar the atheists as it was decorated with decidedly anti-Christian quotations from The Age of Reason. None was more astounded than the good Lord Fisher unless perhaps it was another and more distinguished good Lord.

Soon after of this fantastic event, at which I am sure Thomas Paine would have laughed his head off, Mr Lewis found an even more profitable field for his endeavours and converted to Christianity. If he's still going, I am sure he is doing well as the radio gospeller I'm told he became. Anyway, there were no more statues of gold to Thomas Paine in any more cities.

When I and a couple of friends finally escaped from the rain that day, we encountered an American Air Force colonel who showed us his archaeological collections from Mexico and Egypt, made during his service, using "his men" to a more useful purpose, but hardly the one intended. He had also discovered a settlement of Ancient Britons with local diggings, and was crating boxes for both the British Museum and the Smithsonian Institute. Colonel Kelly remains the only serving American officer with whom I had a long conversation. He was absolutely unlike the caricature or the prototype demon of popular imagination and, while he knew more about Egyptology than I could have imagined existed, quietly and courteously listened to my explanation of Immanuel Velikovsky's theory of Egyptian chronology without summarily dismissing it, as some American scientists were then vehemently doing. We never got round to politics.

One of those I met at the Paine memorial meeting was Ella Twynan, She had for years been associated with Ambrose Barker, one of the most remarkable figures in the British anarchist movement, an active propagandist for anarchism and atheism from 1880 to 1953. Ella also took joy in the philosophical research into the origins of religion. When Barker founded the Stratford Dialectical and Radical Club in 1880, which introduced Socialism to East London, she had helped in the organising of the horse transport workers (draymen in particular) who for some years, until the disappearance of their trade, grouped in the first anarcho-syndicalist organisation in the country.

I invited Ella came to one of my parties. We discussed her memories of the various East London strikes, and the past activists who are never read of in labour histories. Though for years she had been mixing with old-fashioned atheists, whom she referred to as "godbashing parsons", when she came to talk about the anarchist past she lit up. Barker had been much older than she, and died in his nineties a few years before, and when she was in her eighties her memories went back a long way. She insisted the first anarchist in Britain had been Ambrose Cuddon, who in his *Cosmopolitan Review* (1861) had brought Chartism, Luddism and Radicalism to its final conclusion. Cuddon had welcomed Bakunin to London after he had sent a letter to his paper. While "firsts" are hard to prove and her memory may have been wrong, she expounded the idea brilliantly.

After her death I read that during the First World War she had been to the famous Socialist peace conference in Stockholm and met Rosa Luxembourg on the boat. It was said Ella asked her "Is Bebel a good man?" Rosa's comment afterwards was "How stupid can that woman be?" On the other hand, as Ella did not speak German other than a word or two and Rosa did not speak English at all, any enquiry Ella made of a German delegate was bound to be in simple words, and August Bebel had been heralded as leader of the Social Democracy. If that remark be true, I am inclined to wonder how intelligent Rosa Luxembourg was.

Bookselling, or the lack of

Keeping a bookshop, especially dealing with a mixture of new, second hand and antiquarian, can be pleasant when one starts with sufficient capital. It is even more pleasant when it keeps you and one can chat with customers discussing the various topics of their interest. It tends to be frustrating when you have to keep it and scrape the barrel daily to keep it going. The old type of bookshop was doomed anyway: I used to exchange remainders with a dear old bookseller named Steele, whose second-hand bookshop just opposite St. Paul's Cathedral delighted hundreds of City workers daily.

The precinct was to be pulled down and a pedestrian walkway made of mock piazzas with boutiques which, the architects assured everyone, would be ideal for second-hand bookshops, traditional in St. Paul's Churchyard, of whom Mr Steele was the last and who was held up as typical. Needless to say when the project was finished and the old shops pulled down, the new boutiques opened but Steele couldn't even have afforded to buy his lunch on one of the smart touristy snack bars, let alone trade there. His business vanished and with all respect to the smart Japanese import-export agency that now flourishes on the site, I doubt it affords the same interest to City workers and visitors.

I didn't face rebuilding but I did face the problem of rents being raised exorbitantly. It made it impossible to carry on at Gray's Inn Road though it didn't do the landlord much good — he went on a winter cruise and the ship sank. Coincidentally a former employer of mine was aboard too but was one of the survivors.

I had accumulated so many books, which on face value could have paid off all the outstanding debts and set me free, that it seemed a pity to dump them all and go, so I tried my luck in another shop I'd got before the boom in rents, in Coptic Street. I fear I had to move swiftly from Grays Inn Road, indeed overnight, which left browsers and bookbuyers who had picked up bargains, bewildered. They thought the lunch-time crowds indicated success — "I could stay in your bookshop for hours", said many a well-meaning soul who never spent any money but wanted to be encouraging.

There were no lunch-time crowds in Coptic Street, nor very many customers at all, but it was another year or so before I finally managed to get out of it and be available for work again.

Tales of the Housing Acts

Around this time the rent legislation was revised. A tale of two friends and an acquaintance will illustrate what happened. The competition between the parties to see "which could build" the most houses was over. No longer did boroughs proudly proclaim that concrete blocks were built by the mayor and corporation. Landlords had once been desperate to get rid of properties in Hampstead which was how first artists, then "bohemians" and finally refugees had been able to settle there. It was now busy getting rid of the lowly paid and reverting to its former status as queen of the boroughs.

Patrick Monks had moved into a large house near the Heath, built a couple of hundred years earlier. All over Hampstead people had been dividing these properties into one room bedsitters, but he was lucky in getting the whole house in which to put his large family. It happened he was not as lucky as all that, as the family tended to expand to fill the rooms, and two adults and five kids were living seven different lives, making their own meals at their own times. Still, it was the way they chose to live, and what with one or two lodgers and various freeloaders who tended to cancel each other out, plus his earnings as a cabinet maker, stagehand, carpenter and lamplighter on the way home, they were all kept happy.

In contrast my friend and fellow worker at the bookshop, Joe Newby, lived for years in a house in an Islington backstreet. He was now a grandfather, his family long since away from home.

Then came the Rent Act. Pat Monks had an old-established firm of builders as a landlord, who had built properties all over Hampstead and found after the war that there was a boom and the neighbourhood highly desirable. Joe Newby had a foreign-born crook as a landlord.

At first Pat Monks' landlord wanted to increase the rent fivefold, but that was only for two years. After that, it was out. They had nowhere to go but the landlord was not to be moved. "Look at the money we've been losing all these years," he said, conveniently forgetting the place probably cost £100 at most to build 200 years before and they must have had it back a thousandfold. He was thinking of the dreadful war years when his houses were empty or his rents regulated. No compromise was possible. Pat sent his family to Spain, finding it cheaper than the way they had been living, while he added full-time signwriting to his itinerary of jobs, When the family grew up and returned, they were unable to live together as one family again.

Joe Newby was paying a pound or so rent. The landlord decided he needed collateral to launch his building society. The sitting tenants weren't interested in buying. He offered them a choice. Stay on as tenants and face the possibility of increased rents when new Rent Acts might affect them. Or buy their homes, with no deposit as nobody would have been able to have afforded one anyway, and make monthly repayments costing the same as four weeks rent. Some actually thought the fiddle lay in the odd shilling difference between paying weekly and per calendar month! The total purchase price was a few hundred pounds, but exaggerated in the accounts to several thousand so as to attract investments in the building society. In a few years the fraud was discovered, the State Building Society was investigated and the principal went to jail.

The tenants kept their houses and paid off their mortgages, eventually many, like Joe, selling them not for the "grossly inflated" valuation on the books, but many thousand of pounds more. Any who stayed ten or twenty years longer in a neglected slum would have made a fortune. The shareholders, temporarily deprived of the profits of their gamble, found their investment extremely profitable.

If this were a short story I would say the first landlord finished in the Honours List when the second went to prison. I don't know what happened to the first, but I am sure he or his heirs still live easy. The second's affairs were so complicated they had to release him from prison each day to help the auditors sort out the accounts. His former tenants, happily re-settled in nicer houses, would possibly have gladly seen him in the Honours List which twice yearly sees plenty of worse crooks.

Contrast this story with that of Dan, an acquaintance who used to be an active Communist Party organiser but whose wife had pulled him out of politics to make good. She wanted to get out of the East End, where they lived in an insalubrious block of housing where the outside balcony on which the toilet was situated was literally falling down, making lavatory-going a hazardous experience. He was later able to move to a new estate but at that time he could not move from the Brick Lane area, try as he might. His wife protested that it was due to his communist inclinations that he gave up the Party and went into business. However, he frequented the new student and middle-class meetings that were beginning to spring up, usually to speak nostalgically of the old days.

He was at one of the first meetings to protest at the Rent Act. They were all well off respectable academic types who had never done more than shout "Ban the Bomb", and all brightened up when he came into the room and gave his address. They were as pleased to hear it as he would have been to get one of theirs.

"We're planning a demonstration in Trafalgar Square. How many do you think will come from the East End?" they asked him immediately, thinking of pre-war rallies with the CP masses from the East End streaming in.

"None, I'm afraid," he said. "People don't see it as a threat. The Act so far only applies to houses above a certain value. It doesn't affect the East End".

Gloom settled over the meeting as the chair said, "Oh, dear, we thought there would be an enormous crowd from the East End. The police have laid on reinforcements for a monster meeting and now it doesn't look as if we will get a turnout at all."

"Nonsense!" boomed a hearty-looking woman in country tweeds, bouncing up indignantly. "Our friend is quite wrong, utterly defeatist. The committee have letters pouring in from all over the East End. I'll read a few addresses . . . Whipps Cross, Ilford, Chingford, Wanstead Flats, Woodford Common. . . ." "That's hardly the East End," the chair said mildly.

"It's east of London," she insisted, surprised at the quibble, but the chair said sadly and more realistically, "I'm afraid the chief of police could hardly justify paying overtime to control the masses from Woodford Green". It was hard to detect what he was concerned with most — their lost overtime or the rent rises

The New Left

In the few years between my leaving Reuters and finally packing in bookselling there had been a sea change in the anarchist scene. Though nothing like what was to come, it depressed me. Apart from the occasional article or letter, usually a protest, I concentrated on the local private-sector tenants and I did not pay much heed to the sudden rise of the New Left. I was urged to stand for the council by the tenants committee, but declined, regarding myself at that time as the Last of the Mohicans so far as anarchism was concerned and not wishing to go into the orthodox political arena. I never had any illusions on that score.

Inside London the Syndicalist Workers Federation, which was heir to the old Anarchist Federation, had become a small grouping dominated by Ken Hawkes, who was sycophantic to the ossified bureaucracy that had come to dominate the Spanish Libertarian Movement. Just when I thought I ought really to overlook this since the SWF was trying to be industrially active, in co-operation with other groupings, they invited Federica Montseny to speak in London, the main figure of the compromises in Spain with an antipathy to the then current active struggle. The Spanish Resistance groupings were so disgusted with what she had to say that I disowned the whole thing.

The Freedom Press Group had dropped the word 'group' to justify the fact that they were moribund, not merely in activity which would at least be understandable, but in whatever they had to say. Only pacifists found it possible to work with Richards, presumably because they were not prepared to resist his monopoly. It came to idealise a Non-Violent Resistance with lots of non-violence but no resistance.

The repression of Hungary, more particularly the rise of the Campaign for Nuclear Disarmament, triggered off an entirely new ball game. I dismissed CND as a pacifist gimmick akin to the peace movement of the Thirties which had aroused my contempt, not that I was alone in that. As a result I wasn't in on the beginnings of CND, like almost everyone on the ultra-left and extra-parliamentary scene and I don't suppose was missed. Every grouping increased its membership among the thousands that amassed and an entirely new 'youth movement', in which libertarians were involved with authoritarians, was born. It was not just a new 'movement' far beyond the anarchist one, but new conceptions.

As a result of the drug culture coming from America, combined as it eventually was with the hippy-style anti-Vietnam War movement, and a new commercial pop scene, plus the acceptance into orthodox economics teaching of Marxism-Leninism as imagined by professors, the New Left was to most workers foolishness and to conscious militants a stumbling block. It was dominated by students, and ultimately by their professors, it accepted middle class standards and identified them with peace and progress. It finally smashed the working class movements by stealing their ideas to cover a different outlook, and in the spirit of the pre-WWI Russian intelligentsia regarded 'progressive' synonymously with 'educated'.

However, there was another side to it. Some of those who started off in CND and the later Committee of 100 were impatient for action, and when the police busted demonstrations there were always a few street fighters who wanted to be with the action. Some were strictly weekend fighters and there are many ex-students going around now who have since established their careers, but were originally rebels. There was a core of real anarchists among them, if a bare handful as compared with press exaggerations.

As I kept in touch with some old friends who took a more hopeful view of the new trends, and was regarded as a sort of Achilles sulking in his tent in protest against the distortions of the original idea by a self-created and unelected bureaucracy responsible to nobody, not even market forces, I was sought out in my 'tent'. My old schoolfriend, George Plume, who audited my books during the Grays Inn Road days but who also worked for St. Pancras council, was one of those who was mainly instrumental in persuading them that they needed me. I'm not sure if he did me a favour or not: it meant another 'term of hard labour', this time a lifer. It started with my being asked to speak to a meeting where Ted Kavanagh, one of the new activists, was present, and finding him amazed to hear anarchism described, for the first time so far as he was concerned, in terms of class struggle rather than liberal negativism and pacifism.

With some others, we formed a caucus within the newly-formed London based groupings, then called London Anarchist Groups 1 and 2 roughly based on the divisions between the supporters of FP and the SWF. These divisions had been gradually dispersed to the extent that despite Richards's obsessive hatred of the SWF, he turned a blind eye to SWF members Pete Turner, and later Bill Christopher, becoming editors of

Freedom. Bill Christopher was a printer, Imperial FOC at the *Daily Mail*; Pete Turner involved in building work trade unionism. Both tried to push *Freedom* into some interest in practical anarchism and class struggle, but the association with the *Freedom* crowd overcame them instead. They drifted into pure pacifism, as a result of which Bill Christopher gave up his job and went as a mature student into a teachers college and also the ILP, then about at its last gasp.

Squatting

There was one positive side to this activity, which was the birth of the squatting movement. Though it later attracted left politicos when, like any reforming wave, it became capable of institutionalisation. Though never able wholly to control it they sometimes did, though they had nothing to do with its origins and growth.

While there had previously been some occupation of empty houses immediately at the end of the war, an unofficial extension of the official policy of assigning abandoned houses to the blitzed and homeless, this was first supplemented and finally supplanted by Governmental offers of prefabricated housing, and then a boom in building municipal housing. Prefabs ceased to be built, though some, intended for a couple of years standing, were still being used fifteen to twenty-five years after. Rising house prices, the virtual disappearance of private sector housing and the growing independence of youth not prepared to live with their parents until marriage and long after, had started something that was in the coming thirty odd years was to magnify out of all proportion. Squatting was the only short-term solution in the face of official unconcern.

The squatting phenomenon of the Sixties that has lasted despite all harassment started with a meeting in the East End about the dockers strike, in the course of which it transpired the majority of the audience were ex-dockers and their wives, old people more concerned with rats on their decaying estates and getting re-housed than with current strikes against redundancy. One old-age pensioner mentioned the hundreds of unoccupied houses, and it is to her that the credit for the original modern squatting idea is due, though the unknown genius who said it was perfectly legal under a law of 1381 certainly contributed by overcoming any qualms felt about taking over derelict properties. The first really organised squatting took place in Brighton.

The resort had some dark slums around the back of the fashionable residential areas, never far away from the boarding-houses that catered for

London's teeming holiday invasion. Many of the families from these areas had been made homeless by rebuilding, but there was a well-maintained terrace of houses for Army families that had been left empty for some fifteen years. An anarchist group occupied them and invited a dozen or so homeless families in, together with single parents and indeed anyone who came along. I did not take part in this occupation but was called down to act as prospective bailee if anyone got arrested so I witnessed the historic scene.

The police called but went away when told the magic words 'The Act of 1381' and said it was for the courts to decide. The Army decided to sort it out themselves but they couldn't very well open fire to get back a terrace they didn't really want. Some very casually dressed anarchs were outside leaning against the wall when an Army jeep turned up. A young officer jumped out, paced up and down and then came to a halt, turning on his heels and pointing to one of the loungers. "You. I'm giving you a direct order," he said. "Get these people out of here"' The last time I'd heard this particular magic formula was in the Cairo Mutiny, but if it hadn't worked then, it could hardly be expected to work with civilians, especially such civilians as these. Without taking his cigarette out his mouth he said incredulously, "Fuck off," which left the officer somewhat perplexed. He went, no doubt to consult Queen's Regulations as to what to do in such a case. Some months later the Army applied to the courts and the families were evicted in the snow at Christmas which was not too good for the Army's image since Press photographers were there.

Press imaginations die hard. Years later a local stringer was telephoning a story to Fleet Street, when squatting had taken off in a big way. She brought into her story the notorious occasion when, she claimed, families were held there under duress in a place used for manufacturing bombs. According to her, the police had known but could not raid the place as they would have had it been anyone else, as it was on squatted property and the law of 1381 applied! I was the copytaker to which she was giving this startling information, but felt sorry for the good lady and explained to her kindly that the police were not quite as powerless as all that.

It was many years, though, before a Tory MP asked the Lord Chancellor to have the 1381 law repealed, and Lord Hailsham regretfully had to decline, bewildered, as no such law had ever existed. Belief in it served to encourage homeless families. As councils began to settle them in flats and houses, a new second wave of squatting grew up much more part of the youth scene, beginning with the occupation of Park Lane premises, and then the former Arethusa children's home in Holborn — empty since before the war but which naturally the Government insisted was just about to be re-opened, though it never was.

Squatting then spread like wildfire until the horrendous housing and re-housing crises made it an essential and not just alternative way of life. Without it London could not have continued to exist without descending to the standards of Bombay. Even with it there were insuperable problems for young people wanting to set up home in their native city. With the drive to suppress it we have found sleeping rough in London a growing problem, to which there is seemingly no answer under capitalism, and a Cabinet Minister has complained bitterly that he has to step over the homeless on his way to the opera.

International Spy

I helped squatters through the years with transport but was never more involved than that. During the St. Pancras years I shared a flat with Evie, a fashion designer who designed clothes for the lower end of the rag trade. At that time teenagers had just been 'invented' or at least, discovered as an exploitable market. There was a dress revolution comparable to the early twenties when skirts were shortened and women's dress, and in a way status, changed almost overnight.

As teenagers now had as much or even more money to flash around than their elders, manufacturers were saying, 'If you miss teenagers you miss business", than which they could think of no worse fate. Evie became sought after as one of the few who could copy the fashions of the sophisticated Paris and West End market and convey them to the mass market end of the trade. The insalubrious sweatshops of the East End would then churn out copies of what wealthy debutantes were wearing last, this or even next season, according to the science or prescience of the designer. Evie became a fashion spy rather than a designer, looking to see what young rich women would be wearing next.

Posing as a fashion journalist, she would go to international haute-couture showings and take notes and drawings for quick copying. In those days epicene young men in Paris and London dictated what Society women would wear and, it being before the jeans revolution, the upper-classes in turn dictated what every other woman would ultimately wear.

The so-called West End "manufacturer" of mass clothing, trading under a suitably elegant woman's name, needed to know the fashion trends in advance so that he could place his orders with the East End "outworker", as they called the clothing manufacturers, and jump the fashion. The "spy" added to their profits and detracted from the couturiers' exclusivity. Once Evie was spotted and smacked on the wrist by an elegant designer who called her the "wickedest woman he had ever met" though he may not have had a wide or intimate acquaintance. It wasn't how the manufacturers for whom she worked regarded her.

But it was a short-lived boom for her corner of the jungle. Just as the music makers discovered the potentialities of contained teenage rebellion the fashion-makers discovered the advantages of casual clothes and the lowers orders of society began dictating fashion to the upper orders. It became fashionable to be unfashionable. The tables were turned and the couturiers began stealing ideas from the mass market. Evie was among the first to think of specially tailored jeans, blouses and tee-shirts to go with them, which led to the introduction of workshops all over Camden Town employing Cypriot women at the customary sweated wages.

We lived in a flat owned by an elderly lady who appeared to be the stereotype 'gentlewoman in reduced circumstances'. Evie felt sorry for her, saying she had seen her late at night in King's Cross selling papers. We used to give her leftovers for the many cats she owned, which she seemed to accepted gratefully as, she explained, she never ate meat and regretted her cats would insist on it. I always wondered how she could be poor when she owned a large house with four flats, the rents of which were quite high, though she always assured us she never saw a penny of what we paid to the agents.

Then one day we all had notice to quit. Our landlady told Evie kindly she was sorry but she was going to turn the place into offices for a peace organisation. It seemed she sold pacifist papers, lived frugally because of a Quaker conscience, was a vegetarian and devoted all her income to famine relief. Though facing the street, we fell about laughing when it dawned on us for the first time that Miss Rowntree was a millionaire and one of the great cocoa dynasty.

CHAPTER VIII

Plumbing the Depths; Keeping Watch; — And Ward; The Law-and-Order Candidate; Poetry to Pros

Plumbing the Depths

Furtive sex was a flourishing industry at the end of the Macmillan era. I had a certain ingrained prudery and never paid for a prostitute in my life, even at the time I will relate after my long-term companions died and I only occasionally enjoyed the pleasures of sex. Maybe I sound puritanical, but it was not that. I knew one or two professionals well but I never availed myself of their services. One is always pestered by hustlers when one visits Paris, especially as a lone male, and when soliciting was accompanied by genuine pleas for cash — "I've been ill and can't work" was the favourite — I gave them the money and moved on.

What disgusted me was the element of exploitation. Suddenly all around me there were, if not prostitutes, a rash of "pornbrokers' shops" as pornographic booksellers were called — not to be confused with "pawnbrokers"! I regarded them as a pest, especially as the police were paid off. That milieu penetrated the world of spies and dirty tricks upon international, political and extra-parliamentary politics.

At any rate, as I then saw it, the London street women were business people who took a risk and it usually paid off though this did not necessarily apply in other cities abroad. The men engaged in the traffic were some feet below the dregs of humanity. Later I, and everyone else, learned a lot from trends in the women's movement but in the fifties they had yet to get over their message that the sex\porn business degraded woman, even if the participants were willing. They degraded men in a different way from the way they did women. Male whores, pimps, most pornbrokers and almost all porn film makers, were often police spies and informers as well as being bullies in the exploitation of women.

The pornographic booksellers paid off the West End police, who raided their shops, giving advice as to their coming, in rotation, the way they picked up the prostitutes. I remember all too well a dishevelled brass screaming and kicking as the police carried her into the Black Maria at Piccadilly Circus. I can hear her now yelling, "It's not my turn, you bleeders. I paid you only last Wednesday."

The police used occasionally to raid booksellers, in my case, three times, in the hope of finding something "dirty" like Radclyffe Hall or D.H. Lawrence. They resented the fact that these booksellers never bribed them. I knew that and once said tongue in cheek, "I wish it were possible to pay you gentlemen something to stay away, it upsets my customers. But that would be bribery, illegal and unthinkable". If looks could have killed, that would have been my lot.

The pornbrokers and the bookthieves co-operated. Basil the Bee, as the queen bee of them all of them all was known (I cannot remember his real name, if I ever knew it) spent his life within a quarter of a mile of Soho. There was Foyle's Bookshop, where he was, in a manner, licensed to steal books within reasonable limits by their own detectives. Also in easy reach was St Patrick's Church, Soho Square, where he was a devout worshipper, and the urinal on the corner where he re-committed the sins of the flesh he had confessed at St Pat's.

But one day Foyle's discovered what everyone else in the book trade knew already: that some of their detectives were bent and sacked them. Enterprisingly, Basil the Bee rented an office directly facing their theology department, and when the coast was clear sent in his gang to raid the shelves. The plug-uglies who went round as commercial travellers for him aroused the suspicions of a theology bookseller, who reasoned they could not all be impecunious curates or divinity students selling their books and he cautioned the police who had to act whether they liked it or not. They came up the stairs to Basil's office in force just as a certain quasi-bookseller turned up.

He was a 'chairman'. The big noises of the porn trade hired managers at very large sums to 'sit in the chair' for as long as three fines were notched against them as presumed proprietors in breach of the law. Then they resigned by mutual arrangement as it meant prison next time. The business was 'sold' to a new proprietor, someone else sitting in the chair for the real proprietor.

He was also co-director with a legitimate (as it were, or rather a non-erotic) bookseller, and bought stolen books on his behalf. Coming upstairs on his normal business, he was arrested by the police. Unfortunately they were not the police he paid for protection in his porn business but a different set altogether, interested in crime rather than vice. He was arrested against all custom and practice.

That was how I got to know this world, because some kind soul sent this frustrated chairman to me as someone whom the lawyers couldn't help. For years I knew and enjoyed my reputation as a barrack-room lawyer.

As I could not help him, he looked around my bookshop patronisingly and asked why I did not go in for pornography. He could not understand any of my scruples. I hated to sound a prig, but there it was. He pointed out, far from untruthfully, that I did not take a hundred pounds on a Saturday night, and asked what I had taken. "Fifty-five," I said. He was slightly impressed, but I forgot to mention it was pence.

Next week he was round full of woe and imploring my assistance. Not only had he been charged with theft (later altered to receiving) when he was on the protected list for porn, his alleged partner had decided their relationship was at an end. This was quite understandable but he would not return the money invested in his business for laundering. He pointed out that it was in a limited company which had never traded. The cash had been spent buying stock which had been transferred to his own business unfortunately at a loss, as the result of a decision taken by the managing director when the sleeping director was sitting in the chair for another, "What *am* I if not his partner?" my lame duck asked me. "An idiot," I pointed out.

To add to his woes he had to pay a huge fee to his usual protector, after which the police remembered that he was intercepted going to an office above the one concerned in the conspiracy, so he didn't go to court. The Bee, however, got a huge sentence and went berserk when someone else who wasn't concerned went scot-free. He told everyone how corrupt the police were, the extent of bribery, sodomy, theft and fraud in the new and second-hand book industry, and named every villain in the business ranging from Mayfair bookshops who charged antiquarian prices for books still in print to Meltzer of King's Cross who was mixed up with Spanish terrorists.

He, poor lamb, the only innocent in the book trade, had got ten or fifteen years for a first offence in stealing books from Foyle's, which everyone in London did; some even came over from far-off continents to do so. Well, yes, in a way. Many respectable people stole books from Foyle's, as they paid their staff peanuts and didn't overly bother about shoplifting. When they went on strike Christina Foyle said they were all sexual perverts anyway and should be glad to be employed. I wrote to the press in response suggesting if the proprietor were right maybe the public should keep away from the long dark alleyways of books Foyle's had in those days.

But even so Basil's offence was not quite the conventional idea of shoplifting. The perpetrator does not usually hire a room opposite and survey the ground with binoculars, While too it was a first offence (rather, charge) so far as stealing was concerned, for he had paid for protection from arrest for years, he had a record as long as your arm for sexual offences.

He complained to everyone from the Chief Rabbi to Oswald Mosley. He expected the Chief Rabbi to take action against his acquitted visitor's non-partner for the sharp practice which had let him profit from the Bee's downfall, but as the person concerned was a Marxist and an atheist and had no connection with his ancestral faith, there was not much the reverend gentleman could do, even if it were a religious offence to dissociate oneself from someone having bad luck, and he had wanted to oblige someone also claiming he was being discriminated against for his fascist views.

The only one to take Basil the Bee seriously was Mosley, who took at face value the argument that he was really going down for political offences, an argument more often used over the years by Communist Party bookthiefs, less often by his supporters. But as Mosley lived in Paris he couldn't help much beyond reminisce of his own days in Brixton jail and how it caused his phlebitis, I suppose. I never had the chance or desire to ask anyone.

A detective came to my place to follow up the Spanish terrorists, and told me of the allegations, which included Basil's request that Blackwell's of Oxford be closed down because they had refused to pay him for books re-supplied by him, after they had been stolen from their shelves by one of his "scouts". Before I answered my part of the saga I asked which side in the civil war he thought were the terrorists, as if I didn't know. It was the one that lost, of course. I admitted knowing lots of one variety but none of the other. He didn't answer, but stressed this was all in confidence, probably because a Labour government was in office.

He told me when leaving, "You don't recognise me? I've been round to your place a couple of times. I spoke to your mate Joe. I said I wanted an illustrated book on walking-sticks and he offered me one on malacca canes. Next time I asked you for anything on camping and you showed me a DIY book on tentmaking for girl guides. Then I gave up". He went out laughing. I remembered the incidents but couldn't see anything funny. Everyone would see the joke today, but the fact I didn't do so then was one of the reasons I never took £100 every Saturday night.

Keeping Watch

Another pornography seller and bookthief was Ray, who also worked the non-erotic non-bookstall presumably for Bernard Kops on days when he wasn't there. I wonder now if he simply moved in on the stall when Kops was away and Kops never knew anything about it. Clearly

Kops didn't know where he was half the time, if his later memories are any criterion.

Ray had been for a while in the Anarchist Federation (Hawkes-Brown section) and ran a straight film show with the camera he used for another type of film showing. He absconded with the takings and set up his own bookshop. There was a curious character named Marinus who hung around his bookshop regularly and was at all South African protest meetings. I met Upton through Denis Levin, who was an Oehlerite (a kind of non-Trotsky Trotskyite) and a bookseller.

Eric Heffer was the best-known of the Oehlerites, but defected to the Labour Party and died in the odour of sanctity, an MP beloved by all Parties. Sometime an extreme Trotsky supporter, sometime orthodox Labour, sometime High Anglican darling of the Tories, he only disappointed the real Oehlerites, of whom there must have been at least five. Denis, one of the Oehlerites, whose geese were all swans, had high hopes of him then. When we met him one day in a cafe, Marinus came in, and greeted Denis like a log-lost friend. Heffer warned him he was "dodgy".

The Mr Big of Porn, Bobby, set up shops well stocked with porn openly displayed. It was all illegal until the prosecution of "Lady Chatterly's Lover" and later that of "Oz" collapsed and to write, if not yet in certain circumstances to say, "fuck" became legal. At that date the hard porn world collapsed for years until harder, more violent porn became surreptitiously fashionable. Different men would take the 'chair', that is, be the recognised owner and take on the fines, reimbursed by Bobby. On the third occasion the magistrate. who must have known the set-up as everyone else did, would solemnly warn the 'owner' that next time would mean jail. The 'chairman' ostensibly sold to a new owner whom Bobby appointed.

What such people were doing in left wing circles, or the Bee and some others in right-wing ones, one may easily deduce. One day I happened to go to an anti-apartheid meeting, invited by Joe Murumbi, and someone nudged me and said of Marinus waiting to go in "That's Peter Hain" (then a Young Liberal leader). I already suspected Marinus of being a an agent-provocateur and police (possibly South African) spy. Murumbi was sure of it. When I went round to tell him Marinus was in the crowd and had been identified as Peter Hain, he smiled and told me Peter Hain was addressing a meeting miles away.

Later Murumbi told me that a European or many a white South African might be fooled by the resemblance, but an African could tell Marinus was of mixed blood. He suggested charitably that Marinus might be blackmailed by the SA police so he could "work his passage" as a White rather than a Coloured.

Some years later there was a burglary in Streatham near Peter Hain's home, and Peter Hain was 'identified' and charged. In court he proved it could not have been him and blamed South African agents. Had he not been acquitted before I read it in the newspapers, I would have volunteered evidence of the above. Murumbi, though by this time Vice-President of Kenya, might also have come forward. Hain went on to become a Labour MP. The only time I have seen him since is on television where the resemblance is less striking.

It is generally accepted that this was a dirty tricks campaign of the South African police, but I am not sure. If it really was Marinus concerned, and significantly he vanished thereafter, I think it highly feasible that he tried a bank robbery for more creditable and credible reasons, but felt he could get an alibi by making it appear to be somebody else. Hain lived close at hand. While nobody would be daft enough to slip out for ten minutes to hold up the bank round the corner without troubling to put on a disguise, people who opposed apartheid might be thought, in the climate then prevailing, to do crazy things, Had Marinus been caught, he could explain to the British police he was on their side, and if that did not come off his bosses might reward him for a good try. Maybe, even so, he did charge expenses, but who can tell until the sea gives up its dead or the Afrikaaner police files are opened, whichever is the sooner?

— And Ward

Another in the porn game was Freddie Reid, who went off with Joe Thomas's wife when for a brief spell the three of them were jointly engaged in strike action. I never met him. but according to Joe he had been sincere enough until he was blacklisted for his strike activities and then turned to despicable methods of earning a living. There are many crimes the blacklisters have to answer for, and perhaps one day they will. In this case some of them at least did.

In the course of his profession, perhaps independently or as an agent for Bobby, he had met Dr Stephen Ward. Ward was an osteopath and a sex fetishist. His talents, and from all accounts he was quite a gifted conversationalist, led him to mix with the highest circles in the land, and pander to the rich and famous. Royalty, Cabinet Ministers, pop stars, foreign diplomats, foreign spies, rent boys and girls, all came into Ward's net. Some of the porn merchants acted for him both as outlets and supplies. He seems to have been a drug dealer and a pimp.

When the Profumo case brought Ward into national notoriety* and even brought down the government, he committed suicide. Reid promptly gave up his job with Bobby and induced the dispossessed director to open a bookshop in Museum Street with him. Prior to its opening, he organised an exhibition of Ward's drawings and photographs which he had been holding in safe keeping, plus what he had obtained from his secret hideaway flat.

He announced one day that before opening there would be a private sale and the public could come in on the Monday after. There was a stream of limousines to Museum Street that week as the great and good bought compromising pictures of themselves at high prices. It is a joy to think that they may have included some responsible for blacklisting the man now blackmailing them. "God pays his debts without money," my sagacious tailor in Stoke Newington, nodding wisely, said when the bank that had bounced his cheques got broken into by armed robbers, presumably not after his overdraft.

The long queue of prurient public, or it may be art lovers, on Monday saw only a few harmless rural pictures. Freddie didn't have the cheek to charge the sincere admirers of Ward's art the admission fees originally intended, perhaps because there were too many of them, but he told his fellow director he was giving up the premises.

At least he gave him his money back, but left him stuck with the lease. I passed him in the street and he bemoaned that he had borrowed money from his wife's family to go in with Reid, and been left with an unuseable shop for porn after the notoriety, and so had been let down once again. All I could say, ungenerously but understandably, was "I bet you don't take £100 this Saturday night".

The Law and Order Candidate

No account of lowlife bookselling would be complete without an account of Desmond, who passed into legend. He had originally been a groupie of Freedom Press but was caught by Marie Louise Berneri stealing

---

* for more on Stephen Ward, refer to the 100 best books on the Profumo case. (When all concerned have passed beyond earthly libel laws.) He brought down a Cabinet Minister with him and the Government resigned.

postal orders. She offered to have him psycho-analysed but he insisted the postal orders she found in the coat he was wearing at the time must have been put there by somebody else. He joined the Socialist Party of Great Britain instead,

The SPGB was a small sect of dogmatic socialists of early century breed. Appalled by schisms and divisions around 1910, they wrote a constitution and stuck to it rigidly for the next eighty years. One of their members had jumped on an anti-war platform from which venerable old George Lansbury was speaking in the First World War, to save him from an indignant mob. Later he had been expelled for contravening the constitution by "appearing on a reformist platform". Desmond, chasing the rough trade after WWII, actually spoke on a fascist platform to oblige a close friend with a sore throat (or something), but wanted to stay in the SPGB. The latter were puzzled as to what to do. Nobody, understandably, was prepared to claim he had appeared on a *reformist* platform.

Impressed with an intelligent piece of oratory for once, the fascists invited him to speak again and he finally let the SPGB off the hook of embarrassment and formally resigned according to the constitution. He survived long years of prison and is active in the extreme Right as I write. He has even stood for Parliament campaigning on a policy of law and order.

At the time, stung by the Bee's revelations, he found London's climate too disagreeable and went to Glasgow and disaster. Running a longfirm fraud, he needed to pay cheques into one bank account and draw out cash for a private one. Thus when his firm went intentionally bust, at least he had no need to beg but was provided for, as approved of by the founder of one of the world's most lucrative businesses, Jesus of Nazareth himself.

Immediately after Desmond withdrew cash, the bank was held up. There was no connection with him, but the bank manager knew the serial numbers of the notes held in the bank that morning, without knowing to whom some had been issued in normal trading. Police investigation showed a large sum of matching serial numbers had been paid into another bank ten minutes after the hold-up. What were the police to think?

Feeling convinced they had a right one there, they interviewed Desmond who could prove he had legitimately drawn a cheque for that amount. But he had a nervous tic in his eye, an English accent, admitted to a London business address, and it seemed an odd transaction altogether so they took his fingerprints and were able to detain him on an indecency charge in Manchester years before.

Blackwell's of Oxford got to hear of it and had a list of charges they wanted to press. The unfortunate Desmond was taken to Oxford, still protesting that he had never held up a bank in his life. When he got into court he almost fainted when he saw almost every bookseller and publisher from London there to bring different charges.

The only two who stood by him were (oddly enough) both women, a sex he detested. One of the two was, of course, his mother, a devout Roman Catholic who once told me she had shed tears for him nightly and would do so no more, but he was still her son; the other was my accountant Lisa Bryan. Lisa was in the SPGB but collected lame ducks the way I did, she told me ruefully. We both tried to shake them off but they came waddling over, tails in the air. I don't know which of us was the worst, and we passed off hopeless cases to each other. Anyway I drew the line at some and she didn't, so judge for yourself which of us was the more crazy. She was generous to a fault, keeping a couple of families, not her own, in her house. When she died young, one hanger-on said to me sadly, "It's a great tragedy — so many people were dependent upon Lisa". I never went as far as her in throwing my bread on the waters. When I did it came back dripping wet and uneatable. Hers never even floated.

Poetry to Pros

Another lame duck that came around for breadcrumbs of advice I shall call Gwen. Gwen was a suburban schoolteacher with literary ambitions. One of her pupils was gifted and Gwen used to visit her mother to lend her books. The mother, whom I shall call Lyle, said she was in business and had to travel to town at seven o'clock each day. This was not unusual in the morning but in the evening?

When Gwen gave up her job to concentrate on writing poetry, on the strength of one published poem which brought in a couple of guineas, Lyle felt confident enough to confess she was a prostitute. She was also passionately fond of poetry and she and Gwen got on fine for all their differences in lifestyle.

Gwen found herself on the brink of starvation in a few months after being refused unemployment pay and not selling another poem. A couple of guineas wouldn't last forever, as she presumably had known. She told her friend she was almost prepared to go on the game but was advised not to do so. Lyle herself was sick of the pimps anyway. She proposed an alternative. She intended to set up on her own without a pimp, and needed a "French maid" as they called the receptionist. Usually the receptionists are broken down old pros, as ugly as possible to make it clear that they are not in the business themselves. One woman alone on the game is permissible, two in a flat makes it a brothel and illegal. Someone is allowed to keep the clients waiting in turn, but if it's a man he's automatically done for living on immoral earnings. Prostitution per se is not illegal for all that but it was advisable to pay off the West End police at that time.

Though Gwen was young and far from ugly they could get away with it, but after a few months the pimps found out what was going on and were outraged in their deepest sensibilities. They informed the police that someone was plying the trade without paying anybody, and London's finest responded promptly to this breach of the unwritten law. Lyle in her schoolgirl uniform, probably her daughter's, and Gwen in her severe dress were dragged out of their premises one night. The clients, prosperous and even prominent men, were discreetly allowed to dress and go. The girls were taken to Bow Street and remanded, being told by the police they didn't want anyone "coming up from the sticks and working our manor. Where's your ponce?"

I had known Gwen for some time and recommended her against thinking she could earn a living by writing love poems, however good they were. She had pointed indignantly to the sales of mediocre poets like Mrs Wilson, wife of the new Prime Minister. I explained this in Philistine fashion, recommending her to marry Edward Heath, Leader of the Opposition, when she might in due course sell too. She accused me of having the emotional plague, whatever that was, but held no grudge against me for that reason. I turned up at the trial as a character witness to say she was not and never had been a prostitute and had quit work to become a writer. I didn't dare say she wanted to earn a living as a poet lest she be committed to a mental home. Her former employers provided a character witness.

Everyone is on the make with a prostitute. A "tom" is fair game for everyone. Even the solicitor took a hundred pounds in notes from Lyle and carelessly slipped it in his pocket. I don't know how much of that the taxman saw. Anyway, the other witnesses testified they all had separate rent books, separate keys, and although working in the same house, had no connection. They were all on the game. The charge is never prostitution but soliciting or keeping a brothel and she had done neither.

After the acquittal we all trooped down to a cafe. I did not realise why, but in my case, it was for coffee. All the witnesses, bar the education official who had gone home and myself, wanted paying, which Lyle took for granted. I was waiting only for a sandwich. Gwen told Lyle I wouldn't take any payment and Lyle was amazed, offering me services instead of cash, and when I shook my head told me I was the most genuine man she'd met, which may not have been too difficult. I accepted the compliment but let her pay for my sandwich to show there was no prejudice involved. Lyle said it was her day. She had encountered both me and a really liberal magistrate.

One of the other witnesses overheard the word 'liberal' and, misunderstanding the sense in which it had been used, launched into a diatribe against Jeremy Thorpe, leader of the Liberal Party who would one day meet his just deserts, He would not stop, but raved on and on. He had a grudge against Thorpe, but not one word could be believed by any sane person. Hoping to change his ever more hysterical conversation Lyle said she thought Marinus ("that South African git") had been one of the pimps responsible for her denunciation and he broke off the invective against Thorpe to deny it, saying Marinus was on the run from the police himself and would anyway not stoop to it. He didn't have to stoop, as the music hall comics used to say, he only had to pick up the telephone.

Much later Thorpe was accused in a sordid affair involving a male and some thought it was a South African Intelligence dirty tricks plot as in Hain's case. My five cents worth of evidence for the history books rests.

CHAPTER IX

The Iberian Liberation Council; How the Thames Was Lost

The Iberian Liberation Council

On one of many visits to Spain prior to the death of the dictator, talking with old friends of the Resistance about how our mutual affairs were going, I was pessimistic about the British scene. I told Melchita sadly, "There'll never be another Billy Campbell". Events proved me wrong.

There were many in the younger generation of Spanish exiles, sons and daughters of the first wave of the emigration, who were taking a hard look at the facts of the Resistance. As there was an inrooted determination not to split the Spanish movement, the FIJL (Libertarian Youth), which had always had an independent existence within the CNT-FAI, preserved itself as a separate body into resistance until its militants were in their fifties and even over. In 1965 the FIJL broke with the MLE because of the refusal of the National Committee, under Montseny's influence, to implement the decisions on clandestine struggle agreed on in 1961. They lined up with the Iberian Liberation Council (CIL), at that time with an assortment of nationalities.

Once Gomez was reproached by some followers of the Montseny line in London for having 'compromised' them by some action, and he was asked rhetorically what they could say if the police raided their premises. I intervened to say from my knowledge of the British police, there was a simple answer which would well satisfy them. Asked eagerly what it was, I said logically, "Say you were loyal in the Civil War. They can hardly say you should have been traitors. However, explain you now accept General Franco as Head of State". There was an indignant protest at my 'English sense of humour' but the activist faction appreciated the irony.

I did not know then how the FIJL had affected some of the new wave of members of the SWF and linked them with Spanish youth in France, such as Pascual Santz, whom I knew was inspiring growing determination for the Iberian Liberation Council. The international secretary of the SWF, Margaret Hart, put some people in contact with the FIJL. One or two of them were only dabbling in politics but one, Stuart Christie, was in earnest. He had made the journey at the age of eighteen from Orange Lodge politics in Glasgow through the Labour Party Young Socialists and the Scottish Committee of 100 to Anarchism, eventually contacting the Iberian Liberation Council in 1963.

I saw him first at a concert held for Spanish prisoners at the Pindar of Wakefield, which was just opposite my bookshop, but as was my usual fate at such gatherings, my attention was claimed by a dozen or so old acquaintances.

Next day Stuart was one of several Young Anarchists invited to speak on a Malcolm Muggeridge TV programme, *Let Me Speak*. Muggeridge was dreading it, but the League of Empire Loyalists (a precursor of the National Front) had been given a similar programme and this was to balance it. Objecting to his questions, the fascists had afterwards daubed his house with swastikas, and if this was what the law-and-order people would do, the idea of what the dreaded anarchists might do next filled him with apprehension. They not unnaturally came as an agreeable surprise especially as the definition had been taken as broad enough to include a Catholic liberal-pacifist.

Muggeridge, going to the other extreme as people of his background generally do, asked if Anarchism wasn't really just extreme non-violence. For him, like many academics and journalists, it had to be one extreme of nonsense or the other. On Stuart dissenting, "St. Mugg" asked him if he would actually kill someone — like General Franco, for instance — if he had the chance. Stuart said "Yes" — what could he say? — but he was off to Spain that day on that very mission, and when the programme was about to be shown he had been arrested in Madrid charged with being involved in a plot to kill General Franco. Muggeridge hastily had Stuart's word deleted and Stuart appeared to British viewers merely opening and closing his mouth in reply.

Charged in Madrid with banditry and terrorism (the details are in his book *The Christie File*, and also in Miguel Garcia's *Franco's Prisoner*), he faced a court-martial which had a number of far-reaching consequences. It was an embarrassment to the Spanish Government which, with most of the Catholic restrictions on beach morality overcome and the Civil Guards less trigger-happy now Sabater and Facerias were dead, was just opening up to tourism in a big way. Now foreigners seemed to be suggesting an innocent young man was being framed and no-one could feel safe in such a country.

How unfair, just when their period of genocide was over and superb public relations policy had caused it to pass unremarked! Yet they could hardly not sentence him, and so declare open season for anyone to smuggle in explosives to send the dictator sky high. He got twenty years.

According to the press, Stuart had gone into Spain wearing a Scottish kilt (one Argentine paper misunderstood the reference to a 'falda escosesa' and said he was dressed as a woman!) The truth was he had a kilt in his rucksack, but the police already knew of his mission and had their eye on him from the start, and the kilt proved a good excuse for their suspicions of a hitchhiker. It is typical of the laid-back approach of the Resistance to such matters that they let the attempted removal of the dictator, murderer of millions, be left to a hitchhiker. The significance of the kilt was that it makes it easier to get a lift in France, as Scots are more popular than English, or at least have the same claim to popularity without the imperial hang-up. It has no such relevance in Spain.

It has been observed by those hostile to the Resistance that all their half-dozen attempts against Franco (and one against Franco and Hitler together) were 'amateur'. But they were, for better or worse, amateurs, not professional assassins, which it seems their critics would have preferred. The Iberian Liberation Council had put off or sidetracked many half-baked youngsters from volunteering for daring missions. They knew Stuart to be of a different mettle.

Though Pascual was, I think, co-ordinating the resistance, Octavio Alberola, who returned from Mexico in 1961 and was living in Brussels, was then considered Public Enemy No. 1 by the Franco regime. It was after meeting him that French, Italian, Argentine and now British volunteers had gone to Spain to aid attempts to reform the dictatorship in the one way possible. In Christie's case he was to contact Carballo and deliver the goods, but was arrested at the pick-up point.

I personally first learned of the case through the press, never reliable in cases like this, but confirmed it through Paris. 'La inglesa' lobbied the British Consulate inside Spain, which went through the usual motions, and the 'pro-prisoners' section of the Spanish Libertarian Movement took up the case for Christie and Carballo. In London, the SWF and others formed the Christie-Carballo Committee. I did not join because it included liberal fellow-travellers, who were afterwards very upset when they found he actually was guilty, and not an unjustly-accused pacifist.

However I chased around all the 'names' I could, feeling as ever in such cases if one had to eat mud one might as well make a meal of it. I can only record, without comment, that the rebuffs and slights I got in this, as in the later Angry Brigade defence, were from liberal-minded politicos and reformist trade union officials. On the other hand, eminent Church of England churchmen I contacted were invariably polite, at least to the extent of offering sherry and biscuits and promising to look into the matter, afterwards assuring me that I was mistaken and they feared the young man was guilty, as if that had anything to do with it.

It was good copy for the British press and they elevated Stuart to five minutes of fame as the unlucky Innocent Abroad. It was bad all-round publicity for the tourist industry of the Franco regime and triggered off slackening interest in its misdeeds. So far as the anarchist movement was concerned it was historic. It brought Christie into contact with anarchist prisoners like Juan Busquets, Miguel Garcia, and Luis Edo and awakened international co-operation. People started sending him food parcels, which he shared among his colleagues, which had a knock-on effect. It gave me an idea nobody had suggested before. We could get food parcels sent into Spanish prisons, alleviating need. The contact with resistance fighters also had the effect of encouraging resistance abroad, and not only to Franco.

Most countries have a sort of state-socialism in prison — you work as ordered and get what is allowed — families outside look after themselves as they can, or in some countries are looked after by the State. In Spain they had free-market type jails (it has changed only slightly). Prisoners worked for contractors in a semi-privatised jail system. They spent their wages on themselves or sent money to their families outside. The families starved unless they worked themselves. As a punishment, work was denied and the prisoner could only do cleaning type jobs for bare rations, thus being unable to contribute to family support and indeed being dependent on them. Hence the perennial interest in prisoners welfare by the Spanish libertarian movement.

The idea of sending postal orders or food parcels to prisoners serving a sentence was strange, but once it was found to be acceptable to the authorities, we got a lot of people doing it. I certainly did not realise how many until after Franco's death, when people spoke more freely and dozens of Spaniards, not just in Resistance circles, told me about it. Miguel Garcia later jokingly complained I was guilty of the introduction of Tetley's tea bags to Spain, since most included this handy item. If this be true, and I have never had a thank-you from the Tetley firm, I can only plead the cultivated wine palate of the Spanish never stopped Captain Morgan's rum from getting off the ground (with Coca Cola it's called 'Cuba libre'). Miguel himself later became an aficionado of Guinness.

To add to the unwelcome publicity forced on Franco, there were also a series of attacks on Spanish official institutions, including one on the London Embassy. When attacks extended to American institutions as well they decided to throw in the towel. They did not release Carballo, a Spaniard charged with the same offence, as the official reason was a plea from Stuart's mother. This was regarded cynically by anti-fascists, since not only were pleas by Spanish mothers, even against the death sentence, for their sons and daughters disregarded, but in the earlier post-civil-war days had led to their own imprisonment if they made their pleas at a police or Civil Guard barracks If unwise enough to plead directly with the Falange, who probably made the charge, they faced having their heads shaved, given a liberal dose of castor oil, and being forced to run down the street with bullets dancing at their feet.

The British press made the most of the dictator's clemency, and the Spanish press, which at least had an excuse for grovelling to the Caudillo, said exultantly that 'England' had sent a terrorist and Spain had returned a good citizen, a premature assumption from their point of view in the light of what was to come.

Stuart's case was being handled by a British solicitor, Benedict Birnberg, and he flew out to Madrid with Mrs Christie. The *Glasgow Daily Express* were on board and they persuaded her with celebratory drinks to get her son to grant them an 'exclusive', since all the papers were clamouring for the story as to how he had abjured 'terrorism' and become a good citizen. They would pre-empt his acceptance by transferring him from the incoming plane to another Glasgow-bound. Mr Birnberg remained silent, and when they got to Madrid told Stuart what the *Sunday Express* were planning. Stuart telephoned a friend in London who told us, perhaps too strongly, the *Express* were planning to kidnap him at Heathrow and whisk him to Glasgow.

About half-a-dozen activists went to the airport to meet him. In the arrival lounge were dozens of reporters whom we thought were the *Express*, while they thought we were. But the *Express* team was on the tarmac waiting to take him to the Glasgow-bound plane, threatening a 'dirty story' if he didn't acquiesce. He pushed them aside (the BBC News said 'he pushed the Anarchists waiting to meet him aside') and came out at the arrival lounge, when we surrounded him. There was a punch up with the press.

As cameras went flying I heard the plaintive cry "How dare the *Express* behave in this manner to fellow-journalists?" The *Daily Mirror* team had a private punch up with a group of French hippies who were waiting for another flight and thought a VIP had arrived. The *Mirror* knew Stuart had turned down their rivals and assumed from their own slanted perceptions the hippies must be the anarchists.

As we piled into a couple of taxis a plaintive woman reporter added the final touch of comedy by banging on the cab door and calling, "Let me in, I'm not a journalist, I'm in the Anarchist Party too", getting her shibboleths in a twist.

Later that evening while we were celebrating, an 'exclusive' deal was struck with the *People*, who agreed not to do a 'repentance' story. Instead they concocted a bizarre one of their own. Meanwhile the *Glasgow Sunday Express* did their dirty story of 'Sobbing granny waits in vain'. Unluckily for them, the truth about that story came out in a leaflet in their own paper inserted by their own distributive workers, a flagrant example of interference with the sacred rights of the freedom of the press.

The rest of the media made up their own stories and could not help but bring up everything they could think of to suggest the anarchists were discountenanced. None of them imagined for a moment that what had happened was that a young enthusiast had gone out and the dictatorship had sent back a revolutionary hardened in discussions with the best of the Resistance. Miguel Garcia commented later that in this young Scot, the British people had sent a worthier Ambassador than their government usually did. I was more pleased with the fact that we had got back another Wilson Campbell.

How the Thames Was Lost

It was during the Christie-Carballo campaign that Ted Kavanagh, an Australian Anarchist who worked for a time in my bookshop. had the idea that we could do something else with the grouping at our disposal. The dockers strike afforded an ideal opportunity to do something to help the strike and perhaps to advance anarcho-syndicalism. We started a strike sheet *Ludd* (1967), a daily paper no less! With recollections of *The Syndcalist,* we made sure that *Freedom* didn't print it, and it was run off on the Gestelith I had. Bill Christopher and Pete Turner, from *Freedom*, participated as well as people from the SWF and other anarchist and councillist groupings. The main inspiration was Joe Thomas, a print union militant who became a long-time friend. The paper was typeset and laid out in the early evenings, rushed off on my offset press, and Albert Grace, 'Digger' Walsh and others were handing it around the docks in the early morning. It was free, with a run of some thousand and was subsidised by printing greetings cards (reproductions of Tenniell as an alternative to Father Christmas) and ephemera on the same machine, largely thanks to Anna Blume. Though the daily distribution could not be sustained more than a month, it marked a major revival in what could at last be called anarcho-syndicalist activism.

Twenty-five years later, Woodcock in his Penguin *Anarchism* thought the daily *Ludd* was still appearing, but of course not a patch on *Freedom* then coming out monthly with all of a few hundred copies. 'Research' often means looking up dated reference books, and passing it off as knowledge.

It was the association of *Ludd* with the dockers that brought me, with others, into the bitter resistance of dockers and lightermen against their being thrown on the scrapheap. It was broken by a faction fight, contrived by people who spoke about us being outside the industry when they were outside the class, or as Albert Grace put it, "outside bleeding humanity altogether". By dividing it broke down resistance to the closure of the entire industry. The lightermen were marginalised, then the dockers whose struggles had gone on for years. The once-flourishing London Docks became a wilderness and its only use for years was for film makers needing bombsites.

We did our best to support the fight and help our colleagues establish unity. Joe Thomas and "Digger" Walsh, an anarcho-syndicalist, knew the background much more than I did. One of the organisers who was the first to be isolated and out-manouevred by both the Trade Union bureaucracy and the Dock Labour Board, was Sid Senior,

Internal contacts in the offices of the Dock Labour Board told us disturbingly of official reports coming in from one John William Walsh, which was the name of our friend "Digger". We did not believe it. However Sid Senior, we found, was under some illusion that the Liberal Party might help him in his struggle against Labour bureaucracy, and an associate of his wrote to the leader of the Liberal Party on his behalf. It was then engaged in trying to establish its liberal credentials against the Labour Government. It may be the Party staff was full of well-intentioned ladies and gentlemen who had never done any work in their lives, and could not be blamed for putting things in the wrong envelopes, but at all events Sid Senior got back a copy with a note saying, "Dear Mr Walsh: Can you let us have your usual report on this matter?" signed by the Leader.

A frantic JW Walsh, but not our JW Walsh, turned up at my bookshop, the address given by the sender, to reclaim it. The envelope he received contained a note to say the matter was being investigated He proved to be a so-called "Catholic Anarchist" who had hung around dockers' and lightermen's meetings, sending in reports to the Liberal Party. They in turn, like other responsible parties, kept Special Branch informed.

At least some learned the lesson that the Liberal Party was no more to be trusted than any other. The last Liberal Government was the most undemocratic this century, with more admittedly political prisoners than any other, with a record lack of civil rights including the torture of women political prisoners, as well as using the military for police duties, bringing warships into ports to crush strikes, and finally plunging into world war. Liberals need more than adding that much-abused word 'Democrat' to their name to change their ways.

CHAPTER X

The Spy, the Royalist and a Last Farewell; The Freedom of the Press; Admonition; Old Flame and New Floods

The Spy, the Royalist and a Last Farewell

When I walked away from the remnants of my bookshop venture I was head over heels in debt and somewhat inclined to curse, like Thenardier, the wretched place 'where they all had such royal sprees and I devoured my all like a fool', not that the All came to very much, and I had enjoyed myself at times. I had never been able to shake off the legacy of the 374 Monster and by the time I had paid off its debts those of the bookshop had mounted.

For months I had been stunned by the tragic death of Evie, with whom I had a long association. She crashed her car in Wales returning from a trade show in Manchester, after the usual hospitality that goes with such affairs.

Some ten years later, I met her last boss by chance at a filling station. He got out of his chauffeur-driven Bentley and came across to me, reproaching me for never going to see him or his wife after Evie's death, assuring me how much everyone in the trade appreciated her and how keenly they felt her loss. In the true, sincere and authentic voice of fashion business, he told me how they missed her, "You can't begin to think how much money she made for us", he assured me, tragically.

Though we had moved into a good flat after leaving St. Pancas, and giving up a decent place at a rent one could afford was the most idiotic thing financially and socially one could do at that time and since, that was what I did. I could not bear to live in it nor even to talk about Evie. I felt so emotional about it that Joe Thomas, who came with me to the funeral, warned people from talking to me either about Evie, or even about the flat.

Unlike the 374 Monster, it wasn't easy to give the flat up. Though everyone was crying out for flats, the landlords wouldn't transfer the lease. I let someone else move in provided they paid the rent direct. They ran up seven months rent when the landlord got a court order and evicted me and them without my knowing. I learned this later when sued in the county court for the balance of the rent owing after distraint. But fate always frowned on my landlords. True, nothing much happened to Miss Rowntree, but her devotion to the cause of peace and international understanding certainly never had any luck.

The solicitor for the 374 landlords having been burned to death, the bookshop's landlord was drowned on a holiday cruise to the Canaries. The flat's landlord was killed crossing the road from the car park to the court, and as his barrister did not understand at the time why his client failed to appear to instruct him, which annoyed the judge, I got a couple of months reprieve, by which time I had gone from the only address they knew. Alternatively Pharaoh's heart had been softened by the omen, since I never heard of the case again.

Soon afterwards Audrey Charity, whom I had known for years, returned to England. She and I had an on-off relationship for years as she every so often abandoned the attempt and returned to a comfortable life-style in California, always returning just when it seemed all was at an end between us. Even before my leaving the bookshop venture, which had lasted five years, she kept pressing me to concentrate on my personal affairs rather than worrying about lifelong political commitments so many had abandoned long before my age, now pushing forty and knocking it over. She did not think much of honest poverty and all that. I did not think too highly of it myself, but it was all I could manage.

We were at opposites politically. She said she was a Royalist-Republican, which was to say a royalist in England and a Republican in California, and as such was a devout groupie of Charles II. We re-fought all the battles of the Civil War in our weekend journeys round the country. She got on very well with my parents, with whom she often stayed. Sid always jokingly called her 'Baby Doll' and Rose called her 'Lady Jane', which she regarded as the height of cockney humour. This time it almost seemed as if we would marry. But it never came off, though we always reckoned we might eventually shack up instead of having what we laughingly called our perpetual holiday romance. She wanted too much of life and I too little, everyone told us.

Within a year of coming back she thought she had cancer. Afterwards the doctors explained it was an eye complaint affecting descendants of North Europeans in California. She took her own life. She was always merry and so used to being complimented on her blonde beauty that she concealed her secret fears of illness and old age, neither of which she was to experience. Coming only eighteen months after Evie's death, I felt emotionally shattered and drained.

A last fond and despairing look at the charming Welsh spy and the lovely American royalist! I lived alone for the next thirty years, and it would seem now certain, for the rest of my life.

The freedom of the press

While I was still on the dreary round of looking for work and finding inexplicable refusals I went with one old friend, Dave Kinsella, for a job on London Transport. He, like me, had been one of those excluded from the army for years. In his case it was the Irish republican connection — he was Lancashire-born but in the Connolly Club. When they had finally came round to telling him he had been 'enlisted' some months before, he had been at sea in the merchant service. He still faced a court-martial on his return but a fairer court martial than Captain Le Strange could conduct listened to his evidence and decided, even though not admitting the truth about the mysterious call-up so long delayed and then coming out of the blue, that the accused could hardly have left ship in Murmansk to respond even if he had known about it. It would have been an offence in itself.

However, he was less lucky than I in the long run since, once in the army, he got a five year prison sentence (he served two) for assaulting an officer, in circumstances which would not have caused more than a frown from a magistrate in civil life, and in circumstances more justified than in my case. How many got the same two years? Was it a mandatory penalty upon dissenters? I would still like to know, though it now makes no difference. It did not bother Dave. What irked him was that we were still turned down, and for such a lousy job, on the grounds of our 'prison records' yet they were recruiting former members of enemy forces who might have had criminal records, for all they knew, and in some cases might well have been guilty of war crimes, but that did not go against them.

At the suggestion of Joe Thomas, who was by then working for The Guardian, Dave and I applied to join the print union NATSOPA. The union promptly fixed me with a job as a copytaker at the *Daily Sketch* and him as a driver at another daily. Such were the restrictive practices denounced as being a restraint of the freedom of the press-lords to decide who should work and who shouldn't that the management was not consulted as to our political reliability and the only test applied was whether we could do the job or not. This type of abuse of the employer's natural rights was later held up by Tory propagandists as an example of union power at its worst. Mrs Thatcher came to liberate industry from that threat.

Admonition

Just when I was packing up the bookshop, I received a last admonition on my folly. A would-be Conservative councillor on the St. Pancras estate was a young man in a hurry named Andrew came in to see me and analyse my financial follies, of which I was already well aware and did not need to have explained kindly.

George Plume, who worked for the municipality but had died two or three years before, had introduced him to the bookshop in the first place. Among the accumulated stock of Simpkin Marshall were some several dozen copies of a painting of Hans Christian Andersen, which George helped flog him on the basis of their being of Benjamin Disraeli, a likeness I had never before noticed. Thereafter he occasionally called on the look-out for portraits of other Conservative heroes, and he never failed to berate me politically and explain how well I could do on the other side of the fence if I only "looked after No. 1."

He came round for the last time just as we were packing it all in, and met two Turkish Cypriots who occasionally bought indiscriminate stacks of books. They were after the non-books that had been left. They were not readers, but landlords.

Books were still a cheap method of claiming the furnished rooms they let had furniture over a certain value. Some types of non-books can be bought and sold cheaply, but who is to say what they were worth on the prices then charged? The bed and chairs in a 'furnished bed-sit' might be worth a couple of shillings, the wardrobe a pound or so, but the 'library' brought the furniture up to the valuer's assessment. I hated dealing with them, and they sensed this. They generally came when I was out and dealt with my colleague who appeared to them much more reasonable.

Their belief in free enterprise coincided with Andrew's and they got on famously. They invited him to join their jewellery import firm and use his charisma and ability to manage the office, insisting that as an Englishman he was ideal as managing director. He was delighted, took over, boasted to all and sundry of his sudden rise to a directorship. He sat giving orders to smiling Cypriots, which he never realised were never carried out, as they were for a fictitious operation. Meanwhile he drew a salary commensurate to his presumed standing, until one day the police raided the firm. The 'workers' pleaded they knew nothing of handling stolen property or long term fraud, which is what the company was really about. They only "took orders from the boss" who would no doubt have a suitable explanation. A warrant was out for his arrest and he left for Australia hurriedly. So ended my acquaintanceship with yet another person who assured me always "I was foolish not to look after No. 1." and would do well if I did.

Old Flame and New Floods

It was a few years after the tragic loss of both Evie and Audrey that I met with Roz Shepherd once more. We had parted after the war when she decided to return to her husband, though their married life previously had been brief. He had taken the opportunity of being called up for military service to avoid a domestic battle, being able to go away without confessing he had another home to which to return, and to break with his wife by post from France. After the war, feeling herself getting too old for stage work, and with the variety theatre dying anyway, Roz felt the need for 'security'. When he was demobbed, having broken with his war-time love (somebody else's wife), he proposed resumption of the marriage, and she accepted.

I had barely the opportunity of holding our daughter in my arms before Roz reunited with her husband. I never saw her grow up. She did not know of my existence until just before she married, and for conventional reasons kept it as her secret. When we met, and I detected the strong likeness to my mother's family I must admit I regretted lost opportunities, at least of not having had other children. As one grows older one tends to feel bitter about such matters, though I hope I haven't. It hurt for a time and I never discussed it. Many friends have assured me I would have been a good father. I suppose some foes have regarded me as a Godfather. I met Roz sometimes and she put on my door a medallion of The Good Shepherd, which was the name Audrey jocularly gave her. It has fooled many a doorstep missionary. I met her husband only once before his death. He had been working at County Hall where he was a senior clerical officer until for some reason he retired early on an inadequate income. He came up to me in the coffee room and greeted me effusively, though I had not the faintest idea who he was (he knew me from photographs). Perhaps he thought I had some importance, as I was surrounded by councillors, but I hadn't. The reason I was sitting in the County Hall coffee room was that I had met Ellis Hillman in the street. I had known him for years. He was a scientific prophet of doom and was now a Labour councillor which was doom enough to be going on with. We had a common interest in reviving public attention in the works of F. A. Ridley which is what we went in to discuss.

Ellis had entered electoral politics as a Trotskyist 'deep entrist' like three-quarters of the County Hall Labour councillors and not a few Tory ones who had gone in so deep they came out the other side. Indeed he told me of a mixed committee of Labour and Tory Opposition councillors he once chaired, prefacing his remarks with the statement that it was a trifle bizarre as all concerned happened coincidentally to be former members of the same Trot group.

They crowded round to hear his latest theory of disaster, that given the right combination of tide and wind, London could face a worse disaster than Venice, with the added possibility of the Underground being flooded. It sounded like science fiction, even more bizarre than his committee meeting. Most were more amused than disturbed and when he stood for a Hackney municipal election, his Conservative opponents used it extensively for ridicule to show the constituency what sort of mad ideas the Socialist member had. The Conservative Government issued a statement calming down undue fears, pointing out that the Thames Barrier would prevent this once they got around to building it and meanwhile a major disaster was no doubt possible but unlikely. They granted Mr Hillman's premises, but explained only a few named London districts could be affected anyway — disastrously for the local Conservatives, as Hackney was one of them.

Even Roz, who lived in Hackney, phoned me anxiously to ask if she should get out with her daughter, and how soon. I told her it would be quite a while, if ever. Now the Thames Barrier is built, and Roz lived just long enough to see the new attraction. As I did not by then live far away from it, she called on me for tea just before it was completed and laughingly recalled her former fears. "You were always too damn cautious," I remarked.

CHAPTER XI

Half-time summing-up

The late Fifties and early Sixties represent roughly a halfway house for my personal life, such as it was. For whatever interest it may afford, I have been persuaded I should write down a full account of my life to enable, among other matters, the background of the anarchist movement in this country in my lifetime, otherwise unrecorded or misreported, to be known. I tried to give a summing up in *The Anarchists in London 1935-55* which was somewhat sketchy and uncritical (and had a totally irrelevant cover for which I was not responsible!) Since then an obscure byway of history has come to a crossroads, the roads dividing to one still neglected by historians but reaching in the right direction along the old straight path, the other fashionable and maybe now a main road leading in the wrong direction.

In other words, there were entirely different philosophies referred to as anarchism. It took me a time to find there were two contradictory theories, one working class and revolutionary, the other an offshoot of liberalism. Now there are a great many variants, some dreamed up by the press or professors. When there were only two, some activist anarchists did not see it that way, and thought of the undoubted differences between the two conceptions as different degrees of commitment and action. They were doomed to frustration or else gave up the struggle in despair trying to reconcile the two.

Outsiders who do not understand the difference think 'the anarchists can never agree among themselves', as if those calling themselves socialists or conservatives were all of one mind, or chuckle about personal differences as if that were all there were to it.

The Anarchism I advocated from the start, and never varied from is that born of the class struggle, which was certainly taken into account by philosophers but came out of the working class. It had a proud fighting history in the struggle against Statism and every exploitative system. The capitalist press had characterised it as violent and esoteric plainly because it had given the bourgeoisie the shudders, both in the individual resistance that followed the crushing of the Paris commune and the syndicalist movement that came out of it.

After the First World War, the press-invented cartoon image had been transferred to the Bolsheviks but had not stuck. Later it was handed back to the anarchists when, that is, the media deigned to notice them. During the Spanish War there was a conspiracy of silence, in the fifties a deliberate campaign of misrepresentation described nationalists and Marxists as 'Anarchists' but anarchists as nationalists or Marxists. There was a press directive to that effect which meant, for instance, the (still reputable, pre-Murdoch) *Times* reported that anarchist Puig Antich, executed by Franco, was a Catalan nationalist, and the Marxist Ulrike Meinhoff, killed by the German police, was an anarchist. In the early days of the Provos the press started to say the (Nationalist and to an extent Marxist) IRA were anarchists, but the Spanish anarchist resistance were described as nationalists or Marxists. The Italian Red Brigades, unquestionably Maoist, and Basque nationalists. were called anarchists. It made for an obscuring of genuine anarchism. When in a letter I caught Reuters out on this misinformation, their correspondent 'explained' that the Red Brigades *were* Marxist, but anarchist insofar as "they thought to obtain their aims through anarchy"! The retraction, puerile as it was, was not published anywhere.

An entirely different philosophy purporting to be anarchist, though with more sophisticated 'justification', was of those rejecting the class struggle and the idea of revolution. While this philosophic "Anarchism" might preserve certain libertarian ideals like marble saints, and might or might not try to put distortions of them into practice, it does not believe anarchism to be possible, revolution desirable or class divisions to exist. It may confine itself to permanent protest, scholarly dissent or nonconformity, perhaps seeing this as the result of psychology or genes rather than class. It does not vote every four years or sometimes, daringly, does so in defiance of 'dogma'.

Though this conception had some strands in the past, and certainly has some in the future with the rise of the hippy movement, it came to us as part of the bourgeois-pacifist influx into protest during the war. It later produced in turn such absurd monstrosities as 'capitalist anarchism', 'Catholic anarchism'. 'non-violent anarchism', purely intellectual exercises without goal, and hived off into situationism, the hippy culture, and fitted in with strands of the new student-orientated culture.

Conscientious objection in WWII was no big deal in Britain (though not elsewhere). It entered into effective dialogue with the State, but nonetheless 'advanced' pacifists, beyond quakerism, believed standing aside was effective resistance. Sometimes a few months jail before ultimate recognition sufficed to make them regard themselves as heroes who felt themselves justly rewarded for their action by the then availability of comfortable homes which the lucky ones occupied for the rest of their lives, others until the first Rent Act.

As many came from patriotically indoctrinated sections of the lower and upper middle classes, they needed emotional justification for this, provided by many philosophies, primarily Christianity but some offbeat varieties of socialism too. One of the minor ones was this bowdlerised version of anarchism which comprised two negatives, philosophic anarchism and pacifism.

In the days when anarchism, in the English-speaking countries, had passed into oblivion, one could be excused from thinking that both these types formed 'part of the movement' if different ends of it. Now, when so much rubbish is invented by the press and professors as "Anarchism" (quite as much as 'socialism'); some of which comes as a distortion of the real movement, and some of which comes out of logical extension of the phoney one, many may wonder whatever I saw in anarchism to devote a life to it. I can only hope this book comes as an answer.

Considerable changes came about affecting our periphery which in turn had repercussions on the wider world. As the workers generally were abandoning the struggle, some in disgust, some in despair and many in hopes engendered by the new materialism, and the age level of revolutionary groups became older and content smaller, so a new socialistic quasi-libertarian movement was unexpectedly growing among the new generation we thought lost to the student culture.

I did not notice the change of attitude of the students at its beginnings. At a meeting at St. Pancras Town Hall to discuss some proposed strike, I believe of bus drivers, someone mentioned something about the role students could play having been ignored. I pointed out that with modern traffic it was extremely unlikely that nowadays the students could get away with scabbing on transport workers as they did in 1926. My remarks were met with a chorus of disapproval from students in the hall. It was the first appreciation I had that they no longer felt that way, and that current undergraduates could hardly be expected to act as their predecessors did in 1926. Moreover, most of their parents were workers themselves.

That the whole Campaign for Nuclear Disarmament and New Left period was a diversion from the class struggle remained an increasing conviction of mine no matter how libertarian sections of the studentariat appeared. It seems to me that it heralded the birth pangs of a new class that was moving into the scene, that liked to think of itself as meritocratic but was in fact bureaucratic, the mandarins and failed mandarins who wanted to come to class and often individual power, and as is usual with rising classes, use the classes below them to help them rise.

The mandarins conquered the Labour Party left but drove the working class out of their own movement. The variegated Trotskyists and Maoists played on the rising mandarins who dominated academia and the media in the next generation. Colin Ward's journal Anarchy (1961-70) seemed to attract the failed mandarins who postulated double negatives, linking a negative anarchism with pacifism, and postulating an impossibility (diluted anarchism without revolution) they did not believe capable of achievement themselves. As Anarchism was less demanding to write on than Marxism (you don't have to deal with those boring economics) and less overcrowded a market, it became a matter for writers of University theses, "to win the applause of schoolboys and furnish matter for a prize essay".

The reasons for my growing frustration during these years can be understood, but I did stay in groups trying to get an act together. I must have spoken to hundreds of meetings all over the country, ranging from two or three to several hundreds. It was an uphill struggle but I suppose it compared with any lesser known party politician, and a good many successful ones, but any traceable result is hard to find. The only bitter consolation for my barren years in the political back o' beyond from the end of war to the turbulent sixties was that my friends in the wider working-class movement, Joe Thomas being very much an example, found themselves in comparable ghost towns of the political wilderness. Elsewhere this had been achieved by armed might. Here, within a brief twenty years, the bland approach had the same effect. Though in the 1970s and on we were back in the wilderness again, I now feel more optimistic.

CHAPTER XII

Closer Links with Spain; Customs and Practice; Error and Terror; Satire; The Wooden Shoe; The Carrara Conference; The Vietnam Connection

Closer Links with Spain

Through my contacts I had always known about the Spanish Resistance, but usually when they were already on trial for their activities. During the darkest days I managed to throw the occasional lifebelt of solidarity or publicity, but it was not until the worst of the post-war civil genocide was over, and the resistance of 1939-63 was finally crushed by Franco's police that my links became really close. Francisco Gomez had always been secretive, probably because he did not wish to compromise me too much. Most of the exiles in London were as out of touch as I was. Sections of those in France were more knowledgeable, but I had no way of finding out which were which.

Customs and Practice

When Stuart Christie first came back to London, he had the sort of publicity for which aspiring film stars would give thousands of pounds, but not a penny in his pocket, so when the first flurry of excitement with the press was over, he came to work with me in the Coptic Street bookshop, then on its last legs, more to help bury than to raise it. When finally I turned it in and went to Fleet Street, he went to work for the gas contractors William Press, then converting the South of England to North Sea Gas. Special Branch had decided by then that, contrary to the hopeful stories in which they had acquiesced, Spain had not returned them a good citizen and they were convinced he would introduce 'terrorism' to these tranquil shores. Wasn't terrorism what Anarchists were all about?

This presumption, originating among the Edwardian fiction writers, had become a fixation of the secret political police and dominated my life for years. Even when I went on holiday abroad, I faced a gruelling cross-examination and search every time I came back. It had the opposite effect of that intended. Instead of being intimidated, I complained up hill and down dale and even on occasions received apologies, though the system was in no way reformed.

Evie had always enjoyed such Customs searches, helpfully explaining on one occasion she herself was only a spy, not an anarchist. I fear humour was in short supply at Harwich, and they even took the car tyres off for examination and still weren't satisfied. I got increasingly short-tempered at the wasted time after several such incidents. I could accept that in East Berlin or Moscow where there was an official censorship it was to be expected, and indeed a compliment, but here anarchist literature was subject to no restriction except when one passed an official point.

Anarchist literature only? On one occasion a friend, a remand prisoner, asked me to send him a copy of Lady Antonia Fraser's *Cromwell* and the jail authorities refused to allow it in. I wrote to the press about it, and a bewildered Lady Antonia intervened. I suppose the late Lord Protector might be regarded as a revolutionary by some but hardly this biographer.

Lest supporters of an infinitely worse dictatorship than Oliver's be discouraged by this, I hasten to say that there are not and never have been problems, even in war-time, in sending Hitler's *Mein Kampf* to any prisoner, convicted, remanded or interned.

Audrey, whose brushes with the authorities up to then had only extended to official disapproval of her constantly altering the date of birth on her US passport, and claiming she was sure Liz Taylor did the same without any bother, felt I was paranoid about Customs. Then one day, after a carefree week in France, she drove through with me in her car, instead of having to go separately (she in the non-UK queue) as we had to do when foot passengers. We had nothing dutiable and all I had were a few posters and a book but they were enough. She got closely questioned about plans for the Battle of Naseby she had picked up in a Paris bookstall. Even being an ardent Cavalier came under suspicion when coupled incongruously with anarchism.

My patience with Customs came to a head at Dover once, after spending forty-five minutes arguing about whether political literature printed legally in the United Kingdom could freely come back in without censorship. They finally, but reluctantly, conceded it could and quite irrelevantly — I was sure maliciously — also decided I would have to pay duty on a lone bottle of liqueur unmentioned before. On hearing this, I drank the lot on the spot instead while they were searching the car. Fortunately somebody else was available to drive home. I was out like a light until waking next morning with a splitting headache.

I never could persuade the Customs of the axiom "Gedenken sind zollfrei", so how could I persuade them about a bottle of Spanish liqueur? Once at Harwich when I quoted "Thoughts go custom free" they asked me who said so, and I replied "Goethe". I was told, for once courteously, that German law did not apply this side of the Channel.

When I raised the whole matter with the Customs and Excise in London they told me with a shrug that "people look at these things differently in the sticks". But my complaints were of places like Heathrow, Gatwick, Dover, Harwich, all major international points of entry. I was enabled to raise these matters with written evidence before a Parliamentary Commission, but heard nothing further. The last official word I had on the subject was that nothing would be done about it until after we entered the Common Market, which did indeed enable one to move freely about Europe but otherwise altered the system not one iota. It would seem the principle that used to be laid down to would-be declared Freethinkers by the Army still holds, "You're free to think what you like but once you're here you've got to put C of E or something else sensible on your tag".

If the Special Branch Customs checks were bad enough before I teamed up with Stuart Christie, they increased afterwards. To go with him through the British points of entry in those days would try the patience of a saint. They did not even expect to find anything but merely asked questions that led nowhere. On returning from a Venice conference, we had a lengthy argument in which we asked repeatedly what interest there could be on books which were free of tax. They seized triumphantly on a book dealing with Lesbianism in the feminist movement, in the baggage of one of the women with us, saying "You can't possibly seriously expect to take this into England". She countered with an unspoken but unanswerable comment of opening the book displaying that it came on loan from Brixton Library.

I suppose the crux of foolishness came once, when I was travelling alone, and a young Customs official told me I could not bring (perfectly sober) books on anarchist theory into England and asked if (the ultimate horror) I had the intention of reprinting them here. This after 150 years unbroken publishing of anarchist books! I asked her to show me the regulations and she pointed out one relating to horror comics. I exploded at this nonsense, and she apologised, saying she had got the wrong paragraph, "an innocent mistake", pointing out instead the regulation relating to pornography! "It all comes under that", she explained helpfully. I threw the regulations at her angrily and she brought out the Special Branch officer, an expert on these matters. He picked up a (bourgeois) book on the Spanish war and solemnly explained "a lot of blood was shed there at the time". Maybe as this also applied to the Battle of Naseby it clarified why maps of it might be too exciting for the twentieth century lest it give ideas, and why Cromwell was too risky for an Irish remand prisoner to read about instead of the normal prison diet of American horror comics.

Going into Ireland by the Welsh car ferry, I was held up while they searched the car after finding one or two books in the boot. They ultimately found a beret which Miguel Garcia had lent me once when it was raining. It hadn't fitted. I had put it in the boot and forgot about it. "This is somewhat provocative to take into Ireland," remarked the alert Special Branch officer, making me feel thankful I hadn't got a mackintosh as well. I showed him the inside label, and pointed out that it was a Basque beret anyway. Basque? I couldn't have said anything worse. "They're terrorists too, aren't they?" he asked immediately, and this even before he asked me how to spell it (I naturally said B-A-S-K, I wasn't going to let him get the credit of sending in a literate report from "the sticks").

Error and Terror

This dictum of the authorities that anarchism was synonymous with terrorism, or terrorism with anarchism, so that the admission of being one was an admission of the other, was gradually to find its way into the judicial jargon. In two important trials, in which I was to figure, it was certainly held by the judges and prosecuting (even defence) counsel, and refuted by myself (brought in solely as a witness), but I will deal with that later. Meanwhile whenever I appeared as a witness or bailee, the same old dreary arguments were heard.

In one case an elegant Old Etonian counsel asked a Post Office worker and an anarchist Dave Morris (years later featuring in the McDonalds libel case) if his beliefs entailed "burning down the Post Office" (it hadn't been burned, he was just a witness in an obstruction case). Dave retorted, "What a stupid thing to say! If someone burned down the post office, no one would get any letters. We believe in workers control of the postal system". The magistrate tactfully ignored prosecuting counsel being addressed as stupid, a privilege normally reserved for outside the court afterwards and then involving defence counsel.

The press had invented the shock-horror anarchist in the first place at the turn of the century. It depicted the attacks by anarchist workers against bloody repression by their rulers as unprovoked and senseless attacks by crazed individuals elevated into a philosophy. The press got itself into a twist, using the Portuguese Republicans at a particular period as their archetypal anarchist, but also confusing the Russian nihilists and populists with anarchists. Basically, though, it was the fight by the pre-WWI French, Italian and Spanish workers using individual actions against mass repression that excited the imaginations of the press. Surely nobody could be so wicked as to hold the actual individuals wielding power responsible for the actions they personally ordered? If there were such malefactors, they must be crazed, criminal and depraved monsters, believing only in violence for the sake of violence! The just response to the wickedness of dictators was the slaughter of millions of the subjects they had conquered. That remains the official doctrine until this day.

Yet many of the same newspapers in their literary columns became fond of the term "the gentle anarchists" when writing of the occasional self-confessed anarchist who wrote a book or was written about. The Listener wrote an article on Stuart Christie as a "gentle anarchist" but reminded its readers that under a charming exterior he was a hard-liner who was in touch with international anarchists. It was clear that for them it was his association with foreigners that did the trick.

The phoney anarchists coming out of the peace movement preferred to refer to themselves as "non-violent anarchists" which added to the judges' view of anarchism as violent. One learned judge even asked me once which sort of anarchist I was, "violent" or not. Imagine him asking the question of a socialist or a conservative! If one denied believing in violence as such, yet accepting its need on certain occasions, one was echoing the view of possibly 99.9 per cent of the population which neither believed in extreme non-violence nor were mad axemen, but apparently anarchists were not allowed the luxury of ever being in line with the majority viewpoint.

Satire

In 1965 a group of us had got together and started publishing occasionally a review *Cuddon's Cosmopolitan Review*. The reference was to Ambrose Cuddon, whose review may have been the first consciously anarchist one to appear in English, and who was possibly the first in the English speaking world to be an anarchist in the modern sense. He was certainly a connection between the Luddite and Chartist movements on the one hand, and the newer non-Parliamentary Socialist groupings on the other. Our historical judgment was criticised as based only on anecdotal history from veterans but knowing how conventional history is concocted I doubt if it suffered from that.

We carried on *Cuddon's* for a year or so, off and on, Ted Kavanagh editing, and it became a focus for people interested in the international struggle even though it refrained from mentioning it. We never quite decided whether it was to be entirely satirical, political or humorous, but the mixture made for interest and gathered a nucleus which later became an important pivot of active anarchism. One decision, though, not to publish more than was sold, so as to encourage people to read it rather than file it, and not to have back copies for reference, meant once it was gone it sank out of sight which was a pity. Some generations on, it would be good to reprint some of the witty pieces.

Cuddon's was one of the first of the satirical magazines later in vogue, not that we ever were, but nothing I was ever associated with ever got into the market place, even when I wanted to be. However, it led to some aspiring careerist pupils at the upper-class Winchester School setting up their bid for journalism in the school magazine, on the basis of a series of stories mimicking the supposed anarchist set-up. Its humour consisted of using the forenames of actual people, an in-joke which must have bewildered other Wykehamists who couldn't possibly have known them.

The leading character was a bankrupt swindler, "Uncle Albert", which was supposed to be me, and the cream of the jest was "Stuart" — who could that be? — as a crazed terrorist. The schoolboys' contributor, a failed artist working as a bus conductor, was in his late fifties at the time. The schoolboys, who aimed at becoming Private Eye contributors and ended as advertising agents, had their fun with the author for the price of a few pints. It never occurred to Arthur Moyse, the person concerned, that he was in any way grassing with giving distinguishable forenames, but perhaps he thought fiction excused all. Unfortunately, some people took him seriously and my home was attacked one night by a bunch of yelling public school yobs in a van from Winchester School. The neighbours, a Black family having an all-night party, thought it was racists coming to break it up, and before I could get out of bed they had rushed out to give the gentlemanly twits a good beating. It took some persuasion to make the police understand my version, but not being the West End where money spoke loudest, they eventually did.

Next day my friend Annie, who had also been woken up, felt if practical jokes were in order she should have her ten cents worth too, sent a telegram to Moyse to say I had died in an attack on the house and would he attend my funeral at a far distant cemetery at 7 a.m. in the morning. He shamefacedly turned up to a non-existent meeting-point which quite ruined his day. There was no way she could interfere with morning prayers at Winchester School or she'd have had them there too.

The Wooden Shoe

One result of *Cuddons* was that Ted, with Anna Blume and Jim Duke, set up the Wooden Shoe Bookshop. It was still possible to open shops, this one in the heart of West Central in unreconstructed New Compton Street, with neither capital, premium or deposit. Even so, it was desirable to have enough put by to pay the rent and rates when due, which finally scuppered this bookshop as it did my commercial ones.

A few years later the Wooden Shoe might have been a viable if not profit-making proposition with its policy of selling books relating to Anarchism and related topics. But at the time there was little variety to offer, and what there was could be found on the bottom shelves in other establishments. To get customers it had to find more stock and this had to be Marxist or non-political literary, and meant running up debts to publishers which eventually swamped the venture. Before Ted and Anna closed down with a cryptic note saying "Gone fishing" there were a few far-reaching events. As a meeting place rather than as a bookshop, it influenced the beginnings of new squatting movement, created a least a diversion on the anti-Vietnam War movement and led to the black flag flying over the barricades in Paris. Not bad for an under-capitalised, mismanaged and loss-making bookshop that scarcely existed a year!

The French Connection

Impressed by the attention suddenly, flatteringly and quite undeservedly given to the anarchists by the press over the Vietnam demo (to which I will come), a few French students came to London to find out how it was done. As we now had a centre, they could come to the Wooden Shoe bookshop, and they turned up for discussions. The only advice we gave, or could give, was to point out it was organised workers, not students preparing for bourgeois careers, who would be able to change society. They also met the Situationists, who told them the exact reverse.

When the students went back they followed their own instincts and the result was the rising in the Universities that sparked off the workers' rising and barricades in Paris leading to the black flag flying from public buildings, a roadshow version of the Paris Commune of 1871, if not as important as political commentators deemed it to be. One of the students concerned, certainly the most voluble of those who came to the Wooden Shoe, was Daniel Cohn-Bendit (like 'Red Emma' he got called 'Danny the Red' because of his hair, but people concluded it was because of his politics) got the full glare of publicity as if he had been solely responsible for the mini-revolution of 1968. In fact, he was singled out as a 'leader' by the press because he was a German Jew, and they hoped this would prejudice the workers, but it didn't, and by misfiring made him a 'petit grand homme'. The British press did the same thing with Tariq Ali more successfully, claiming he was a student, or even a revolutionary, leader, though he only led a minor dissident Trotskyist group. Both were surpassed by the German press which, though it had no racial target left to shoot at, induced the actual shooting of the alleged 'student leader' Rudi Dutschke.

The Carrara Conference

The marble workers of Carrara, who quarry the sculpture for the majority of Roman Catholic churches in Europe but were always the most rugged sceptics and opponents of Church and State, came to accept anarchism in its very earliest days. Bakunin and Cafieri had given expression to what was a fundamental conviction of the local workers, many of whom had by emigration spread the idea to other countries. It had resisted the pre-war monarchy and its demands for human sacrifice for its wars of aggression. It had fought back against the fascisti who came as strike-breakers and stayed as a virtual army of occupation after the Mussolini conquest of Italy. But it never succumbed. At hillside festivals, families still met after their halls were seized. Partisan acts were planned during what seemed carefree picnics. When the opportunity came during the war, local partisan bands were formed, and people from Carrara and similar towns were wiping out fascist resistance long before the Allied troops turned up.

After the war it seemed as if all Carrara was anarchist. Gradually over the years the impetus was lost — as everybody accepted the idea, what was the point of propaganda? Though electoral abstention meant the Communist Party was able to dominate the municipal administration, most municipal matters of significance were controlled by local co-ops. Carrara was the obvious place to choose for an International Anarchist Conference. Its hall in the centre of town originally seized from the fascisti during the re-occupation of Carrara even appeared on the picture postcards sold in the town, and there were statues of local and international anarchists in the main squares.

However, the international committee that had organised the conference had much the same ideas as those who for some years had controlled the anarcho-syndicalist international. They had no organisational base and were responsible to nobody, but for years their purely literary reputation as 'anarchist writers' had maintained them as a kind of invisible leadership on the basis of what can only be described as a personality cult. Kropotkin in WWI, answerable to nobody, caused immense harm to the movement by his ambivalent stand. Rocker, Rudiger, Souchy, Shapiro, had moved to a position scarcely distinguishable from social-democracy, if not some of them to a position wholly reactionary, yet were regarded as sacred cows one should not question. This had been possible in the days when the bulk of the movement in the Latin countries consisted of ill-educated workers who respected intellectuals, or in France, Italy and among the Spanish exiles where the rump of a civil war leadership kept the organisation together. In modern conditions this had to give way.

As there was a kind of loose annual get-together of a conference in Britain, referred to as the Anarchist Federation, at that time as large and no more disorganised than that in France and equally ineffective, we were invited to attend. The *Cuddon's* group were responsible for putting forward two delegates, one of them Christie, who had been having enormous press publicity, and the other Cohn-Bendit. The committee had made sure he was excluded as a French delegate for the wrong reasons, not on the true grounds he was only ephemerally an anarchist, but because he was too much associated with anarchist activism, which meant something at the time, in Paris and elsewhere.

We accordingly granted him British citizenship to become our delegate — when they protested at the "English sense of humour" we asked if they thought only the Queen had the right to grant citizenship. Federica Montseny, the ex-Minister, who had thought she would be the star attraction as the last of the personality cult, was particularly discomfited, especially when Christie and Cohn-Bendit got all the press and public attention. The effect of the conference was to mark a breach with both the old bureaucratic tradition of established dissent, and the new pacifism, as opposed to genuine anarchism with its working class roots. The effects of the 'punk revolution' were yet to come and to change the anarchist scene disastrously.

We never expected Cohn-Bendit to last the course — he was too much the self-conscious star turn and eventually settled down to take his place as a careerist cashing on a youthful experience like so many pseudo-socialists — but he was a useful symbol for a clash at the time. After the conference the International First of May movement was able to establish its contacts with one another having seen precisely where they differed from the rump of the old movement that had established one niche in society and the spectre of a different one that was going to transform a far larger niche under the pretence of dropping out of it.

The Vietnam Connection

The highspot of the New Left was the famous anti-Vietnam War demonstration in 1968, organised by the Vietnam Solidarity Campaign, a movement of Trotskyist students who later became mandarins themselves. For months the press built up fantastic tales of what would happen. As it was going to be dominated by Trots and especially Tariq Ali's faction, we were pretty well determined to boycott it. We got a lot of fun out of the press following up their own inventions, having confused realties with a serial fiction story running in the *Evening News*. There was talk of guns being smuggled into London, though was never clear what they were to be used for. A coup, with this lot? Every journalist was on the look out for new sensations, most of them centring around Tariq Ali or Stuart.

The joke was that far from having guns, the anarchists then had practically no people. The weekenders were a closed book to us six days of the week. The student movement was more of a joke to us, though the *News of the World* managed to unearth that the anarchist 'leaders of the students' such as Stuart had not been to university themselves. They didn't notice they weren't purporting to lead any students either, nor did they. But as the old phoney John Gordon admitted to me in a letter, when I pointed out to him that in his *Sunday Express* column he had confused Marxists and anarchists, they were all the same to him. He tried "not to be too pedantic".

The various left groups denied the stories of the guns, but none of them could be sure about the dreaded anarchists. Every one of them made reservations about what the anarchos might do, while for our part we cheerfully told the journos we not only had hidden arsenals but rogue elephants if they insisted on pestering us. One leaflet I issued, meant as a sarcastic comment on the *Evening News* story as followed up by the press, finished in the *Sunday Times* in full as an example of what was intended on the dreaded day. It included digging up Kew Gardens, playing American football on Lords cricket pitch, spreading the story in Irish pubs that they were poisoning the Guinness and blowing up Peter Pan's statue replacing it with an inscription, 'Fairies are a bourgeois illusion', all as part of a plot to destroy the English way of life. This was in all seriousness taken as an example of what 'the loonier sections' of the left were planning to do. Sadly they drew the line at our suggestion of using rogue elephants, no doubt thinking it unlikely we could obtain them in time.

Notwithstanding our being determined to do nothing about the anti-Vietnam War demonstration because it was so heavily dominated by supporters of Ho Chi Minh, in the finish as many anarchos turned up as if we had decided to participate, cheerfully chanting counter-slogans and attracting all the weekenders of those days. The *Daily Mail* had been sarcastic about the march because of its close association with Ho Chi Minh and said it could respect the people as believers in peace only if they opposed both sides. In point of fact, the anarchists did, and this led to a physical clash in the march reported in the selfsame *Daily Mail* under the headline "ANARCHISTS ATTACK PEACE MARCHERS".

CHAPTER XIII

The Shadow of the Tong; The Anarchist Black Cross; Miguel Garcia; Start of "Black Flag"; Towards the Centre; Rise of the Print Empire; Anarchist in Fleet Street; 1986 Again; Doctor's Dilemma

The Shadow of the Tong

Over the years I had been corresponding with a Chinese friend, Ch'En Chang, who had originally been in London as a medical student before the war. He had returned to China and was always in touch with the what remained of the huge anarchist workers' movement, about which the best-known figure in modern Chinese literature, Pa Chin, had movingly written. That movement had passed through immense struggles with the old Empire, the new Republic, the warlords, the Japanese invaders and now the Communists. His letters had always come through devious routes, originally being posted in the International Settlement in Shanghai, then occasionally in Hong Kong and finally coming from Singapore. As he never left China under Communist rule, he managed to do so through the good offices of the former seamen's guild which was the last grouping of the old movement.

Thanks to Ch'En, and with the help of Olga Lang's biography of Pa Chin and the somewhat briefer information in Yu and Scalapino's book on Chinese Anarchism, I was able to write a short pamphlet on *The Origins of the Chinese Anarchist Movement* (reproduced several times and still the only comprehensive account). Many disbelieved in stories of an anarchist movement, so great was current belief in Mao's history and record. Over the years I was told wonderingly that this or that book by a real live professor contained references to certain figures of the past which seemed to back my extraordinary thesis that even if the present was Mao's, the past was not and the future might not be either.

Not until the Battle of Tiannamen Square, when Mao was dead, did many radicals realise Mao was not all that he was cracked up to be and that there was dissent in his empire, though it was still generally assumed that resistance was a student affair and that the workers, like the tourists, enjoyed the delights of Western ballet and trips to the sewage farms at the weekends.

Pa Chin, actually Li Fei-kan (his nom-de-plume Pa Chin pronounced and in the new spelling Ba-kin,was taken from an amalgam of the names of Bakunin and Kropotkin) continued to write during the horrors not only of his youth but the war, the Japanese occupation and the triumph of Maoism. In the Cultural Revolution, during which Mao played Trotsky to his own Stalin, he had been persecuted, degraded, forced to re-write the endings of his novels to make them more optimistic. His pessimism was justified faced with the alternatives of Chiang Kai Shek, Mao Tse Tung or Japanese imperialism. In his re-written novels he had to take the pictures of Bakunin off the walls of the characters of Northern peasants in rebellion and replace them, years before the name could have meant anything to them, with that of Mao. Despite immense 're-education' and being forced to kneel on broken glass in front of TV cameras and confess his sins, Pa Chin still defied his tormentors. Ch'En admired him, as did many others, and asked me if anything could be done, having no idea what position I was in, for my letters, sent to a hostel in Singapore, took a year or more to be picked up and reach him.

Herbert Read had professed himself an anarchist, though a pillar of the art and cultural establishment. After he accepted a knighthood from the Churchill Government, he was strongly criticised for what was at the kindest an inconsistency His essays on Anarchism were expressed with great lucidity, though his actions scarcely lived up to it. When he went to Buenos Aires on behalf of the British Council, the local anarchists invited him to speak. He gave a lecture on Anarchism to an overflowing theatre full of people wanted by the dictatorship, as the police looked helplessly on at this illegal meeting, unsure as to what to do when it was addressed by an honoured guest of the Government, beyond controlling the queues blocking the traffic.

Asking for questions from the audience, Read was not unnaturally asked how he could reconcile taking an honour from his own government let alone coming to the Argentine on its behalf as a guest of their dictatorship, with the views he had just vividly expressed. He answered, "You must understand I'm a philosopher, not an activist". He could hardly explain his Catholic wife wanted a ladyship as recompense for putting up with his unorthodox opinions for years.

In my language there was another word too, but humbug or not, he was going to China to speak on behalf of the Arts Council with the same British-way-of-life quasi-propaganda about our glorious heritage, so I swallowed my sectarian pride, as I always felt I had to in such cases and hoped he would overlook any resentment he felt at my criticisms of him,

Myself (seated) and brother Sam

Myself in 1946

Myself
at sixteen . . .

. . . and a few years later

Grandparents Joseph and
Regina (Nellie) Meltzer

Grandmother Maria Shelly

My father Sidney and mother Rose before marriage, about 1916 . . .

. . . And after some years of married life

A family group 1921: my aunt Alice, my mother, myself, my brother Sam, Grandmother Shelly, aunt Floss, at Margate. Women's fashion were transformed in the following year or so!

Audrey Charity and myself

Audrey

Evie

Kate Sharpley as a young woman

Penelope Rosemont, Federico Arcos and myself, in Detroit

On a visit to Australia

Stuart Christie, Luis Edo, myself, Doris, in Barcelona

Franco Leggio, myself, Ariane Gransac, in Venice

Myself and
Juan Garcia

Myself,
Antonio Tellez
and Joe
Thomas, in
Paris

An armchair
discussion with
Murray
Bookchin, in
Cambridge

Federico Arcos and myself at Durruti's grave on the slopes of Montjuich.

Jean Weir, myself, Abel Paz (Diego Camacho)

There are still veterans of the War and Resistance in Barcelona and elsewhere in Spain. Here we have (on the left) Abel Paz (Diego Camacho, author of the classic Durruti biography and whose autobiography is yet to be translated), who returned to his native city after Franco's death. On the right is 'Muri', who, with his equally popular companion Lola, took over La Fragua (the bar established by Miguel Garcia, after the latter's death). Later he opened another popular anarchist meeting place in calle Hospital, the 'Chin Pun 1'. Abel Paz and Muri are seen here in the popular 'beer joint' in calle Avino, the 'Noche y Dia' (Chin Pun 3), where Muri is mine host.

which he in fact ignored completely, and asked if he would intervene on behalf for Pa Chin.

When he got to China in 1973, he was bemused by the achievements of the Chinese "Revolution", as most "visiting honoured intellectuals" were, not realising what lay under the artistic presentations, nor meeting people at work nor finding out how they felt. But I will say this for him, he did put his money where mouth was when his ear was bashed. When next I heard from Ch'En two years later I learned it had greatly relieved Pa Chin's position. He was released from restrictions, at first rigid custody and then farm work, and allowed to resume writing.

This was at a time when I was signing on at the Labour Exchange before going back to Fleet Street, isolated politically and with nowhere of my own to live! I still find it amazing what an insignificant person can sometimes do to influence a powerful nation State.

I read once in a sixpenny novel when I was young about the shadow of the Tong, which stretched so far that the humblest beggar could make powerful mandarins tremble if he gave the secret sign of the Tong brotherhood, but I would guess it was no more than something like this.

And yet talking dramatically of the 'shadow of the Tong', I suppose it must have some substance or at least origin. One day a Chinese ship landed at Southampton, and the bo'sun, having a few days at liberty and a few letters from Ch'En to post to me from a safe port, decided to call on me instead. Having no British currency, as seafarers were deliberately kept short so they would not wander around, he walked into a Chinese restaurant, communicated a Tong sign of the warlord days and demanded a meal and the fare to London.

The frightened proprietor begged him not to cause any trouble, gave him twice what he needed provided he ate elsewhere and could not get him away fast enough. My friend had only read about the Tong in a popular magazine and was unable to explain to my satisfaction how anyone recognised a sign if it was a secret of the brotherhood.

The address he had been given for me was years old, but my aunt Floss lived there. She phoned me frantically to say a "Chinaman", of all people, was trying to see me. Would I come around immediately, or flee as appropriate, and what should she do meanwhile? When I suggested giving him a cup of tea until I arrived she said anxiously she had no China tea and did I think he would mind Lipton's.

The letter from Ch'En, who had died since it was sent some months before, was enthusiastic about the great strides we were making in England. Pictures of the enormous anti-Vietnam War demonstration had appeared in the press. A Communist newspaper had taken photos which by accident caught a few anarchist banners in the front and it looked as if the march was entirely theirs. When printing they erased the slogans from the banners on the photograph. No doubt to the Chinese Communist news agency these meaningless Occidental squiggles meant nothing and they passed the negatives untouched, and delighted the few English-reading anarchists in Mao's China who were led to suppose from the State press that however the movement had been crushed there, it could fill Trafalgar Square in London. It must have cheered up Ch'En tremendously in his last days.

Why think he and they were naive when worthy professors, astute journalists and pretentious historians on the spot and in other English-speaking countries made the same or similar mistakes?

The Anarchist Black Cross

Ever since I came back on the "Otranto" I had run the Asian Solidarity Campaign which sounded grand but only consisted of myself. It responded to Ch'En and Acharya in their occasional appeals for solidarity, on behalf of political prisoners of the regimes or other victims, whose families had left the country, and this was only a very small part of the problem or I could not possibly have managed. There was no need of much administration, though I was glad of help when it came. The funds were raised from three restaurants, two Indian and one Chinese, who allowed me to approach their customers at the respective New Years. I was assisted in getting these contacts by the old Russian Anarchist Marie Goldberg's Indian son-in-law.

After Acharya died there were no anarchists left on the Indian Continent and the name was up for grabs by mystic gurus. Only a student of the Vedas can know what they mean by it. When Ch'En died I had no further contact with the Chinese movement and decided to end the campaign. However, Christie had just returned from Spain and was anxious to help anarchist prisoners in that country, who were forgotten except by their own organisation. When he had been in jail he had received food parcels, which we had never thought we could send. He had shared these and now wanted to enable the aid to continue, as well as to publicise their plight.

We discussed this, and re-started the Anarchist Black Cross. It had a long history in Tsarist Russia of humanitarian aid and armed defence, and its international had perished when the Thirties repression and depression grew too great.

We started with two members, but were inundated from the first with suggestions from the 'weekenders' and liberals as to the narrowness of our aims. *Why just Spanish Anarchist prisoners?* "Because they have been forgotten and every other political prisoner in Spain gets help." *Why not all political prisoners everywhere? Comes to that, why not all prisoners?* "Right on. Excellent, but there are only two of us and we haven't collected a penny yet." *Why not Irish Nationalists or Arab refugees?* "Vast, rich and important organisations already do that. This is something different." Someone who never did anything at all even suggested we help not merely political, but all prisoners, as well as victims of famine, flood and pestilence, which would certainly have taxed our resources.

In the end, at least of the beginning, we had to rely on ourselves entirely, as two of my restaurateur friends sold or lost their businesses, though the Indian one gave us a collection until he was closed down by the authorities. We were able to establish a number of contacts, most importantly in the task of publicity and pressure and from then on had to rely on the anarchist movement itself.

Though I was loathed by the phoneys who frequented the periphery of our movement because it was felt to be trendy to do so, I was liked by the activists and with Stuart's charisma and reputation too, we were able to launch the Anarchist Black Cross as a ginger group within what now seemed a growing British anarchist movement.

I said at the very beginning that if we succeeded in helping one political prisoner it was worth having a go, and we helped a lot more than that even in the first year or so.

Miguel Garcia

Our first big success came with getting Miguel Garcia out from a Spanish prison, and he provided a springboard to further action. He had been arrested in 1949, sentenced in 1952, and released in 1969. The end of the sentence did not necessarily imply release. Immediate re-arrest was not uncommon for the unrepentant. We brought him out of oblivion and he directed the International Black Cross to work for the release of many others. Months after I was recalled to working life after four years buried in a bookshop, he was, like Dickens's Dr Manette, recalled to life after being buried alive in prison for twenty years.

Miguel had originally gone into jail as a combatant in the civil war for two and a half years, to be 're-educated' into fascism, or at least docility (both unsuccessfully) having evaded captivity and certain death for a couple of years after the close of hostilities when mass shootings in the concentration camps were the norm. He took up active underground resistance after leaving the ironically-named Miguel de Unamuno concentration camp.

Sentenced in a mass trial with others of the "Tallion" group associated with Francisco Sabater, his death sentence was reduced to life. Franco was trying to alter his image as a mass executioner to make his regime acceptable to the outside world, and though many of those charged with Miguel were executed, it was deemed politic to reprieve others. Later sentences were reduced to twenty years, as a magnanimous gesture which only dictators can grant. Miguel served the full twenty, down to the day and the hour, being released in the middle of the night.

Had he gone back to civilian life in Spain on release, with the regime still vindictive though not as much as it had been, he would have undoubtedly committed further 'offences' such as union organisation or speaking out, or even not paying to keep in with the local police, and served another ten years or so. He could not stand the provocations offered by victorious Francoism, which required him to pretend atonement for his 'convict past' when challenged by the police and would surely, had he stayed, have responded in the only language dictatorship understood.

Stuart knew Miguel from having met him in Carabanchel jail, and we persuaded him to come over, raising the fare among supporters. He was a natural linguist, fluently speaking French, Portuguese and Italian as well as Castilian and his native Catalan, and he had learned and taught his friends English in prison. He went blank when hearing the language spoken by natives. On the boat he thought he was hearing German. Though he spoke English recognisably, its idioms and diverse accents presented a challenge.

He used me both as guinea-pig and scapegoat for the language, insisting on speaking only English. Though Stuart had clearer diction than I he regarded him as less versed in grammatical explanations, and spoke Spanish with him. He saved English expressions which baffled him and presented them to me, getting extremely cross when he found words of Latin origin used in a different sense from elsewhere, accusing me, who was in no way responsible, that "you take words from all over the world and use them as you like",

I tried in vain to placate him by joking that if a certain Duke of Medina Sidonia had been a better sailor and the weather had been calmer, the Armada might have landed safely and we would all have been speaking English by now in a way he could understand. He curiously came to enjoy London even more than his beloved Barcelona. He was disappointed when he saw it again a few years later after its ruination by traffic and industrial pollution. However, he never forgave Londoners, or for that matter the British, their accents or language, bursting with indignation once when someone was helping me fix the car and I incautiously asked Miguel to pass him the thingamajig out of the toolbox.

I first got him, through the union, a job at the (pre-Murdoch) *Times* and he had some idea that people working there would speak BBC English he would recognise, but unfortunately this did not apply to the car park attendants with whom he was unable to converse. And he was baffled the first day by a hardy perennial when a *Times* journalist with clear diction but unsteady gait asked him to "get that car out of the fucking way" — but who was fucking whom? Where in the car park would they do that?

For all his idiosyncrasies, Miguel played a decisive role in the development of the post-war international anarchist movement. In the Indian summer of his life, when he was surely entitled to rest from his life's struggles, he became a pivotal figure in the libertarian resistance. Solidarity with anarchist prisoners worked two ways. It helped the prisoner, and it put people in rapport with the cause for which they were working.

The Start of Black Flag

Black Flag had already been going eighteen months or so when Miguel arrived in 1970. We began it as the *Bulletin of the Anarchist Black Cross* when I had walked away from the bookshop venture. Stuart still had the sort of publicity of which aspiring film stars dream, but it did not bring him a penny in his pocket, and I had a Gestelith offset which the bailiffs had overlooked. By this time I had started as a copytaker on the *Daily Sketch*, with a reasonable wage. Stuart too began earning good money, starting work for William Press, the gas contractors, converting homes to natural gas. Though both of us were working abnormally long hours, the new bulletin came out regularly, and interest in the international resistance was revived.

He had overcome the problems of being welcomed back to England with a civil action between *The People* and *Private Eye* arising out of the former's reporting ethics, and also an Old Bailey case in which he was charged with of trying to pass off propaganda leaflets, produced on a Gestelith, as currency. Exactly the same sort of fun money was produced not only in commercial advertising, in games like Monopoly or in show business, but even in political advertising. After he was found technically guilty but allowed to go free, I tried to bring a similar action against the local Conservative Party for doing exactly the same thing. But they hadn't come back from Spain unrepentant at having fought the dictatorship, so for that or some other legal reason, the case could not proceed.

The *Bulletin* was originally intended to note the activities and existence of the Black Cross, but the spread of anarchist activism in the sixties made us the focus. There was a demand for an anarchist newspaper, as *Freedom* had become increasingly bourgeois pacifist, partly because nobody else would work under the direction of Richards and his little group of self-styled intellectuals. When at a demonstration a policeman was alleged to have been injured falling off the horse on which he was dispersing the crowd, and the suggestion was made in *Freedom* that anarchists should get up a collection for him, the limit was reached. The former *Cuddon's* group constituted itself into a Black Flag collective.

After the *Bulletin* became *Black Flag* we had many editors for the next twenty odd years, at one time rotating the editorship per issue. Apart from a few of these issues I remained one of the editors throughout. Stuart remained an editor for the first five years, but so far as the press or the know-all academic twits are concerned, he remains so to this day. His brief summer of notoriety had made him a historically referrable person in spite of their trying to write him off at the same time.

This was useful after one enormous student demonstration about something or other, organised by Tariq Ali in the street fighting years that preceded his television establishment years. The press was busy spreading stories of our influence, and Stuart's in particular, on the students. Accordingly, Stuart and I called at the Italian Embassy to protest at the case of Goliardo Fiaschi, of Carrara. He had been in one of Franco's jails for twenty years along with Miguel, following his involvement with Facerias and the Spanish Resistance. Completing his sentence, he had returned to Italy, where he was re-arrested for an offence committed against the former fascist regime. At the age of eighteen he had been in the struggle of the anarchist partisans in the last days of Mussolini. So far from this being forgiven, he went straight to jail.

We told the official who saw us that we could, of course, have come with a demonstration of thousands, as had happened elsewhere the previous week, but we preferred to give the democratic Italian Government a chance to correct what might be an innocent mistake. The official heartily agreed with this approach, and complimented us on our good sense, never doubting that we could have managed to come, not with two, but with the thousands we could muster. The next we heard was a week later, the welcome news that Fiaschi had been released.

Towards the Centre

I was facing once more the perennial problem of where to live. Though I could purchase one now, the time had not yet come when such flats were readily available, and I did not have the minimum savings to place a deposit and buy. I also faced a new problem that wherever I went, police raids seemed to follow, without any follow-up whatever. Nowadays they have a lot of bigger fish to fry.

Miguel Garcia had found lodgings for himself near Finsbury Park, a room of a large basement flat rented by a couple of students who had been there for some five years. They were coincidentally named Garcia, and when they returned to Spain he stayed put, claiming to be the same tenant. The landlord never visited the place, which was supposed to be furnished but the few sticks of furniture he put in did not even meet the bare minimum requirements of the Rent Act. Miguel invited me to take over the flat and move in, so he could keep his room. Sure as fate as soon as I did so the landlord died suddenly, conforming to the general fate of my landlords, and his son's family moved into a flat on the premises.

It was convenient as we were running the International Centre at Holborn at the time. The flat itself in Upper Tollington Park was an international centre in its own accord. Everyone thought of it either as Miguel's flat or an extension of the centre and we must have had hundreds of visitors from all corners of the world during the eighteen months I was there. Once I slept in the garden porch during the summer because we were so full up with visitors.

Being in Upper Tollington Park did not deter the police from visiting, though they insisted these were not "raids" and did not need a search warrant. They grasped that we did not control the rest of the house with its various tenants, which is more than they had done previously. These were merely "enquiries of a general nature", such as what did I understand by an article in Black Flag which I had not written, or whether Miguel knew characters ranging from Eleutorio Sanchez to Carlos the Jackal. Anyone who had been long years in prison in Spain, where they regularly move prisoners around, knew the former. When they asked Miguel if he knew Spain's criminal Public Enemy No. 1 was reported in London, I chipped in "Franco's here? He must be staying with the Queen. Have you checked the Palace?" However, neither "el Lute" nor the Caudillo were really in town and certainly not in our flat, especially the latter.

"Carlos the Jackal" (if he exists) is not, so far as I know, Spanish or into anarchist resistance but a Marxist, nationalist or an international mercenary. I only know of him from the press so my information is probably wrong. Miguel didn't know him either but told them sarcastically to leave a message so if he turned up he could pass it on.

Once I was told that an article in "Black Flag" about a bomb explosion, in no way connected with anarchism, gave information nobody could possibly have known who had not been privy to the attempt. It may have been so originally for all I knew, but the item of news so far as we were concerned had been culled from the *Evening Standard*, which took them aback. Whether the police followed up the information, beyond buying a back number to see if it was so, I have no means of knowing.

Rise of the Print Empire

When I went back to work in Fleet Street, it had only a generation to go although nobody believed it, though there was already talk of 'new technology'.

Back in 1926 the printers had shown solidarity with the miners, the target of a vicious hate campaign, and finally refused to print the incitements against them in the *Daily Mail,* then in its fascist era. This had precipitated the General Strike, the Government of the day saying the refusal to print was its beginning and that to pre-empt a General Strike they began a General Lock-Out.

After the Strike was defeated by what amounted to a military coup, everybody suffered victimisation, the printers no less than anyone. But in their case, unlike other industries, malice was defeated by madness.

Lord Beaverbrook, proprietor of the Daily Express group of newspapers, was probably clinically insane like many power-drunk newspaper proprietors. He employed a beautifully dressed and coiffured young lady especially to come in and clean his shoes while he sprawled on his chair in front of his executive. He was expected to be the most vicious of those who took reprisals.

But, like Hamlet, his was a nor' north-east madness and when it came to business he knew a hawk from a handsaw. Unlike his rivals, he understood that the workers laid the golden eggs he and his fellow-bosses were hatching. Others followed the *Mail,* which had publicly said its employees weren't capable of running a paper, and had let them down when they failed to print denunciations of their comrades in the pits. They sacked most, and blacklisted others, placing humiliating conditions and wage cuts on the rest. Beaverbrook's agents, however, went around the unemployed printers on the Street, taking on skilled craftworkers who had been sacked unceremoniously, and when other papers were happily reducing wages and extending hours he raised pay to union requirements and beyond.

Suddenly it became known to all, even the shrewd newsgatherers themselves, that Beaverbrook had stolen the prime geese that laid golden eggs from under the noses of his rivals, who were killing them. When the *Daily Herald* became a national, under a deal between Odhams Press and the TUC, it became difficult for other papers to operate. They had not even thought it worthwhile to train others, reckoning the less troublesome would be starved back and the rest were expendable. Now they were leaving in droves. Thunderstruck, the press barons reversed their policy and began bidding against each other, raising wages and agreeing to union demands, until "the print" became a sort of workers' aristocracy. This lasted until the smashing of the industry under the banner of "new technology", when they became serfs once again. But for over half a century union power increased, and owing to the vulnerability of papers to stoppage (nothing is more dead than yesterday's news) the moulders of public opinion, who told other employers not to give in to "union blackmail", had to yield one concession after another themselves. This did not stop the press lords from trying to win back supreme control over their empire. They were making more money than they could deal with, and kept expanding. But what they craved was power.

An Anarchist in Fleet Street

The proprietors and even the journos never forgave the workers for winning this round of the class struggle. To this day one can read gruesome stories, written by people who regularly fiddle their expense accounts, about the "semi-criminal practices" of those like us who insisted on getting paid overtime for waiting for them to stagger up to the phones of their favourite pubs to dictate their copy, and demanded "unworked overtime" for the extra work involved in taking all at once what could otherwise be spread over time. Unworked overtime was a phrase I originated.

It spread and was countered by a special rate for "physically worked overtime" (the management's phrase), and their memorable dictum that "in no circumstances will they pay overtime on overtime", i.e. if they called on someone to work overtime to deal with the enormous backlog at pub closing time, he or she didn't get the unworked overtime rate on top of that.

In the heyday of escalating demands the press kept referring to "Anarchy in Fleet Street". One odd effect of this propaganda was to make my own position safe. When the management was told by the Economic League that I was an anarchist and of my association with Christie then at the height of his notoriety, they said (I learned) with a sigh, that precisely their problem was that everybody they had to deal with was an anarchist. I somehow doubt this.

I was for some years Health and Safety TU representative. I had a glowing tribute years later, long after I had retired, when the unions had been smashed by the new restrictive laws and everything we had fought for taken away. Nobody was prepared to take on stooge roles substituting for union representation, under the new reformist-fascism. When the management mentioned something in regard to accident prevention, somebody mentioned my name with nostalgia, to be told sharply by a young management executive (possibly with a shudder?) "You are talking about a creature from the prehistoric swamps. We don't want go down that road again." Nice to know my efforts were appreciated, after all.

1986 again

To my surprise I was contacted one day at work by Granada TV. I had got used to any number of calls, but could hardly believe this one. It seemed two film companies wanted to make a documentary on the fiftieth anniversary of the Spanish Revolution Civil War, though in the event only one stayed the course. This particular caller explained they were up against the fact that they had got to know via the State-sponsored research centre on anarchism in Amsterdam that the best documentary film material on some aspects of it, particularly the collectivisations, was held by the CNT. The film makers were not trusted by the anarcho-syndicalists, but they knew if they did not co-operate, they could hardly criticise afterwards. This had happened with the film *To Die in Madrid* when the French producers had requested film from both the CNT and the Communist Party. As contact was made by a well-known fellow-traveller, the CNT had refused to co-operate thinking the Communists would be glorified, but they still were because of the lack of any coverage the CNT would have given.

They were not exactly encouraged by the fact that Granada TV thought the person most equipped to deal with all aspects of opinion in Spain would be Lady Jane Wellesley, a direct descentant of the first Duke of Wellington and therefore, they presumed, respected by all Spaniards. At first the CNT declined to help but finally I was asked to act as a go-between. I had strong reservations and said when approached I knew the film would be a gross travesty but that I appreciated what happened over *To Die in Madrid.* My rudeness shocked the film makers, who denied they would distort the message. My last word was that I would advise the CNT to co-operate but made our dilemma clear, saying at least they would know, for what it was worth, they hadn't fooled us.

Surprise! In the end the Granada film was impartial, portraying fairly all sides in Spain from their own points of view — the very first time the British media had done so. The only criticism one could make in the overall coverage was the disproportionate part given (as usual) to the International Brigade — one would think it was an army rather than a brigade — but as it was on the British contribution to it, this was understandable. After all, British literary circles were convinced George Orwell was a key figure in the Spanish war, following the best-selling success of *Animal Farm.*

Doctor's Dilemma

I heard of a Tottenham doctor, a sincere young woman who inherited a fortune and proposed to give it to 'the movement' without being sure what it was she believed in. I thought to interest her in the Anarchist Black Cross since she claimed to be a 'non-violent anarchist' and nothing could be more non-violent than helping anarchist prisoners. It would take some of the pressure off *Black Flag.* When she heard of the Spanish Resistance (for the first time, incidentally) she closed up like a clam. It was too violent for her, she explained, and I was politely shown the door. The next I heard of Dr Rose Dugdale was that she had given her own money and robbed her wealthy parents, getting involved in a case that got her five years or so, on behalf of the Irish Republican Army. Her 'Anarchism' could only be taken with a strong dose of pacifism, but when she switched to Nationalism it was different. Pope Pius, who told the American Dorothy Day that Catholics could be anarchists provided they were pacifists (a proviso certainly not applied in the case of, say, Catholics who wanted to be fascists), would have seen the logic of this, but I never could, unless it is to say that professing Anarchism's all right as long as you don't try to achieve it.

CHAPTER XIV

The Spanish War (Continued!); Centro Iberico; Greek Tragedy; Haverstock Hill; The Invisible Woman; This Gun for Sale; Only Too Visible Women; Channel Swimmer in Beads; Emilienne

The Spanish War (Continued)

Travelling around Spain from time to time I found ghost towns where mass murder had taken place, abandoned by those fleeing from terror or deliberate economic privation, where only a few of the old great movement kept the flame alight in secret. All over the world one could find veterans of the struggle and their families who had fled.

Strange that these veterans, though isolated, kept a relationship, even with divisions. Slowly in the post-war years the groups in several countries were re-emerging from the obscurity into which they had been flung whether by defeat or national victory, and literally one by one getting together, slowly throwing off the bonds of the libertarian but hardly revolutionary movement that had surrounded them. As they linked up so we learned of what activity was going on and so it increased. I became inextricably involved in what some of us termed the "international solidarity movement" and others the "First of May Group". Later, in Brussels, it came together as the International Revolutionary Solidarity Movement (IRSM). I described it in the booklet of that name (Cienfuegos Press, 1976) but otherwise historians have passed it over or confused it with the middle class Marxist-Leninist and nationalist armed groups who later eclipsed it, certainly in notoriety.

Though through my contacts in Spain I had known about the Resistance there, it was usually when they were already on trial for their activities and some outside intervention was needed, meagre as it was at a time when the world had forgotten them. It was not until after the last of the most famous urban guerrillas, Sabater, was gunned down in January 1960, that I came to be in closer touch with the Resistance fighters in Spain, whose existence was passed over by the press and historians until very recently. For some years I struggled on my own, but became more closely involved because of my association with Stuart Christie, released from four years in a Spanish jail, where he had built contacts and friendships with the activists of the movement, and with Miguel Garcia, whom we brought from the obscurity of a Spanish jail to international activity.

Centro Iberico

When Miguel came to London, the Spanish Communists, who had been running a meeting place in a parish church hall in Holborn, styling it the Centro Iberico, moved out to bigger premises and changed the name to the Garcia Lorca Club. They knew how unpopular the Communist Party was after the tanks moved into Hungary, but thought they stood a chance in Spain and the dead poet couldn't object to lending them credence. Miguel started a new Centro Iberico from there and also an International Libertarian Centre to take the place of the now defunct Wooden Shoe. It was years since there was such a thing as an international anarchist club and it was an added bonus that we retained the old connections with visiting Spanish workers that the CP had carefully built up.

I warned him about the problems of serving drink there, pointing out the acting minister was Dr Donald Soper, famously an advocate of total abstention. He belonged to the neighbouring Methodist centre and was standing in for the Anglican vicar, who had the usual small congregation. Miguel assured me, "I know priests. You don't have to tell me, a Spaniard, about these holy fathers, as they call themselves. I will offer him a glass of wine and he will agree to everything". Fortunately Dr Soper never came to the hall while we were there, possibly having other things to do on a Sunday, so this interesting theory was never tested.

The last of Spain's exiled confederal families gathered there. They had made themselves quite an interesting community in London, keeping together like an extended family. The majority had settled around Portobello Road, Notting Hill, where the original CNT-MLE offices had been, though with the growth of families they extended to the suburbs. The "Centro" was able to put them in touch with a new generation arising in Spain and with Resistance activists, but the ghost of the years of ossified bureaucracy and passivism had not finally been laid, here or elsewhere.

The hall became popular with the Spanish community generally, resident and visiting, and Miguel made them so much at home that we had to have two halls, one Spanish-speaking and the other a babble of tongues. The Spanish accepted the fact that it was an anarchist centre, even those who had grown up under Franco who tried to obliterate the memory of anarchism and the Basque and Catalan tongues. It would have made him sick to hear anarchism expounded not only in English and German, which he wouldn't have minded on the grounds they deserved it for permitting heresy, but in Castilian, Catalan, Basque and even Galician, the language of his native province which, incidentally, he hated most of all.

Visiting speakers included Jose Peirats, the historian of Spanish anarchism, and before long we were having separate meetings for gallego (Galician) speakers. When it was proposed, I remember telling them in my usual rambling way about Lloyd George at the Versailles conference who had read, or glanced at, a scientific article asserting the Galicians were the same people as the Welsh. He opposed the retaining of Galicia by Austria saying he objected to "his Welsh people" being under the domination of "Huns" not realising Galicia in Spain was not Galicia in Austria/Poland. An American woman who happened to be present told me afterwards that her parents had fled from Roznow (in the other Galicia) and Lloyd George's mistake ruined thousands of lives when Poland took over from Austria, which made the anecdote less amusing.

Another casual visitor wanted to know more about the Angry Brigade, almost as soon as that expression was heard. It was hard to answer his questions, even if I hadn't suspected he was a police agent. Like many of an authoritarian frame of mind, he thought it a centrally directed conspiracy, and that I was a sort of PRO to its Central Committee. He actually used terms like "political wing of your armed struggle". Miguel said to me in Spanish, "Ask yourself. Who would want to know so much?" The visitor reddened and I suppose he understood. Would a spy have blushed? But he never commented.

It didn't matter because all I knew and had to say was already expressed in the pages of *Black Flag*, and occasionally picked up by the mainstream press. From the tenor of his questions the inquisitive visitor sounded more to me like an emissary from the IRA or Sinn Fein trying to pick up allies — the "troubles" were just re-re-starting. When he did refer to Ireland he referred to the danger of fascism, and the Nazi-clerico-fascist groupings in what he called the Free State (an expression only used by diehard Republicans or diehard Tories, neither of whom recognised the legitimacy of the Republic). According to him, only our co-operation with nationalism in the North could prevent the spread of fascist nationalism. I didn't agree with Miguel that we were dealing with a police spy or agent-provocateur but the political argument sounded dodgy.

Another not particularly welcome guest was a young German who came just as I arrived, from working late on Sunday, to help with the sweeping-up after the meeting and who, between discarding his cigarette ends on the floor while I was doing it, raved at me for my alleged support of the Baader-Meinhof 'Gang' of which he knew only the reported press garbage. At first patiently (for me anyway) I told him he failed to understand the clash between anarchists and Leninists that was going on in Germany. ("But I am a German, of course I know what is happening in my time" — "I bet your father never said that " — "Ah, you are a racialist"). Somewhat hot and impatient with clearing up his dog-ends after a day's work and answering tired old pacifist cliches I finally shouted "Piss off" and chased him out. Ted Kavanagh commented drily that it was a very witty reply and restored my good humour, but the outraged student went away to denounce me in a pacifist paper as a "middle-aged, middle-class man who only believes in violence". To be considered "middle-class" by an earnest student when you're a pushing broom after him would excuse a belief in violence, even if it left one or two more besides.

On the other hand there were so many wonderful people who came along that it would be impossible to try to mention them all. I felt proud to have gained so much respect and affection which more than compensated for the hatred I seemed to generate from those outside of the movement and class for which we fought.

Amongst the activists were some Irish Anarchists trying to build up a class struggle movement in Ireland and get away from the old routine of workers in the North fighting each other for the slums and routine jobs, and in the South yielding to apathy. They did great work for the Black Cross for prisoners abroad, but soon after brought down on their heads the full vindictiveness of the Republic for daring to try to break the mould of Irish politics.

Those from outside who singled me out for criticism even for matters about which I knew nothing included one Nicolas Walter. He had somehow became managing director of a firm which controlled the residual assets of the 19th century secularist movement, and seemed to have the idea he was the official spokesperson of the anarchist movement as well. However, he had no responsibility or connection with it aside from an involvement in the anti-nuclear movement and his promotion of the cult of Freedom Press. Later he took over the editorship of one of its magazines. Since the establishment of the Centro Iberico, or possibly because of the Angry Brigade, he had carried on a seemingly endlessly literary feud against me which extended to his clique. I suppose it was because I refuted his revisions of our history and distortion of our ideas and also was not unconnected with my scaring off peace-it's-wonderful-lovers.

His colleagues Patrick Pottle and Michael Randle, members of the Committee of 100 (CND's activists), went to prison for their anti-militarist actions, and while there got to know the spy George Blake (sentenced to forty-two years). They sympathised with his being saddled for purely international political reasons with an enormous sentence, though not his ideas, and connived at his escape, as usual, the amateurs outwitting the professionals. Twenty years later H. Montgomery Hyde, ex-Tory-MP in Northern Ireland, Intelligence expert, a Protestant champion who had a foothold in the professional atheist camp as an Honorary Associate of the Rationalist Press Association — a handy vantage point to observe the ultra-Left — exposed their complicity in a book, with the acknowledged assistance of Nicolas Walter. Ever a stickler for other people's accuracy, Walter denied indignantly a press comment that he passed over any information to the Intelligence expert at dinner and pointed out that it was at tea. Though Special Branch had known all along who was responsible, such was the Tory backbench outcry that Pottle and Randle were prosecuted. They admitted their guilt in another book, so convincingly putting their case, not for innocence but for justification, that the jury acquitted them. But it was touch-and-go for them and on the whole it was safer to be Walter's enemy than his friend.

Greek Tragedy

While I was working at the Daily Sketch, a wave of resistance was opening up at home which the Press tried to personalise, so as to deprecate but still justify scare headlines. Various journalists tried to pump me about Stuart's movements. They tried contacting me in the local pub, "The Albion". I declined to speak to any of them, getting a reputation for boorishness which didn't do any harm when it came to negotiations with the management, and made them tread more carefully. The Daily Express was running a story about a mysterious Scot who had been imprisoned in Spain, was now into every kind of terrorist activity and had loads of money at his disposal. It would have been hard to recognise my friend at any time under the latter description.

Maureen Tomason, one of the Sketch star investigators, actually came into the copytaker's department to ask if I knew to which country he had gone. I was not there and when she mentioned her errand a colleague of mine said politely, "His friend Stuart? You missed them by a minute, they'll be in the Albion" — which was true. Miss Tomason stormed out of the room in rage at such a preposterous story. Young in journalism she might be but she wasn't going to believe the Express could have invented their story about private planes at his disposal. If she had been told he was hiding in a nuclear submarine under Blackfriars Bridge it would have been within her comprehension.

Another young journalist Nicola Tyrer, just a few weeks before being made education correspondent of the Evening News, asked me if I could get him to talk about anarchism to her. I passed her name to him at lunch. As he agreed to speak to her, next day the Evening News had a scoop, an exclusive interview which revealed that the now named Scot was working on gas conversion, living in London, being harassed by the police and the story in the Daily Express was a pack of lies. The next day their rival was constrained to report there was another young Scottish Anarchist who had been imprisoned in Spain of whom no one had previously or subsequently heard, who on reading the story went off in his private plane never to be seen again.

Possibly encouraged by Nicola Tyrer's scoop in which she had the luck to expose a rival paper's fictions the same day as they appeared and the same week she had started, I was approached by a young freelancer named Ann Chapman. For once this had nothing to do with Stuart but, she said, "to get information on the Greek Resistance". I was somewhat brusque. which I now regret though I am glad I did not encourage her. She said she was working for Radio London and was going to Athens, hoping for background. She had already contacted some Greek groups which I did not know. There was a large Cypriot Communist Party and Trotskyist offshoots among the Greek-speaking community in Egypt, but I knew little of them. What small amount I then knew about the anarchists' part in the struggle against the colonels within Greece I certainly was not going to share with Radio London.

She was quite persistent. She had no idea of the danger involved in trying to find out too much in a country like the colonels' Greece. At best she would be endangering those with whom she came in contact. As it was she went in on a cut-price budget by bus, in January 1971, without contacts, in a disturbed country, and somewhere en route was raped and murdered.

Though the murderer-rapist was found and convicted, her father would not believe in his guilt, searching always for a less banal truth. Six or seven years later he was still giving the story to investigative journalists, hoping to discover what really happened. I and others who had seen or, in my case, heard her in her last week in London were questioned by the press, which is how I got to meet her father Edward Chapman. He could not face the fact of his daughter having been raped and was searching for some political motive that would have given dignity to her death. He actually faced the convicted rapist Nicos Moundis in court but felt "convinced inside" this seedy, down-and-out character with a psychotic history including attempted rape was not the killer.

Much as I admired his tenacity and loathed the colonels, who had killed many under "interrogation" and blamed local crime afterwards, I failed to see it was necessarily so in every case of murder, or that they would invariably have done the dirty work themselves. In Hitler's Germany, some people, even Jews, must have died naturally, by crime or for reasons other than genocide. And rape was an act of an oppressive urge no less than class interest or ideological conviction. I think Mrs Chapman came to terms with that but her husband could not. My meeting with him made me sad, but my subsequent enquiries in Greece led nowhere.

Haverstock Hill

We originally started printing *Cuddon's* and so on with a Varityper and Gestelith. I could write for hours what problems that machinery caused. It fortunately disappeared when we moved and the first few issues of *Black Flag* were on a Gestetner duplicator, which I preferred as I could handle it and, if messy at times, it never broke down. The first issues came out quite well on it, but "Progress, Progress" insisted everyone and we moved from one self-made difficulty to another, going on to a printing press. Fortunately I had written the "Debtors Guide" and we weathered the storm for years but with one thing and another it was useful I had a large amount of paid "unworked overtime" at my professional work.

The printing press was used by Ted Kavanagh and Anna Blume in a huge basement at Haverstock Hill, after the demise of the Wooden Shoe bookshop, which otherwise was the rehearsal room of a pop group. The group were on a weekly rent from the bookmaker's shop above, replacing a religious youth group (from a neighbouring church or synagogue, I do not know which). Their leader/parson/rabbi or whoever was concerned had leased it from the shop above when it was a greengrocer's and the basement was virtually uninhabitable. They repaired it well but when the shop changed hands to become a bookmaker's the guru opposed both change of user and the betting licence. As Mammon won, they either went or were evicted and the pop group took over. After a year or so it found itself no longer in harmony with the scene and Ted was left on his own.

Without notifying the landlord of change of plan and letting him think it was still the same pop group (he never appeared), we made it into the new International Libertarian Centre/Centro Iberico, an anarchist club to which came wonderful young people from all over the world as well as survivors from innumerable political upheavals.

As Miguel decided to spend his whole time looking after it and virtually cut himself off from any paid work — he was past what should have been retiring age anyway — I had the problem both of providing him with the money to live on and paying the rent of the centre as well, but it was well worth it. Later, after being granted domicile, there was no way he could have got a Spanish pension even at home (and to this day), having fought against Franco. But his case was taken up by Nancy Macdonald, who did sterling work for Spanish veterans. Though an American, she had some influential friends in Britain, and on the basis of his work for the war-time Resistance, he was given a basic pension by the UK government. It was the only case I knew where such work was recognised. I was sceptical that he would receive it. During the war, his group had co-operated in anti-Nazi work with British agents (including escapee soldiers) and he admitted in his *Franco's Prisoner* the spy network taught him forgery ("the most humane craft in a totalitarian country"). He had printed passports, ration books, currency and Party membership cards even better than the real ones. Perhaps his small weekly grant related to a major feat in this undermining of Nazi occupation in France, or perhaps to a fear of his being obliged to carry out similar feats under our benign elected dictatorship.

The Invisible Woman

Despite the terrible tragedy involved in dealing with people sentenced to death or 20 or 30 years imprisonment, in the course of the Spanish catastrophe, one could still got a few laughs, believe it or not. "The coat" was one, the "invisible woman" another.

Many comrades were arrested in Spain and charged with "banditry and terrorism" so it was impossible to get the aid of Amnesty International. Their policy was, and remains, to decline to defend those *accused* of crimes of violence, whether they committed them or not. This meant they defended those innocent of fighting the State and only those victimised for their innocuous beliefs were helped. This included editors and publishers, scientists and philosophers, but never workers. The Communist Party raised large amounts for their own members through various front organisations but the resistance, certainly in Spain, was out in the cold.

When we started the Anarchist Black Cross and really began to help them, we got begrudging voices even among so-called libertarians saying

"What about the IRA? Belfast is on your doorstep". More money for the then few dozen IRA prisoners was raised in one local English Catholic parish in six weeks than we managed to get in ten years. The Irish pubs in Finsbury Park raised enough to have kept us going for twenty years had we the remotest chance of getting it. Fund raising for the IRA as for Amnesty International became a growth industry, employing hundreds, but we still got this niggling that our meagre funds should swell their profits instead. I never knew how much IRA or Amnesty prisoners got out of what was collected for them. Nor did I know how much ours did, as to avoid handling the funds they went direct to the person or family without intermediary.

It may be coincidental that Amnesty was run by editors, publishers, scientists and philosophers and the token trade unionist, but that is by the way. The fact remained that the Franco regime was quite alive in its latter days to international implications and always charged its opponents with "banditry" even if it was only so much as having the wrong union card. As a result Amnesty in Spain defended Jehovah's Witnesses who did not join the army, plus a few of the Christian Democrats who happened to fall foul of the regime. But the resistance? Never! That was why we founded the Anarchist Black Cross.

When Julian Millan Fernandez was arrested on the flimsiest of charges it was at first impossible to get together a defence as nobody was allowed to see him. However, Miguel and I got into instant communication with him which totally baffled the authorities. They were constantly examining his letters for invisible ink, a false clue Miguel had dropped in his *Franco's Prisoner*, when he had contacted Stuart from jail to expose prison conditions and claimed, to protect his go-between, it was through invisible ink. Contact with Millan was through an invisible woman!

It is a hardly surprising commentary on the sexism of the Spanish jailers. Millan Fernandez was the proverbial tall, dark and handsome Spanish male, and married. A short and plump American woman turned up saying she was his "novia" (fiancee). It excited unkind ribaldry among the guards, who had been told not even to let him see his wife, and they were so convinced of the facts as they saw them they never took into account that she might be the go-between.

They let the presumably infatuated, but in fact extremely courageous, woman see him every day, never realising she carried out every detail of information. His court-martial (though a civilian) should have been in secret, but lawyers briefed from outside were already there. After the trial, the prison staff must have realised they had been hoodwinked, but the guards denied all knowledge of any visitor and agreed there must have been invisible ink, except one who growled in a surly fashion that if one was kind to a crow it was sure to peck your eyes out. Every other guard in every political jail looked for a bottle of invisible ink for months afterwards but the bottle, and not just the ink, remained invisible.

This Gun for Sale

We had an Anarchist Black Cross meeting in a pub in Tottenham Court road. The meeting was going on upstairs but (as usual in such cases) many had drifted to the bar downstairs before and during the meeting. Two men were trying to engage some of our people in conversation, recognising them as they came downstairs. It seemed suspicious so I muscled in on the conversation. They claimed to be soldiers, and looked as if they could be police. They said to me they had arms to sell. Up to then they had avoided me but I had overheard their previous conversation in which they said they were "sympathetic to anarchism" and wanted to give arms.

They spoke of a "lorry load", as if we would have the cash, least of all in our loose change, but I shrugged off the conversation. Anyway they were glad to turn their attention to Stuart who had just come downstairs and rushed to him like a long-lost brother. It was obvious he was the one they had come to see.

He asked them if they thought he had come up the Clyde on a bicycle, which discouraged them asking further. A year later one of the "soldiers" proved to be a detective constable named Cardwell who gave evidence at the Old Bailey of how they had "arranged" to sell Stuart arms that night but failed because he was "drunk and aggressive". Another version, not brought up at his trial, but raised with me by Scotland Yard, was that I had alerted someone "in French". I suppose I did mention the presence of agents-provocateurs. Unfortunately we don't have an English word.

Perhaps the reason is we have so much of the thing.

Only Too Visible Women

When the centre had established contacts in Spain, one of the most pressing demands upon it was for contraceptive fitting or abortion. It was illegal in Spain, and pregnancy for unmarried girls was a disaster. As soon as the sexually liberated got in touch with an organisation fighting oppression, that was the first thing they asked of it.

We had to accede to the demands of a steady trickle of young women who turned up at the door, with the fee for an operation and the return fare, nothing more. They never realised they had also to pay a doctor's fee, nor had they reckoned on the extra few days' stay required. It became a standard requirement for the Centre to find a room, and raise the extra fee, and it was embarrassing for me that I always needed to take them by car and arrange matters with the clinic. The receptionist never said anything, but I wonder what she thought seeing me coming in week after week with a different senorita.

At one time Miguel approached a socialist feminist group to see if they would co-operate, as they had many resources we lacked, as well as access to funding. They were most hostile. They claimed we were encouraging private medicine. I do not know if they expected the young women to wait until Spain had a National Health Service, defiant of the Catholic Church into the bargain, but it would have taken a lot more than nine months, and the penalties they faced for motherhood were severe.

Channel Swimmer in Beads

Following attacks on Iberian Airlines, Spanish banks and finance houses, the result of renewed repression in Spain, the *Evening Standard* asked me if I could arrange an interview with representatives of the CNT. They agreed, though I was always sceptical where the press was concerned, and the *Standard* sent along Kevin Murphy, a crime reporter and therefore qualified to deal with political matters (criminals in power were dealt with by political correspondents).

Reasoning that he was going into an anarchist club, Murphy turned up in a hippy caftan, flower power symbols, beads and the rest of the Sixties gear, somewhat out of place with his beefy appearance and athlete's face. He was a Channel swimmer, a sporting achievement I envied.

When he came in the five exiles (four men in business suits and a woman in her fifties) looked at him oddly. "Who is this clown?" one of them asked me in Spanish. "English journalists dress this way," I said. Murphy had a red face anyway so I don't know if he understood.

Emilienne

Emilienne Morin came to London for two days for a funeral. Mimi, as she was known affectionately, was French but had lived in many countries in the course of a tempestuous life. However, she was not officially allowed to enter the land of the free, as the Home Office, which assumed it owned the place, had decided the security of the island depended on keeping her out. However, she managed to slip in for a couple of days, and I was asked to drive her and her friend back to Victoria Station.

Joe Thomas came round to tell me of some development in the print union, and I explained the situation. He came along with us. Typically, lack of a common language never stopped Joe chatting away, and Mimi's friend spoke a little English. While I was parking the car at Victoria and had to leave them for five minutes, he got out of them various aspects of their life. In the flurry I had no opportunity to introduce them. After they were safely on the train, Joe told me Mimi had been in the Spanish war and in fact was secretary of the Durruti column. "Her husband was there too. I never got out of her what he did."

I don't know if they had been poking fun at him French style, or if Mimi just disliked talking about the past. Her life companion was Buenaventura Durruti, a legendary figure even in his lifetime and the most charismatic figure in the Civil War. Joe was quite put out when I told him, and for years after used to say jocularly to people, "This bastard let me ask Mrs Durruti what her husband did in the civil war."

CHAPTER XV

Floodgates; The First Twenty Black Flag Years; Novel Approach; Terrorist Links; The Magic Coat

Floodgates

Stuart and I wrote a book together, on the basics of anarchism, which we called *The Floodgates of Anarchy*. On the royalties we were able to continue the Black Cross and also fund *Black Flag* as a regular publication for several years. *Floodgates* brought anarcho-syndicalism into modern terms of reference, and ran into several editions, one of them a major paperback (Sphere Books). There was also a Spanish edition by the Argentine publisher, Editorial Proyeccion. Later we did an offset run ourselves to take into Spain. It attracted some interesting reviews, ranging from the leading Sundays to a bizarre review in Chile where a bewildered weekly paper criticised us for failing to conceal our sympathies on the dreaded subject of anarchism.

It gave Miguel the idea of writing his experiences and he used to come and see me at the *Daily Sketch*. It was laidback, in what we now know were its twilight years, and I found him a disused room which he could use as an office where he dictated his book *Franco's Prisoner*. The security guard complained to me that nobody had told him it was to be re-opened as a 'foreign correspondence room' and I told him not to worry as it was hardly likely the room had been hijacked. I got an old fashioned look, an expression I had difficulty in conveying to Miguel.

I wangled him a canteen pass from the chapel committee and he looked with dismay at the food which he regarded as cooked leather. On being told to make up his mind sharpish by the serving lady, he shook his head sadly and asked if he could just have a glass of wine. "A glass of bleedin' wine!" she cried incredulously. I apologised for him. "You must excuse my friend, he's not used to our standards, he's just come out of a Spanish jail." I insisted this went into *Franco's Prisoner*.

The First Twenty 'Black Flag' Years

Black Flag was from the time it appeared continually forced to battle with the misinformation campaign being waged against it, and against activist anarchism, in newspapers and books, TV and the police, not to mention pseudo-libertarian self-styled intellectuals. My responses were, I fear, virulent and, I hope, resented. It would be impossible to list all the illegalities of which *Black Flag* was accused between 1970 and 1990, from killing to inciting murder, causing riots to arson, kidnapping to sabotage, conspiracy to fomenting strikes. Some of our alleged actions were absurd, some impossible, some we would have abhorred, but what a pity some of them were not true! The *Daily Express* thought we had armouries and planes at our disposal, and the Tory MP Ian Sproat worried about our possessing the nuclear bomb. I don't know whether Special Branch believed half of these stories. They invented some. For a long time we were under surveillance, Stuart in particular.

The police campaign was oppressive so far as Stuart was concerned but not unduly so, after the anti-Angry Brigade raids, to myself. On one occasion the Black Cross got an appeal from a Spanish prisoner for toothache powder and various other prescriptive drugs. In reply to a circular from Miguel and myself, a well meaning soul from the Australian hippy culture sent us marijuana by post, thinking this was what we really meant. I swiftly gave it to the nearest available pothead, thinking it might be a trap, but there was no comeback so I presumed our mail was not being opened, at least not at that particular address.

A sequel was that someone receiving the circular pointed out that doctors received enough samples of drugs from pharmaceutical companies to cover all our Spanish prisoners' needs for years, no matter what the state of their teeth, so I wrote to two doctors instead. One, a Quaker but a woman of integrity, sent off all we needed, and had the prescriptions translated besides. The other, who claimed to be an anarchist, replied that he agreed with what we were doing but had to think of the ethical problem it raised. Manufacturers did not send costly samples free to doctors to be disposed of in that fashion. A little activity and you know what side they're on.

One can never joke without some imbecile journo or politico taking it seriously. When on one occasion we asked for donations and mentioned various items people could send instead of cash, like scrap iron, used postage stamps, luncheon vouchers, etc., a national paper reported seriously that Black Flag was so broke (which was true) we even were appealing for LVs. Perhaps producing the journal was how they thought we earned our bread. One occasion we reproduced a sarcastic Dutch poster saying the Pope was wanted for crimes against humanity and we offered £5, 000 dead or alive (as if we could have raised £50, even in luncheon vouchers). David Alton, a Roman Catholic by political affiliation, a Liberal by profession and a Member of Parliament by religious conviction, wanted us prosecuted for incitement to murder.

Nobody ever failed to mention our 'links with international terrorism'. The tenacity of these links was such that a Spanish comrade associated with the First of May Group was described by the *Daily Mail* as "the brains behind the IRA". When we wanted to run a campaign to help prisoners in the Irish Republic, like many Continentals he was under the impression that this had something to do with the British Government. Who knows, perhaps he was right, but I think the brains behind the IRA would not have proposed a march on the British Embassy. Perhaps the *Mail* journalist had been listening to some bar-room "Irish" joke and took it for serious news.

There was an international mood of rebellion that saw the future and knew it would not work. In this country it was in part the failures of the Labour government, and the planned attack upon the working class by the Tories that sparked off a series of protests. As in Paris, a minor part of it started among the students. Student led factions like the Situationists enthusiastically supported it, Marxists saw it as an opportunity to try to cash in where they could not lead and did not participate. But nothing would have happened had there not been a sympathetic working-class base. The Situationists coined the phrase "Angry Brigade", as later the hippies coined the phrase "Persons Unknown", to describe something they did not influence.

Novel Approach

One briefless barrister who had been watching the trial, hoping to do a denunciation of all concerned, came out with a novel *The Angry Brigade*. It was to have been a funded propaganda exercise in denouncing resistance, but the verdict upset the apple-cart. It therefore appeared as a novel, allegedly based on interviews the author had with the real perpetrators, (nothing like the accused in style or ideology,) the tapes of which he had destroyed. There was at least no hispanophile or hispanophobe Scot. The prominent figure in an attempt to "kick capitalism in the balls" (as one of the characters put it) was a cowardly Jew, "son of a rich and famous rabbi", who let his girl friend be beaten up by a police informer anxious to establish his credentials as one of the lads.

The only person ever heard of on the Left and, even so, light miles from the Angry Brigade scene who was the son of a "rich and famous rabbi" (and the grandson of another) was a rich and famous Communist Party lawyer, well versed in the law of libel, and whether he ever read it or not, the book vanished without trace. The *Guardian* had credited the tapes of the interviews as real and the book based on fact. If that were the case the author should have been prosecuted for destroying vital police evidence, instead of being quietly ignored. The *Guardian* can on occasion beat the *Telegraph* hands down at its own game, but it tries to be liberal, bless its little cotton socks.

"Terrorist links"

What were our links with international terrorism? We had nothing whatever to do with the type of Third World nationalism by proxy in which guilt-ridden drop-outs from the middle-class or professionals living upon the poor. That, although frequently labelled "anarchist" neither I nor my associates had any connection. In its early stages we sometimes had a nodding acquaintance. The European and American New Left confused the two, misled by the professors and the journalists. Any semblance of contact vanished with the events in Germany and the adoption throughout the world by the Marxists and proxy-nationalists of military tactics, which involve indiscriminate attacks upon 'enemy' nationals and are modelled on national warfare. Previously they had imitated tactics based on working-class resistance which are discriminate attacks involving the people directly responsible for oppression.

The anarchist post-war Resistance was until the sixties centred on Spain. The Spanish Civil War hadn't ended with the playing of "Carmen Mejorada" on the radio on the third of March 1939. The great days of the world and post-war Resistance were yet to come. It is a matter for bitter regret that the Resistance, as distinct from an open War, did not begin in July 1936, when the workers were powerful and had not been subjected to genocide. But the working class would never have understood a policy passively allowing troops to march in, even with the intention of biding one's time and hitting back by guerrilla action, at which they excelled and which they finally had to adopt anyway. The Communist Party would have exploited to the hilt the apparent treachery and cowardice implicit in failing to wage open war.

During, and just after, the struggle of Facerias and the Sabater brothers in Spain, Paris was the centre of the First of May circle for years (later it was Brussels). I was there one year (I forget which) with Evie, who had some fashion review to attend, when we accidentally bumped into Gomez. He remained fairly constantly over the years connected with the intelligence service set up by the Spanish anarchist resistance but was working for a multi-national concern (which is why he used the pseudonym Gomez). I did not meet most of the inner circle until a year or two later and did not appreciate why Special Branch for years afterwards made such a fuss about my meeting Cerrada Santos, when they interviewed me for such suspicious matters as passing through Customs after holidays abroad, acting as bailee or giving evidence in political trials.

I had been meeting, though socially, members of the active resistance against Franco who were engaged in a coup which did not come off, but took a toll, leaving several in Franco's prisons and some in French jails.

Among those I met at the Centre, but who went to prison soon after, was Ignacio Perez Beotegui, twenty-four years old in 1975, who called himself "Wilson". He was a friend of 'la inglesa', and though in ETA, very much inclined to anarchism rather than nationalism. He was accused of being involved in the blowing up of Carrero Blanco in December 1973, in the same city of Madrid that Carrero Blanco, in defiance of his oath, had waged incessant bombardment upon in the Civil War.

I had met earlier the veteran Cipriano Mera, who played an important role in the first phase of the Resistance and who had been in the forefront of the battle of Guadalajara. I told him how English historians had distorted the picture, giving the entire credit to the International Brigade. He had smiled but I could not draw him out. People like him did not really care about the historians. "Enough, finally we lost!" But it was a tragedy that the truth could not be passed on to a new generation of activists. Only gradually now do we pick up the pieces.

I did not know at the time what was afoot that made these contacts so important to the police. I genuinely knew nothing of what was going on in the armed struggle until they needed subsequent problems sorting out. There was this reserve always in the resistance movement in Spain. They had the attitude "the least you know the better, the least number of people who know the better". They were constantly penetrated by informers just the same. These were often blackmailed by the police holding their families in a state of open hostage.

The legendary Mera died in 1975, to such an impressive turn out in Paris of anarcho-syndicalist veterans that even British TV featured it. At the funeral I met Cerrada Santos, who had a magnificent record of resistance in before and during the Civil War, during and after the World War. He had founded the railway union of the CNT and responded to my questions about its most famous member, Buenaventura Durruti. I was flattered to find he had heard about me from Melchita even if it was as 'el Sancho de Londres'. It was probably justified in their eyes and somewhat unflattering but all my non-anarchist friends in London, even Joe Thomas, thought me incurably quixotic. It depends by which windmill you stand, I suppose.

During the World War Cerrada had been involved in urban resistance of a non-violent nature in France. His specialty was forgery. It was not until I met Miguel Garcia that I learned that the many forgers within the movement had all learned their trade from British Secret Service agents. Cerrada did not care to mention that. It was all they got out of their work in the war. They had forged identity cards, ration books, passports.

Hundreds of French Jews and Allied escapee soldiers owed their lives to new identities acquired from him and other Spanish comrades or being smuggled by people like Sabater into Spain, and housed when they got there by people like Miguel Garcia. It is true a secondary reason to the humanitarian one was to embarrass Franco who during the war was doing a balancing act between Hitler and the Allies, but that was not the main consideration. After the war the gratitude of any Jewish organisation was no greater than that of Britain or France, who not only declined them a pension, but a mention.

I tried to launch an appeal amongst the Jewish community to help those now, like Cerrada, in need, but the total response I got here in Britain was nil. Only the American Jewish needleworkers, themselves hardly wealthy by modern American standards, gave splendidly for years to help these other victims of Nazism. For this, every credit must go to Nancy Macdonald in New York. In Spain ex-combatants could not work in their trades, war-wounded had to beg and prisoners' families do as they could. There was no social security. Those who had fought against fascism were left to starve but for the aid channelled through this devoted woman. After help to those living in France, aid could be extended to prisoners' families within Spain. The notion of the Spanish government itself doing anything was too preposterous to be considered. Should prisoners' families get social security? It felt they probably shared the prisoners' views and should be locked up too.

A few years after I met Cerrada Santos and after Miguel Garcia came to England, we went to Paris intending to renew our acquaintance. Miguel and he had not met for thirty years. A week before we were to have met (October, 1976), as he was coming out of his favourite bar in Belleville, he was shot down by a Spanish government agent, well known as a thief and informer and enjoying French police protection. Cerrada was seventy-four and unarmed, but the gunman took no chances and shot him in the back.

Afterwards the assassin escaped to Canada. The last heard of this gentleman was that he had changed his name from Ramon Canuda to Ramon Lerida, and was believed to be in Quebec. He fled from there when we gave it publicity. The combination of Lerida's occupations is not unusual. What was unusual was that he should disappear swiftly when he had official protection. It is possible he added peace-time espionage to his occupations, always a tricky business.

Interpol, who were curious as to my quite innocent trip to Paris when I just happened to meet Cerrada Santos, were not in the least interested in following up the person who had murdered him but Cerrada must have greatly upset its founder, Heinrich Himmler, quite as much as he did the Generalissimo.

We tried to bring Cerrada's murderer to account. He had slipped away from Europe and been given sanctuary by Canada. The authorities had denied entry to defenders of the Spanish Resistance even when invited to speak by Canadian Broadcasting. The immigration authority pleaded defence against terrorists, but they were known to have admitted dozens of war criminals who weren't considered terrorists any more than the man who shot somebody for having dared to attempt Hitler's life. This, I suggested in a letter signed by many in the trade union movement, pointed to where their sympathies lay.

I never received an answer. But the immigration authorities had been stung, as I learned years later, and also over-estimated the significance of my name preceding so many leading trade unionists. The Mounted Police visited my brother, who had emigrated there. "I came to Canada to be a goddamn capitalist," he protested when asked what connection he had with "the famous English Anarchist" (sic). He had seen me once in thirty years at the time. The Mountie who interviewed him had much the same military fixations and memories and continued to meet him on what appeared to be a friendly basis, becoming intrigued with his Masonic connections. He went along to meet his circle, but, far from being revolutionaries, they proved to be Jewish businessmen delighted at the idea of meeting socially a real live Mountie. Equally proverbially able to catch their man, they were anxious to know where the Mounties placed their contracts for uniforms and headgear, and he retired from the fray not to be seen again.

The Magic Coat

A Spanish exile group in the South of France one day had a surprise telephone call from a sympathiser who said his name was Jose Martin Artajo. As this was one of the most distinguished names in the Franco regime and close to Government circles, they were not unnaturally suspicious at least of being hoaxed. But the call was genuine. The civil war divided fathers from sons, brothers from sisters, even wives from husbands, contrary to hostile chroniclers like Professor Woodcock who alleged people were shot by the anarchists "just for their family connections".

Admiral Franco himself had been living incognito in Madrid during the civil war, and when the Anarchist militia visited him, having been tipped-off as to a presumed fifth columnist, demanded angrily "What have I to do with my idiot son?" (an argument they accepted). Like many descendants of "conversos"(or New Christians) after 1492 — referred to contemptuously, in a name they accepted with pride, as "marranos" — pigs — when in secret they kept alive their old faith, the Admiral was a Republican and Freemason and only nominally a Catholic. The marranos predominated in the police and armed forces even under the Monarchy and continued to do so in the Republic. His other son Ramon was an aviator who had conferred popular acclaim on the name for his pioneering exploits in the air long before his younger brother Francisco (who took his mother's side in the family squabbles) made it infamous. The Admiral had long since disowned the General and left Madrid when the latter re-entered.

The family feud, begun when the Admiral left his deeply Catholic wife, was expressed in the younger son's persecution of Republicans and Freemasons when he came to power. Roman Catholicism was glorified and divorce, such as the Admiral had wanted for years, illegalised. Typical of the Popular Front government, it had rejected as impractical and absurd the Anarcho-Syndicalist demand to abolish the Army (a hotbed of right-wing reaction and oppression) and instead gave promotion to people like Franco, relying on his father's background, or other future rebels because of their Basque or Catalan origins.

Martin Artajo's father was a leading Catholic publisher. His uncle, later a Minister under Franco, had been among those imprisoned as fascists during the civil war in Madrid, when an excited crowd wanted to lynch them all. They were not unreasonably agitated at being bombed from the air by the very air force they had unwillingly paid through the nose for years to defend them against foreign enemies.

Many of the prisoners may not have been fascists and the warders felt they should go to trial for what they may have done. They sent for the local chief of police and such was the twist of fate, some of the warders, and the chief of police himself, were anarchists. This was one of the many strange consequences of the compromises with the Popular Front. The chief of police held the crowd at bay with a pistol in each hand, saying the (since famous) words, "Que nadie pase!" (Nobody gets through) and saved their lives. Later, when Franco won, the unlikely war-time police chief was on the death list, but saved at the last moment by Martin Artajo's uncle and some other prominent ex-detainees who dubbed him "the red angel" and received a rare pardon for having been a defender of law and order during foreign invasion and rebellion.

For years, not having to conceal his identity, having been pardoned, the "red angel" organised legal defences, acting as intermediary for funds for that purpose, or for prisoners and their families from abroad. Now he vouched for Jose Martin Artajo on the other side.

Jose Martin Artajo was in the Diplomatic Service in Greece when he 'defected' from the regime and associated with musician Lucy Duran, daughter of the one General who stayed with the Republic until defeat, and a wealthy American woman. He could not stay in Greece but came to London with her. He worked for the Resistance with Miguel Garcia. Though I felt he never overcame his upper-class background, however much he dropped into what we once called bohemianism and now call dropping-out, I have to say he devoted a great deal to the ongoing struggle.

On one occasion in 1974, there was a series of police raids on various addresses, including Stuart's, Miguel's and mine, in fact by the French police, though they came along with Special Branch officers to make it look legal, asking about a purely Franco-Spanish matter. As there was a Labour Government in power it would have been a political embarrassment if they had trailed along a Spanish policeman as they would have liked. It was part of the investigations into the kidnapping of a Spanish banker in France, by a section of the Spanish Resistance. I infuriated them when they came to me by answering only the British officer and acting as if the French one could only understand music-hall pidgin-Franglais (he spoke English perfectly well). "Nice country, non? Mini-skirts, mademoiselles, oo la la. It rains always but plenty jig-jig, wee-wee — you wanna go?" I admit I was outrageously betraying my principles but it was worth it to see the purple necks of both. I am sure the warrant, if any, did not cover foreign police or they would never have swallowed this behaviour. They were interested in wardrobes, asking for a coat. When they visited Martin Artajo and Miguel they searched all the coats. They did not make a search in any of the British subjects visited.

Later Miguel explained the matter, to me at least. Someone had written from a Spanish jail that if Martin Artajo could pick up a certain coat coming over, he would have all the information he needed. But in prison slang "a coat" was "a guy".

CHAPTER XVI

Barrack Room Lawyer Again; Twilight of Francoism; The Angry Brigade; Bitov What You Fancy; The Brief Morning of Anarchy; Trials and Tribulations

Barrack Room Lawyer Again

When the Centre was established in Haverstock Hill, Miguel and I plunged into a series of meetings up and down the country, and throughout Europe, speaking on behalf of the Spanish prisoners. We encountered a lot of enthusiasm on behalf of the Resistance, and this coincided with a rise in industrial resistance at home, so I was kept busy. Fleet Street printworkers usually worked a seven-day week, and a lot of my spare time was devoted to bringing out *Black Flag* and working for the Black Cross, all voluntary. It may sound impossible, but a lot can be achieved with a laidback approach. For instance, I would take weeks on end without days off and then have them in lieu, travelling to Cologne or Copenhagen, and combining a holiday with a tour speaking in defence of Spain and also in explanation of Anarchism and Syndicalism.

All the time I was at work I got calls (one advantage of working on telephones) to help out with such matters as finding jobs for visiting Spanish workers, sometimes on the run from a prison sentence for their beliefs or organisation. It was difficult before Spain was in the EEC as there were only two types of jobs — those chosen by the British Government, ill-paid and sweated, and those without cards, usually worse-paid and slave-driven. And of course there was the au pair racket (still not resolved but diminished) where girls came "to study English" and became virtual domestic possessions. They were bullied into thinking they would be deported if they complained. So far from having paid overtime they never even had time off.

If they had friends who got to know the Centro Iberico, a Spanish woman contacted them and persuaded them to leave, assuring them there would be no comeback from the employer that could not be countered. Miguel and I or some other friend would go round by car to collect them, sometimes to confront irate middle-class housewives who became abusive when realising they were being forced to do their own work for a day or so. If the husbands were in they became aggressive and Miguel learned to swear fluently in English and extended my knowledge of how to do it in Spanish.

It nearly, but never quite, came to blows. The girls were usually terrified the Guardia Civil would intervene, having come from a country where, in the whole of their young lives, strikes were criminal and workers had no rights, but in Golders Geen where we had news of most of the Spanish au pair "students" there were no tricorne hats.

We invariably got them more rewarding jobs, at that time plentiful despite restrictions. Domestic help under the pretence of au pair diminished but unfortunately was replaced by Filipino domestic slavery with no pretence of teaching the language.

While I was at the Daily Sketch a colleague asked me bewildered, after having passed over many personal calls of this nature, "Are you a sort of Republican Spanish Consul?" Later a Valencia paper referred to me in a survey of British anarchism as "a friend of the Spanish exiles in their darkest days". Both remarks made me very proud. At least everything I did was not in vain. I was a barrack-room lawyer at heart, I suppose.

Twilight of Francoism

My main contribution to Spanish Resistance in those last days of Francoism, though, was support for the libertarian prisoners of Franco. The name "libertarian" was still, at any rate in Spain, used only by the anarchists and syndicalists; the hi-jacking of the name by right wing private enterprise people not yet having become widely known outside the USA — it still signified "libertarian socialist" as opposed to "State socialist".

Many Spanish people could now travel out from Francoism, and the opening up of the labour market in Germany and elsewhere in the boom years meant whole towns in Andalusia, for instance, became ghost towns. Genocide had been followed by exodus. The estates now needed all the labour they could get, and the regime could no longer go round killing haphazardly — it was under scrutiny by tourism. That was why it jailed, but as discreetly as possible, and why Christie's publicity when in Spain had been embarrassing, and Franco's apologists spoke of him first as a "misguided lad" and then as a criminal. But because there were fewer Resistance fighters and prisoners than in the darkest years of Francoism, their plight could more readily be pinpointed.

The political climate was changing, nothing demonstrating it more clearly than when a Scottish football team visited Barcelona and the fans were drunk with an unexpected sporting victory, unlimited licensing hours and cheap booze. They tore into the police who did not know how to deal with them. They brought out the Guardia Civil but even the dreaded tricorne hats could hardly massacre visiting football enthusiasts. Barcelona went wild with delight at seeing the tables turned on its traditional enemy. From that time on the omnipotent police State was shattered. I had the fantasy that should Hitler have won the war the Gestapo might have eventually atrophied with routine acceptance and relied only on the memory of its greener days to make illegally-parked motorists cower. I prophesied, admittedly jestingly, at many meetings that this would happen even in Russia with the dreaded communist police in years to come.

Crossing the border just before Franco died the scene did not seem to have changed — we got through OK, the guards courteously waving through an English car, while Miguel sat at the back of the car, unusually humble, his passport at the bottom of the pile, giving his profession as "Interpreter-Guide". He was grossly disappointed with the changes in Barcelona especially when he went to find papers he had hidden in his mother's house years before, to find his brother-in-law would not let him in, as an ex-convict no less. His sister had given up the struggle on marriage, and most of his family were dead or dispersed. His wife had broken with him in his years of prison, he did not know his son, only former neighbours spoke of him affectionately. Waiting for him in a bar near his brother-in-law's house, an old Catalan told me that the place to which my friend had gone really belonged to an old confederal family but the present householder was no good, a desdichado who traded on the regime. What a blow it would be for the real owner, if he came back, a man who was really a saint. The description hardly fitted Miguel, but it was he and when he came into the bar they recognised each other. The local offered to get some of the townspeople to force their way in and discover the deeds hidden in the floor, but Miguel asked if he expected him to evict his own sister if they found them — which confirmed the old man of his saintliness.

Throughout France we had to go out of our way to stop in different towns where an incredible number knew Miguel as el tio de *Barcelona* ("Uncle Barcelona"). Only in Spain everything seemed dead and him forgotten. But this was on the surface. Behind it was a bursting out of young Spain, and a determination among many to renew the struggle of historic Spain. Oddly enough, more people were prepared at first to speak openly to me, as a foreigner, than to Miguel. He learned to leave the opening of conversations to me at this point of time, and got impatient at my slowness in starting to talk to everyone I met.

It was incredible how Spaniards had come to distrust one another, but also how they were unwinding. An American we knew became friendly with a girl who was at the University, also an anarchist. But she implored him not to say anything about it when he met her parents. She had no idea how they would react. Her mother questioned him closely about his job and wanted to know to which union he belonged in the States. Thinking she wouldn't know what it was, he said "The IWW". She lit up immediately and confessed she had been in the CNT in Tarrassa. When her own father had been taken by the Falange, her mother had gone to beg for his life. They not only shot him in her presence, they gave her castor oil, shaved her head and made her run down the street with bullets flying at her feet. Thereafter the widow had warned her children never to say a word about their beliefs, not even to their spouses or children when they married.

She had kept silence all these years and now found she had an anarchist daughter. When the son came in, mother and daughter were still talking about what the father's reaction would be. The surprised son confessed he was in a clandestine CNT union, and they were all laughing about their newfound discovery of each other and if Papa would say he was in a nest of vipers, when the latter came in from work and wanted to know what the joke was. They plucked up courage and told him whereupon he whipped the CNT rulebook out of his pocket and asked for their back subscriptions. The whole family had kept their secret from each other all those years and it needed an American novio to act as catalyst.

This was typical of was happening all over Spain, but especially in Catalonia. I think I was in order being optimistic for the future and telling meeting after meeting from Birmingham to Berlin that Franco's protegé and designated successor, Juan Carlos, younger son of one of two Pretenders with equally disputed claims to the throne, should not trouble to take more than a travelling bag with him when he returned to his ancestral home.

Unfortunately, I was not the only one to observe what was likely to occur when Franco died, clinging to power to the last breath. The others were silently making preparations. Our people weren't.

The Angry Brigade

"Obsessed with the press" though I might be, according to a hostile reviewer of *Floodgates*, I was only contacted by them in connection with Stuart, especially in the sixties. Then, they were convinced he was responsible for every act of rebellion that occurred and a lot that didn't. For a couple of years when I was sitting in the Albion pub in Ludgate Circus journalists would nudge each other but nobody had the courage to interrupt me at Sunday lunch (for me, then the finest English cuisine in London). "Like butting in on feeding time at the Zoo," was the unkind way one of my workmates described it when I was once thus accosted. It was only when I was occasionally drinking with friends and one or another journalist would home in, and I would think they were their acquaintances, that they ever managed to approach me to get information. They got discouraged with this after I gave them some tips even more ludicrous than the ones they could make up themselves and when my friends tumbled to what I was doing, they would seek to cap them. On one occasion — it wasn't me that time, honest — somebody sent an aspiring young sleuth with a camera to watch Croydon Town Hall for days, waiting for it to be blown up.

I don't know what he thought Stuart did in his tea break, but I do see why some of the allegations made against Black Flag were so bitter. They could have forgiven a "Dreadful Massacre at Croydon" Exclusive but not standing round in the rain for days catching cold to no purpose, unable even to charge it to expenses.

An amusing sideline on these incidents was when I finally met the hostile non-violent non-reader reviewer of '*Floodgates*' in '*Peace News*', a somewhat embittered Christian Pacifist named Otter, who considered himself an anarchist of the '*Freedom*' type. During some march or other I had stopped for some natural relief. While not addressing me directly, when he came in he angrily denounced me as a terrorist to the surprised peers. I ignored him and they gave furtive looks at each other, not wanting, in the manner of gentlemen in gents, to appear to be interested in each other, but wondering which one was about to blow the place up.

The series of attacks on government institutions, finance houses, recruiting offices, lawyers' chambers, embassies, major firms, Spanish Government offices and so on, had been collectively known as the Angry Brigade, as if it were a single cohesive force directed by one commanding officer or even by one small group. As the press could not conceive of volunteers, there would have had to be huge sums paid to any mercenaries they hired, and after it was all over journalists were commenting on "how amateur" the whole business was. They obviously would have preferred to find professionals. Though the press used the word "terrorism", not a single life was lost nor a single person harmed in these explosions, another factor which earned the entire operation the sneers of officialdom, who thought they would have if they could have, or maybe that they should have, So convinced were the media that the police were dealing with a unified force they were puzzling why Lady Beaverbrook's car should be sabotaged and what significance she could have for the Angry Brigade. They did not even look at the supposition that, far from being also obsessively concerned with the press, the perpetrator might have thought it was the car of the media baron himself. True Lord Beaverbrook had died and his son hadn't taken the title but everyone didn't necessarily appreciate that, and the car was always ostentatiously parked outside the *Daily Express* building.

Most of the other targets were spot on, and if at first the public at large had reservations about attacking ministers' houses or the value of sabotaging fashion shows and shops (a Situationist tactic), when one spoke to ordinary people they were delighted at the anarchist targets such as attacks on property speculators' offices, and even amused at an attack on the Lord Chancellor's office, which caused horror in the press for the insult to his high judicial standing, far beyond politics as they saw it. Not only I viewed matters in that way, but a jury, picked at random, earbashed for eighteen months by the cream of the legal profession, thought similarly. They found guilty only four who were caught "bang to rights" and recommended clemency in that case, They implicitly accepted that in the case of spontaneous revolt, the police had selected a few representatives of the political factions concerned and fitted them up.

Bitov what you fancy

The journos failed to understand what the Angry Brigade was all about, let alone the Stoke Newington Eight (which was not identical), and tried to reduce it to a conspiracy of a few people convicted of certain related offences, as if that said everything. But Grub Street was worse. One smartarse named Oleg Bitov, writing in a book *Bitov's Britain* (1985) for Viking Penguin (often none too choosy what rubbish they publish under their imprint) made light of heavy sentences he didn't have to serve, and pretended they didn't exist. Feigning superior knowledge of all and everybody, Bitov said, "A story circulating in intelligence circles provides an amusing insight into the effectiveness of Britain's counter-insurgency forces" and, one may say, into Mr Bitov's own level of intelligence.

"During the early 1970s, there were a number of minor incidents involving explosives (none of which went off), planted apparently by a group of student anarchists calling themselves the Stoke Newington Seven or the Angry Brigade. It was only after the Seven were brought to trial that lawyers for the defence discovered that five of them were Special Branch plants and the other two infiltrators from the CIA. Being from different sections, none of the Special Branch officers had known that the others were also undercover operatives, nor had there been any liaison whatsoever with the CIA. Apparently the 'cousins' were not on speaking terms with one another for some time after this embarrassing incident."

Could Mr Bitov have been reading that old reactionary G. K. Chesterton's *Man Who was Thursday*, in which this unlikely contretemps actually occurred (six of the seven "anarchists" were detectives, the seventh was apparently God) the night Tory Minister Robert Carr was seen on TV watching his wrecked front door?

Who was this knowledgeable Mr Bitov, who thus cheerfully despises anarchists and police alike as shoddy poseurs, in an amalgam of G. K. Chesteron and Joseph Conrad? After having defected to England from the KGB and spreading his little load of propaganda, he re-appeared at a press conference in Moscow when he claimed to have been drugged and kidnapped by British agents in Rome and held captive in London, presumably long enough for his publishers' cheque to clear into his bank account, and a quick trip to C & A and Harrods.

The Brief Morning of Anarchy

The late sixties and early seventies were a brief morning of popular support for anarchism in Britain. It seemed to break the back of the quietists who fled from the monster whose claws they thought they had trimmed out of existence. *Freedom* tried to advise the activists by saying "if they had asked us beforehand, we would have told them nothing could be achieved by violence" or something of the sort, but it had no audience any longer. I recall a delicious moment when one of their group came along to a Black Cross meeting and explained in a firm schoolmistressy tone, "We have been quite tolerant of this behaviour long enough. We have done as you said and given food parcels to prisoners in Spain and remand prisoners here and we will continue to do so. But we want it understood this sort of thing has got to stop". Like the press and police, they followed the line that it was a small group of unruly individuals who were responsible for everything.

The New Left was a bit shattered by the events, and staggered by the drift to real anarchism. Some sections denounced it outright as a police plot. A hyper-pacifist even suggested the Home Secretary Robert

Carr was behind it in order to discredit the anarchists, and to throw people off the scent had arranged for his own home to be a target. Greater devotion to discredit no man could have than this. Some of the new student-led left would have loved to claim it all as their own, as they did revolutions or explosions abroad, but to claim leadership would also be to claim responsibility, and they weren't having that at any price. Some of the neo-Leninist advance guardists expressed 'sympathy' with the 'unthinking masses' who without the 'leadership of the advanced educated minority' carried out these acts. They dropped hints like, 'Angry Brigade, be careful, the man who went to Liverpool with you is a pig', thus making it plain they were still Leaders but disowning the blind 'masses' who were taking their advice to rebel too seriously.

The reason was, despite the press talking of conspiracies and public enemies, the whole affair was popular and became more so. After the first few incidents it was clear to all that the normal working person was in no way at risk, and that it was directed at their perceived enemies or at any rate what could be seen to be regarded as such even by people who disagreed they were. That was reinforced by the unbalanced press reaction and the unbridled police campaign. "Commander X", later revealed to be Commander Bond, who unlike his fictional namesake dared not speak his name while it was going on, led the campaign.

I heard a few criticisms of the events, but they mostly were about the less-understood Situationist angle such as the wrecking of the radio van at the Miss World competition rather than at the anarchistic targets such as Government buildings. All such reservations subsided into admiration when property speculators were targetted and from then on I kept getting suggestions as to whom "they" should do next, from banks to night clubs,

Some were extreme. One printer offered me a plan of the underground workings of London, obtained from his cousin a cable-layer. I don't know what he expected they were to be used for. In the pub at lunch time a stranger offered a plan to put a bomb in the Spanish Church underneath the pew where the Ambassador may have sat. As no consideration was given to the fact that it would have taken a large part of the congregation with it, I assume he was a nutcase or an agent-provocateur. It made no difference either way as the Angry Brigade didn't ask me beforehand what they should do and if they had I would have told them that anybody who needed my advice didn't deserve to have it.

In the midst of the excitement the Daily Sketch closed down. It had been failing for years. We anticipated problems in getting new jobs but the print unions were still powerful enough to get their members back to work almost immediately. It was not the same with the more glamorous jobs, such as sub-editors. Journalists usually have a short working life anyway, like actors, unless they achieve stardom. At least they found jobs of a sort, though more humdrum. One sub who had despised copytakers and unionised endeavours in particular was delivering milk to my door four months later, and bewailing the change of circumstance in which I had moved over to the *Daily Telegraph* while he, a firm supporter of the Establishment, had nobody to fight his case.

Trials and Tribulations

The search under Commander X-Bond seemed to take two paths. One, which he seemed to prefer, was also favoured by Sergeant Roy Cremer of Special Branch, who was the "anarchist specialist" and naturally wanted to justify his existence. That seemed to be to pursue Stuart Christie, who responded to the challenge by leading them a merry dance when he went to and came from work at William Press, allowing them to follow the wrong car for hours by the simple process of changing with a workmate.

Special Branch interviewed me on one occasion, and it was quite plain they were searching for the "Spanish angle". I agreed to go to Scotland Yard rather than the local station because I thought I might find out what was going on. I was not disappointed. Their interviewers included Military Intelligence as well as Special Branch, and their questions ranged from the sublime to the ridiculous. "What is the difference between the CNT and ETA?" "Who did you see in Paris?" "Who are Butch Cassidy and the Sundance Kid?" (Subsequently I saw the film but I never saw the connection yet).

It got to my being asked if I believed in violence, so I retorted, "What would you do if somebody tried to rape your sister?" The officer had no experience of the times when conscientious objectors were asked that very question by tribunals and it seemed at times almost to be what two world wars were about. The officer gasped and said, "What a ridiculous statement. How do I know what I would do? I haven't the faintest idea — it's like asking me what I would do if a Black family moved next door" — as revealing an admission as Lytton Strachey's reply that he would interpose himself between the German soldier and his sister.

The questions were puerile, but I answered in kind, for example, "in Paris? I saw Josephine Baker in the Folies Bergere", which got a snort. To the question, "When do you reckon the Spanish war finished?" — I answered promptly "March 1939?" which would have been awarded points in a quiz show but at which they gave up. I asked if I could add some remarks privately with the tape recorder turned off. They must have thought I "came up the Clyde on a bicycle" and eagerly agreed. I said I wanted them to know that I detested anti-social violence and that if I thought anybody was guilty of it I would deal with it myself. Everyone was cheered up by this and someone said cordially they relied on the co-operation of public-spirited citizens like myself, overlooking that our views of what was anti-social might differ sharply.

That may not have been the view of the elusive commander X-Bond since a couple of weeks later I got raided, which suggested that my answers, though strictly truthful if unhelpful, were not sufficient to let me off their hook, though the daring antics of the AB were totally beyond my middle years and girth. Normally police raids in this operation took place in the early hours of the morning, people being got out of bed and even doors smashed down while they were sleeping. Maximum publicity was always given, thus even though no arrests were made, a healthy warning was given to all concerned that it was unwise to be under suspicion even if one had done nothing. Inspector Habershon later told the press that no members of the "orthodox left" such as the Communist Party had been raided, which made it plain that all the raids were politically motivated *pour encourager les autres*.

In one raid in Hornsey they point blank told the startled tenant (in the flat below the one they were seeking) they were looking for anarchists. She asked "What does that mean?" and they said, "Well, people against the government", and she timidly admitted her husband had, against her advice, voted Liberal, and had thought it was legal though she told him he should not have mentioned it to anyone. A shout from upstairs "Okay, sarge, this is the flat — there are Anarchist books on the shelves" affirmed the more specifically political nature of the raids, which yielded nothing beyond the outlook of the inhabitants, who were less terrified by the exposure than the lady on the floor below.

However, in my case they reasoned I would have to be raided at work, and notified the security officer they were coming in to search my locker in the health and safety TU representatives room. He advised the management, and they said plainly this was out of order. Wage negotiations were going on, a strike had been threatened, and everyone would have thought the management had called in the police. If they wanted to search my locker, the management suggested, they could do it in the small hours of the morning when the last shift had gone and the cleaners not yet arrived. This would have spoiled the whole purpose of the exercise, and Bond turned it down contemptuously, but was amazed to find out afterwards his instructions had been overlooked.

"Who had the temerity to override my orders?" he demanded angrily.

"The Home Secretary", Cremer told him. It was fear of the dreaded workers that caused the management to intervene with the government, not concern for the rights of the individual. They just wanted to get a paper out. One can see why some politicos refer depreciatingly to those days when members of print unions could afford to be against the government.

Inspector Habershon came on the scene via the local CID when Home Secretary Robert Carr's house in Finchley got attacked. He was as quiet and methodical as Bond was bumptious and extrovert, and pursued a different line of enquiry. Possibly in Finchley he had been used only to Conservative crime. What struck him was a series of cheque frauds involving some students, whom he assumed to be Anarchists and were in fact Situationists. It seemed he let the frauds go on while he watched the people. It may have appeared odd to him that people "on the left" should be involved in something assumed to be the prerogative of those "on the right" and reasoned that they must be trying to raise funds for illegal activities. In fact rarely do people "raise funds" — what they raise is cash — though naturally, just as when they raise cash by legal means such as working for it, they may well contribute to funds. The notion that the Angry Brigade needed to be "financed" was grotesque.

But Habershon was working on his line of approach while the anti-Christie section worked on theirs. They even persuaded a tabloid to advertise a huge reward for the "man behind the Angry Brigade" while dropping heavy hints as to whom they thought it was. Then Jake Prescott and Ian Purdie fell into their hands. Purdie, while in prison on a charge of bombing the Ulster Office in London in 1969, had propagandised heavily, and when released mixed with suspect anarchists and situationists. He influenced Prescott, who was released and later re-arrested, when he was alleged to have "admitted involvement" to another prisoner, though it is more likely that what he expressed was agreement with the actions and may have been misinterpreted or deliberately misrepresented, hardly unlikely in view of the substantial reward offered, though never paid.

A lot of people were doing things more or less in sympathy with the Angry Brigade. Given its actions it was difficult not to. Some took it upon themselves to write manifestoes for the Angry Brigade though not necessarily involved in it, but ready to propagandise its clear aims. Purdie and Prescott both got arrested and charged. Some of the actions, like the attack on the Post Office Tower, occurred while they were under arrest and being charged. They were accused of "conspiracy" on the basis of "a nod or a wink is sufficient" to justify that vaguest but most dangerous of charges. Purdie's top line barrister took a better paying case at the last minute, leaving him with a deaf elderly barrister for whom everyone in the profession was sorry. Purdie did not give evidence. This is usually taken to mean that one dare not face being cross-examined but in this case the prosecution did not like to say that, as it might have been because his barrister couldn't hear. There was no case against him otherwise and he was found not guilty.

The jury were sympathetic. The fact is the Angry Brigade were so popular the jury would certainly have found Prescott not guilty too. But he had the misfortune to be better represented. On cross examination he admitted writing some envelopes, and the judge ruled that this was enough to find him guilty of conspiracy. He could easily have denied it and the jury would have found him not guilty. I suggested to the defence committee it would be safer to deny everything, and recommended a handwriting expert should see if it was Jake's handwriting at all, or perhaps analyse whether the writer was the perpetrator of the alleged acts.

I recommended graphologist Manfred Lowengard, the former husband of a good friend. Unfortunately once in Berlin an official had asked him to analyse some handwriting, and he had characterised the writer as unstable, neurotic, and with dangerous psychopathic tendencies. The terrified official, who had been acting for President Hindenburg, said that it was the handwriting of the new Chancellor, Herr Hitler, who had been granted dictatorial powers. Manfred prudently took the next boat-train to England. He wasn't prepared to face that type of political hazard again and backed out of the case, while Prescott was quite ready to admit to such a trivial matter anyway. To the surprise of the jury, the judge sentenced him to fifteen years jail for his folly in telling the truth.

I may say of Manfred that he was called to give evidence in Germany on one of the interminable cases involving Mrs Anastasia Tchaikovsky, who claimed to be the supposedly executed Grand Duchess Anastasia of Russia, and was also known as Anna Anderson. The case for the relatives who denied her claim seemed to rest on the fact that they could not admit that the daughter of the Tsar had been raped and an illegitimate child resulted. They could accept she had been killed (that was consistent with her dignity) but not raped, and with issue. The fact that the claimant knew every secret detail of her past life was, they explained, because the real Grand Duchess had been high-spirited and mischievous and after being shot had entered some factory girl's body to torment the royal family, who did a pretty good job of it on Anna/Anastasia herself. I do not know if the spirit could influence the handwriting too. Fortunately for European Royalty, a tissue of the flesh of Mrs Anna\Anastasia Manahan, formerly Tchaikovsky (nee Romanov or Schanzkowska, which the case was all about), was found years after her cremation, when genetic fingerprinting could prove she was not related to Prince Philip. If the Greek Royals had exchanged roles with the Romanovs, Philip might have been proved an impostor.

Manfred was very closely questioned by the opposing lawyer, a former Nazi finally cleared after the war under the denazification law and re-admitted to the German Bar. He cast doubts on Manfred's credibility. "You are a British handwriting expert, known as the Sage of Hampstead, we are told," he stated. "Yet you speak faultless German". Manfred replied, "I can claim no credit for that, but thanks to your Fuhrer I also speak fluent English".

"It's all Anarchism"

The Angry Brigade was a name used not always by the actual people concerned, and was a spin-off from the International Revolutionary Solidarity Movement and First of May Group but it also blended with situationism with which they had nothing in common. On the Continent this led to a clash. Here it was otherwise. The situationists normally had no class consciousness and anyway were opposed to all forms of active opposition, even anti-parliamentary, on the grounds that everything was packaged by the oppressive society and parcelled back in acceptable form by the universities. This was true enough in general, and also applied to themselves in particular. It applied very much to the pseudo-anarchists to be found first in the peace movement, then to the various offspring that came from it. It did not apply to the genuine anarchist movement, and some working class youths from higher education, who were influenced by French situationism saw that too and went along with action coming from Spain rather than sloganising coming from France. The situationists seized on the student involvement in the Paris barricades as if they had been responsible, but the whole business of the "society of the spectacle" was a bit of a joke and finished up as a diversion in art galleries.

Though on the Continent this led to a sharp division between anarchists and the situationists and various Marxist trends (though the press saw them as one), here the strands, though smaller, briefly made up one movement and all their separate actions were referred to as the Angry Brigade from propaganda manifestoes sent out.

The European Resistance began as a rearguard attack on continued Francoism but expanded to fight neo-Nazism and the trend to what is now call "Thatcherism" (capitalism without apologies) but which goes back to long before she took office. It collapsed because everywhere in Europe its success induced Government agents of one sort or another to move in and take over, or if they could not, to emulate the methods and adopt similar or even the same names. With neo-Marxists and nationalists growing in influence, and preferring some governments to others, when they pretended to be resistance movements to fight the cold war under another name, professional guerrillas set up shop and the Intelligence game had a field day. It never occurred to this element that every government, however 'nationalist' or 'socialist', had police forces which liaised. The press referred to it all as "Anarchism".

CHAPTER XVII

Auto Destruction; At the Old Bailey; Witness of the Persecution; Fun and Games at the Gulag; The Most Distressful Country; After the Storm; Irish Association; The Murrays

Auto Destruction

International Socialists, later styling themselves the Socialist Workers Party (or in Trotskyist terms, "State Caps") often finished up writing books about the Left in which their superficial student involvement was less than serviceable. One named David Widgery, later a doctor and a bitter Marxist sectarian, not to be confused with his relative Lord Chief Justice Widgery until the SWP should take power on Tibb's Eve, and dying too soon for that anyway, referred to me in his book as an "ex-boxer and auto-destructive artist". It wasn't until afterwards I found he didn't know his Meltzers from his Metzgers (possibly not even his brewers from his butchers) and was mixing me up with a tiny German in CND, Gustav Metzger, who once fell over a pile of boxes and sat there with them all tumbling on him to gasp "Wunderbar! A new art form!" I wouldn't say he claimed it was boxing but he did say it was auto-destructive art. Later Gustav gave an exhibition at Zwemmer's art gallery to be interrupted by a horrified management which found him ripping up the floor with a pneumatic drill. Zwemmer's clientele, brought up on modern art, thought it a great cultural happening, and their delighted Oohs and Aahs gave way to indignant protests against the unreasonable Philistinism of the art gallery when it was peremptorily stopped.

Not then knowing who Metzger was, I thought at first Widgery was referring to numerous autos of mine that had been smashed up. It made my stomach turn over as that was how Evie had ended her days. Then I reflected he might not have known about that but had heard of all the various young Spanish or other visitors for whom Miguel had borrowed my various cars to drive somewhere, saying it was to save me the trouble, and after the smash that it was the first time the person had driven on the left, or "you know these damn people with their drugs, they make me sick". I had learned to laugh about it and hope the insurance company would do the same. It would have been appropriate to call it auto-destructive art, but it wasn't what he was widgerying on about.

At the Old Bailey

To my dismay at the so-called Angry Brigade trial I was called as a prosecution witness. I had no intention of appearing, but consulting defence solicitor Mr Birnberg,insisted I should. Apparently the prosecution were afraid Stuart would not go into the witness box, and like Purdie would therefore be acquitted when they were relying on him to break down under questioning (some chance) and supply the evidence they so desperately lacked. Stuart intended going into the witness box, but they were not to know that, and as they could not legally force him to do so, they subpoenaed me instead.

It gave an excellent chance to carry the war into the enemy's camp, as it were.

As I half expected would happen, one of my least favourite people, Wynford Hicks (whose father-in-law subsequently wrote the rubbishy book saying I was a secret member of the IRA who had hidden in the Common Wealth party to emulate the feats of the Spanish anarchists in sabotaging their own war effort), an acolyte of professional secularist Nicolas Walter, then going through the usual stage of radical alternative journalist as a preliminary to becoming a mainstream one, the minute he got the chance, did not fail to smear and sneer, implying I was ratting. Had he been taken seriously and the allegations glibly made in his circle been true, it could have been a death sentence. He retracted saying he was joking. I am sure his secular confessor would have enjoyed the joke even more had it really happened and he could have drummed up a bit of business for a secular funeral besides.

When I appeared in the vestibule of the court a respectable looking gentleman, looking to me more like a bank manager than a lawyer, came over and shook me warmly by the hand. "I'm so glad you have come, Mr Meltzer," he said.

I hesitated, thinking him counsel instructed by Mr Birnberg. "I was told not to speak with defending counsel or any of the witnesses," I said. at which he beamed delightedly, and said, "I'm Inspector Habershon. I'm sure you've heard of me". I felt the way I did years later when I reflected the infant I had kissed might have been the Minister responsible for administering the Poll Tax. At least Sergeant Cremer didn't shake hands but I knew him from of old. He did say to me at the preliminary hearings that he was glad I was sticking by Stuart, but was afraid it looked bad for him, and he was glad Brenda was loyal. "It's really tough when your girl friend turns against you," he said, whether to extract information, or hopefully, I know not. One of the other police said she was the prettiest girl in the court, a compliment she could have done without, but I overheard someone say, with some surprise — whether it was a lawyer or a policeman, given my bad judgment in these matters, I cannot tell — that "you have to hand it to Christie, his friends rally round him", which seemed to me as much a comment on their circles as on ours.

Only a week before I had gone to try to collect my car from the police depot and found it in a wrecked condition, and as I examined it ruefully a voice came out of a circle of police, "If my best friend did that to my car I wouldn't hesitate for a moment to co-operate with the authorities". Can one doubt it?

Witness of the Persecution

The trial has been described in Stuart's book *The Christie File* (Partisan Press/Cienfuegos Press, 1980). As a witness I wasn't present for most of it. The *Daily Telegraph* had a crime reporter based at Scotland Yard (more a PRO than an investigative journalist) named Coughlin who was quite annoyed at my presence. The management never liked to approach me directly on political matters as one of the impositions they suffered under the trade union terror was that they could not discriminate. They did raise with the Father of the Chapel (TU committee chair) the question of whether it was in order for an employee of theirs to be mixed up with a terrorist trial. That particular FOC and I never got on well and he put it to me probably stronger than they had done.

"Are you objecting to my appearing as a witness for the prosecution?" I asked indignantly. Though nothing of an FOC he liked having a go at the management — that was how he finally ousted the friendly and efficient supervisor, who had been there sixty years, whom for years he had been depicting as a tool of the management to the members and as putty in the hands of the staff to the management, and so finally got his job himself.

On the other hand my statement was undeniable if incredible. The management were asked if they really wanted to interfere with justice and nobble the prosecution, and they hastily explained it was a misunderstanding. Coughlin, their drunken court reporter, who won a libel action for being so described but never came on the telephone sober once, objected to my taking his copy, for which the chapel committee hauled him over the coals with the management. Either it was solidarity with me or nobody wanted extra duty, or a bit of both. However, every time thereafter when he had a difference with a copytaker on the telephone (a very frequent occurrence in those days) he asked, "Are you Meltzer?" My reply if I got it, and some others took up (not always truthfully) was "I'm sober, sir — are you?"

The journos like to bemoan the printers who served them so faithfully while they were boozing on their expense accounts and accuse them, now that it is safe to do so, of every fault in the book. Why, the copytakers got paid for hours for sitting doing nothing, and even worked out a scheme for unworked overtime, which passed into Street of Shame legend. Yes, we sat for hours waiting and then the pubs would empty and all the journos would be phoning in their copy at the same time. Mercenaries that we were, we wanted to be paid for the whole day and not just the time when they condescended to pass on the work we and they were paid for doing.

Sometimes the arguments took on another nature. When their top journalist got home, not in a very staid condition, he would put his feet up, relax with a further bevvy, and dictate totally inconsequential copy (which finally we refused to take). On one occasion he asked the copytaker, as a member of NATSOPA (as it then was) what he thought of the copy he had just given, which referred to trade unionists as like "the Nazis in Germany" in their actions.

Unluckily for him, it was me. I explained politely I only took the copy, took no responsibility for anything in it but the spelling, and if he insisted on getting my opinion he would not like it. He did insist. I told him, "It's bollocks. You don't even know what a Nazl is." "What?" he cried indignantly. "I don't know what a Nazi is? I arrested a Nazi when I was an officer in the War". (No comment, but I bet he was in uniform). I explained that the Nazis never fomented strikes, they broke them. It was those who advocated this who were supporting their policy. "Ah, but they caused suffering, that's the point" he said. This was their famed political commentator. It never went in, anyway, though what did go in was bad enough.

The *Telegraph* writers hated strikes and strikers, except sometimes in their interests. John Izbicki, who having once been a German knew at first hand the difference between real Nazis and honest trade unionists, and that the SS did not go around downing tools was one such. Even he, who got out of Berlin early, might have settled for the pain he suffered from the unions in Fleet Street rather than what could have happened to him at Buchenwald. Though FOC of the NUJ, he used to write denunciations of strikers. I suppose he had to. When the journos went on strike against proposed redundancies, he was standing outside the gates picketing. "This is an official strike," he abjured our supervisor who was just going in. Later that day I had occasion to ask him if it was still on, and he said it had been settled just five minutes since. "Good," I said. "You can go back to your desk and finish bashing the miners for going on strike".

The Old Bailey trial went on for eighteen months, during which the press lost interest. Indeed some friends of the defence wrote to the *Guardian* to protest at the way it was ignored after the allegations had been made in detail. They could have added that the trials did not stop the actions though the people alleged to be committing them were inside. Having given the sensational police evidence, there was no room for anyone to show how it was all destroyed bit by bit, so the final verdicts came as a bombshell.

I had a couple of days parrying questions and cracking jokes in the witness box. As Christie went in the box, they did not need me, so the prosecution at first only asked if my car was mine. However, the defence counsel, a ringer for Rumpole of the Old Bailey, as lawyers fantasise they would like to be but aren't, had fun cross-examining me and forcing the other side to do so. The judge asked him once not to lead, and he said, surprised, "He's not my witness, your Honour". "Even so," answered the Judge, who was stretching over backwards to appear be fair. He made only a mild protest when Anna Mendelson was handed a birthday cake in the dock, and mildly protested when Stuart's barrister was handing sweets around the accused. "They're nearly all gone, anyway," he retorted airily, finishing handing them round. But the message came over clear: are these the dreaded terrorists?

The star witness against Christie was a barmaid who, when she read of the enormous reward offered for the capture of a mysterious Scottish anarchist who had been sentenced in Spain to a long stretch and whose name appeared in another paper, recollected that he had sex with her and shown her a gun. She recognised the bullet as one which would fit it. Her evidence was somewhat demolished by the fact that several members of Stuart's work gang testified to having enjoyed her favours without the need to show firearms but more so when the foreman of the jury arose to ask how it was that a barmaid could recognise a bullet that fitted a particular gun, when he, who had served five years in the Army, would have been unable to do so. The judge explained helpfully that she was from Seattle.

Some indignant citizens of Seattle wrote to the judge to complain that it was not the sort of thing that was common in their town at all. It was not a Wild West film set and it was much safer to travel there at night than it was in London. As a result of these remarks, they said, the fair city was in mourning at the slur put upon it in the highest court of the old country, and demanded a retraction. The judge wrote back apologising, though he didn't make it public. He said he meant only that the lady was once married to a serviceman from there. He presumably was in the habit of giving her "naming of parts" (firearms drill) every night before retiring and no wonder their marriage broke up. The judge asked how they got to know of his remark, anyway. They did not inform him I had wired the good comrade who was secretary of the local Black Cross and she had alerted some outraged friends, nor what their politics were, if that was what troubled the worthy judge.

I was at work when the verdicts came through, and Christie was found not guilty with three of the others. Everybody round me celebrated at the Albion, even the landlord who didn't know what we were celebrating and might have had a fit if he did. Stuart's acquittal was being described that day by Government ministers, TV and radio as one of sorrow and misery for Law, Church and society as we knew it.

Joe Thomas came round from the Guardian to join us. It was the only time I ever saw him so drunk that at the finish he hailed a taxi and walked through one door of it and out the other, paying the mystified driver off, thinking he had completed his journey and was home. Come to think of it, that's what Fleet Street was for him, and he felt exiled in Farringdon Road or back in his home at Notting Hill.

It was all touched with sadness since while four were acquitted, the four at the Stoke Newington flat went down. I did not know them but they were good fighters. The jury had argued about it for hours. The black juror on it was for the defendants from the first, perhaps knowing that police evidence was not necessarily reliable, while most others were sceptical too, all agreeing there was an element of framing. A politically-liberal member of the jury stood out, however, insisting that just because Christie was framed it did not follow the others were. One had to be fair to the police. The defendants hadn't even challenged him as he was carrying a copy of the Guardian and he was typically the cause of the compromise. The rest of the jury was sympathetic and asked for clemency. The judge gave them ten years which was his idea of mercy. I shudder to think what his idea of a savage sentence was. As a result Jake Prescott's sentence got reduced as well on appeal.

The longest trial this century ended, so far as Stuart was concerned, with one of his minor road offences being brought before the magistrates. They could not endorse his licence as he did not have one. I was asked at the trial if I knew he did not have a licence, and said I had not asked him but with so many high-ranking police officers interested in him and following him constantly, I was entitled to assume they had the interests of the law at heart. Inspector Habershon actually blushed.

A few years later when Stuart's daughter was born, his reckless driving gave way to caution and it was safe to let him drive one around, though when the police pursuit ceased he gave up such habits as driving up one way streets suddenly to fox the enemy and tried less hazardous way of defying them. Could we reduce road accidents by cutting down police chases to where essential?

After the case he phoned Scotland Yard in response to some inquiry about some personal property they had taken before the hearing. He was put through to one of the detectives who had been questioning him for days. The detective was in an upstairs room. When Stuart came on he recognised his voice and said, "Hallo, John?" "How did you know what number to get through to me?" he asked. "This isn't even my normal number" — "Oh, I'm in the building opposite. I can see you from here but you can't see me," he said breezily, as the panicking detective put the phone down, opened the window and gazed out.

It wasn't the best way to get his seized papers back, but it was part of the enjoyment he got out of being harassed by the police, which (as Evie had thought all those years ago) was entertaining if you could see the funny side of it. If you dwelt on the other side of it too long,. the lengthy imprisonments, the shootings without trial even in so-called democratic countries (both von Rauch and Pinelli, German and Italian secretaries of the Black Cross respectively, had been murdered by police), it savoured but of shallow wit. Stuart had got off lightly with eighteen months in close imprisonment prior to being acquitted of all charges bar proceeding the wrong way on a motorway. He was entitled to a bit of fun in return but I think it aided the terrible picture they passed on through their public relations officers — sorry, the independent, free and democratic British press.

He was found not guilty. Some others were found guilty. It was irrelevant. Nobody did what they were charged as doing. All had been involved in revolutionary struggle. As there were no leaders, someone had to be singled out of one, or as it turned out, two political persuasions. "The angel of death is passing over us all," a friend said to me at the time. I was the luckiest of all because they wanted to portray "the anarchists" with a caricature brush that never fitted me in the slightest (nor anyone else of us). I would not have fared so well if I'd been Irish and mixed with IRA activists a year or two later.

The Most Distressful Country

This was before the renewed Irish Republican Army campaign caught on and it was that which ended the Angry Brigade, not the imprisonment. Working class opinion swung by and large against individual actions of this nature because theirs was indiscriminate terrorism and the anarchist type was the opposite. The press made it seem it was all one and the same. The "non-violent" and "anti-terrorist" types who criticised the Angry Brigade for its "violence" and "mindless terrorism" went overboard to support the IRA, curious as it may seem. Nationalism made it respectable: it seemed like a real war with a proper structure.

Without going into the matter of the IRA, of which my opinion is worth no more than anyone else who had no involvement with it, they created the climate where Government terror could easily pick up a middle-aged family on the basis of their knowing someone or lending a car or writing an envelope, and give them fifteen years imprisonment sometimes even without asking the forensic expert to pass birdshit off as nitro-glycerine contamination.

As the Angry Brigade hit specific targets, avoided hurting the public, and had a clear aim in mind — namely to wake up the people — but no structure and no membership, it was passed off as "mindless violence".

The IRA, though a minority within the Northern Irish Nationalist community, itself a minority within the Northern Catholic community, which formed a minority of the Northern working class, and within all Ireland came to a smaller minority still, had a command structure, used military and political terms and hit indiscriminately and caused mayhem and murder. The press could understand this but class issues were "mindless" to them. The IRA wasn't "mindless" but was regarded as the voice of Ireland struggling under oppression, even by people who said there was none. The Left generally either felt it right-wing to doubt it or went the other way and swallowed British Government propaganda. Even many anarchos — and real ones too, not just pacifists and liberals masquerading — couldn't resist the discreet charm of bourgeois nationalist phraseology, which destroyed the revolutionary upsurge of the Sixties in Britain and revived, without intending to, religious bigotry dead in the time of Queen Anne.

After the Storm

When the harassment of individuals ceased after the Angry Brigade trials, the media and the academics began sniping at *Black Flag* ,whose editor had been acquitted of all offences except driving the wrong way up a street.

While in jail Stuart had translated Antonio Tellez's life of Sabater (in Catalan, Sabate), and reviewing the book on its publication the *Spectator* reviewer, as the voice of scholarly Toryism, commented how perverse it was of the jury to have acquitted Stuart since he clearly was in sympathy and contact with International Anarchism. That summed up why a Government Minister was appalled at his acquittal, but it was not what the charges were. We are not supposed to have political trials in England.

On the other hand, when Miguel Garcia's book was published, the Tribune reviewer, as the voice of the left of the Labour Party, commented that he deserved all he got, since resistance was illegal in any country, and he should have waited until he could have voted for parliamentary socialism. Perhaps for twenty years in a cupboard, as a Spanish mayor, author of a book they reviewed in favourable contrast at the same time, had done.

In a TV show around this time, it was asked what leading politicos would have done if Hitler had won the war. Nobody admitted they would have collaborated, as they certainly would have done. The Tories would have, according to their account, all killed themselves and their families rather than resist illegally or submit. One supposes the Tribune Group would have advised socialists to hide in the closet until the regime liberalised.

We did have the occasional reasonable interview or sympathetic reference, but most settled themselves down to terror-by-association or plain daftness. Like the *Daily Telegraph* correspondents, some of whom knew better but in print expressed the view that the anarchists were a mass movement with every young radical in London supporting a bewildering number of causes from Arabism to Zionism, with bookshops galore and magazines sold at every street corner, and a vast array of newspapers at its disposal, like *Private Eye* and *Socialist Worker*, with the obscure *Freedom* the daddy of them all directing operations! History is taken from geeks who write rubbish like this!

However, with the troubles in Ireland hotting up, the IRA was stealing the thunder. At first that did not bother the press coterie at El Vino's. They cheerfully made the IRA into "anarchists", from which a later generation of journos deduced that "anarchist" just meant anyone who was against the Establishment. Bad descriptions, like bad money, drive out good. Even one of the Irish Bishops, asked to denounce the activities of the IRA, said that of course if the terror campaign were by "anarchist groups" he would denounce them. The campaign was in the name of patriotism, religion and a new State, all the opposite from anarchism, and the old humbug well knew that but at that stage was sitting on the fence. I answered him in one of the Sundays and for once he became strangely silent.

Eventually some people, even in our movement, came to think that nationalism, the achievement of a Nation State, could be compatible with, lead to or not be opposed to anarchism, the abolition of all States. Strange how Republicanism got back its old radical image in one country at least, when for years it had been the party of conservatism, and remained so everywhere except in the United Kingdom and at one time Spain. Many radical-minded people went down the path of thinking there was a popular movement in Ireland rising against British Imperialism.

I had a trip round the Republic, which diehard Tories and Republicans refused to admit existed but took pains to describe as that contradiction in terms, a Free State. I can only say in every bar I visited as soon as a London accent was heard people asked what they were up to in the North. I heard an earnest English leftie explain to an incredulous Cork pub it was a struggle for national liberation and an expression of the people's will. but I don't think he convinced any people around.

As for the Continent, in Cologne I found the lefties patronised a Guinness bar "in sympathy with the Irish struggle" (not understanding Guinness was the pillar of the Anglo-Irish Establishment, if the comfort of its opponents). When the Irish Government condemned a woman to death almost every British Embassy in Europe was picketed, and British diplomats must have had a great time pointing out smugly that there was no death penalty in the United Kingdom and they were knocking on the wrong door. When an Austrian feminist group picketed the right Embassy, that of the Irish Republic, in protest against the proposed hanging of a woman an official asked them cynically "But isn't equality what women's liberation is all about?"

This epitomised the hypocrisy of the Irish Republic. Its unfairness and the subsequent relentless perversion of justice and absence of any mercy whatsoever, shown in the case of the Irish anarchists and the Murrays, makes mincemeat of the rightful claim echoed by many subsequent Irish politician that "no Irish person can obtain justice in the United Kingdom" with the false corollary that they *could* obtain it in the Republic, or at least could get it there if only it had six more counties.

It revived in the Seventies with the activism of a few men and women in the South. They felt Ireland's social problem were ignored. The parties were still polarised as to which side they had been on in the Civil War. Every question was answered by an appeal to nationalism and past oppression. Every political assessment was countered by demands as to what one (or, as time went by, one's father, grandfather, or great-grandfather) had done in 1916. Every solution for social ills was solved by religious diktat or by buying a boat train ticket. When the campaign in the North began again and Catholics and nationalists wanted a degree of freedom, this was something that did not exist in the South with which they wanted union.

There had not before been an active Irish anarchist movement. Though the syndicalist movement had at one time made inroads, and there were many Irish anarchists throughout the English-speaking world, and even beyond, these got introduced to anarchist thought through socialism and therefore after leaving Ireland. A few of an earlier generation, like Louisa Conroy and Mat Kavanagh, or many of mine, returned to Ireland, but soon left for a freer atmosphere in which they could at least express their thoughts and where one could fight for liberation from rather than of the State.

In Northern Ireland the nationalist and religious tensions dominated and though there are a few anarchists there, they have got caught up in them. But in the late Sixties a group within Dublin moved from the nationalist and socialist attitudes of left wing republicanism to anarchism. It came as a surprise to Irish politics where the bogey of "anarchist violence" was even more virulent than in countries either where an anarchist movement had existed or where political questions were not habitually argued with dynamite.

One of the results of the press caricature of bomb-throwing anarchism, whether deliberately intended or not I do not know, is that it has always made it difficult to reject the image without appearing to fall into the opposite trap of pacifism or parliamentarism. It is obviously sometimes necessary to use violence, since laying down a code that says one may not use it in any circumstances leaves one helpless against attack. Everyone except an extreme pacifist would admit this, yet a different standard is laid down up for anarchists. It seems the official line, certainly the judicidal view, is they must either be believers in "mindless violence" or woolly-minded idealists, so-called "non-violent anarchists" or "violent" ones, as if 99.9 per cent recurring of the population were neither ultra-pacifists nor mad axe-wielders.

The Irish anarchist resistance group conformed in most respects to the resistance tactics followed by the Angry Brigade, the Spanish Resistance, the First of May Group. Like them it never took life intentionally and directed its activism against property. It was thus quite out of step with the tradition of Irish patriotic politics which set out to kill as a means of persuasion and until lately in the North respected property rights. It may seem cynical to say that this is why it raised more horror and alarm in the Republic than the entire IRA bombing campaign throughout its history to that date, but such was to prove the case.

I myself was always sceptical about the idea of bank robberies to raise "funds" on purely pragmatic grounds. In most cases it seems to me that all they do at best is to raise money, which is a different matter. Crime is a business like any other, sometimes it is anti-social, sometimes it is merely illegal. Any gainful occupation, legitimate by State standards or not, brings in money. One needs it to live without dependence. I earned my living in a lie factory and couldn't feel squeamish about any other way. Had I the nerve I might have earned my living in hold ups. Either way I would have given a large part of my income to what I believed in, like a great many others. People in the Spanish Resistance came in both categories, as did those within the International Revolutionary Solidarity Movement. Those into almost full-time active resistance sometimes financed themselves by bank robbery, usually they were in orthodox working practices. I am sceptical as to whether crime pays much, but what I do know is that when the average honest working person goes into crime it does not pay, because they have not the ruthlessness which professional crime and professional business both need.

When the Irish resistance group had carried out a number of spectacular attacks such as those on the American and Spanish embassies, they turned to raising money by armed bank robbery, influenced by the whole record of diehard anti-State resistance which the Irish establishment enshrined as part of the national myth. They were heroic but unlucky and by the chance that inevitably accompanies such circumstances were arrested and jailed. How the Irish press howled for vengeance as a few young people were taken into custody and given savage sentences for a few illegal acts that did not entail killing. Never mind the IRA, these were self-confessed Anarchists! In Dublin! How terrible!

The group who were arrested were charged with bank robberies, but nonetheless tried by a juryless court and confined in a military barracks reserved for political prisoners, though denied political status. Noel Murray jumped bail and he and his wife carried on the struggle.

Noel and Marie Murray had collected money for the Black Cross (quite legally — some of it was stolen by the Government when they were arrested) and so I knew them. I could have found them asylum if they had chosen to escape, as was easy at first provided they could get through the "Berlin Wall" of English Customs. I arranged a place for them to stay and work in Paris. It would have been hard for the Irish authorities to ask for extradition since they themselves ostensibly opposed it in far less overtly political cases than this.

The plan was crushed by Noel and Marie themselves. Noel wrote that he did not think revolutionaries should leave their own country in this fashion, having regard to the consequent ineffectiveness to that country by thousands who had done so. In the course of another bank raid, a plain clothes policeman intervened. Marie, blind as a bat without her recognisable thick glasses, and having dropped her unaccustomed lenses, fired and accidentally killed him.

Taken to a station, Noel and Ronan Stenson, arrested with them, were beaten and tortured so badly that Ronan was not in a fit state to be charged next day. It was a stroke of luck for him, as he was freed. Marie, in the next cell, confessed to the killing to get the police to stop beating Noel, pointing out the two had not been concerned in her careless act.

Noel and Marie were charged with capital murder (murder of a policeman, as distinct from that of anyone rated much lower in the free and equal republic). Both were sentenced to be hanged (June 1976), but Noel's death sentence was commuted to life imprisonment. Worldwide protests were caused by the death sentence on Marie, who had accidentally shot a policeman in plain clothes. Even Jean-Paul Sartre came to Dublin to protest at the sentence. The hypocritical Conor Cruise O'Brien, the English establishment's greatest living Irishman, stammered apologies for his government to hostile audiences in France. Finally the sentence on Marie was also changed to life imprisonment.

Conor Brady, writing in the *Irish Times* (10 December, 1976), not only named the "Anarchist connection" but the Black Cross specifically, finishing his peroration with the statement that "undoubtedly Noel Murray started out as an idealistic young man. The question is at what stage did he trade in his principles of peaceful protest and take up guns? And perhaps more important, who gave him the guns and taught him how to use them?"

So blinded with State humbug was Mr Brady that he never realised you could be idealistic without being nationalistic, and that Government and Opposition politicians were still trading on reputations built on taking up guns, robberies and violence. Long before they were released they saw men convicted of deliberate multiple murders, having served a portion of their sentences, go free with enhanced glamour and become distinguished politicians. Some of them renounced membership of the IRA and got remission that way, but those who had not belonged to it could not do so.

For eighteen years, neither Noel, who had not shot anyone, nor Marie, the longest serving woman prisoner in the Republic, and a person of considerable talent, had a day's concession or the slightest consideration, despite the fact that even the warders spoke highly of them both. For all that time they were not allowed a day out even for medical reasons. Ludicrously, Marie's letters to a relative in her native Irish were disallowed as in a country which had adopted it as the official language there were no warders who could read it for censorship purposes.

In one thing Conor Brady was right. It was part of a general anarchist struggle which included the International Revolutionary Solidarity Movement, First of May Group and the Angry Brigade and had waves everywhere. Actions in favour of their release included occupation of the Aer Lingus offices in London, demonstrations in Australia and all over Europe, and to no avail.

The Irish Republic was deaf to pleas for justice or even mercy. Yet it granted remission of sentence regularly to those who, for nationalist reasons, took life deliberately, even on a multiple scale. It has wept crocodile tears over the English Establishment having kept people guilty of mass murders five, ten or fifteen years in jail. It has wrung its hands in indignation when miscarriages of justice have occurred in English courts, swayed by confessions obtained by torture and juries stirred by press incitement in the mainland, or by juryless courts in the North. But juryless courts, swayed by political motivation, corruption and hostile press propaganda, continue in both North and South Ireland.

There can hardly have been a single leading member of the Irish Establishment to whom I did not write over eighteen years pleading the case of the Murrays, and though in the last two years of their private hell they asked for demonstrations to desist in view of the light at the end of the tunnel, I had just posted off my latest and last petition when I heard they were released quietly one Saturday.

I have never had any pride in dealing with people in authority whom I despised. If I thought it would help those condemned to the prison cell and the new inquisitors had asked me to walk round in my shirt, with ashes on my head and holding a candle in vicarious penitence I would have done so, but those days were over, if not the intolerance which demanded it. I felt as if I had bathed in muck and needed to shower after writing this type of letter especially after addressing the scum of the earth as "the Honourable so-and-so", but I made it a weekly penance for years.

When I worked on the night shift, usually quiet after one in the morning, and others dozed off peaceably, I would be writing slavishly until four. Perhaps they didn't all land in the trash. Maybe even today somewhere in some country some ex-Minister or retired civil servant gets a kick out of reading my fawning requests for clemency for someone or other. At least they weren't for myself. Now and again they actually worked, even with military dictatorships. But never in Eire.

On the Murrays, sometimes I wrote in my name, sometimes in that of another. I got one reply from the Roman Catholic Primate of Ireland, Cardinal O Fiaich, who had intervened in the case of Republican prisoners in the North, and been denounced (always in the anglicised version of his name, Cardinal Fee) in the English press for doing so. The spelling varied to the Irish O Fiaich when his statements pleased them. The reverend cynic informed me that he did not seem to have any luck dealing with prisoners of the English government and did not expect he would have, or would try for, any better luck in dealing with those of the Irish government. He suggested I use my "influence" with "my" government, as his efforts had failed! His influence with the Irish government was supreme, his influence with the British Government at least not to be overlooked. My influence with any government was about equal to his with any God.

I am notorious in my small circle for writing amusing letters to friends and acquaintances, and hope I kept some spirits up in prison, but even if the authorities had not refused to let my letters get through to the Murrays I could never be amusing in a correspondence with them. Time and again we thought we had seen light at the end of the tunnel but to no avail. I do not think the Republic broke their spirit but it broke my heart. Every one who came in contact with them, whether class enemies or not, even the very warders, even the woman lawyer who represented them and subsequently became President of Ireland, said what fine people they were. Yet while the Government that imprisoned them insisted on a higher standard of justice and clemency from its neighbour, it resolutely set its mind against either fairness or mercy in this case. I wish them luck and a family now they are out.

CHAPTER XVIII

The CNT between Death and Birth; The Re-Birth of the CNT; The Phoney CNT; The Orkneys; Cienfuegos Press; The Wooden Horse

The CNT Between Death and Birth

After Franco died in 1975, there was a tremendous sense of elation among the exiles as well as in Spain. Amongst others, Miguel decided to return to Spain. He went by train with some others, and I followed a few weeks after, on vacation, with the car loaded with books and pamphlets we had printed at the Centro Iberico and with a couple of duplicators. Fortunately I resisted Miguel's insistence I should have a roof rack, which is why I got so far. Even so the car, somewhat on its last legs anyway, would not take the weight. It broke down irretrievably near Toulouse on a Saturday afternoon.

This was in the days before credit cards came in vogue and I had only a few francs on me. I had sterling, pesetas and travellers cheques, but the banks were closed. I was immobile, tired, hungry, had nowhere to stay and nobody wanted to take or change my money. I was going to phone the AIT (the Continental equivalent of the AA) when the initials reminded me of the other AIT (the Franco-Spanish initials of the anarcho-syndicalist International Workers Association).

I had often criticised "Toulouse" for years, which generic name signified the fossilised bureaucracy of the libertarian movement in exile, but I reckoned that if I phoned a hall of the local CNT-in-exile I would probably find someone to help. It was worth a chance and I found someone in, though she answered in the local patois. My French was somewhat rusty anyway and never extended to the language of Oc, but I gathered she told me to wait where I was and meanwhile order whatever I wanted. I hesitated to do so in case I had misunderstood but ordered a brandy and some croissants which were covered by my remaining francs.

In about twenty minutes, three carloads of Spaniards drove up, for all the world like a police raid. The message had been passed on round the hall that Albert Meltzer was in town, stranded, starving and penniless, all of which was true in a less dramatic way, and three different cars had driven out to the rescue. I had never been in Toulouse before and had no idea anyone knew me there, but the people in the CNT hall that Saturday night celebrating the end of the tyranny were far from being supporters of the civil-war compromises and opponents of the post-war Resistance that I had criticised. Some had been in the Resistance with Miguel, one was a close friend of "la inglesa", someone else had been to the Centro Iberico, another two had been in prison with Stuart and all knew of him.

I was bathed in the reflected glory of three old friends as half-a-dozen new ones argued which should have the honour of putting me up for the weekend. When they came to tow the car in and saw the contents it certainly did not detract from my welcome, and it was decided that the family with the best accommodation should house me but that I should have a meal with each. It worked out at seven dinners in three days. No wonder I never kept to the diet the doctors laid down.

When the banks opened on Monday I was able to hire a car to take me into Spain but, it having a Toulouse number plate, always suspect in the Franco years, I was stopped at Customs. There was no charmed passage such as an English registration had always afforded. They took away all the books and pamphlets I was carrying, saying severely this was not England and such literature was prohibited in Spain. They let me travel on, however, and presumably were told after I left that times had changed. When I arrived in Barcelona I found a police car had arrived at Miguel's flat before me and returned the literature with apologies to the traveller when he arrived and the hope that he had not been inconvenienced. It certainly was not England. Catch the British Customs or police behaving like that if they confiscated something wrongly!

That honeymoon period did not last long so far as locals were concerned. For years afterwards the police and to this day the Guardia Civil behaved as they did under Franco. As the locals said, they were "the same dogs with different collars". The growth of tourism had made them modify many attitudes, even under Franco, and continued to do so. I had first-hand knowledge of the privileges accorded to foreigners on another occasion, when my car was stolen, and I had to go into the Guardia Civil to report it, for insurance purposes. A couple of former Spanish exiles came with me, saying as a foreigner I would need their back-up. The openly-displayed brutality with which Spanish suspects in the same interview room were treated, and the contempt shown to the Spanish victims, made my friends realise in time they should leave me to speak for myself. The desk sergeant, seeing my passport, was courteous, complimented me on my accent and expressed the hope that the distressing loss of my car would not lower my opinion of Spain. He entered the particulars, filled out the form for the insurance, wished me Godspeed and turned to bully some parents whose son had been taken in for a traffic offence, cuffing the boy for his disrespect in addressing an officer in Catalan.

Afterwards one of my friends commented how different it was from Notting Hill. "There they make you see the English rule, here they make you see the foreigners rule."

The Re-birth of the CNT

For years I had been urging the Resistance to form a breakaway organisation. Even when the anarcho-syndicalists in Spain formed their own unions in the Interior, the fossilised leadership in Toulouse complained they were "forging the seals" and should wait until a reconstruction of the organisation was possible.

Meanwhile they criticised active resistance, even that of Sabater, which might compromise their situation in France. The Resistance relied for its funds on hold-ups. I was always sceptical. The Trots were raising huge sums from British unions for non-existent Spanish ones. They used the name of the UGT, dead and forgotten in the years of resistance, and denounced the CNT (as "it had entered the republican government during the civil war"). The UGT had not only entered the anti-fascist government but previously the pro-fascist Primo de Rivera dictatorship too but that didn't matter to them. Militant Tendency raised huge sums from British trade unionists talking about the UGT. Meanwhile our activists were pinning their hopes of financing a new movement in Spain on a few bank jobs for which their background made them totally ill equipped and which inevitably resulted in a few more captives being taken.

I had constantly reasoned there could be an appeal for the re-building of the pre-war "majority trade union centre", which it certainly was, and there would have been a sympathetic response from ordinary trade unionists, providing far greater returns than any daring hold-ups. As the official CNT in exile did not want to do this, why not form a complementary organisation, incorporating Interior industrial activity and activism, until such time as the reconstruction of the CNT took place?

My idea was that they should create a separate but temporary organisation, the Federacion Obrera Iberica (the Iberian Workers Federation), a name reminiscent of the logo FAI, but independent. Miguel and a few others (none of whom wanted to be accused of causing a schism) were finally convinced but the FOI died soon after birth. Just at the moment of launching the FOI, Franco started his lingering death in bed and when he finally let go of life, the CNT itself could be re-launched in Spain.

During the first exciting months after the Generalissimo's death it seemed as if the old flames were to be re-lit. But, in a prepared move, the Spanish Government moved in to establish new patterns of labour relationship and to marginalise the CNT.

The fascist syndicates had consisted of employers and workers delegates appointed by the Falangist union. It had confiscated every union's assets. Now it had been permeated by the Communist Party under the name of the Comisiones Obreras (CC.OO — Workers Councils). They had been quietly working with the employers' representatives via the Christian Democrats, neither Christian nor democratic, and had unity with a section of the Carlists. They thought they would get away with the merger and angled for British and American backing with the Spanish Government acquiescing. The Communist Party would thus provide an "anti-fascist" alibi for the others while the Christian Democrats and Carlists would provide a "non-Soviet" alibi for the CP. Some offbeat Trot groups favoured adding students and small shopkeepers to the commissions, some claiming it actually happened, which would have made an even more bizarre labour organisation.

The plan hinged on the British TUC, which, after Hitler, had successfully reorganised the German unions in its own image, and expected to do the same after Franco. Some in the TUC International Committee were Communists and favoured the Comisiones Obreras pretending it was the "Spanish TUC." Joe Thomas and I (with the aid of a person in the hierarchy he knew well) exposed the plan, which knocked it on the head right away by scaring off the Labour Party supporters on the TUC who had experienced a bellyful of CP intrigues. We were accused in an old cliche by a student-led clique of an "unholy alliance" with the right wing. It seemed to us holy enough to block the backing of a coalition of Christian Democrat employers, Carlists and Communist Party to take over a fascist body.

The TUC then accepted the notion that there should be a "Spanish TUC", only one, with a political party to back it, just like theirs. They took for granted it would be the Socialist Party. When they said that in Spain to an assembly of trade unionists the notion was met with derision by all but the Socialists. It was exciting to trump the ace of those who wanted to tell the workers how to organise, but the politicos had other tricks up their sleeve. The Spanish Government came up with its own formula which got acceptance.

The next deal was the Pact of Moncloa, which the new Government persuaded labour leaders to accept. The UGT, theoretically even the CNT, could reorganise without opposition as such. But the CNT was harassed with police dirty tricks such as, later on, the "La Scala" incident in 1978, when during a strike the workers allegedly blew themselves up in protest, and the survivors were charged with the crime. The Communist-led CC. OO was also recognised, as was any other union be it merely a political party with an industrial label, but with a proviso. They had to sign the Pact, a guarantee of class peace, to negotiate. Fascism was democratised in that the old corporate State councils of employers and workers remained, but the workers could elect their delegates from whichever union they chose. Falangist rule would be eliminated, but otherwise the system was in essence the same.

The CNT was thus frozen out. Though this was not the intention, it might perhaps have strengthened it if it thus became the one centre for unofficial action. Therefore it became the target for attack, as it had ever been. The now indiscriminate terrorist actions of Catalan nationalists (always the enemy of anarcho-syndicalism and the workers) were blamed on the CNT. Its funds remained confiscated. *Solidaridad Obrera,* its daily paper, with its building and printing press, had been the fascist *Solidaridad Nacional* since Franco seized Barcelona. The stolen halls, presses and sequestrated assets of 1936 vintage (not to mention the collectivisations of the civil war period) must have added up to billions of pounds sterling on current values. The CNT was inveigled into the tempting but hopeless task of claiming them back. The Government would obviously never agree to finance a revolutionary organisation, in that fashion, even with its own money, so it had to seek a legal formula to reimburse the UGT while refusing the CNT.

In the first heady year after Franco's death, nobody realised what that formula would be and optimism abounded. Exiles returned, branches were re-opened everywhere, militants came out of hiding. There was an unprecedented enthusiasm among the young. Only among the students, in other countries then undergoing a radical enthusiasm for a modified Marxism (however the media might confuse it with anarchism), was there a begrudging attitude to the CNT inspired by Trotskyism. Those who spoke enthusiastically about the 1936 Revolution were sneeringly referred to as "los historicos". The more open physical attacks by the fascist groups — in reality the secret police in civilian clothes — forced CNT sympathisers to fight back (and treat the New Left more as allies than enemies). Right wing provocations even took the form of assaults, sometimes sexually motivated, on young women offending "Catholic morality" by dressing and behaving in a modern fashion taken for granted in France or Italy.

Nothing stopped exiles from all parts of the world coming home. I had known many in London where they had formed an exemplary community even by conventional standards: hard working, and though harassed by the police for their anti-fascist activities, free from anti-social crime. In the case of the confederal movement, whole families went back. Those veterans who returned from France and Britain having earned English or French old age pensions were able to live well, a contrast with others, especially those wounded in the Civil War or those who had served in Spanish prisons or labour camps, or had been blacklisted or disabled, who either were reduced to beggary in Spain or sometimes returned from exile from nothing to nothing.

They helped each other. Miguel Garcia, for instance, who had no pension in Spain and left a British one behind, was set up by sympathisers in a café bar of his own, "La Fragua" (the forge — it had formerly been a blacksmith's shop) in the calle Cadena, a backstreet in the slums. It was near the spot where the employers' organisation's pistoleros murdered Salvador Segui, the CNT's most vigorous secretary and organiser (known affectionately as "Noi de Sucre" (Sugarboy) either because of his addiction to sweets or because his baby face contrasted with his toughness — I have heard both stories). The bar became a mecca for many who also went to have a look at the historic spot where Miguel's father (one of Sugarboy's bodyguards) had once narrowly missed assassination too. (Today there is a square named after Segui, in his day hunted and feared).

Some of the clients at "La Fragua" turned up to help Miguel get it going and came again and again, despite the grotty bar and service for the sake of the company that gathered there. If Miguel had less of a taste, after so much deprivation, for his own liquid wares, it might have done well.

He one day took me on a bar crawl round Barcelona and showed me every historic spot associated with our movement — the old no go area in the Barrio Chino, the former anarchist quarter where Durruti had lived, the Telefonica where they had resisted the Communist takeover in the May Days, the grave of Ferrer at Montjuich. I meant to return with him one day and take a notebook. It was a missing slice of social history and would have made a fascinating 'revolutionary tourist's guide to Barcelona' but I left it for another visit — too late. After his death I wrote up his life, with the omitted early chapters of *Franco's Prisoner* (the published version dealt only with his 20 years in prison) in the book *Miguel Garcia's Story*.

The Phoney CNT

Over the next years I attended several Congresses of the CNT, including the Fifth one in Madrid. It was held in an exhibition hall in the Casa del Campo, a park where a famous battle in defence of the capital had once been fought. As usual, there were so many old friends to greet that I skipped a lot of speeches, and oratory bores me anyway. I also missed the fireworks at the end. The gathering had seemed well organised but cracks in the structure were appearing.

Despite the affirmations of anarcho-syndicalism, a tendency emerged calling themselves the "Impugnados" (I never discovered what being "impugned" was supposed to signify). I think they were sincere enough and many of their criticisms of the people who had compromised in the civil war and taken a quietist attitude in exile were what we had been saying for years. But when they finally broke away from the organisation, still calling themselves the CNT, they were quickly penetrated by the nationalists, Trots, Maoists, Catholic Action and all the riffraff of political entryism, as the CNT proper never could be,

The "Impugnados" re-styled themselves the "Renovados" and the renovated ones became a new organisation. It was rueful to reflect that had the First of May people not been so reluctant to be regarded as schismatic and formed the FOI sooner, this split would never have happened. Eventually the CNT Renovada, or "Phoney CNT" as I dubbed it, had to call itself the CGT, claiming nevertheless it was heir to the old CNT.

There was a manoeuvre by the UGT to take it over after it had successfully laid claims to a part of the heritage of the old CNT, but this was withheld anyway and the UGT lost interest. The CGT still exists at the time of writing, pretending to be anarcho-syndicalist but in fact taking part in "union elections", in other words the democratised fascist corporations set up under the Pact of Moncloa. One can understand some Spanish workers wanting to take part in the Moncloa system, which is an advance on Francoism, but not only is it far from Syndicalism, it is not up to British trade unionism as it has always operated. It must be admitted Mrs Thatcher's "reforms" have reduced trade unionism to that level but we may reverse this yet. What makes me suspicious of the CGT is that it is busily hankering for international approval among syndicalist movements, which would make it not a step away from Francoism but a step backwards to it and they know that perfectly well.

After having spent some eighteen months awaiting acquittal, Stuart went in the spring of 1975 to Huddersfield because it was then one of the last few places in England where one could get a house at an unreasonable but at least attainable price. He paid for it largely with the proceeds of advance royalties from *The Christie File*, which in the end the leading and respected publisher was afraid to print, and it came out finally under the imprimatur of an American anarchist publishing house.

He had not heard the last of police harassment. One high-ranking officer expressed the view to me that they would not object to the Black Cross if we expelled Stuart! "We don't object to charities for our own prisoners, so why should we object to aid for Spanish prisoners", he said, missing the whole point of what we were about.

Another tipped him off he would be framed as he had not been forgiven for being acquitted after so many worthy people much more important than a commonsense jury had decided it should be otherwise, and so he moved to Sanday, a little island of the Orkneys, and soon made himself at home. Joe Thomas jokingly asked me if Stuart had advance information that all dissidents would be banished to a Gulag in the Orkneys and he had made sure of getting the best housing going there. I reminded him of the jest later, when we read of the preparations for just such an eventuality in the event of a military take-over had the abortive coup against Wilson's Government been successful.

Soon after, there was a hold-up in London when a man walked into a bank and shot the cashier, apparently without warning. It was in Wimbledon, where Stuart had been living before going to Huddersfield, not too many miles from Streatham. The local CID apparently at first decided it was a certain character who had been in prison at the same time as Stuart had been on "remand" and they wondered if he had confessed all to him. It seemed something of a long shot and makes me wonder if it was a would-be replay of the Hain incident not far away. The Wimbledon police had no idea where Stuart was and unlike Special Branch had not the expertise to know how to walk into a bookshop and ask for the latest Black Flag, which would have given the address.

The sergeant phoned his solicitor who promised to pass on the message but would not give his client's address. They informed him helpfully there was a reward of several thousands offered by the bank. After Benedict Birnberg's, Stuart mentioned it to Brenda and her father, who was staying with them. Stuart remembered signing a petition when he was in Brixton prison with this man's name on it, but as a political dissident he was in a high security wing, and the man suspected of murder in a normal wing so he had never met him. Brenda's father commented that he had served in the Navy with someone of the same name as the detective sergeant concerned.

Despite their scoffing, he said it might be the man's son. He lived in Wimbledon and his son was going into the police. When Stuart phoned back he asked confidently, after explaining to the detective sergeant he had never met the suspect (who turned out eventually to be a false lead) if the DS's father hadn't served in a certain warship during the war. One could imagine the poor man's jaw falling. "How on earth do you know that?" "Oh, we have our files too, you know, like you do — even up here".

If you've got the name. you might as well have the game.

There was no harassment on Sanday, no police and no crime. TV filmed an interesting interview with Stuart in the Orkneys talking about anarchism and posting off Black Flag around the world. It looked as if he had a private plane, which might have stirred memories in *Daily Express* readers, but it was the scheduled flight from the island, whose airfield really was a field. The interview was only spoiled by the TV's investigative crew putting in a bit of background, no doubt from information supplied by their historical experts, in which it seemed General Franco's Loyalists had thwarted an anarchist rebellion.

Cienfuegos Press

Stuart ceased to be an editor of *Black Flag* a year or so after he went to the Orkneys. He continues to be regarded by the professional writers and "historians" as editor to this day, and for years the press regarded me as his spokesperson. We were as indelibly joined as Marx and Engels, or perhaps more appropriately Laurel and Hardy.

He still distributed the Flag round his international contacts, but it was printed and edited in London except for a few issues in the early days. In the intervening years there have been many editorial teams. As I was the most regular contributor and was never a professional writer (my articles needed editing), I was never sole editor except in emergencies. There must have been fifteen other editors but they never get a mention in the "histories".

Stuart started a publishing house called Cienfuegos Press. It was a remarkable achievement in anarchist publishing which attracted attention rarely ever received by a small publishing house. Financially it started from nothing and ended in disaster. In the decade it was going, it started with an anthology of the American journal *Man!* and *Sabate: Guerrilla Extraordinary*, financed with money received from post-trial interviews, translations and donations, plus part of the royalties on *Floodgates of Anarchy*. Financially, alas, it was always chasing its own tail.

Another book, *Towards a Citizens Militia: Anarchist Alternatives to NATO and the Warsaw Pact*, aroused a furore of denunciation from sinister right-wing forces in and out of Parliament. The introduction made it clear it wasn't "a do-it-yourself guide to military revolution — a ludicrous conception for anarchists anyway — but a guide on how to organise resistance to a foreign invasion, Soviet or other, or to a military coup d'etat," wrote Stuart in a reply to his critics, printed in the *Times Literary Supplement*.

It didn't stop them baying for his blood but it did give the book an enormous fillip that enabled Cienfuegos to carry on with more publications. The success was so great that the far-Right philosopher Roger Scruton published an allegation in the *Times* that Stuart had written the *Anarchist Cookbook*, a commercial US cultural revolution product pretending to be a guide to Anarchism, absurdly hyping drugs and with misleading recipes for bombs. There was no conceivable connection between the reasoned arguments of *Towards a Citizens Militia* and the absurdities of the *Cookbook*, but this type of misrepresentation, typical of bourgeois fascism, was made respectable by "philosophers". From there it permeated the police, and during the riots of young Blacks in Brixton a young Italian woman was raided because she lived in the area affected and only, because of books like *Citizens Militia* found in her possession, was arrested and sentenced for deportation. The press referred to "the Italian connection"!

As Stuart pointed out, one could safely assume the police would have found little to object to had they found essays on monetarism, the dictatorship of the proletariat, or even discussions of the relative merits of Zyklon B gas as an alternative to repatriation. What got up their noses and those of the Establishment generally was that the book used information available from many other respectable sources, and directed it to the general public. The idea of a defence alternative costing nothing, unlikely to be used for aggressive purposes and available to all was anathema to those who were spending £13 billion allegedly for the same job and risking the existence of the world in doing so.

Many other publications followed, including Flavio Constantini's *Art of Anarchy*, *Zapata* and the first four issues of the *Cienfuegos Press Anarchist*

Review, but various factors ultimately forced Stuart to give up the venture and to leave the island. One was the gradual frightening off of printers and binders, as well as booksellers, by fear of legal action which never materialised. Another was a disastrous and mysterious fire in a transport container (plus water damage) added to which an expensive edition, a beautiful reproduction of a work on Japanese anarchism, set and printed, was lost by a printer who declined to compensate. The straw that broke the camel's back came in 1981, when Brenda was returning from a visit to her sister-in-law at a British base in Germany. She was arrested at the airport, forcibly separated from her child, and put on trial for something that happened there years before, though it was the first time she had been in Germany.

It was a shrewd move by Interpol of which its founder, Heinrich Himmler, would have been proud. The expense in defending her, and telephoning around the world (Stuart had been refused entry) for protests to be made, ruined Cienfuegos Press. The examining judge, like one in France over a similar case involving Jean Weir, declared he was subject to so much irritation he had a nervous breakdown as a result of her being imprisoned nine days, and he and the case collapsed. But as a result the whole struggling but thriving little enterprise Stuart had built in the Orkneys had a financial breakdown, in the course of which he had to put his home on the line and lost that too.

But of course it would be a "conspiracy theory" to imagine that all this was intended. It is notable that when Stuart applied for a gun licence to shoot rabbits (a staple diet and pursuit in the Orkneys) he was refused on the grounds of his conviction for terrorism in Spain. The Spanish authorities denied there was any record of a conviction, which had been imposed by an unconstitutional court martial and subsequent to military rule had been expunged from the records. In Spain, that is, where fascism was declared illegal. Interpol would have none of that. Germany like Britain did bow to commonsense not to recognise the validity for criminal records of German People's Court decisions sentencing offenders to concentration camps. But Interpol still nostalgically preserves Spain's fascist past as valid when everyone there wants to forget it.

The Wooden Horse

During the Seventies I had been contacted by a so-called "anarchist party" which had been set up in Stockton (Northern California) by Red Warthan, who called it the "Woodstock Anarchist Party", after a mass rally at Woodstock that heralded the Youth, Music and Drugs hippy-peace-and-love scene of American sham-anarchism. I was acting secretary of the International Black Cross and got friendly letters from him. He never asked for anything but how to contact already publicised groups.

He seemed from the correspondence genuine enough, and I thought he might be won from his hippiness to something more concrete. "Surely no anarchist would object to an all-night pot party," he replied in naive response to my saying no anarchist would form a party. He effusively inscribed a book to me, the classic Fat City which featured Stockton (California), after he learned I'd been a "boxer", though hardly of the type depicted there.

I felt a bit ashamed of my initial doubts until his story finally came out. It seemed that as a boy he had been a Ku Klux Klan member. When he was thirteen he had murdered a ten year old, but at his trial got acquitted "by reason of insanity". He made friends with Nazi prisoners and drifted back into the Klan. The latter got him released by legal pressure, and asked him to infiltrate the Nazis. He couldn't or wouldn't so they asked him instead to "infiltrate the Anarchists". As his and their definition was even woollier than usual, he set out quite cleverly to infiltrate in the only way possible, by forming his own pacifist-anarchist party and rely on dislike for sectarianism for it to be accepted on face value. However, the only hippy group he succeeded in properly infiltrating was hardly anarchist. It was the Manson hippy murder cult, and as it turned out he'd penetrated something nearer to the Nazis.

When Manson won Warthan's confidence (or vice versa) he managed to persuade Warthan to switch allegiance from one set of nutcases to the other, and feed Manson back information on KKK operations. He did this by linking up with the Nazi groups and there seems to have been some confusion as to who was spying on whom and to which of the three right-wing set-ups he owed allegiance, while still claiming to be anarchist.

On Manson's instructions Warthan publicly renounced the 'anarchist' connection as too confusing, explaining it was just an attempt to spy, but this alerted one or the other Supermen to his true role in this complicated business, resulting in an attempted killing of him, and his killing a seventeen year old instead. Of course the US press had it all down a battle between 'rival anarchist groups'.

Warthan had the cheek to write to me, when the charges were brought, asking if the Black Cross would defend him. I don't know what it could have done anyway. He said all his fascistic friends had turned against him, that he had never done any damage to the anarchists while he was spying on them, and that if his wife hadn't been raped five or six times by different black men he would never have returned to the Klan.

I didn't do anything about this heart-felt plea but I did reply non-committally, even deceitfully, questioning some of his statements and so drawing out the names of other small-time Nazi agents which I passed over for others to check.

This was the only cloak-and-dagger involvement I ever had, if at the distance of a few thousand miles. Still, as the result of some disquiet over this someone in the Anarchist Black Cross decided to do a bit of investigation into the fascist groups to see how far the menace went over here. A comrade in Scotland published a fake Nazi paper, available only in reply to advertisements in fascist journals. He unearthed a whole list of addresses. Most of them were predictable, the old gang of sycophants, the aging chasers after the rough trade and the various hangers-on, but there were some finds. One wrote from Spain proudly that he had penetrated both ETA and the CNT, so we passed the message on. It was easy enough to "penetrate" the CNT, a union recruiting people on the basis of their work, but certainly the clandestine ETA was interested.

In Canada Gary Jewell had been in the IWW and raised funds for our prisoners. He had definitely changed sides but had not thought fit to announce his change to his former associates. He visited England in the late Seventies and met many people in the old SWF and they found it hard to believe he had reneged, but we had it from himself in black and white, telling the spurious journal he had been a syndicalist and was now a "third positionist". This was a line coming into favour from British fascism, suggesting they wanted neither capitalism nor communism but a third position, and mixed with the nonsense of Distributism and Catholic-Fascism.

To muddle the situation further I wrote a cod pamphlet putting forward the claims of Constructivism but not saying what it was. It was a theory invented by a fictitious person I always referred to as The Beloved Dr Ludwig Gans or The Great and Learned Dr Gans. I had invented him years before when at the invitation of some group on the lines of Mensa, I gave a lecture in a series of others in which they had to guess which was deliberately phoney. I pulled one over on them by giving it on Constructivism and all these Certified Intelligents believed it, nodding in agreement when I mentioned Ludwig Gans' work The Menace of Anti-Constructivism. I did it as a pure joke on George Plume, its secretary, who was always kidding someone. He even pretended to have been sentenced to death during the war for incitement by supporting a Scottish Nationalist in a by-election, only being reprieved because the seat had been won.

I am told that Constructivism, while never as popular as Distributism though equally mysterious, was seriously discussed in fascist circles for some time after I quite inadvertently slipped it in, though nobody ever knew what it was except the great and good Dr Gans, and he never existed.

It was a shame to lose him altogether so once or twice I put in quotes from him in Black Flag as a joke against Marxists who wrote in with equally preposterous quotations. Sure as fate one such wrote in, protesting at the notoriously "reactionary professor" currently in favour with the fascists.

Whatever you think of Constructivism, so far as I was concerned, it beat Gustav Metzger and his Auto-Destructive Art hands down, and was a change from writing sense, with nobody, certified intelligent or not, nodding in agreement.

CHAPTER XIX

The Execution of Puig Antich; The 'Newer Angry Brigades'; The Bookie Always Wins; Affinity Groups; Persons Unknown; The Protest Movement

The Execution of Puig Antich

Among the circle of anarchist activists who gathered in London around Miguel Garcia in the early days of the Centro Iberico had been Salvador Puig Antich. As a student he had been a Catalan Nationalist and social revolutionary, but the briefest study of Catalan history brings one to anarcho-syndicalism. It is odd to reflect that if he had stayed with his original beliefs, on his death the press would have referred to him as an Anarchist. As it was he was described as a "Catalan Nationalist".

He accompanied Miguel Garcia and myself on two of our speaking tours, and though when we spoke Spanish Miguel and he soon drifted into Catalan, that did not make either a Nationalist. Many comrades knew and liked Puig Antich, who went back to Spain in September 1973 and was involved in a police ambush in the calle Gerona, Barcelona. He shot a police inspector and was sentenced to death. At the same time a Polish vagrant, Heinz Chez, killed a Guardia Civil and was also condemned to death, in a case not involved with overthrow of the regime. The authorities originally thought executing them together would take the political edge off the incident, but the reverse happened and it was assumed Chez was also an opponent of the regime.

This led to an enormous clash between protesters and police in Saragossa, as well as fighting in Valencia and Madrid. In Paris, Spanish banks were attacked, and similar activities occurred in Dublin, Toulouse, Perpignan, Lyon, Pau, Bologna, Rome, Milan, Genoa, Brussels, Liege, Luxembourg, Geneva, Liverpool and London. They were not centrally planned. The spontaneous response came from people who had met Puig Antich and were impressed by his sincerity. I got a picture postcard from Dublin saying I was "getting a birthday present in memory of Salvador". It was not my birthday, but next day I knew what they meant,

It was Puig's execution that continued the First of May activities through the Dublin struggle to other groupings, some of which I knew, many of which, even outside London in England and Wales, I did not. Over the years, and especially after Franco died, they were directed against many targets, the so-called "Angry Brigade" having made it clear what the agencies of oppression were.

The memory of Puig Antich lived on. It inspired waves of armed struggle not only until Franco's death but for several years after. He was part of the First of May struggle that encompassed the last phase of the anti-Franco resistance, the new period of which the 'Angry Brigade' was part, and the growing feeling of solidarity with all those who were oppressed. Ultimately it was eclipsed by Nationalism and Marxism, with which it was deliberately confused by the media. I hope that this is temporary.

The 'Newer Angry Brigades'

Reams of nonsense were poured out about the Angry Brigade by the police PROs and the journalists, some of whom were identical, and in due course taken up by professional writers and historians. History is notoriously written by the victors so it will sound strange to tell it as it really was.

The Angry Brigade was not a separate group of people at a separate time, a specific conspiracy organised by one political tendency, or a mini-private army. It was a conglomeration of people who were reacting to events, made up of situationists and anarchists, some of whom did not know each other. Sometimes outsiders wrote manifestoes in their name. Many working people saw the trend they were fighting against and thought it a bloody good thing they were doing so. I encountered this all the time, though from people who had no intention of doing anything so drastic to sabotage the system themselves. Some young enthusiasts, though, did. When they did so the establishment chorus was that this was a "new Angry Brigade", a fresh conspiracy or anarchism rearing its ugly head once more, as if the Angry Brigade had been a real brigade, as solid in its conception as the Brigade of Guards, and not an anarchistic tendency among richly deserved protest.

It took time, and not just a couple of show trials, for the wave of resistance to be broken, after having been demoted by the activities of the IRA equating revolution with nationalist rivalry in the public mind. I will not say I agreed with all actions of activist Anarchists during the period from a tactical point of view. But they heralded a break with reformist intellectuals who had posed as anarchists and come into prominence with the rise of the

New Left and went on through flower power to the commercialised music revolt and hippy scene.

The Spanish comrades who had most influence upon the armed groups thought they should organise in the same way. I personally never thought it appropriate in the circumstances in which we found themselves, here or in Spain, but I knew what side I was on. Many workers who otherwise would not have agreed with us at all had a clear idea of the enemy and who their friends were and that the rise of the new capitalist arrogance (it came to be called Thatcherism) would bring the working-class movement to its knees.

The Dublin Anarchists, the Lewisham Three and the "Persons Unknown" were all in general sympathy with "Black Flag" but there were several other activist groups in England and Wales during the 60s and 70s on much the same lines. Some of them attracted a great deal of attention and might, had things gone another way have heralded a wave of fighting back. Others fell at the first hurdle, partly because of their inexperience. It happens time and again that when a political activist takes on activities usually undertaken by professional criminals for individual profit, they have not the ruthlessness that goes with capitalist enterprise (legal or illegal). The only "victims" they seek out are the guilty forces of the State. Successful professional criminals are more anti-social and therefore have no scruples to hold them back. This was seen in the armed urban guerrilla groups in Europe where the Marxist-Leninist groups, trained by Stalinists or "Third World" Nationalists, took over the resistance and forced the Anarchists out. It was seen also in the Irish Anarchists and in the talented young trio, actually from Birmingham, who were arrested in October 1977 in the course of raiding a betting shop in Lewisham.

The Bookie Always Wins

One of the three was Phil Ruff, whose biting cartoons and searching commentaries in "Black Flag" could have graced any paper. I first met Phil in 1973 when he became involved in the campaign of solidarity with Puig and the activities of the MIL (the armed resistance in Spain). Not long afterwards he moved to London and joined us on the "Flag". When I moved from Upper Tollington Park to a council flat in Tottenham, Miguel stayed and Phil moved in. Through Miguel and the Centre, Phil naturally met many people active in the international movement, increasingly turning to illegal struggles against capitalist institutions. Solidarity is one thing, but I had no cause to suspect Phil entertained thoughts of engaging in it actively.

Arrested with him were Brian Gibbens and Dave Campbell, from a family of socialist singers, who has been my favourite singer ever since he announced at a concert for Spanish prisoners in 1976 that he was singing "They Called Me Al" (to the tune of "Buddy Can You Spare a Dime") as a tribute to me, one of the highest I received. In court there were some sarcastic remarks about their amateurism. It seems lawyers prefer criminals to be professionals. Even the judge commented that it was worse when people of previous good character did that sort of thing, though I am sure somewhere I read — it cannot have been Blackstone — that first offences were considered more leniently whereas criminal records were held against one.

On this occasion the police were not able to make a political issue out of it, although they dropped asides around court about their links with the Murray Defence Campaign and hinted before the trial about the accused "preparing to finance a new Angry Brigade", as the prisoners pleaded guilty. Whether the judge had been specifically told of their sympathies, or just learned from their papers, I do not know but they got seven years, quite out of the normal proportion, especially for first offenders.

When I came to pick up Phil's belongings at Lewisham Station at the weekend before a bank holiday, the detective in charge, about to go off for golf, commiserated about their fate, pointing out that the most cash they could have got at that time of the day would have been nothing to what I was probably earning over the weekend.

The sham-ans in the peace-and-flowers movement were indignant with "Black Flag". The funniest comment passed on to me was that our collective was trying to start, in imitation of the Campaign for Real Ale, a Campaign for Real War, and that Phil Ruff was in jail for armed robbery "and he's only the cartoonist". Presumably the lay-out team laid out the corpses.

Affinity groups

There were many affinity groups of this nature here and overseas as late as the 70s, before resistance to capitalism got swamped by nationalism and militant liberalism: called liberation. Iris Mills, for instance, was living in Huddersfield. She was in correspondence with political prisoners in the UK, of whom the majority were connected with the Irish Republican movement. One who wrote in to "Black Flag" was Ronan Bennett, and they engaged in an interesting correspondence. He had thought of anarchism only as a joke — having been brought up in the nationalist tradition that sees practicality only in changing the race of the oppressors.

He was suddenly released from Long Kesh, having been acquitted on appeal after a year or so inside, but with being harassed by the police and both the Loyalist and Nationalist paramilitaries, (he had been a member of the IRSP which had broken from the Official IRA), he decided to move to the mainland, and came to Huddersfield. One of the professional conspiracy theorists had stated that the Provisional IRA (to which Ronan had never belonged) wanted to penetrate "terrorist cells" all over Europe, and a BBC programme later suggested his coming to Huddersfield might have been part of an IRA plot to penetrate the Anarchist Black Cross.

The IRA might have decided to chance forfeiting the support of the Americans, the Russians, the Catholic Church and their Right and Left sympathisers, as well as antagonising any support they might have had in Ireland, if only they could get hold of a network at that time worked on by me, but I am modest enough to doubt it. It would seem that any story will do to throw at the Anarchists. Either they are individual loonies or a great mass movement, or they are eccentric pacifists or murderers, or else they are small enough to be ignored or yet again a vast permeative force.

Iris had contacts with international anarchist circles, which shocked Scotland Yard, thinking this was a marriage of Sinn Fein and Anarchy. Ronan and Iris were speedily taken incommunicado into police custody where he was served with a notice of deportation. He could have been quietly taken away from the land where he was born, which was England not Ireland, but fortunately word of their being kidnapped — what other word can one use? — reached us through a friendly neighbour, and solicitors got the case heard. There was absolutely nothing against either except the belief that the elephant was trying to nestle on the flea. If someone had not been there who knew the procedure they would both have been exiled. As it was they were released, but lost their jobs and domicile. They moved, first to Paris and then to London.

Persons Unknown

This was the beginning of what was dubbed the "Persons Unknown" case. I did not know anything about the background until one day, at work, the crime correspondent TA Sandrock — more a police PRO than a journalist, who had his office at Scotland Yard — telephoned in a story that two nameless Anarchists had been arrested at an address in West Kensington, suspected of dark and nameless doings. The story was vague enough but, as West Kensington was not exactly an area where Anarchists were thick on the ground, and I knew where Ronan and Iris were living, I guessed it might be a replay of what went on at Huddersfield, and phoned up a mutual friend to ask him to check. He wisely telephoned first and, hearing they were on "holiday", asked the respondent if they had remembered the cat, and she said she was looking after it. As they had no cat, he guessed it was a policewoman playing cat-and-mouse. However, it was not a deportation order, so the swiftness in getting a lawyer along was unnecessary.

At the committal proceedings the charges read out made one wonder if the Witchcraft Act had really been repealed thirty years before, when we thought the Middle Ages officially closed. The main item solemnly read out by prosecuting counsel was "wanting to overthrow society". It was a wonder he didn't say they wanted to turn the world upside down. The charges were so ludicrous there were fits of laughter from the well of the court, so that when it came to "conspiring with persons unknown", though not unusual phraseology, it caused such merriment the magistrate had to threaten to clear the court. From then on it was known as the "Persons Unknown" case.

The charges related to preparing explosions, though none had actually happened, but fitted into the Tory thinking about Anarchism. This was later dropped in favour of armed robbery, in places unknown. Judge Alan King Hamilton conducted a prosecution from the judicial bench. He was indignant at my saying in the witness box that this was a political trial and if the defendants were convicted it would be described as an "Anarchist trial". There was no such thing as a political trial, he insisted, though he brought up loaded political questions (such as what the CNT had to do with ETA) but told the jury to ignore references to it being an "Anarchist trial". In his memoirs he himself refers to it as the "Anarchist trial" but the reader should ignore that, and indeed the book.

Amongst the learned judge's remarks were comments on witnesses taking the required oath as to whether they believed in the Bible. I had an answer ready if they asked me, so I took the oath on the Bible too. I would have said that it if they read it instead of using it as a magic talisman, the Attorney General would have bunged it in with the subversive exhibits, but the prosecutor shied off engaging me in that discussion. The old-established legalistic Catch-22 is to suggest you are frightened to swear upon it if you don't take the oath, whereas all it does is to render you liable to the Perjury Act. If you do take it, they query your sincerity if you don't believe in its authenticity. Underlying this is belief in the Bible as a magic talisman or the (illegal) assumption that a non-believer cannot tell the truth.

The prosecutor (echoed by his colleague the learned judge) suggested that I might have inserted the reference in the *Telegraph* to "warn the conspirators". Apparently they thought it was an ingenious way to warn them rather than use the telephone. They never took the obvious steps of asking Mr Sandrock if it was his copy, or the sub-editors if they put in any old copy that was passed over, but hoped the innuendo might stick. King Hamilton, in his summing-up, referred to the *Telegraph* as "Meltzer's paper" and agreed with counsel's suggestion that using its austere front page as a postbox to warn people might explain the lack of evidence.

With a couple like that conducting the prosecution, I had a field day in the witness box and the more irritated King-Hamilton became, the more the jurors loved it. Gareth Peirce, solicitor for the defence, whispered to Ronan that I reminded her in my white suit and nonchalant manner of Alec Guinness, to which he gave the unkind response, "Give or take a stone or two".

Though there is "no such thing as a political trial", I was asked questions like the other old Catch-22 about "belief in violence", as if I were the forensic and character witness on anarchism. Did I (and they, insofar as evidence related to them) "believe in violence"? I knew from of old that if you say yes, you're labelled as a mad axeman, if you say no you're pretending to be a pacifist (something subversive in other circumstances) and anything they can show to prove you have the same views on violence as 90 percent of people generally proves you're a liar. When asked if Anarchists believed in "law and order" I explained that was a political catch-phrase implying "hang 'em, flog 'em, jail 'em" and if I might choose my own cliché, it was "peace and tranquillity", which floored the opposition but they came back with asking if my wife believed in violence.

The twists and turns of the prosecution obviously had to result in an acquittal, so the press pretended it was a freak verdict. Amongst the several defendants accused in the Persons Unknown case was Dafydd Ladd. He had already been in prison, and was influenced by Red Army Fraction interpretations of German resistance. Having had experience of prison, and not appreciating that the British jury system, however imperfect, had been totally altered by its extension to the whole population and not just a few property owners, he skipped bail.

Previously in prison he had befriended a man named Stewart Carr, in jail for criminal activities. Carr had been interested in the idea of resistance and half-politicised, but when arrested by the police broke down and confessed to everything they asked him, giving him who knows what inducement to do so. Hence neither was tried with the others.

Mr King Hamilton was so indignant that the jury rejected his advice to convict the remaining four that he called the twelve jurors back for a further day (at public expense — who cares about money when not paying oneself?) to listen to his lecture to them for ignoring his advice, and listen to Carr's "confession" which included the kidnapping of members of the Royal Family (none of whom, unlike Ronan and Iris, had been kidnapped). The evidence for this was that Iris had a woman's magazine in her possession showing readers details of the royal apartments, and what would she be doing with such a magazine other than learning the lay-out of palaces for kidnap purposes? For the knitting patterns, perhaps?

Anyone who thinks I am going over the top in suggesting the Bible, had they read it, might be used to prove the defendants were going to put millstones round the necks of capitalist exploiters of child labour and drop them in the sea, might pause to contemplate on the use made of a copy of "Woman's Own", with nothing more subversive than instructions on how to knit pullovers lying round a flat. No wonder the commercially-produced comic "Anarchist Cookbook", with its (deliberately inaccurate) instructions on how to make bombs, was made such a meal of by prosecution and judge!

As a result of the case, Carr went to jail on his own "confession" getting the sentence King Hamilton was dying to give the others. The judge berated the jury for not giving him the opportunity to do the like with them. The media suggested they were guilty and they went free because of a skillful defence, an over-indulgent jury, an ill-informed prosecutor, or a capricious judge. Nobody attributed it to their possible innocence of the charges made, from overthrowing society to capturing a princess and her babies from a royal palace.

The commonsense jury understood (as did many of the AB jurors) what they were on about, and just in their decision that opinion and even possible future intent were not yet illegal. What the prosecution was really about was that they were Anarchists, and wanted to target certain State institutions as the AB had done. They commanded some but not the same amount of popular sympathy, though once again the Trotsky-influenced student-orientated Left tried to cash in on their activity and denounce them at the same time.

The media attention given to Christie made it plain that, as he had indeed been told by a senior police officer, they would have got him on this too had he not meanwhile moved to the Orkneys. I don't know on what charge. Though the islands originally came into Scottish possession by non-payment of a queen's dowry, not even the press could be led to believe there is accommodation there today for holding a captive princess, with or without her children.

The Protest Movement

There were many related cases that grew out of the protest movement — Daffyd Ladd, who did not give up easily, was in yet another. There was also Malcolm Simpkins, of whom we had not heard, convicted for an attack on the police in 1973. He was acting with one other friend, not even knowing about the existence of many Anarchists thinking and acting the same way, and repelled by what he did see of the capitalist press and Freedom Press version. He contacted me when he was in prison, after he had met John Barker and Jake Prescott, and subsequently became friendly with Phil Ruff, with whom he was singled out by the authorities in 1978 as among the "ringleaders" of the Gartree prison riot. We corresponded in a friendly way for years, but though he was anxious to come and "do his bit for the cause again", things turned out differently,

Almost at the end of his sentence, after long periods of solitary confinement, he started reading up on always seductive Buddhism. He explained to me that it was an atheistic creed anyway and compatible with Anarchism since it denied any church or any hierarchy. He would come out and before resuming paid work use his carpentry skills to build a decent club where we could meet and I could learn from him proper eating habits, which was basically what Buddhism was all about, at any rate before you get into its non-violent totalitarian clutches.

Alas for good intentions. I never had the chance even to meet him let alone eat grated carrots in the non-club. On the eve of his long-delayed release he wrote apologetically he had decided to become a monk under some exotic name, enter an ashram, mortify himself and beg his way through Sri Lanka. This is how the Christian prison system reforms the most industrious and idealist members of society. I hope if Buddhism gives him another life, he gets a better deal next time.

There were many others, some of whom I met, some of whom I did not, in this protean hyde-headed movement they called the Angry Brigade or some other name. I was amused once when a group we did not know but which was obviously part of our movement, carried out some attacks on State targets under the name of Makhno's Anarchist Army. The press and police could not understand what it had to do with the Ukraine, but suggested the involvement of Ukrainian nationalists, whose representatives here protested they had nothing whatever to do with such actions. They issued a statement that Bolsheviks must be trying to frame them! At least Rhenish separatists, if there are such, never had occasion to dissociate from everyone who took Karl Marx's name to describe themselves, or they'd never have been able to wind up their watch on the Rhineland.

To make a roll call of all the people with whom I struck up a friendship through the Black Flag years would take several books, We carried out a long struggle for several prisoners, some of whom I met afterwards, such as Goliardo Fiaschi. He served a 20 year sentence under Franco for his part in the post-war Spanish Resistance, only to be re-arrested when he returned to Italy, to serve the completion of a sentence passed under the Mussolini regime. We had documented proof of his boyhood war-time resistance activities which had caused that sentence, which somewhat abashed the Italian Embassy in London when I went with Stuart on a deputation. We told them we would organise a massive demonstration of Army veterans to the Embassy, which was a bluff they fortunately never called. They asked us to be patient and we would get a reply from Rome. We did. Goliardo was freed and returned to his native Carrara. What a wonderful welcome we got when years later Christie and I visited Carrara.

CHAPTER XX

After the Christie File; Refract; "The Kid's Last Fight"; Kate Sharpley

After the Christie File

Cienfuegos Press caused a stir during its years in the Orkneys, with press hounding and pounding, even inquisitive TV and radio interviews ensuring that it was well known. It didn't do it much harm when a number of Conservative MPs, vigilant in defending a platform for fascists but feeling that advocating workers self defence was giving way to terrorism, called for it to be banned.

One German woman activist decided to flee to Sanday when she was wanted by the West German police, not quite realising that she would stand out like a sore thumb in a closely-knit community where an English accent marks you as a stranger and even the Scots were regarded by Orcadians only as a little less foreign. She soon fled but the incident enhanced the picture of "Terror Island" in the press, a picture nobody whatsoever living on or near the island ever recognised. The reaction was the same as when, years later, a zealous Christian social worker 'discovered' Devil worship and Satanic practices on a neigbouring island.

The amount Cienfuegos published, given its total lack of financial resources, was incredible. The trouble was that it poured too many resources into an ever-diminishing market, given the virtual collapse of left bookshops — never too stable. The amount of essays and information in one Cienfuegos Press Anarchist Review would have made a couple of dozen pamphlets and a book or two. An insatiable desire to publish ever more led inevitably to the growth of printing debts and a trail of wailing creditors, both among the commercial fraternity and among high-minded people who had renounced commercialism but thought non-profit making was a guarantee against loss making. As one could not fight a by-election for a mainstream party without incurring a loss, I do not see how a publishing venture against the political tide could conceivably be expected to pay its way and keep printing co-ops in wages. One or two firms who did not get paid in the process thought it was a conspiracy to ruin them. In the same way printworkers often unjustly thought print co-ops a conspiracy to work for wages and in conditions incredibly below par in a way backstreet sweatshops did, rather than work for others, but under cover of idealism.

For a time *Black Flag* used Sanday as an address, having lost its Haverstock Hill address, even after it was edited in London. There were some, especially from the USA, who queried with me if they could safely write to the address — Over the Water, Sanday. I invariably explained that the Orkney Islands had been civilised long enough to have a postal service and cannibalism had practically died out. So. as a matter of fact, had vegetarianism. Meat was cheap and plentiful but fruit and vegetables had to be brought from the mainland and brought high prices. Lifelong veggies who went up there had to capitulate.

For years I was regarded as Stuart's spokesperson or alter ego, especially after he wrote his somewhat early autobiography *The Christie File* in which he referred to me in flattering terms which I hope I deserved. A few journalists would seek me out for the latest news as to what he was up to, though many, afraid of my regarding such enquiries as harassment, would ask friends of mine if they would mind asking me and passing the news on to them. The timidity in approaching me direct was solely because of their nervousness in regard to the print union. With no other category — in the course of years, soon not even the Royal Family — did they have such commendable restraint on preservation of privacy. Later they spoke of the "semi-criminal" activities of printworkers, which consisted of curbing journalists' worst excesses to the point where they could not even interrupt your lunch to ask you to incriminate your friends, without repercussions. Individual members of the Cabinet with kinky secrets must wonder sometimes ruefully if they slaughtered the wrong cow when they destroyed the printworkers strength and "set free" the Murdoch press.

Around 1980 various disasters happened to Cienfuegos Press which led to the Christies making an exodus from Sanday. A printer decamped with an expensive made-ready book, its recently-printed books were burned out and water-damaged en route to the island, and on top of it all Brenda was arrested while visiting Stuart's family in Germany. It was alleged she was involved in resistance activities in Germany, where she had never been before, several years past, apparently on the strength of gossip and the old German practice of guilt by association.

Stuart had been denied entry to speak at a conference, along with an East German poet, Wolf Biermann, who was on turn denied permission to leave. The Berlin Wall worked both ways. Thus he could not go directly to his wife's rescue while she was in prison awaiting a trial that never came, but he spent a fortune telephoning all round the globe for support and solidarity, until the investigating judge gave up in despair complaining that he had been 'pilloried' though if there had been any pillorying he did not appear to be the one who sat in the stocks.

As if things weren't bad enough, the *Times Educational Supplement* invited Stuart to write an article as to how small publishing firms were able to survive the recession. Tempting fate, he wrote in his usual optimism that as Cienfuegos Press had low overheads and devoted readers as well as high debts, it should just about manage to do so, given a bit of leeway by the bank. Just about after that had been read and digested, the Bank of Scotland foreclosed on the house and that was the end of the Orkneys saga.

Refract

The original anarchist thought that had been published from Sanday was so well received that Stuart was induced to try again. He moved down south to Cambridge in search of still cheap housing. I helped out a bit financially and he established a new publishing house. No one could ever understand his reasoning in obscure titles, and this one was called Refract. Among the books it published was *The Investigative Researcher's Handbook* which, like *Towards a Citizens Militia* published in Sanday, was widely read. It became a collector's piece partly because the funds didn't stretch to keeping it in print.

Even the ranks of Tuscany could scarce forbear to cheer. On one occasion he was visited by a Special Branch officer asking if one of the groups claiming to be the Angry Brigade had anything to do with him and, if so would he tell them so or name the people concerned. He said he didn't know, dashing their hopes of an instant Moscow-type confession. The Special Branch officer said he thought it quite funny that in marketing the *Handbook*, Stuart had leafletted every SB liaison officer throughout the country by name. The CIA and the National Security Council each paid $200 for their copy of the *Handbook* when it was explained that these were the last ones left. The SAS house organ *Mars and Minerva* reproduced in its pages a highly critical look at their activities from this shoestring press. However, just as kind words don't butter any parsnips, praise from the enemy doesn't pay the rent.

When he first arrived at Cambridge, the local paper got a hack to write a sensational story that Stuart Christie, who had been released from Spain and subsequently amnestied, and found not guilty of other charges in England too, was "hiding" in Cambridge where he had "taken refuge", though it didn't say from what. Creditors, perhaps? To aspiring journalists it doesn't matter. To them "hiding" sometimes means only they haven't taken the trouble to look you up in the phone book, and in the mentality of journalism in the sticks, "self-confessed anarchists" had to be up to something.

Impressive as the Refract list was, it was still swallowing money just as Cienfuegos did. The bills mounted up and Stuart had to live. He got out from under by winding it up, and then applying for a grant as a mature student to study history and politics at Queen Mary College, London, commuting backwards and forwards between London and Cambridge each day. We used to meet for a meal in Whitechapel most weeks and I always asked him what he expected to do with a Mickey Mouse degree at most. I was brought up when University education was a privilege for the rich and powerful. When working-class youth fell foul of the Establishment it told them to emigrate or join the Navy. Now these are closed, they are told to go to higher education, even when they know more than the professors.

However, by 1986, having run up another £10,000 in debts with Refract, apart from money sunk into it, and with the college course at an end, it was time for Stuart to face the hard cold world again. I tried to get him into the print, where he could have been a valuable ally, but other people thought that too and all I got were raised eyebrows. However, there was an old friend of Stuart's, Ron McKay who had gone into commercial publishing, and launched various new trade journals, always a risky business. He invited Stuart to work on Media Week, a newspaper for the advertising industry, as a sub-editor, and double with "EQ", a magazine for sound engineers. Finally the firm branched out into various other magazines, including *House Magazine*, the house organ of the Houses of Parliament, and a London digest of *Pravda*.

What with various trade magazines, some of which lasted a few issues and some of which didn't, the sub-editors moved from one issue to another as editors, or did several at once. Stuart was editing and setting the sound engineers trade paper, the advertising media trade paper, and an electronic trade paper, as well as an equally short-lived literary magazine. I don't know how much he knew about any of the trades concerned but one day he was told he was also the editor of *Pravda International*. That made news all right with a few hack journalists, though the hue and cry around him had died out a bit by this time.

Pravda International wasn't quite what it sounded, since it was recording changes prior to perestroika, and the only contact with Moscow was when the head of the *Pravda* foreign desk phoned up to protest they were using the name *Pravda* but non-*Pravda* material. The Russians wanted the English-speaking world to see how they were tackling their economic problems. *Pravda*, which for years had echoed the Party line, now wanted to show it was the voice of reform. They were being challenged by a new paper, *Arguments and Facts*, a non-Party and non-Government paper which specialised in economic and social exposures. This jumped from 10,000 in 1979 to 35 million in 1989, and so became the biggest selling newspaper in the world, finally pushing *Pravda* out of business by not being identified with the Party. It was the material from *Arguments and Facts* that constituted the non-*Pravda* material being used by *Pravda International*.

Meanwhile the London publishers had an economic crisis of their own when the old *Soho News* was re-launched, without consultation with the previous publishers of the title, who might have warned them that Soho had radically changed and was now a geographical expression, and came an expensive cropper. Ron McKay was sacked and the board of directors decided to cut down heavily on staff, the most expensive item they could think of, in this case killing the goose that laid the eggs because they were not golden enough. The London *Pravda International* lost its entire staff and Stuart made an arrangement with the editors Vladislav Starkov and his deputy, Alexander Meschersky, to launch a London *Arguments and Facts International*.

None of this affected me, except that I had to contend, after a malicious article in Freedom by someone whose Intelligence associations were exposed in *Black Flag*, with anxious enquiries as to whether Stuart had gone over to the Communist Party, was editing a "trendy Marxist" magazine or even "was working for the Russian Embassy", not that I could have done anything about it if he was.

In fact, so quickly was "glasnost" breaking out in Russia that it had become more democratic than Britain. Here, his anti-fascist record meant every job was closed to him, even at one remove, as it were. There, his notorious opposition to Marxist-Leninism while being a proven anti-fascist was no bar, but a positive recommendation in many circles.

Arguments and Facts International, I gather, is a specialist trade digest about risk analysis and business in the former USSR. It is, as the *Guardian* mentioned, a "far cry" from Cienfuegos Press in the Orkneys. However the Russian company has aims at moving into book publishing, and coincidentally Russian anarchist writers may be re-introduced to a new generation. It has published articles on Russian anarcho-syndicalism today and features on Kropotkin and Bakunin in the course of a new Russian journalism. Whereas it is still unthinkable to discuss anarcho-syndicalism on still shackled British radio, in a Russia which has been (relative to the past) set free, anarcho-syndicalists now appear on TV at least as regularly as the statutory Liberal-Democrat does here. *Arguments and Facts* has even rehabilitated (if he were ever "habilitated") Nestor Makhno, the Ukrainian anarchist fighter facing two fronts, anathema to Bolshevism, capitalist intervention and Tsarism alike.

"The Kid's Last Fight"

I moved in the early Seventies to a Greenwich council flat, and was there when a widely-advertised fascist march took place, passing a few streets away in Lewisham which had a high proportion of Black residents, As usual, it was more a police demonstration guarding bussed-in fascists marching between their lines. An enormous crowd gathered in response to the conventional calls for it to be banned or stopped. The anti-fascists included the SWP and student groups but also many young Blacks who, like the anarchos, were as interested in a bash-up with the police as with the nazis, and a good time was had by nearly all. The nazis had their march, the police had their overtime, the crowd had their fun. Only those taking the stirring up of racial tensions seriously were affronted.

While the fascists were guarded on the march like an endangered species from start to finish, safely escorted by the police from rallying point to departing, before and after there were punch-ups with them as distinct from attacks on the guardian angel police. At the railway station, when it was all over and I was on my way to work, some fascists were standing around waiting for their train and amusing themselves by taunting a lone Black girl. She ignored them, but when they got provocative a couple of SWP students, who had been on the march, responded to them. I was too far away to hear what was said but the nazis moved in to beat the three up, so I moved down the platform to wade in and help if I could. We had the worst of it at first, as there were six of them, only one of the two students was much use at fighting, the other was more of a liability and the young woman's punches weren't too hefty while I was puffing like a steam engine at the unwonted exercise. However, after a few minutes a dozen or more people came rushing up the tunnel to "bash the fash", having seen the fracas from the other side of the platform. In no time, as now the fascists were getting the worst of it, the police arrived. The train came in and we dashed on while the fascists waited under police protection for the next train.

The other passengers were quite friendly, allowing us to mix among them so that nobody could be detected and arrested, though I heard one mysterious remark, "You've got to hand it to the old boy, he's got some pluck". I couldn't see anybody vaguely answering to the description. It occurred to me later whom they meant and now look back on that dust-up nostalgically, in the words of a forgotten film cliché, as the kid's last fight.

Kate Sharpley

One of the passengers was a frail lady in her eighties, going up to Guy's, who was saying "if I had been able to get on the platform fast enough I'd have waded in with my stick". However, when one of the SWPers (inevitably) tried to sell her a *Socialist Worker* she burst in a tirade saying, "You lot are as bad as they are" and to my delight and their surprise she weighed in with an argument about Trotsky's bloody suppression of the Kronstadt Mutiny. That was my introduction to Kate Sharpley.

This wonderful old Deptford-born character had been in the anarchist movement just before and during the First World War. She had worked for a German baker in South London but gone into munitions in Woolwich during the war and was among the first of the shop stewards movement (it started there, not in Glasgow as generally thought) and was pioneered by women 'dilutees', less respectful of the orthodox leadership which had sold out to the war effort. The physical nature of Glasgow shipbuilding made the shop stewards movement there more a male preserve, but it spread up and down the country in both sexes.

Kate's father and brother were both killed in action, while her boyfriend was conscripted and not heard of again. Neither she nor his parents could discover what happened. Like many of the local group's males of the time, he was first "missing" and then "believed killed". She suspected he was shot for mutiny but there was no proof.

Called on to receive her family medals, she threw them in Queen Mary's face, saying "If you like them so much you can have them". Agitators or women protesters were never a protected species as fascists later became and she was beaten up by police and warned off selling anarchist papers on the streets or face prosecution "as a prostitute". Sacked from her job, she married conventionally in 1922 and disappeared from the anarchist scene.

We met two or three times after that first encounter. Speaking to her was like a telephone call with the past. She knew well people of whom I had only read, like Ted Leggatt and Guy Bowman, or whom I knew in their old age, like Sylvia Pankhurst, Ella Twynan and George Cores (she always called him "Mr Cores" as befitting a respectable craftsman), as well as the anarchist draymen, like her dead lover, who had been in the Horse Transport Union in Walthamstow, a forerunner of anarcho-syndicalism which vanished with the trade.

Some of the young anarchist women met her and asked if she had a message for the younger generation. It naturally flattered them when she said, cheerfully, "The kids today are doing better than we did. They wouldn't let the sods get away now with what they got away with me then." I met her grandson's wife when I visited Kate in hospital. She was hostile, thinking I was raking up the dead embers of "Gran's nefarious past", best forgotten. Next time I called I was told she was dead by this middle-aged *Sun*-reader who thought being told of her grandmother-in-law's political opinions made her an accomplice and might prejudice her children's chances of bettering themselves in life.

There was a move to collect books and archives of the living movement by Brixton Anarchists, some of whom had met her in the brief period. They resisted the temptation to call the archives after a famous person and named it the Kate Sharpley Library. It started in 121 Railton Road, but was stored away for safe keeping and ten or fifteen years later found a home in Northamptonshire and has now expanded into a formidably viable collection of Anarchist archives.

CHAPTER XXI

By the Waters of Babylon; The Battle of Railton Road; International Centres

By the Waters of Babylon

When the variety profession was at its height theatrical lodgings in Brixton, roomy houses that had become rooming houses, handily close to the West End and the exit roads from London, had taken over from its middle-class Victorian heritage. Most theatre artists made their permanent address in one or other of the myriad bedsitter flats that abounded amongst the 'pro's digs'. It was a desirable neighbourhood when World War Two started, though with a Bohemian undercurrent provided by the variety artists. Abe Ball, who briefly tried working the boards as "Major the trapeze artist", set up as a garden gnome manufacturer and failed. He moved to Coldharbour Lane, in Brixton, in the early Forties, which was a comedown for an entrepreneur. Not so dramatic as it sounded to a later generation when his son John Major sought to capitalise on it as the "Brixton boy who made Prime Minister".

It became a slum only with the aftermath of the war. In the streets where the Fred Karno troupes had set out in their own buses with the leading comedians of the day and the world famous stars of the future, the glory had faded and it was drearily ordinary. It wouldn't have become a slum, but its neglect after the bombing coincided with the decline of the music hall profession. The first wave of immigration from Jamaica and the Caribbean Islands went there because of its cheapness and the fact that Black faces were already familiar. Relatively cheap bedsitters and vacant rooms in crumbling houses were available before the crazy price market caught up with the times. Unlike North Kensington, the only other part of London where similar conditions prevailed, the element of Rachmanism was less active.

Suddenly in the fifties Brixton changed. When the Government started advertising in the Caribbean for transport and health workers, at wages unheard of there, everybody with aspirations began calculating that if (what was considered there) an unskilled job could earn that much in London, what could they, with their qualifications earn. It seemed the golden road now the USA was closing its doors to the Caribbeans. Nobody realised, so I was told, that those were all the jobs available at those salaries, nor that the wages were hardly fabulous on prevailing English standards, nor that housing was scarce and expensive, and they never even reckoned on the greater need for domestic electricity and of transport to work. They also expected a warm welcome as they were going to what had been held out to them for years as "the motherland", and they were in for a rude shock. Others can tell the story better than I.

Many friends of mine in the older Black community in Brixton moved out when the newcomers came rather than be caught in the traumas created. Their main complaint was the oppressive presence of a churchgoing community which they thought they had sloughed off forever. I did not see it could be all that bad but I remember being assured. "Bethels and brothels go together." It turned out to be the spiritual opium of older people and the material opium of the younger but otherwise it was a replay of Victorian England.

Within a few years there was a clear rift between sections of the older members of the new immigrant Black community and sections of the younger British born generation. When I was living in Finsbury Park one of the tenants in the house literally threw his daughters out, down the front steps with their clothes and a suitcase tumbling after them, one girl after the other in the space of a few months, purely on the grounds that the eldest didn't go to church and the younger wasn't a Christian because she was seen entering a dance hall. Fifteen years old, she came to us for weeks, hiding from her father upstairs, just to eat. She never said where she lived and we finally lost touch with her. I often thought of that poor girl when hearing the complaints of churchgoers about their children becoming "alienated from the community". It will take a generation or two yet before these sects go the way of their English counterparts. Meanwhile they flourish as they do in the USA and with the same effect upon their children.

The Battle of Railton Road

The police were baffled as to whom to blame when deprived young Blacks suddenly exploded against harassment. It is normal practice in such circumstances for them to blame "outsiders" to show it was in no way the fault of the authorities. They blamed Blacks from Finsbury Park for bussing in to cause the Brixton riots, which they seemed to suggest the peace-loving local Blacks opposed; and, when riots spread to Finsbury Park, they blamed Blacks from Brixton for bussing in there.

When the Brixton riots began in 1981, the police did their best to blame anarchists, who had just squatted an empty shop at No. 121 Railton Road, and might otherwise have been the perfect patsy. It was rather difficult as the rioters were Black youths pushed by harassment, and few of them at that time knew what anarchism was about, certainly theoretically. The riots started in Railton Road, and 121 was left untouched when the pub that had operated a racist policy opposite was burned down, but it was the police who unwisely started a battle there, driving the battling youths out of Railton Road on to the main Brixton shopping centre. There they engaged in looting the shops, whereupon people of all races and ages enthusiastically joined in. Even one old lady on a Zimmer frame asked for something to be brought from a window, which an agile youth courteously handed her.

With one young Rastafarian I had previously spoken about what anarchism was, and he was not unsympathetic, though into nationalism, and was enthusiastic about the Angry Brigade in the Sixties. As distinct from most Railton Road Rastas, hostile to 121 Bookshop because of its stand against religion and its identification with feminism, though tolerant to its stand against "Babylon", he was very much opposed to some other Rasta elements who wanted to make a violent attack upon the shop. The local Rastas at that time hated the idea of Blacks coming under any other influence than theirs. My friend was derided by them as "Jim the Anarchist" by which name he was known to many.

It is relevant to say he was of medium height, very broadly built and deeply black, more African than Afro-Caribbean. There was an ultra-pacifist Jim Huggon who spoke in Hyde Park, associated with Freedom and Peace News, who was not much of an anarchist, very pacifist, very tall and thin, and extremely white, not even the usual pink, except politically. Two more physically contrasted characters one could not meet.

"Jim the Anarchist" was fingered by a nameless informer as being one of those who triggered the riots. The police immediately arrested White Jim, perhaps on notes from Hyde Park police on "Jim the Anarchist". Huggon had a cast-iron alibi in that at the time he was alleged to have incited the riots, thrown petrol bombs and led an attack on the local police station, he was some twenty miles away playing the violin professionally in a church concert and could not possibly have dashed off in an interval to take part in these more wholesome activities. His witnesses would have been the vicar, band, choir and entire congregation, who would have stood out in marked contrast to the drug-dealer grass the police may have had available, and the case was dropped. The days were gone when a jury would convict in the teeth of that evidence, however severe a lecture they might receive from the judge afterwards.

Jean Weir, who had long been a spirited activist in Britain, France and Italy, was only a trifle less fortunate. She was living in the same Coldharbour Lane where John Major ex-Ball once lived. and Patricia Gambi, an Italian friend, was staying with her. They were arrested as Jean, a real live anarchist, was seen walking her dog when riots were going on nearby. It was a gift to the press as "The Italian Connection" when the magistrates sentenced Patricia to twenty-eight days for "threatening behaviour". Originally, when the case came before the magistrates the police helpfully produced dozens of photographs. The magistrate looked through them carefully and asked where Miss Weir and her friend were. "Oh, they're not in the photographs, these are just to give an idea of the background," explained the police witness. The magistrate threw the photos down angrily and asked them not to waste his time. Ultimately, however, it did Miss Gambi no good not to have been photographed.

Black Jim moved away from Brixton, guessing it would not have been difficult for the police to bring before a court the same witness they were prepared to bring in the case of White Jim. After he went the Rastas who were hostile to 121 tried to move in and take it over by force, some moving in with knives and threatening the people in charge of the bookshop. It was a difficult position as a clash would certainly have been called "inter-racial" which it certainly would not have been. None of the Rastas thought the anarchos were in any way racist. On the first occasion a group was frightened off by someone saying he would "if need be bring all the guns at the disposal of the anarchist movement, place them in the hands of Black Anarchists and wipe out the Rastas" if they hi-jacked the squatted premises. It may have been fanciful but it worked. Only a few Rastas still tried to intimidate, and were confronted by Margaret Creaghe, in the bookshop on her own. She easily out-talked them, and so great was their shame at being browbeaten by a woman, they turned tail and cleared off. Thereafter relations were peaceful.

Indeed on one occasion some German anarchos wandered by mistake into a Rasta smoking den and were surrounded by a hostile group first thinking them police, and then even more hostile when they thought because of their nationality they must be Nazis. The air cleared as someone said, "Oh, they want the anarchist bookshop", and led them to the right address, not without offering to sell some weed supposed to be "grass", which was the local livelihood, but without any further threats.

International Centres

It was a year or two after we lost the old Centre in Haverstock Hill that it occurred to two separate groups, both around *Black Flag* in our short-lived rotating editorship period, that a new centre of action was needed if we were to maintain the momentum of the movement which depended on its social contacts for both industrial and international action. We lost the old Centre through the carelessness of John Olday. He returned to Germany from Australia, where he promoted gay cabaret of the German Twenties type, and found to his surprise that in his twenty years absence from the anarchist scene the Springer Press had made him famous. The opening of the German police files from Bismarck to Hitler, had encouraged academics to write about the German movement they had previously ignored. Olday was cast as the link between the old and the new on the basis of being the only German they knew, by reason of his copious if little known writing, who would fill the gap between the anti-Nazi resistance and the renaissance after the war.

He accordingly found entertainment work in Germany, even on the nonconformistic gay scene, utterly impossible and came to England. He had a small amount of cash which soon ran out (for some reason he could or would not take the pension or social security to which he had to be entitled) and contacted me to see if I could help. I put him up in a room of the Haverstock Hill club, explaining it was officially uninhabitable because of the rats in the cellar. When the landlord found out he was living there, because of his complaints to him about the rats, we all got evicted. The landlord was outraged to find we had been running a club, because of the profits he realised he was missing, and once we were out applied for a licence ostensibly in the name of what he thought was an "already running Spanish club". As it was at the height of the "Persons Unknown" case it got raided a few weeks later by police looking for arms, surprised to find cigar-smoking punters playing baccarat instead.

Soon afterwards the premises at 121 had been set up, replacing the Centre, with the disadvantage of sharing with disparate groupings but with the advantage that no rent had to be found. It had previously been squatted by various organisations, Trotskyist and Black nationalist, before they got funded by the local council. The new "121 Group" comprised the newly formed Brixton branch of the anarcho-syndicalist Direct Action Movement, one of the rotating groups of Black Flag, and various anarchist, punk and squatting groups, all on an equal footing. They had been in possession only a few weeks when the riots broke out, and a great many buildings in the area were burned or looted, but they had won the recognition of the local community as to which side they were on.

Almost simultaneously the other rotating group had decided, with other groupings, to set up a new Centre in East London. I had not myself been involved in the building of either Centre, being immersed in the new wave of industrial activity, in *Black Flag*, the Anarchist Black Cross and the changes in Spain following the death of Franco. But they affected me considerably, and by the time 121 was being squatted I had committed myself both to it and to an entirely different venture, the Autonomy Club in Wapping. It was Ronan Bennett's brainchild. Ever the optimist, I hoped it would take off, against reasonable expectations and my own expressed judgment.

Iris Mills and Ronan put a tremendous amount of work into funding, finding and then building and decorating the place. Ronan, possibly misled by the backing the *Persons Unknown* had received, which numerically might have been about the same as that of the Republican Clubs of Belfast, not unreasonably thought at least one club on those lines could be established. In some capital cities on the Continent there are up to a dozen anarchist clubs or centres.

But the amount of committed support was limited. Ronan decided to appeal for support from the punk anarchists, then a new phenomenon, saying the punks would pass anyway and would be useful for the time it was around. The punk support, especially from followers of Crass and Poison Girls, was substantial. Punk has lasted a couple of decades, long outlasting the proposed club. With the punks' money came the punks, and in the first week they had ripped up every single piece of furniture carefully bought, planned and fitted, down to the lavatory fittings that had been installed by Ronan from scratch, and defaced our own and everyone else's wall for blocks around. In the excitement of the first gigs where they could do as they liked, they did as they liked and wrecked the place. Loss of club, loss of money, loss of effort. End of story. Ronan was not unnaturally disheartened and returned to even more chaotic Northern Irish politics.

He couldn't get employment as the job centre explained that with his notorious record — being fully acquitted twice — he would never get a job in the public sector and there were no jobs in the private sector, where he would probably be blacklisted anyway. In the old days they would have suggested going to sea or Australia, but in these days you can't do either with a criminal record or even some types of non-record so they proposed that he got a grant and went to university, where he gained a doctorate and then became a successful novelist, one field where a colourful CV is no handicap.

CHAPTER XXII

Communism and Pandora's Box; A Rebel Spirit; 1984 and All That

Communism and Pandora's Box

For years I was sarcastic about earnest Communists who took trips to Russia and saw what they wanted to see. A printer, Tom Charlesworth (nephew of Fred, an old anti-parliamentarian communist with whom I had friendly arguments for years) was persuaded by his girl friend, a YCL stalwart, to join a tour to Moscow and Leningrad. There were five places vacant at cut prices and he rashly invited several workmates to join him. The lads had a seemingly profitable time flogging nylons (it was before the jeans revolution) but found they could do nothing whatever with the amassed roubles except spend them on drink and prostitutes. Tom was with his fiancee and precluded from these diversions, and he also denied on ideological grounds there could be such a thing as prostitution in the Land of the Revolution. Economic necessity no longer drove girls on the streets, he explained to his sniggering friends, and these women must be princesses brought up under the old regime and unaccustomed to normal work. A burst of laughter greeted this information. It was forty years since the Tsar had fallen and the ladies in question, however bedraggled, were barely twenty years old.

Some years later the Charlesworths, now married and in the Party, took a trip to Russia by car. They were earning good money and she spoke Russian. They were disconcerted when everyone assumed they were capitalists. As if a working printer could afford a car! "You'll tell me next that the Black workers drive around Brixton in cars", said an incredulous local, whose knowledge of England came from an amalgam of Dickens and the *Daily Worker.*

Their son Frank, like many another, turned his back on the faith of his parents. I had hopes he would become an anarchist. Even his father wavered in his Stalinism after that trip though his mother remained faithful to the end. John Lawrence, the local CP guru even after he joined the Labour Party, became Mayor and hoisted the red flag on the Town Hall one May Day, defected again to become first a Trotskyist and then a Tolstoyan "Christian Anarchist" and an editor of Freedom. He took Tom away from the Communist Party. Equally however he put Frank off anarchism, to which he was inclined, because of the asssumption that Lawrence was a real anarchist.

I always thought it unlikely I would ever go to Russia with the vague idea many had that it would be a charnel house and under jackboot domination. This image was fading after Stalin died though nobody saw where the transition from dictatorship would lead. I too assumed you could "only see what they want you to see" as if the "West" held conducted tours round its prison and mental institutions.

I finally took a sudden plunge one January (with owed leave from Christmas), notwithstanding Tom's insistence I too "would see what I wanted to see" but in my case all bad, and took a package tour to Moscow and Leningrad. I found that while, as in the days of the Tsar, one could only visit cities which the police agreed on in advance, one could go anywhere within those cities and see anything. The idea that Russia was a classless society was so absurd that I wished others would take the trip too, and one would not have heard about the working class having taken power. Or perhaps not. They might not have noticed the smart people in fashionable furs marching purposefully to their cars to take them to their weekend dachas contrasted with the dispirited workers queueing for the store or working all hours.

As the trip included several excursions, I visited Leningrad University and the vice-chancellor gave us a propaganda lecture about the Russian education system. He pointed out that they had (so far) no drugs problem nor youth delinquency, though he agreed it might happen in the future. It was, to him, unthinkable that there should be such problems in a University. Students in Russia were not like those in turbulent Paris, they knew they were a privileged class and that when they passed into society they had top jobs for life and better conditions than the average. Why on earth would they want to make trouble for themselves? In any case the authorities knew how to deal with trouble-makers. The "trade union" representative at the school would be informed if the pupil was misbehaving and his parents would be interviewed. If necessary the mother would lose her job and be told to stay home and look after her children. The father might have his wages cut, to be reminded of his responsibilities. All the audience bar me were British social workers and teachers and nodded approvingly.

I had the opportunity of mild revenge on two Communists from Manchester in the group, well-meaning elderly lady teachers. Back at the hotel they told us we should all subscribe to a wreath to lay on the Leningrad monument "to the heroic soldiers who died fighting fascism", accompanied by a picture of Karl Marx's tomb at Highgate which they had brought with them especially. When they asked me, I said I would agree if they would add to the description "and those heroic sailors at Kronstadt who died fighting tyranny". Thinking of me as probably nothing more sinister than an old salt, and not having heard of one of the last stands against Soviet dictatorship, they agreed eagerly. They went to the Russian guide, who knew all about Kronstadt, for a translation. I was never asked again and got black looks from them ever after. They remarked loudly about our fairly passable hotel how wonderful it all was. "And to think how things were before the Revolution! If only some of the carpers could see it!" one said, and the other answered, glaring at me in a manner that must have brought alarm to her infant pupils, "Some folks will never believe anything, even when they see it." "Oh, well, Trotskyists!" sniffed the other, though Trotsky, not Stalin, was the despotic supppressor of the Kronstadt mutiny.

I was able to persuade the guide who took us to see the fortress of Saints Peter and Paul, to point out where the anti-Tsarist revolutionists were detained and were duly honoured, save for those who lived long enough to challenge the Leninist State. The guide knew about Bakunin, but his cell had been wiped away in an inundation from the Neva. She showed me Kropotkin's unmarked and unhonoured cell, however, claiming he could not have escaped in the manner he describes in his memoirs. Her version was that as Tsarism was still around he probably invented an unlikely story to throw the Tsarist police's suspicion away from his friends.

When Kropotkin returned to Russia the Soviets had re-named a square in his honour. I went for a wintry swim in the open-air baths at Kropotkin Square in his memory. They were delightfully warmed, though if one strayed over a narrow margin around the pool one was in grave danger of losing one's virility.

I discovered by devious means some elderly anarchists who spoke German. When I commented on the fact that Kropotkin's square had survived his influence, they assured me that there were still people who preserved anarchist memories in secret, and there had been local strikes and insurrections even in the Twenties and Thirties, the brutal suppression notwithstanding. They took me to a railway workers' club where several older workers were survivors of the libertarian movement and would form independent trade unions the moment it was remotely possible. Unfortunately the language barrier prevented our discussing this, as my hosts were not good at interpreting, and I was inclined to be sceptical, knowing that optimism is inevitably the last hope of the defeated.

A few years later the whole communist system fell and all dissent came out into the open in a rush, as if a Pandora's box had been opened.

One or two of those Russian anarcho-syndicalists, as representative of a not inconsiderable movement, were being given a fair hearing on their local TV which, though the capitalist economy also collapsed a few months afterwards, we here have still to achieve.

The break-up of the Soviet system came as no surprise to those who had no illusions about State Communism. What puzzled the journalists and professors was crystal clear to many who had received no London School of Economics brainwashing, but used their common-sense. The Russian Establishment under both Lenin and Stalin paid the same attention to proletarian values as the Christian world did to the teachings of Jesus on humility, poverty and non-resistance. It placed them on a pedestal and left them there. What reigned in Russia was not capitalism, nor communism but the State in control of everything.

Some dissident Communists introduced as an alibi a fiction that State Capitalism existed in Russia but all that oppresses is not capitalism. The party tried to impose State Communism but found it impossible to enforce. The reality was Party Tsarism.

Centralisation of rule by one man was replaced by that of one Party, and eventually under Stalin by one man again. To have sole responsibility for the manifest problems of one City would drive a person out of his wits. Many politicians in countries where power is shared by many become clinically insane. To take responsibility for the manifold problems of peace and war of one tiny State, let alone a vast empire, would make a person a raving gibbering criminal lunatic. This is what happened to Stalin and Hitler. and would have happened to Lenin had he not been stopped short in time.

Throughout the years of Stalinism there was an anarchist resistance, most notably in Bulgaria, but on a scale impossible to define within Soviet Russia itself. Language always presented a problem, but most obstacle to international co-operation were caused by Interpol. The "West" may have been opposed to communist tyranny all those years but it was vigorously committed to sustaining it all the same. Perhaps Interpol preferred the devil it knew, but it must take the credit for preventing subversion within the Russian and Chinese blocs. They preferred "cold", open or even nuclear war to any revolution that might arise from below, whatever the politicians said.

I was in touch for years with Chinese anarchists, until the old generation, or at least my contacts within it, died out. In doing so I encountered more espionage interference than I did with contacts in fascist Spain, yet the Government throughout was supposed to be hostile to Chinese Communism most of all. Special Branch were always concerned that I in my tiny way could be plotting the overthrow of the powerful

Chinese State, yet China in turn thought anyone giving comfort to revolutionaries must be backed by foreign Intelligence.

So far as Bulgarians were concerned, they were always in touch with the international movement through the exile movement in Australia but had their problems with the Australian police too, just as they did with Soviet espionage. I had fleeting contacts with the Russian movement throughout the post-war period. Special Branch was always keen to intercept any news on resistance within Russia, though one might have thought they would approve of it in return for Communist subversion here, if only as tit-for-tat. It didn't work out that way. There may have been a Cold War but always and in every way the "West" prevented any form of assistance or encouragement reaching the Russian oppositional workers that might enable in even a small way top overthrow the regime. What they liked were groupings demanding freedom of religion or nationalist groupings asking for autonomy or minority rights within the Soviet bloc. But they did not like anyone wanting to overthrow the tyranny against which they inveighed endlessly, even capitalist groupings.

At the very time they seemed to be gearing up for war with Russia, in the cold war period, I had a visit from the police enquiring about a "Makhnovist Saboteur" grouping in the south of Russia, which, if it existed, I would have thought hindered the then prospective enemy. I did not even know it existed but was warned not to help it. Chance would have been a fine thing! I doubt if they were merely playing the anti-Bolshevik game in a sporting fashion.

It did not surprise me too much when glasnost revealed that the anarchists were there all along, that great prison camp mutinies in the Stalin years by libertarian political prisoners had not been reported, that anarcho-syndicalist organisation was springing up in every big city in a wave of strike actions; that they started to declare themselves openly in the Red Army; and, since it was less hierarchic than ours, were even among the officers. The opening of the State and KGB archives in post-Soviet Russia may yet make it possible to document the 'lost years' of Russian anarchism. Some indication of the scope and continuity of underground acitivity in the USSR between 1921 and 1989 is given by Phil Ruff in his introduction to an anthology of writings by or about the re-emergence of anarcho-syndicalism *(Anarchy in the USSR: A New Beginning, ASP London 1991)*.

Now that the whole Russian scene is opening up again, there are few ways I personally can help. But it is a consolation to look back and realise that I am one of the minority of my generation in the working-class movement of this country who ever wanted to do so.

A Rebel Spirit

I knew Leah Feldman, one of the last survivors of the Makhno movement, from 1936 to her death at ninety-four in 1993. She was a constant leitmotif in my experiences of the movement. When still attending the boxing academy I used to call in to the sweatshop where she worked as a furrier and hand in collections I made among the young pugilists for Spanish prisoners, even before the Civil War broke out, little thinking I would still be at it sixty years later.

She had come from Warsaw as a girl, to break from her orthodox Jewish parents and to be active in the anarchist movement. Even in her teens her parents were hiding her shoes to stop her going out to illegal anti-Tsarist meetings, and she hid an old pair in her room to enable her to do so. In London she joined the Yiddish-speaking anarchist workers movement of the day (of which she became the last survivor). In 1917, the male Russian anarchists in exile took advantage of the arrangement by which they could join the Russian or British Armies and joined the army in defeat to be home for the revolution. The women had no such option, but Leah independently made her way to Moscow. Like others, but quicker than many, she was speedily disillusioned.

She attended Kropotkin's funeral (1921), the last open demonstration of anti-Bolsheviks under the dictatorship. Anarchists were released from prison to attend. The anarchists working in the capital stole the flowers from the constant massed tribute to the dictator Lenin, then at the height of his power, no wreaths being available in a Moscow winter. Later she left Moscow for Odessa, giving that as her place of birth, and fought alongside Makhno in the train that accompanied him, caring for orphans and preparing clothes and food. When the army was defeated she took advantage of the one 'privilege' women had, of contracting a marriage in name only to a German anarchist to enable her to leave the country. She could not find work in Berlin, though she helped the Black Cross established there for Russian prisoners, and came back to London.

Deciding in the Thirties that her 'husband' was probably dead when the Nazis came to power, she married an old ex-serviceman named Downes, left derelict after WW1, giving him £10 for the service. She was thus belatedly a British subject and able to travel, and she was active in many movements when I first met her in 1935, though she always hankered for what we all then thought was the vanished Russian movement. It was her enquiries into the fate of her Makhnovist comrades in 1948, which I transcribed, when she received some leads from an exile in America, that caused the police interest in whether I was up to something with Russian resistance. She was then half blind following an eye operation, but they questioned her too. They could not be too careful about security matters, even Russia's.

During the war I made contact with several sympathetic to anarchism in the Polish army and air force who came to see her. But, like many who never overcome the problems of a new language, the old one was now hopelessly mixed. Her Polish was incomprehensible to them, but she gave them her Polish books. The race divide in pre-and inter-war Poland had been such they had never heard a Jewish accent in Polish.

She never lost her enthusiasm for activities for anarchism, whether the harmless Freedom variety or the real thing. She associated with the Spanish struggle strongly, and when after the Civil War ended she joined a number of anarchist women in an enterprise started by another Russian anarchist Marie Goldberg. They had a tailoring workshop in Holborn and were joined by Suceso Portales (of the "Mujeres Libres" organisation) and others. The babble of tongues in broken English, Yiddish, Polish, bits of French, Spanish, broad Scots, Catalan and Greek-Cypriot over the rattle of the machines, made me wonder how they ever understood one another but they made up in volume what they lacked in linguistic conformity. The postman once said to me on the stairs, "I can never work out what nationality those ladies are. They told me they come from somewhere called Anarchy, but Christ knows where that is."

During the hectic struggles of the sixties and seventies, Leah, by then half blind and increasingly deaf, helped the First of May Group, looking after weapons and even smuggling items into Spain, where she was known affectionately by the nickname "la yaya (granny) maknovista".

Though she supported Freedom financially and by selling copies, she was neglected by them for some reason. Perhaps they feared her a bit, though occasionally the earnest "researcher" would come, notebook in hand, to ask about the past. After her death one such, a Mr Whitehead, waxed sarcastic about this funny old lady with frazzled hair who spoke English badly and annoyed Philip Sansom. He poured scorn on the idea that a working woman could have done half the things she did, citing the misprint in my obituary in *The Guardian* (for "Lenin's tribute" it said Lenin's tomb") to prove nothing she did was of any account, and one wonders why he bothered to write about such an insignificant person. As to working with the Spanish struggle, that was not what anarchism consisted of: it was writing university theses at State expense, which she certainly never did.

I am very proud of my young friends and colleagues on Black Flag who knew of the tremendous work Leah put in during her years in the movement, and who unflaggingly looked after her in her later, difficult years, when a series of accidents made her impatient, demanding and difficult, but unflagging in revolutionary spirit, some taking her on holiday, others looking after her needs week after week. Some fifty attended her funeral, and afterwards I went to a gathering to scatter her ashes at the Chicago Martyrs' Memorial.

1984 and All That

Wilf McCartney, a catering worker in his late sixties, was a regular speaker at anarchist meetings when I first attended them in the Thirties. He was also one of the Syndicalist Propaganda League, who joined the ASU but not the Anarchist Federation (as reconstructed in 1940). He took the view, held by many, that what was needed was workers as a whole to organise, not the anarchists as such, or it would become another political party, though nothing angered him more than the customary philistine statement, "the anarchists don't believe in organisation". In 1941 Tom Brown suggested to McCartney he should write his memoirs. McCartney named the pamphlet *Dare to be a Daniel!* a Nonconformist slogan which appealed to old-time radicals, even atheists.

It was still assumed Freedom Press belonged to the anarchist movement, but by the time it was written, in the following year, this was dubious. The "Freedom Press Group" insisted the book was impossible to publish, giving as an excuse the admittedly scarcely legible script. I typed it out laboriously one weekend I was in London only for it to lie on the table in the flat of two of the group while they thought of fresh excuses why it could not be published.

However, they were friends of George Orwell, who happened to call and, seeing it, was interested enough to ask if he could take it home to read. Next week he came in and said enthusiastically, "If you're going to publish it, I'd like to write a foreword." It was a story of catering conditions in the West End which, he said, exactly concurred with his experience when down-and-out in Paris and London (the difference being that McCartney showed how they fought back).

Though Orwell was not as famous then as now, he was a Noted Intellectual and this altered the situation! They "agreed" it should be published, but George Woodcock, as a literary "expert" wanted it re-written in his brand of Standard Boring English. Brown objected vigorously.

However, by the time the booklet was ready for printing, the clique had seized control of the press. Woodcock made several deletions, and changed the title to The French Cooks' Syndicate, with an introduction by Woodcock and a preface by Orwell. McCartney, who did not expect nor receive a penny for the work nor even a free copy, was not consulted.

When he saw it printed, he objected strongly to the patronising introduction by the ultra-Pacifist Noted Intellectual Woodcock and he also resented Orwell writing that his experiences agreed with those of the author, who regarded him, fairly or otherwise, as an "upper class twit playing at workers, who said that the working class stinks".

Wilf's daughter, before she died in 1977, asked Leah Feldman, with whom she was friendly over the years, to get Cienfuegos Press to re-issue the pamphlet, preferably under its original title. They did not have a copy and it was long out of print. Freedom Press wrote to Stuart that it was "their" pamphlet and they were about to reprint and jealously preserved the right to Orwell's few words. Fifteen years later, it still being unpublished, I found a copy, re-set it and had it published by the Kate Sharpley Library.

Some paragraphs had been missed from the Freedom Press edition, but as the manuscript hadn't been restored, I couldn't remember them well enough to reproduce them accurately. These paragraphs were on early anti-fascist activity during the General Strike, when the Imperial Fascisti organised a strike-breaking force, which despite Regular Army protection was routed in the Old Kent Road by dockers with their hammers and catering workers with their carving knives. The heroic scabs took one look, broke ranks and ran, to the hilarity of the squaddies. An amusing paragraph on Victorian schools, with some sarcastic comments on the class prejudices of even the best professional writers, was also missing. These deletions in the first edition were no doubt made by Professor Woodcock in the interests of space, and the omission of his unsolicited five cents worth in the second edition may be considered pure sectarianism on my part.

According to Woodcock 's later distorted recollections of those days, Freedom Press, from which he then loftily detached himself, was offered *Animal Farm* but turned it down. I find it highly unlikely, especially with Woodcock in control of its literary output and given Marie-Louise Berneri's worship of Noted Intellectuals like her father. Had they published it Orwell would never have been brought to the notice of the literary dictators of opinion. It would have been just another obscure book.

Published by a mainstream publisher and reviewed by accepted critics, it brought Orwell into consideration by the Establishment, and not just the literary one, as an outrageous and original critic of Soviet Russia, and by implication an opponent of the liberal version of State Socialism he had peddled for years and still did.

Orwell was then too ill to enjoy the sensation of being one of the literary figures of our time, but in 1948 *1984* put him on the map. As with *Animal Farm* many people misunderstood it. What he was doing was not predicting a future which never happened, at least within the timescale, but, like Jack London in *The Iron Heel*, exaggerating current trends in terms of the future. He was essentially a liberal Socialist, disenchanted with the Communist Party and the way socialism was going, but with a love-hate relationship with both, like many of the intellectual left before and since. The Right took it for hate and clasped a reluctant and dying Orwell to its bosom.

I only met Orwell once, in Charlie Lahr's bookshop. I never agreed with Wilf McCartney's description of him, partly because of his *Homage to Catalonia*, though it was not as good as it was cracked up to be by later generations.

Nowadays they seem to think he was a significant military figure in Spain instead of being an obscure foreign volunteer in a minor party's division, though he made no claims to being anything more.

I remember him talking to Lahr about the American Albert Weisbord, who wrote a tome on the counter-revolution in Spain. Weisbord, Orwell said, was a former Trotskyist who had gone through Trotskyism and Oehlerism and was now the only Weisbordian apart from his wife. When they divorced, he said, there could be no more splits, unless he became schizophrenic. Weisbord had apparently turned up in Barcelona just on the eve of the Communist internal coup in 1937, and had locked himself in his hotel bedroom for two days, eventually creeping out at night to the British Embassy over the road who afforded him a swift car to the American Embassy and a safe passage out before the OGPU got him, for what purpose one knows not. One would have thought they were not that hard-up for spare Trots. He then returned to New York to denounce the cowardice of those who had let the Communist Party gain the upper hand.

Orwell also said that Weisbord had once campaigned to be Governor of New York State on a manifesto addressed "To the Workers and Peasants of Brooklyn". To be honest, I thought Orwell a lot wittier than his writings, which I found usually, and at that time always, a dreadful bore. Such an opinion became literary heresy.

CHAPTER XXIII

The State's Internal Enemy; Death Pangs of Fleet Street; Spanish Practices; The Battle of Wapping; The Emperor's Courtiers

The State's Internal Enemy

In a memoir I wrote, *The Anarchists in London 1935-55,* I digressed to say something of the Welsh miners. In 1938 I spent a weekend in Neath with Sam Mainwaring junior, one of the last active survivors of the heyday of Welsh anarcho-syndicalism. At a meeting of the local ILP I came across an obstreperous group at the back who liked to give hell to visiting "toffee-nosed" English speakers from the Communist and Labour Parties. "Those are the Wrecking Brigade," whispered the chairman. "Take no notice of them." But they were, to my delight, survivors of the formerly strong anarcho-syndicalist miners movement, mostly elderly women and a couple of old men (miners tend to die young). They started by mimicking my accent and finished by applauding every sentence, shouting down anyone with hostile arguments.

John Quail, somewhat of an obituarist in the Woodcock tradition though more of a historian, in his "lost history of British anarchism" (*The Slow Burning Fuse*) says that this quotation was a "depressing note", on which he closed his account. I did not look at it that way. I thought it great to take up inspiration from them. They looked on it that way too.

One of them, Lloyd Lloyd, at sixty-seven had volunteered to fight in Spain with the CNT militia. They turned foreign volunteers down except for a few with Great War experience, but though he had served then and after in the Welsh Fusiliers, the Bureau lacked imagination and declined the offer of his services, which would have been of tremendous propaganda value. I doubt if his offer got past Ralph Barr and Emma Goldman. The Communist Party would have jumped at the idea but he loathed them as much as he did the Falange. "At least you know where you stand with the fascists", Lloyd told me. "They kill you if you don't kill them first, but with those buggers you never know where you are". It was out of the mood of the times but I heard the same expression about false allies many times in the years to come, including Gomez and Miguel Garcia referring to the quietists hanging on to our movement.

Over the years the old mining community of anarcho-syndicalists in Scotland and Wales vanished, though pockets still existed in the Scottish coalfields when Stuart was young, and they inspired him the way the Welsh veterans inspired me. Aldred retained a following in the Scottish pit village of Burnbank until shortly after WWII when most of them were dying off.

For years I always tried to get on support committees for miners, mostly through the print union ostensibly as a representative, though really as an individual. The anarcho-syndicalist presence in the coalfields belonged to the past owing to the Communist Party and I could never help there under my own political steam until very late in the day, in the last great battle of the National Union of Miners, when Arthur Scargill nailed his colours to the mast on the closure of the industry. I am glad Black Flag was able to do a lot to help in that struggle without using it for narrow political advantage.

I have no reason to entertain friendly feelings to Scargill. He was always a Marxist and despite his leftism, timid when it came to helping political prisoners, most of all non-Marxists, even in Spain. But one is bound to regard differently a Trade Union leader who sells out from one who does not. And while he never led the final strike to save the pits, or maintained the dispute, despite the mythology that people hazarded their livelihood for the sake of a bureaucrat's blue eyes, he kept pace with the union he led and listened to what the members had to say. That was why the NUM was loyal to him, and why a rival scab union was formed by a sinister cabal of businessmen at the Dorchester Hotel, with no ties in the industry, to break away from one led by him.

I had written to him once or twice on behalf of Bolivian copper miners who appealed to the Black Cross for British miners' help but received no answer. When their deputation came over I did get support for them from the London NUM HQ. At the time Brenda Christie was arrested in Germany, Stuart phoned many people for support but when he got through to Scargill, the left-wing hero simply put the phone down. I have to say albeit reluctantly it contrasted with the courteous way I was received by Church of England bishops I approached, usually in regard to prisoners, even if they eventually did nothing. But one could hardly hold a grudge in a strike affecting the lives and livelihoods of so many, and despite enormous pressure, amounting at times to criminal libel from the media, Scargill did stand by his members,

In that last great struggle the miners were actually organising on anarcho-syndicalist lines, less as a memory of past struggles than spontaneously. It certainly wasn't because of the amount of help we could give, limited to individual groups. The women in particular rallied round solidly with food kitchens and staffing the picket lines, determined not to let the strikers be starved out. Many who before the strike had been content to take a backseat emerged as heroines calling to mind a historical parallel with American miners' organiser Mother Jones and her army of women with brooms who fought the State militia and the Pinkerton private gangs hired by the employers.

Many miners, after years of cosy political existence in the Labour establishment, did not know what hit them when they found themselves transformed into "the enemy within" by the British State. Respected union officials, accustomed over the years to Royal patronage, invitations to Downing Street, to being mayors, councillors, aldermen, lay preachers, magistrates, school governors and parliamentary candidates, found themselves in the battlefront while the police did their best to beat their skulls in. Going in some of the villages was like advancing into an occupied country,

To add insult to injury so far as we were concerned, in the same way the right-wing libertarian scum had hi-jacked our traditional description, the police dubbed their pit storm operation, because it involved several regional police forces, "Mutual Aid", with its echo of Kropotkin's book (just as the miners were writing another chapter of it, as it were). It is a wry comment on Freedom, for that matter, that because I was heavily engaged in miners support, it wrote maliciously that I was expecting a Ministerial post in a Scargill government! Its then editor supported the scab union but got so much stick from anarchists that he announced after several issues he was only saying it to wind people up. There must have been a bit of a disturbance in Kropotkin's grave that month.

Anyway, driving up to one village, I was stopped by the police four times. All we had in the car were tins of canned food and other provisions, but it might as well have been dynamite or even a portfolio in a Scargill Government. We were not allowed to proceed on the public highway. Finally I did a detour and we arrived in Builth Wells and put up in an inn. Joe Thomas was with me and he telephoned local people who came down by train and took the provisions back with them. We had to behave like smugglers, just to bring food from one part of Britain to another.

Eating habits, like much else, must have changed a lot in the coalmining towns owing to the strike. Collecting in Hampstead brought such rarities as muesli and so far as we were concerned I recall on another trip an old Welsh lady looking quizzically at kosher delicacies we had obtained free as a result of an appeal to a wholesaler near Haverstock Hill ("and please, not baked beans and teabags" Miguel had said) and asking if latkes and lokshen were standard London dishes.

In a strike conference in the north-east a good friend, an old member of the CNT in Bilbao, who had been here since post-war demob from the British Army, came with local anarcho-syndicalists to help with the catering. I don't know if Special Branch observed how eagerly the miners clustered round his wife while he was scribbling little notes for them all evening. How to make bombs? Afraid not. Their wives were clamouring for a recipe for the tortillas and giant paella which had gone down a treat.

The Death Pangs of Fleet Street

The new emperors who took over from the war lords in Fleet Street came from outside the industry, indeed outside the country. They were used to different standards from those which were customary since the mid-Twenties. Having inherited, bought or in some cases stolen or fraudulently acquired part of an industry where the proprietors made fortunes and achieved power by persuasion over the rest of the country, they still resented the fact that their own immediate subjects got well paid for their efforts. In some cases these wages were higher than their own management executives got for kowtowing respectfully. The upper crust were scandalised that their social inferiors achieved something like self-management within the workplace. It did not make any difference to the profits heaped on high by unhappy tired-eyed tycoons who could not spend the money they had anyway, but it offended their sense of propriety and progress. They wanted their power to be absolute and not to have to be told of the mote in their own eye when it came to telling other industrialists how to run their own businesses.

The negotiations with trade unionism, that is to say with workers' representatives, however distant from the workplace, offended their innermost souls. The worst they had to say of Prime Minister Harold Wilson, perhaps the reason why they planned a military coup against him, was that he invited Trade Union leaders to beer and sandwiches with him at Downing Street to discuss industrial peace. "Beer and sandwiches with trade unions" became a taunt that kept the Labour Party out of power for years, until it repudiated any such intention of handing them out again when negotiating. According to right wing philosophy the workers who made the profits possible should be offered rat poison. Any alternative meant they were running the country rather than the City magnates, whom Government could ask advice as to how to run the country over champagne and caviar.

The final battle lines were drawn over the new technology which would eventually make the old method of printing obsolete. They intended from the first to use it to break the power the workers had achieved and there was no secret about it. Objections to the process of eliminating the industrial gains of the century had to be expressed in terms of objecting to the new technology. But all that the printworkers wanted was the new technology being harnessed to the people who operated it and not used to pile the Pelion of new wealth on the Orissa of old wealth. Like the Luddites (as misrepresented in historical propaganda as the anarchists) the printers were represented as objecting to progress when what they resented was being reduced to servility and penury. For their pains they were described both as Luddites and anarchists though there were none of the former extant and precious few of the latter.

For years we had fought a rearguard action objecting to the dangers of the new technology, many of which were real enough, some of which were exaggerated. Finally a proprietor was found outside Fleet Street with nothing to lose, a former TV studio manager, "Eddie" Shah, who had decided to run some freebie advertising circulars looking like newspapers. He sacked the former printworkers on the presses he took over and introduced the new technology in a pseudo-newspaper which could, unlike Fleet Street, tolerate delay in production in the interests of efficiency.

If an Asian immigrant had been attacked by fascist hoodlums, the police would have been out in force to protect the fascists. As a factory employer protecting his investments against dismissed workers, he had huge police protection. The laws were altered to protect him. Pickets were made illegal, union funds were made subject to sequestration. He stuck it out, at huge public cost, and won. From then on the battle was moved from the sticks. He switched to a national and the rest of the press saw the way ahead. Fleet Street began its death process.

Spanish Practices

I don't know how many times work colleagues said to me, "You know about Spain, don't you? What *are* the Spanish practices we keep getting accused of following? Is that the anarcho-syndicalism you're always on about?" Not quite!

For years there had been talk of following precedent, 'custom and practice', in dealings with management. The traditionally Liberal philanthropist cocoa Quakers who ran the *News Chronicle* had been the first to object to following custom and practice, and immediately these fat cats found their way to the dairy of commercial television rights, they discarded their print empire. Reserving for themselves the profitable sidelines which needed few workers, they simply terminated the paper and devoted themselves to commercial television, which they had cornered as a result of being newspaper proprietors. They need no longer observe "custom and practice" but make their own rules with a "licence to print their own money".

A piece of American slang, introduced by a song hit in the Thirties, was sometimes used jestingly as an alternative to 'custom and practice'. "Old Spanish customs" referred to the traditional courteous manners of the first colonialists of California. I suspect in reality the conquistadors behaved more like the Maxwells and Shahs coming into the industry.

"Custom and practice", the following of tried and respected agreements going back to the late Twenties, were now deplored as "old Spanish customs" and what would have been regarded as gracious in Old California became distasteful to the new conquistadors. Robert Maxwell was the first to pick up the expression and in a mix-up of idiom referred to ordinary British trade union methods in the print as "Spanish practices". Like "beer and sandwiches" it became a rallying cry for people who always said they were certainly not against trade unions, but deplored the abuses of trade union power, like doing what the members wanted. There was something sinister and foreign about "Spanish practices" that sent a chill down the spine of *Daily Mail* readers. *Daily Telegraph* readers protested in the name of Spain where (since Franco) they had seen no sign of these vicious practices but where (since time immemorial) they had seen courtesy and dignity as people followed established customs.

The Battle of Wapping

The process towards change in the printing of national newspapers moved inexorably forward. Rupert Murdoch gained control of the *Times* and various other papers, and declared open war. He moved his whole operation to "Fortress Wapping", and abandoned Fleet Street and its "Spanish practices". He offered his workers the choice between capitulation and sacking. Those who capitulated were sacked later rather than sooner. The overwhelming majority were dismissed while on strike. Some lost their jobs while on holiday or sick, some turned up to work to find they were locked out.

A picket was mounted at the Wapping works which were turned into a miniature fortress. Demonstration after demonstration was mounted almost resulting in a blockade. Scab journalists were bussed in, heavily protected by police, not looking right or left lest they encounter the eyes of old colleagues standing in the rain outside while being jostled by the police. Sometimes the confrontation became violent, and almost for the first time I was involved in something where my political interests and particular job responsibilities as a trade unionist coincided. It was odd that for most of the dispute I was asked to hold a watching brief for infringements of the law by the police. It was pointed out when I demurred that I was an accredited TU Health and Safety rep and nothing could be more inimical to health and safety than being bashed over the head with a truncheon.

Some years after the event of the major battle, a Northamptonshire police inquiry into the actions of the police confirmed all we said at the time. It was leaked to television and taken up by the press. All we had noted and photographed, and what the TV cameras had shown, came as a surprise to the enquiry. Nevertheless, it still whitewashed the offenders, as I commented in *Black Flag* at the time of the "discovery".

The police had behaved like an occupation force smashing down the local resistance. They charged into the crowd, beat up elderly people, could scarcely be restrained from killing younger, more active demonstrators, hit out at women and men alike, in some cases at women with accompanying children. All that was just for being there. It wasn't a case of hitting back at incensed activists, though that did occur too. The enquiry said some of the police force acted in a "violent and undisciplined way". That was a lie which enabled a further distortion by police apologists that maybe some fraction of the police, perhaps junior officers, lost control under violent provocation.

The attack on the demonstrators to defend Rupert Murdoch's scab operation was violent but it was not uncontrolled. It had one guiding purpose, to get his papers out on time. All along senior police officers kept command and discipline was maintained. Had it not been, some police could have been expected to run away or at least hold back. Would they all have rushed forward on their own initiative, putting themselves at not inconsiderable risk committing illegal acts in public, just for the sake of getting the Sun and Times to the wholesalers?

SOGAT was sued, indeed had its funds sequestrated, for not being able to 'control' all demonstrators though anyone could, and many hundreds did, turn up uninvited. Nobody turned up to support the police. Those who were there were on duty, under orders, and remained so.

"Let's get the bitch."

I was standing with a bunch of people, taking notes while somebody beside me was using a camera. We were in front of an official SOGAT platform where union leaders were speaking, all dissuading violence. The police ranks were directly opposite us. A woman got up to speak and I heard a voice from the police ranks clearly shout, "That's Brenda Dean." She had recently become secretary of the SOGAT. I couldn't see if it was Brenda Dean or not, but a chorus went up from the police ranks, "Let's get the bitch!"

There was no media hype against Brenda Dean, no whipped-up abuse as there was, say, against Arthur Scargill in the miners' strike and since. To the general public she presented an image of moderation, nor had the press attacked her. The only people who hated her, aside from activists who regarded her as far too conciliatory and determined to put her own interests first, were Murdoch's minions. She put the case against him on television clearly and convincingly if she failed to do anything effectively.

On hearing the cry "Get the bitch!" the police charged forward as one. No harm was done to the woman on the platform (I couldn't see if she were Brenda Dean or not) as a shower of stones dispersed the police and a scattering of marbles prevented the mounted police charging right at us. The question remains — why would police officers want to "get the bitch"? What could they have against Brenda Dean? The only reason I can think of is that they were following the Murdoch goons' instructions, and cash hand-outs sanctioned from the top were given. There was no other motive. The police did not appear undisciplined to me. Even in retreat they maintained their rank.

On another occasion I was driving a car on the public highway when the vans wanted a clear dash out of the besieged citadel. I was told by a uniformed policeman to get off the road, which they were about to close, though I had as much right on it as any newspaper van. I handed them the visiting card of a local GP (I didn't say it was mine) mentioning the surgery was round the corner. I was told, "Don't argue, doc, or we'll smash the car". They did not smash the car but expertly manoeuvred it on to the pavement (illegal parking) as vans came dashing out of the besieged compound at dangerously high speeds (not just illegal but on one occasion resulting in a death).

Strict discipline was maintained. A sergeant was present controlling his men. The crowd, which surged forward when the vans came out, was stormed at a word of command. Horsemen rushed into the crowd, batons flying, like the Charge of the Light Brigade. The policeman who had parked me on the pavement and grabbed the keys came over to me before it happened and returned them, saying politely, "Don't drive off. I think your services may be needed in a few minutes, sir". At that, in the traditional newspaper words, "I made an excuse and left" before my bluff was called. But how did he know a doctor would be needed "in a few minutes"?

Other cars who had intended to block the road, and some who hadn't, were damaged and the drivers roughly handled. I was the only exception. Honesty is not always the best policy, but that's not the point. Was that the action of a disorganised force who had been unnerved and lost control?

When and where had the nerves snapped, the discipline broken down, the senior officers lost command, as the internal police enquiry said later? The constabulary knew perfectly well what they were doing. They obeyed orders. That is why none were punished though their victims faced imprisonment and fines, after hospital treatment, for defending themselves. Maybe the expected answer from the pacifists, once asked by tribunals "What would you do if a German officer tried to rape your sister?" was "Demand to see his warrant".

The Emperor's Courtiers

One of the journalists who were satisfied with the warrant to seduce their sisters, or at least, as trade unionists might put it, to betray their brothers, was Bernard Levin. He had begun his career by declining National Service, appearing before a conscientious objectors tribunal. His conscience led him to espouse progressive causes in his student days and he entered journalism with high-minded zeal. He made his career as a columnist on the *Daily Mail*. As the only daily newspaper journalist ever sufficiently impressed by an obscure article I wrote to quote from it approvingly in a national daily (admittedly it attacked the Chinese Government) I find it difficult to impugn his good taste. When he had shifted by stages far to the Right and was sacked from the *Mail* (hardly for that reason) on his last evening he slipped an indecent request to his readers past the sub-editors. There is no indication how they dealt with any responses explaining exactly the biological reasons as to how adult readers refrained from bed-wetting. He turned to the *Times*, where he sat through the palace revolutions and was one of those who slunk into Wapping, bussed in under police guard like criminals into Dartmoor, so he could describe his former colleagues as thugs.

A whole new breed followed in the line of Bernard Levin. So-called radicals of the New Left at University, they started as Trotskyist activists like Peter Hitchens (later of the *Daily Express*) vigorously denouncing anarchism as petty-bourgeois, worshipping at the shrine of Trotsky. They finished for the most part as red-baiters for the capitalist media, but always with a contempt for working people which their shift to the Right no longer obliged them to hide.

In turn, I never hid my contempt of them, least of all at the *Telegraph*. There was one, Jamie Dettmer, who had started his career at the *Tribune*. He differed from the International Socialist and Socialist Workers Party activists like Wendy Henry, who made her way from the Economic League blacklist to editorship of the *News of the World*. He had come from the Economic League, where his father was a director, to the *Tribune*, organ of the Labour Left, a vantage point to ferret out information on "the enemy within", and then became the anti-labour correspondent of the *Daily Telegraph*.

Dettmer reported "Anarchists in Wapping" were responsible for the violence on the first anniversary of the sacking of five thousand News International employees, blaming it on "new anarchist sects", some of which were going before daddy had decided to send his boy into journalism, and some of which were flourishing before the proud father had decided to go into the Economic League himself.

If Dettmer didn't know what was happening under his own nose, he had only to ask someone else in his office. Alternatively he could have looked up old Telegraph files and found (to his, and everybody else's, astonishment) that his colleagues had once reported, if inaccurately, that old anarchist sects had penetrated every corner of British life, had thousands of members and papers selling at every news stand.

Probably he knew that neither the new stories nor the old were the truth but he wasn't going to allow that to stand in the way of an exposure. "Unlike the more established Trotskyist parties," he wrote. "The new anarchist sects try to remain comparatively anonymous. They prefer to act covertly at demonstrations and hang back, provoking confrontation". One would have thought it difficult to provoke a confrontation by hanging back though I admit that on this occasion, while the 'established Trotskyists' were busy selling their papers, I was sitting in my car, 'covertly' provoking a confrontation because of the extraordinary notion that I was a doctor.

However, after Dettmer was held up to ridicule on this by *Black Flag*, his stories on that journal became more covert if still confrontational. He invented the "Hurricane Gang" at the same time as the Economic League found it. I am never sure whether daddy gave sonnie the stories or vice versa, or if it worked both ways. Some time before, *Black Flag* had taken a postal address at British Monomarks which required a code name. We chose, at random, "Hurricane". The address was "BM Hurricane, London, WC1". Some idiotic journalist, in the absence of a story, made great play of this "secret address", used in the same way by hundreds, maybe thousands, of businesses, religious, political and musical groups, at a time when the press was adopting strict security passes into their fortresses.

Hooligan Press was started by a friend — it had nothing to do with us — who asked if he could use our postbox. Later it faded away. The Anarchist Black Cross and one or two other groups, some of which we did not even know, also used it for a time. They all therefore became the mysterious "Hurricane Gang"! The attacks on Black Flag merged into attacks on the mysterious gang, which some kindlier commentators transformed into the "Hurricane Group", and we started getting enquiries for the mysterious group, including one from an interested weather forecaster.

CHAPTER XXIV

The New Left; "Anarchy"; Lost Weekend; Venice Observed

The New Left

It came as a shock to me and the survivors of the old anarchist movement that the student movement of the Fifties, with a middle-class background or the results of scholarly brainwashing, regarded itself as the New Left. As one friend observed, "The Old Left was bad enough, God knows, but *this*. . . ." One trend emerged from the Campaign for Nuclear Disarmament, another from the events of the Soviet tanks going into Hungary. Most of the originals have gone from student activists to mandarins. The failed mandarins-to-be took hold of the new liberalism they created and ultimately became professional organisers of presumably good causes or gave university lectures on them, the only growth industries of capitalism in decline.

It was a significant few of them even decided they were not really Marxists but anarchist, especially if they were pacifists at the same time. At least one of these trends, calling itself the Organisation of Revolutionary Anarchists and having its programme written by a Christian pacifist, finally decided, once it renounced its pacifism, it was Marxist after all and its leaders became Trots or went into the Labour Party, a few passing into the privileged Mandarin class of paid do-gooders.

For the failed mandarins who regarded themselves as anarchists and built on the framework of pacifists who had infiltrated the anarchist movement during the War, the phrase "non-violent anarchist" expressed their militant liberalism. Ultimately many found their way to their natural habitat among the political Liberals, or are now creating environmental pollution in the name of the Green Party.

Hearing the phrase "non-violent anarchist" I felt the way Ernest Bevin did when he went to an international Trade Union conference and heard for the first time of "Christian trade unions" in Europe. "What the hell do they think we are, bleedin' heathens?" In like manner, I don't know if we were supposed to be bloody axe wielders, but it certainly reinforced the media prejudice about anarchism equals violence full stop, no more to be said. Soon sober, indeed most, judges were asking solemnly, if they heard a person was an anarchist, whether she or he were a "non-violent" one or, horrors, a "militant" one. For the ultra-pacifist every single person, including the judiciary, other than those accepting extremities of non-violent non-resistance in all circumstances, was "violent", but tactfully they never spoke of "non-violent Socialists" or "non-violent Conservatives" or suggested there were violent ones.

"Anarchy"

Colin Ward, an architect, who began (as a conscript soldier) in the anarchist tradition but was absorbed by Freedom Press and the Failed Mandarin tendency, founded the magazine *Anarchy* in 1961 as a theoretical journal for them and helped set back the movement as trotskyist opponents quoted its reformism as coming from "the theoretical journal of anarchism", which it never was. He first wanted to call it *Autarchy* but was unfortunately dissuaded. At least nobody would have known what it meant.

Anarchy in its original form helped as much as anything to reinforce the myth of a non-violent, bourgeois, sanitised "anarchism" that could help capitalism out of its difficulties, and later became the inspiration for "the individualist school of capitalist anarchism" that provided the Thatcher think tank, though some of the student gurus Ward brought into being disowned the logical consequence.

Anarchy was well produced, but so many issues were shaming to real anarchists that now and again someone tried to write an article protesting at its excesses of moderation. But to no avail. As much as Woodcock, it divided the activist movement from Freedom Press and its clique. The non-violent people could never understand it. They had no politics, so they put it down to personalities. For years (and to this day) I was asked why I "didn't get on" with this or that bourgeois intellectual or failed mandarin of the *Freedom* set. It baffles them too. "Why are anarchists so divided?" The myth of all anarchists disagreeing with or disliking one another found its way to the media, it being presumed everyone calling themselves socialists or conservatives are fully in agreement with anyone else happening to do so.

Ultimately after ten years or so of trying to solve capitalism's difficulties in terms of revisionist anarchism, Colin Ward gave up to write for political weeklies and the *Guardian*, drawing on the anarchist past as if he belonged to it. The magazine passed to a group of hippies, who didn't do a bad job of it, though they fell down on actually collating, let alone distributing, the paper. At least they understood what anarchism was about, if they expressed it somewhat crudely. The difference between them and the Failed Mandarins was that while they might smoke pot and use hippy terms, they were activists. People like Chris Broad, Charlotte Baggins, Kate McClean and others were prepared to fight as well as write, and they took part in real struggles. Anarchism meant something to them, whereas the old brigade of Colin Ward's gurus thought they were active if, like Woodcock, they wrote articles about long-dead secular saints and discussed in pedantic terms the problems of life at home and death in far off countries. One could work with the new generation, even if at first a bit put off by their appearance. Who was to know in those early days of hippiedom that one hadn't seen anything yet?

On one occasion I went along to a party they held. A friend from work who took the message on the phone asked to come along too as he had nothing to do that evening, and said he would pick me up by car. I could hardly refuse, and they would not give a damn, though I wondered what he would make of it. When he came I was staggered to find his wife naturally considered herself invited and had dressed up for the grand occasion. She looked a treat, but I wondered what she would make of her first sight all those scruffy individuals in torn jeans sitting around on the lawn smoking pot, with children and dogs running around them, listening to Jimi Hendrix. To my surprise, she thoroughly enjoyed herself.

And it was nice for me to lose a prejudice too. I thought I had none to lose. Unfortunately few of those with whom I had worked for years did. I never had any difficulty working with the new generation unlike most of the working class activists of my generation.

Lost Weekend

Around Easter 1983 Chris Broad, who had worked hard at *Anarchy* and other activities and whom I had every reason to trust, approached me to ask if I would put up his friend Fiona for a week or so. I often had visitors, usually from outside London but hardly kept what is called a safe house. "She's a good kid and in a real jam," he said earnestly, explaining his interest in her as "one of these battering cases". I assumed she was being battered by her man. I associated Chris with Charlotte Baggins, with whom he had lived for some years and had two children. I guessed he might have a closer interest in Fiona than I knew, but had no idea he had parted from Charlotte and married Fiona.

I said I was going away for a couple of weeks and let him have the key. "Oh, I forgot to mention — there's a little boy — he's the one who's being knocked about", said Chris. I shrugged my shoulders. Fiona came into the room and he said it was fixed. She asked immediately, "Does he know about the boy?" All I had been told about the boy was that he existed but it didn't cross my mind there was anything more to it. Over the next months I forgot about it.

The next I knew was one morning in November I found a bag of luggage with a note bearing the cryptic remark "Look after my treasures" in the hallway. I had no idea from whom they came and was trying to think who had the doorkey (several did). About ten o'clock that night I returned home to find Fiona and her boy encamped in my living room watching the television and him crying excitedly, "That's my dog", which I put down to imagination. I was none too pleased at their being there, and in effect having taken over the sitting room, but it was a torrential night and there was not much I could do. I still had no idea of what I was letting myself in for and only discovered what it was in the headlines of the papers next morning.

Fiona had two children, a boy and a girl, who had been put in care following domestic problems with her common-law husband. She had been visiting them both but had formed the opinion her son was being ill-treated by his adoptive, formerly foster, parents. I never met them but from speaking to the boy they seemed a decent, caring couple who had let him meet his natural mother on a regular basis. When she had taken him to Chris, the free-and-easy atmosphere in which his two kids were brought up contrasted with the well-disciplined way in which he lived at home, and divided his loyalties, but he maintained a diplomatic balance (which many adults would have envied) between the home mum and the cowboy mum. I asked him while Fiona was out if he would like to go back to his mother. He first said, "She's only gone to buy cigarettes". When I explained, "Your other mummy, I mean?" he said he wanted to go back and see his dog and go to the cubs on Thursday evening, but his other mum would understand why he couldn't this week.

Fiona had kidnapped him from under the nose of his adoptive mother. It had been planned for some time (maybe two years) and Chris had asked everyone he knew to harbour them, and every single person had turned them down, which is why Chris, rather than Fiona, deceived me. They thought the law was, as it had been a few weeks before, that the natural parent could not be convicted of kidnapping nor a husband accused of conspiracy with his wife (which is why they formally married). An accomplice or conspirator could get fifteen years or so, but that would have been tough luck on me and a bagatelle compared with the joyous temporary reunion of mother and child.

What was I to do, given my background and convictions? The alternatives were to turn them out into the rain quick, to inform the police immediately, or to give them shelter and become an accomplice. Fiona said it would not be for more than a week. Chris was in prison for the week, in contempt of court for not revealing the whereabouts of the boy and I did not mention it to anyone because I did not want to involve anyone else.

The boy seemed happy enough, though I felt for the legal parents. The woman had the child snatched from her as she took him to school, and from the manner of the boy I knew she must have been a good parent and would be hurt by the allegations. But at least she knew with whom, if not where, he was and the husband commented on TV that the boy was probably stuffing himself with Mars bars while they were worrying themselves sick (which was true).

I told Fiona she could stay but not to use the phone. She used it when I was out all the same, to save going in the rain to a callbox, but told me earnestly she had counted the calls which were only short ones, thinking all I was worried about was the tiny expense. It did not occur to her that phones could be tapped. She even thought it would have been illegal for the papers to print the boy's photograph and wanted to "travel North where the police could not find her". She phoned Chris's address to find out how he was, the car hire company who rented out the kidnap car to tell them where she had left it, and a few other places besides. I am not sure if she did not phone the legal mother to reassure her of the boy's safety too.

Considering the case was splashed over every paper too, the chances of the police not finding where she was were slim. They waited until Friday night, perhaps to make a meal of it, as the saying goes, and a minute after I came home and was taking my shoes off in the bedroom (having no sitting room available), the door burst open. Why they could not have knocked, or come in when I did, is a question one should ask the CID but it is a regular technique — probably the influence of too many violent films.

I spent the weekend in Hertford police cells, feeling utterly depressed. I had flu and thought of a meeting booked for next day to which I could not go, and an arrangement to go to Crewe after the evening's work. It seemed on Friday night I was abandoned by everyone, but of course none of my friends knew what had happened. On Saturday when I did not turn up at the meeting people thought there was something amiss, and Terry Harrison, the first to realise something was wrong, began a series of phone calls. Later, on the radio, came the news I had been arrested, but for some reason no station, even Hertford, would admit to my being there. Terry rallied the troops around. He got on to Gareth Peirce, a partner in Birnberg's, who immediately took on my case despite her enormous workload. I got a mild complaint from the inspector in charge that she "bullied" him on the phone. Terry also got the address of my doctor from the local practitioner committee, and she also telephoned, offering to come down to Hertford though all I was suffering from was flu, which resulted in a minor nervous breakdown in the cells.

All that night the police Hertford police were taking calls, many of them apparently from long-dead rebels like Joe Hill, Mike Bakunin and even Emma Goldman who, apparently relenting to me after forty years in the grave, phoned in to protest along with more contemporary names. I don't know if it helped but it was encouraging to get the reports from my custodians.

During the weekend I was inside Stuart arranged for Antony Beevor to stand bail. He was one of the few historians of the Spanish Civil War who told it as it was. As a former Major, author and house owner, he was acceptable to the court, but when lower management at work heard about the episode, and were wondering if at last they had me over a barrel, any complaints were dropped hastily when they heard of Tony Beevor being the bailee. Beevor was reputed to be friendly with Max Hastings, the rising new editor, and though this was based on their both being military historians, the whole affair had been made respectable by this touch so far as work status was concerned. Afterwards the crusading barrister Helena Kennedy reproached Stuart for not asking her to be bailee, but while I have great admiration for her work in the dock on behalf of the victims of injustice I doubt if the Telegraph management would have been equally appreciative.

It was great to know I had so many friends, and I was touched to find that people at work, not appreciating what bail implied, had decided to start a fund to cover the huge amount involved.

When I went to Hertford court for the hearing I was in the cells prior to the case being heard. Birnberg's had sent down a well-known London barrister who came in to see me, just as the police brought in an aggressive drunk still struggling with three policemen. They had got him safely to another cell when the sergeant — who recognised the civil rights lawyer from TV — said. "Go easy with him, lads, he may damage himself in that state and think afterwards we've been brutal". I question how many times they had heard that said when they were limping from vicious kicks but I guess from the surprised and hurt looks on their faces not very often.

The Hertford magistrates acquitted me at the first hearing but sent Fiona for trial. There had been a bizarre, and totally unrelated, case a few weeks before Fiona's kidnap, where a man had gone with some thugs and seized his girl friend's son to extort money and, when she went to the police, claimed immunity because the lad was his son too. The judge had not accepted this and in convicting him of kidnapping his own natural son had set a legal precedent which could have gone ill for Fiona. In her quite different case the jury were sympathetic, notwithstanding the change in law, and asked if she should be convicted if she thought she were preventing a crime even though none had been contemplated. It ended with an acquittal for her too, but I doubt if she was allowed contact with her son again.

When Duncan Campbell wrote up the case in *City Limits* he described me as a "gentle and generous soul who is one of the leading figures in British anarchism", which did absolutely nothing for my street cred. It would have been ungenerous to have asked him whom I ever led, but had dear Lisa Bryan still been alive she would certainly have claimed I had finally beaten her for the prize mug in the lame duck stakes.

The police seized my diaries and address books, and my handwriting never being copybook, there was a spin-off: an unwelcome visit to a Harley Street specialist to whom my dentist had referred me for problems with my teeth. I hope being thought to specialise in guns rather than gums did not upset the worthy professor's chances of a knighthood.

I never got my notebooks and diaries back, which has helped destroy my chronology of events in this account of my life. Maybe they are still trying to make head and tail of my handwriting.

Venice Observed

Just before Fiona's trial, in September 1984, an international anarchist gathering was to be held in Venice. I went with Stuart, Margaret of *Black Flag*, and another anarchist friend Rupal by car. We had to go via Switzerland as Germany had refused Stuart entry on a previous occasion, for a conviction by an illegal military tribunal which the new Spanish State no longer recognised, but with the German State's own record of illegal prison sentences, who could wonder?

We got to Venice in good time after a swift journey, too much so through the Swiss Alps, which Stuart seemed to enjoy but kept the rest of us jumpy, and then had to drive three times round the square over the bridge into Venice, looking for a way into the city itself, having temporarily overlooked that it has waterways instead of roads, gondolas instead cars, vaporettos instead of of buses.

Over three thousand anarchists from all over the world had entered the fascinating city for this unique occasion. The organisers, the Centro Studi Libertari G. Pinelli of Milan, had fifty people of all nationalities working from 8 a.m. until 1 am the next day at three separate locations — the Campo San Polo, which housed the exhibitions, the Campo Santa Margharita, a working-class area where the social events took place, including the bookstall, kitchen, dining and entertainment marquees, and the School of Architecture where there was a series of mostly boring (to me, at least) lectures chiefly by academics without much relevance to anarchism or indeed anything much beyond thesis writing. Fortunately, as is my experience with conferences, what really mattered were the contacts outside.

I felt privileged to sit down at dinner in a restaurant with international anarchist activists who had given so much to our common cause. It so happened that, as we naturally tended to group together old friends and acquaintances and above all, those with languages in common, at one dinner we found that everyone around, French, British, Italian and Spanish, had been involved in the International Revolutionary Solidarity Movement. I took a photo of this unique gathering (but fortunately, perhaps for security if not for history) it never came out, as usual with my camera work.

One evening I was introduced to Clara Thalmann — she died only a few months afterwards — who had been a formidable figure in the 1918 council communist revolt in Germany. She moved from Marxism to Anarchism in the course of participation of the war in Spain. I had heard of her when Miguel and I had spoken at a meeting in East Berlin and met old German anarchists who had fought alongside the Thalmanns. The East Berliners had survived WWII but afterwards they were in the Eastern Zone and she was in France. It was great for me to exchange memories of Germany and Spain with those of war-time England. These occasions make one realise how historians pick up false contemporary reports and pass them on with embellishments.

From Clara I learned 'la inglesa' had died a couple of years before in Barcelona but sadly I had no further details. There was news of many old friends from all around the world. I tried to learn more of friends of past days who were in China and Korea from an old Korean anarchist, but unfortunately his languages were Chinese, Korean and Japanese and so he confined himself mostly to shaking hands with everyone, being able only to speak to the young people from Hong Kong. It was sad to learn of many who had died in the past years, especially in South America where the younger generation had faced State terrorism and the older generation died brokenhearted.

But I was inspired to meet and talk with many young people, especially from Germany and Switzerland, who were eager to talk about past and present workers' struggles. There was a certain German punk element which was a bit wild and woolly, and who were more in the tradition of Woodstock than in that of Wilhelmshaven, and the organisers' choice of speakers were more in the tradition of Walden or even Westminster. There was a clear division due to a failure not just to define the goalposts or to clearly mark the boundaries, but to indicate which game was being played.

In a discussion sitting around the square, some young German-speakers complained of the inadequacy of the English or even the German translations of some of the American speakers. It almost sounded as if they were talking of a political party to fight elections on a "green" basis. I had to tell them their understanding and the translations were perfect and what was inadequate was the discrimination of the organisers.

While the exhibitions of the history and geography of anarchism were of the revolutionary libertarian movement, one could hardly say the same of most of the speakers. Sme of the participants would have been more at home in a rock concert, but this did not detract from the overall impression of wonderful nights with a new generation from around the world, and also reunions, in one case after over forty years, with people who had been fighting and struggling since I met them in their youth and remained as fresh in spirit as ever.

CHAPTER XXV

Lucky Strike; Direct Action Years; Poll Tax; The Battle of Trafalgar Square; Class War; Leo

Lucky Strike

After I returned from Venice, I realised I wanted to move out of my Greenwich council flat, which felt desecrated by the police raid on it. Those who have experienced burglaries feel the same way. I also realised that the way Fleet Street was going, I should soon be out on my ear. I was approaching retirement age, and had nothing whatever to show for my years of work. Had the kidnapping trial been for months rather than days, I would have been homeless, though acquitted.

I looked around to buy a home, realising wryly that had I been prudent I would now be thinking of the last payments of a mortgage rather than starting from scratch. I had never had the spare cash for a deposit and the times always seemed to be against me. Coming across an advertised new local development, in which the builders were offering a deposit well within my means, I decided the best thing to do was deduct fifteen years from my age, adjusting arithmetic to the way I felt, and apply for a mortgage.

Somebody up there seemed to be taking pity on me at last. No sooner had I paid the deposit and arranged to call on the mortgage company, when I had a running stroke of good luck. I had some old first editions with tea-stained covers which I thought were pretty valueless if interesting. I put them up for auction at someone's suggestion and they brought a couple of thousand pounds. An old friend who had years before borrowed several hundred pounds, which I had long since forgotten, had a lucky evening at the dogs and repaid it out of the blue just when I had totally lost contact with him, among others, owing to the theft of my address book and diaries during the raid.

Then the management called in experts to solve their financial problems and they decided their "losses" were all due to the workers getting too much, especially by way of overtime. They asked all departments to "sell their overtime", previously guaranteed, offering to pay them the equivalent of three years average overtime in return. All departments bar ours rejected this. I pointed out to my colleagues that the erratic input of news and the behaviour of journalists being what it was, they would still want us to work the same amount of overtime anyway, and so we accepted.

The management was overjoyed to find a usually intractable department agreeing to their experts' suggestion, and the result is we got a huge extra payment in return for absolutely nothing. It took the management only a few weeks to find the experts as usual did not know what they were talking about, and they could not even blame it on to our taking advantage of the liquid lunches on the other side of the table.

What with one thing and another, within a week or so of committing myself to purchasing a new flat for £43,000 when all I had in the world was £250, I found myself with four thousand pounds in the bank. Then I got a call to say I had won a football pool. I snarled at being awakened in the morning to be told I had won £63,000, as I was convinced I had never invested in one in my life. I told a constant hoaxer at work I would do for him if he ever did that again, to his hurt surprise as this time it was none of his doing and wasn't a hoax. When I returned home I found nine excited people on my doorstep. It had slipped my mind I had entered a syndicate of ten, paying three months in advance, about five shillings in all (being asked to replace one who died) and the first week they had given my name and address we won. The upshot was next day, when the cheque came, we all had £7,000 odd apiece. One punter had dropped out the week before complaining of the waste of money. I felt they should either include him in the share or at least not tell him. Everyone insisted he had to be taught a lesson and be told what he had missed. What the lesson was, or what benefit it gave him, I never learned because I never knew him.

By this time I had enough to decide not to go ahead with the mortgage but to manage with a two-year loan instead. I had enough in the bank to see me through a couple of years and help some good friends besides. My last two years salary went entirely on repaying the loan to buying the flat, the first home literally my own that I had. From a financial point of view, it doubled in value in two years. I thus retired two years after retiring age with no mortgage to pay, thus proving all one needs in this day and age to get adequate housing and a reward from one's labours is hard work, careful saving and winning a football pool. Come to think of it, if the latter is big enough, the first two don't really matter.

When the Direct Action Movement was first formed, it combined the former Syndicalist Workers Federation, begun by Tom Brown and still active around various cities in the North-East, with the anarcho-syndicalist groups around *Black Flag* and others which resulted from the tours we ran on behalf of the Spanish Resistance.

Tom Brown, when approaching retirement, had been active on behalf of local residents in Paddington. They formed an action group to protest against the opening up of a Mafia-type brothel and a porn club. As a fluent speaker, who had been an engineering shop steward, he was much in demand. Going home from the night shift one early morning, he was attacked by mobsters and beaten up with iron bars so severely he retired to Newcastle and for the last few years of his life was an invalid.

He and Mark Hendy had kept the SWF alive for years. At one time it had a fair number of adherents, and participated in many struggles particularly those of the dockers. I remained apart from the London SWF, which I realised afterwards was a mistake. My attitude was partly because of the way Ken Hawkes, its long-term and seemingly perpetual secretary, played on an association with the exiled Spanish leadership, with which the Resistance was at odds. It also admitted too many quietists and pacifists for my liking, ever the sectarian.

It was a mistake on my part not to have gone in the SWF and teamed up with Mark and others of his like, rather than being aloof. I was restrained from doing so by my friendship with Spanish activists who disliked the SWF's associations with those who had collaborated with the Republican Government in the Civil War and were distrusted by the resistance for that and other reasons afterwards. It really did not affect the SWF (not to be confused with the utterly different SWP). What I did not realise, until Stuart came out of prison and I knew his background in the SWF, was that some of its members (English and Spanish) took an attitude identical to my own.

I was never close to any of the quasi-anarchist groups that were springing up in the wake of the peace and new left movements, let alone the old ones. The international anarchist movement with which I was always intimate and which seemed to have pervaded my life had nothing to do with the quasi-anarchism of the New Left, or that defined by the campus or the press, which at first disowned being anarchist unless qualifying it with a negative (such as philosophical or non-violent) or an opposite (such as Marxist or capitalist).

The SWF, anarcho-syndicalist but choked by weeds of the neo-leftism surrounding it, disappeared as an organised body soon after Tom Brown's death, apart from the Manchester stalwarts. After Black Flag had been going some ten years many proposed that we form an International of our own. We could numerically not have sustained a national organisation, but we always felt there was no need to confine ourselves to national boundaries imposed by the State and re-created them in our image. Way back at the Carrara Conference, we had proclaimed this principle when our grouping had for once been able to speak for an anarchist movement unified, if as it turned out temporarily so. However, this was never put to the test, since the Manchester SWF decided to re-launch the organisation and there was a natural union between them and those who had been working with us for the Spanish Resistance. It was decided to re-name the new organisation after the paper *Direct Action.*

It may be that the years of building up the Direct Action Movement will not be otherwise recorded but its enemies on the red-snooping scene were not wrong to suspect its potential, though it changed its name to the Solidarity Federation after fifteen years of making the old one known. It is worth recording some of its achievements, especially in proportion to its numbers. It brought local and international support into the miners strike, and in the case of one particular strike at Laura Ashley, the garment manufacturers, such pressure was particularly effective. *Black Flag* had been viewed somewhat suspiciously by the quietist element in the old Syndicalist Workers Federation, particularly the London section influenced by a few Spanish exiles affected by the years of compromise, who tended to look in vain for international government, rather than direct action, to crush fascism. The First of May Group actions embarrassed them and the involvement of *Black Flag* scared off the British quietists. But after the tours Miguel and I held in regard to the Spanish Resistance, the quietists tended to forsake the organisation. We then saw that between the *Black Flag* line and other anarcho-syndicalists there might be a few differences, but not enough to make it worth pursuing different paths.

At first I tried organising a Fleet Street branch. Most of the *Black Flag* collective were in the Brixton branch. When I moved to South London I joined the Deptford branch, for the first time in my life in a grouping which had some impact on local events and I found them fine activists like many in the DAM.

The non-industrial event which called upon all our resources and those of many others too, and which had an unprecedented response, was the imposition of the ill-fated Thatcher poll tax. This grossly unfair and unworkable tax stirred many from far beyond our ranks into active protest, even in places which had been dormant since Peasants' Revolt. Naturally the Militant Tendency and the Socialist Workers Party saw an opportunity to sell their papers and protest their leadership of "the masses". But they played very little part, despite contemporary reporting, in the actual struggle. All they did was to use their slick professionalism to seize control of the Anti-Poll Tax Unions, except in London where the DAM blocked them.

In parenthesis, this was a constant occurrence in the New Left. Organisations spring up over particular issues, to be followed by the Trots moving in surreptitiously and taking the positions of power, so creating a ready-made "mass movement" to serve the "vanguard" Party, whereupon everyone else leaves and it collapses. That is why I named the "Millies" the Tapeworm Tendency. The old CP did that sort of thing but knew how to manipulate fellow-travellers and kept them in the dark for years, not just while they were at university undergoing academic brainwashing.

The SWP kept up a chorus of "Maggie Out" which was taken up by the left, even the Labour Party and, to their dismay, ultimately by some astute Tories putting the blame on Ma'am. The Heseltine faction had Mrs Thatcher ditched, and so earned the party another term of office, as if she had been running a Government single-handed against their wishes. Yet socialists who connived at this shifting of responsibility on one person, however dictatorial she might be, had for years been sniffily criticising individual anarchist actions against tyranny, explaining in superior fashion that if you get rid of an individual dictator by violence, a successor takes power, as if anyone aiming individually against Hitler, Franco, Lenin or Mussolini did not know that and had taken the risk without weighing up the factors. Apparently, though, the superior intellects had not worked out what would happen if you got rid of an individual dictator by non-violent and constitutional means.

Even after the election of 1992 the SWP and Millies were boasting "they" got rid of the poll tax and got "Maggie Out", but it is nearer the truth to say they got a majority for Major.

The Battle of Trafalgar Square

The Poll Tax in Scotland been imposed a year earlier than upon the English or Welsh, it was had presumed because the Scots were largely anti-Tory anyway and therefore to be written off electorally. The Poll Tax was clearly never thought of as a general benefit, though a few did benefit financially (myself included, as it happened — I was always conscious of the irony) otherwise why was turbulent Northern Ireland excluded? Nobody dreamed that it could provoke turbulence on the mainland.

In Scotland its unfairness, and the way it was introduced provoked a feeling of national oppression that was possibly unintended, caused mass non-payment and resistance to sheriffs, the equivalent of bailiffs. This unworthy profession had got away with its dirty work for two centuries. Now its members began squealing about interference and intimidation when it set about putting people's furniture on the streets and selling them up, as if it were an integral right of a civilised society. In turn when some anarchists in South London broke into a bailiff's office and piled the office furniture on the streets even without selling it, one would have thought by the comments it ranked with an bomb explosion.

Many Scots thought once there were protests in England, and Whitehall in particular, the Government would relent, as indeed it did insofar as it changed the name of the tax and the Prime Minister, a shrewd piece of duplicity. This was the line pushed by the Scots Nats and the Millies, with other Trot varieties, using their slick (paid) professionalism to organise a march upon London. They were thinking on the lines of the Jarrow marchers of the 30s and of CND of the 60s, both of which seemed to cynics like myself to be based on the assumption that Cabinet hearts were susceptible to marchers' blisters.

The Londoners could in their turn hardly blame the Scots, nor even the usual whipping boys, the immigrants, for the Poll Tax, and "Whitehall" was as many light years away from Trafalgar Square as from Sauchiehall Street. They did not know what to do about changing the Poll Tax except to refuse to pay if they were brave enough, any more than the thousands milling into the capital did, but they were not in a mood to welcome anyone stopping them trying to abolish it either, even if it were only a case of voting by sore feet. When the police, following some high decision strategy, did just that, they took the brunt of the resentment upon themselves.

In sixty years of watching London demos, without undue expectancy of result on my part, I have never seen the like. I teased my Spanish friends, "We've changed places — London's burning and Barcelona's preparing for the Olympics — now you get ready to defend our political prisoners!" Sure enough, though, in the coming year there were more political prisoners in British jails than Spanish, not even counting Northern Ireland.

There may have been one or two minor scuffles that occasioned the foray, or it may have been planned in advance by the police, but at a certain moment, just as I happened to be slowly walking across the square chatting,

"Hundreds of young anarchists fought back . . ."

the police gave a warning for it to be cleared in seconds "or people would be hurt". Within seconds police horses and cars were charging across the pedestrian precinct putting lives in danger. With the vertigo I then had, I could only wobble out of the way but I was guided by a young woman comrade to the safe haven of St Martin's-in-the-Fields, from whose pillars I had a secure vantage point. Hundreds of young anarchists fought back with whatever was lying around, as the crowd was seething with rage at the attack upon the demo and they helped those who were resisting or surrounded them as the police came forward to snatch them. Only the stewards who had controlled the march to use it as a fishing expedition to catch members, the "militant" leaders of the Vanguard Parties, co-operated with the police, crying "We never wanted this to happen".

Afterwards a militantly tendentious leader, blaming the anarchists rather than the police or the outraged citizens for the fighting, promised to "name names" of those he felt responsible, in the best traditions of the KGB. At a later conference in Manchester one Glaswegian Trot leader, desperately warding off the accusations of being a grass, suggested that the people who fought back against the police, to their obvious surprise, were actually policemen in disguise. He quoted the late John MacLean's advice to look at their boots. I do not know what senior officer was believed by him to have given orders for his own men to get a bashing by others, or why he did so, or for that matter why the Trots in that case chose to co-operate with them. But John MacLean was an unfortunate name to cite considering the sly Bolshevik treatment of him, his Marxist "comrades" of the time having suggested he had gone mad as the result of prison torture and that was the reason he refused to accept Lenin's leadership. Perhaps it was too much looking at large size boots that drove him mad and made him reject dictatorship,

Were the anarchists responsible for the trouble, as the media said? It needs a large over-estimation of their numbers and powers if so. Prior to the demonstration, which had not been organised by them, dozens of us known to the press (even those living miles from London) were being phoned by reporters asking eagerly what "we proposed" to do having got these unsuspecting people in the square. The cameras were focussed on the red-and-black and black flags when the march streamed into the square, and some PC Plod apologist commented on TV that these were the "signal" for "criminal acts and organised looting" (as if people intent on theft advertised their presence).

We had learned a lesson from the famous anti-Vietnam-War demonstration, when press and police complementing each other had run a long campaign saying how the anarchists planned to turn a West End march into a revolution (if it's so easy one wonders it has never been tried). Then, many of us had spoken to journalists. Their credulity seemed a good joke at the time and when questioned by newshounds we upped it to the smuggling in of tanks, guns, molotovs, you name it we had it, adding for good measure trained elephants and poisonous snakes. Protesting innocence and denying all like the left seemed wimpish, but we had no idea that what we said would be even faintly believed. It was never an obligation for a Fleet Street journalist to be a moron but for those who weren't, there was always sports reporting.

In the event all that Fleet Street (if one can still call it that when the geographical location has dispersed) was after were a few names on which to pin their inventions and then pursue the people they named as "legitimate news targets" from pillar to post. This had increased so much since the printers had lost whatever control they had to the new press barons and their lackeys that almost nobody by this time was prepared to speak to them. They might have had to fall back on the plaintive attempt by reporters Maurice Weaver and Martyn Harris a few years since of speaking to a few woollies they found at the Freedom Press offices, presenting them as the centrepiece of anarchism and even of a vast mass movement of the Young anti-Establishment. As whoever they found there might possibly have welcomed the poll tax and certainly opposed violence, it wouldn't have made much of a story.

Fortunately for the journalists there was a new group which seemed to welcome their attention with open arms. A few years before, Ian Bone had started a paper *Class War,* from which he later bowed out. It came as a cultural shock in its early stages to many older revolutionaries, at first divided in opinion as to whether it was a one-off parody of anarchists like some efforts produced by situationist-type hippy circles, or whether it was a modern version of the caricature-sheet, like those produced by Bonar Thompson in his latter disillusioned days. In fact, it wasn't either. It was a clever use of the sort of language used by the tabloids, using their own style to express the disillusion felt by young long-term unemployed, on the principle of begrudging the Devil all the discords. They even used their own press agent, equally capable as the professionals at hype.

Class War was at first dismissive of anarchists, confusing them with the non-violent liberal cult, and inclined to a pedantic version of council-communism as interpreted by Professor Pannekoek, the Dutch poet-astronomer, as neo-situationists usually were, without quite knowing what either meant. It originally attracted the drop-outs from the hippy and animal rights cultures, rather than from anarchism. They thus became violent-obsessive but not so much as to be called terrorist, and they merrily fooled one or two pompous papers into thinking they were either a sort of bodyguard for the real anarchists or a newer, more dangerous breed. The tabloids seized on personalities and denounced Ian Bone for "looking like Himmler". I don't know what bright spark thought this up. He didn't and it was hardly an offence, even to good taste, if he did but I think it was the rimmed spectacles that did it. It showed the depths to which British journalism had descended. With all the flak Chaplin took in the McCarthy era, even the worst American papers never harped on his alleged resemblance to Hitler.

Some of the early elements in Class War tarred anarchists with the Freedom Press brush assuming they were the same. One group made a song about me "Hello Albert" — denouncing my "obsession with the past and the Spanish war which was long since over", not realising or perhaps caring that my obsession (if it was that) was with the Resistance, then for the first time extending through Europe, of which they were quite unaware. This was picked up from pseudo-situationists, who ran special one-off papers to denounce any and every resistance, one of which, *Logo,* edited by a Richard Parry and Mark Page, managed to disgust the *Anarchy* group when with others they were nearly fooled into a collective handling of an issue fingering people whom Parry & Co considered activists and therefore named "jokingly", or hopefully, as prison fodder. Phil Ruff dumped the entire issue in a handy trash bin, somewhat to the dismay of those who felt he was failing to observe a proper adoration of the plaster saint Freedom of Speech whose cult lay an obligation on us to distribute for free a hostile paper.

As Class War was prepared to say the things the media would have invented (Kill the pigs, eat the rich), it became the answer to a maiden's prayer. *Class War* editors quite readily claimed they caused the riot and appeared on TV and expressed delight at the damage caused, especially to The Bill. As a result they got about ten million pounds of free publicity and quickly became the most popular anti-Establishment youth grouping for years, with a fixation on death's heads, killing and graveyards though not one of them ever handled a plastique in anger. Their paper sold like billy-ho, they began marketing tee shirts and other ephemera like a cottage industry, publishers clammered for their reproductions. They, though later more reservedly, took credit gladly given them by the police unable to track down a social relationship for any and every riot and disturbance among the young white unemployed, and were the subject of innumerable articles and solemn academic treatises. The dailies quoted their every utterance as important, knowing their comments would be pithy. The profs solemnly declared their researches showed similarities between the language used by *Class War* and by the tabloids that denounced them.

But at least when the original leadership altered, the new wave of youth they attracted had more positive ideas. It was more than one could say of the neo-situationists (the third wave of such) obsessed with the "Bonnot Gang" — the first motorised bandits, and class struggle individualist anarchists of the early part of the century. Richard Parry, who supposed I was "imprisoned by the past" and enamoured of pre-WWII days, went on to write a book on the "bandits tragiques" of pre-WWI days, who would have regarded him as I did, part of the enemy. One of the bunch named J.P. Schweitzer (also hostile to any support for Spanish Resistance as "harping on the past") formed a "Friends of Bonnot" grouping and, warned by a wagster one April 1st that Special Branch were asking about him, went along to Scotland Yard to explain to a bewildered detective sergeant that it was all harmless, which indeed it was.

The journos, however, though they get younger, remain as venal as ever. Only a few short years after the Trafalgar Square riot, there was one against the Criminal Justice Bill. Gervase Webb, in the "Evening Standard", attributing it to "Class War" taking over from "Black Flag" as the villain of the piece whenever the police ran amok, puts the two together as allies, both being infiltrated by fascists. For good luck he makes the DAM a breakaway from Class War. Black Flag a "Brixton based group of anarchists and hunt sabs". It was based in Brixton ten years before, but, while I couldn't speak for others, I personally was not up to being a hunt saboteur in balaclava and bovver boots, jumping after the hounds. Perhaps Gervase supposed I had lurched to the right and was one of the fascist infiltrators. Dear man, I hope he bruises easily.

Leo

A number of campaigns were run from 121 Bookshop. Leo Rosser was the first to became suspicious of a barrister, Tony Jones, with an upper-class manner who was forever photographing contacts he made by attending such meetings. It seemed he was also associated with the Haldane Society of Socialist Lawyers and many libertarian, militant liberal and socialist campaigns, some of which were inconsistent. Leo persuaded us to follow up the story for *Black Flag* though *City Limits* beat us to the punch, and Duncan Campbell exposed Jones as an informer for MI5, working as an agent for security chief Tony Crassweller. He had been associated with Freedom Press, and Philip Sansom and Nicolas Walter rushed to defend him from the accusation. When Jones himself admitted ruefully "he had to live with it", they did not retract, but Nicolas Walter then stated Jones had not spied upon Freedom Press — he would have found little to spy on — but on 121 Bookshop. It was rather like his riposte to the allegation that he revealed the identities of Randle and Pottle in the Blake escape at dinner — "it was at tea".

Soon after that Leo Rosser joined our editorial team. He was a bright hope for the future. I liked him immensely, as did everyone who worked with him. He learned Spanish (some of our friends in Barcelona assumed he was Catalan but he was of Welsh origin — the name Rosser fits into several languages) to be in regular contact with Spanish and Latin American prisoners, wrote scathing articles for us, and helped with all the 'donkeywork' that goes with any organisation. We shared a lot in common, naturally except music.

At the time of the Jones affair, Leo was living with his parents but he later moved in with his girl friend and seemed full of boundless energy, enthusiasm, commitment and laughs during those short years he was around. One day we were discussing euthanasia, about which many had reservations. (Can you trust all doctors and, where there's money, some relatives?) He said reasonably that, while he could not understand healthy people committing suicide, when someone reached a certain state of deterioration they should be able to die as they wished. I recall we talked about an event that was coming up in Spain the following year which we both wanted to attend. He also mentioned investigating some stories abut drug dealers and the Spanish police in the next few weeks. But within a week of the conversation he was dead.

The evidence, that he had been depressive for some weeks but concealed it from people, that his relatives and girl friend had finally decided to take him to the hospital for observation for suicidal tendencies, that he had left the hospital, being left unsupervised, and jumped from the nearest high building, seems undeniable. My suspicions as to what really happened are different but unprovable. I am not to be convinced otherwise.

I tried to speak at his funeral, but I failed and broke down. I scarcely recognised some of the anarchists there, smartly dressed and red-eyed, who that very day, (the morning after the Trafalgar Square riot against the poll tax) were being reviled in the national press as hooligan street fighters, but despite my sorrow I felt engulfed in a tide of affection. The thought that a gathering like this of good friends could have been in a dozen or more cities all over the world made up for years of frustration, difficulty and disappointment, but not for the loss.

CHAPTER XXVI

Higher Intelligence; Velikovsky; Wonderful Copenhagen; Jim Abra; Counter Intelligence; The Informer Who Changed History

Higher Intelligence

I have never been impressed with the contributions of learned writers, professors and academics to political or economic theory. Perhaps that is why I have persisted so long in the same political and economic opinions. I have seen every one of them altering their views, squirming when reality proved them wrong and inventing learned apologies insisting they were right all the time nevertheless, but what happened in reality was foreseeable. Anyone who experienced the impact upon the working class movement by the professors' theories in the Thirties, and lived to see the collapse of Marxism, has the right not to take them seriously.

I am pleased to have seen communism collapse in my lifetime. Leah rejoiced in her last days to have lived long enough to see Leninism overthrown as well as Tsarism. My pleasure was not mitigated by the fact that Mrs Thatcher and President George Bush thought they were responsible for the collapse (though Interpol had propped the Soviet regime up for years), and what they thought they achieved didn't seem much of an improvement. A few months later, their capitalist economy collapsed in the West too, and there was no lack of pundits to explain that this was a worldwide phenomenon.

As there has never been a shortage of materials nor labour nor willpower, nor the desire of working people to build their own lives securely with decent housing and education and health care, only economists could explain why they are unable to do so because of lack of banknotes which the printers could easily provide. The idea that war (which necessarily implies destruction of people, construction and materials, and disrupts where it does not end lives and education) brings prosperity, whereas 'peace begets poverty', is to me, as it was to radicals of a former era, the economics of the madhouse. The sciences of politics and economics, a soft option duo which has replaced theology as the queen of the sciences in the universities, are based on equally bizarre premises as it was.

While being healthily sceptical of experts, realising how easy it is for savants in different disciplines to create their own fiefdoms, I have been more flexible, though more passive, in my attitudes. When in the Fifties I discovered Immanuel Velikovsky's theories of past inter-planetary collisions and how they were recorded by worldwide ancient mythology, including the Old Testament, I bought his books immediately. I was enthralled how he put the self-important scientific Mafia to rout. He might have been as wrong as they said he was, but as they fell over themselves with misrepresentation of what he said, abuse, academic cat-calling ('cosmic collisions, he means comic collisions'), censorship and downright blackmail to suppress his theories, they gave lay people like me some reason to believe, even perhaps to hope, he was right after all. The message that we were all survivors of survivors of catastrophes was dismal, but the criticisms of the scientific establishment encouraging. It was odd that many scientists agreed with his criticisms, but of somebody else's discipline, and his firmest supporters were civil engineers with some knowledge of what he was talking about but no hostages to fortune in the way of challenged scientific empires.

The pack against him in academic USA was led by the astronomy and geology professors who had reached a tacit concordat with the religious fundamentalists who controlled their foundations, and felt threatened if schools and colleges could no longer teach one absolute truth in one lesson and quite a contrary absolute truth in another. The attack that was made for the benefit of the lay public was led by Isaac Asimov, a leading science fiction writer who kowtowed to the scientific establishment. But his dilemma was that either Velikovsky's theories were phoney in which case he was the best sci-fi writer of all, or they were right and Asimov was an ass. He could not have it both ways. In the curious battle royal American scientists waged against Dr Velikovsky, one noted exception was Velikovsky's friend Albert Einstein who had been accepted by the scientific establishment from the first, however incomprehensible his work, and despite his being a humble patents clerk at the time. In later years Stephen Hawking's way-out theories have become best-sellers (he successfully appeals to the public, for which Velikovsky was denounced as a charlatan) but while many of Velikovsky's theories and predictions have been proved right, he offended too many vested interests for it to be admitted.

I cannot pretend to have the knowledge to pass judgment but I cavilled at a remark in one of his books, writing via an associate of his, Dr Ralph Amelan. I put it into a review of the book in the Cienfuegos Press

Anarchist Review, small enough in influence, particularly scientific. Velikovsky more or less accepted my argument and incorporated it in one of his last books "Mankind in Amnesia".

This argument was that the period described in the Bible as the Exodus relates to a period of worldwide disaster due to cosmic collision. He also ascribed the beginning of anti-Semitism to mistaken ancient chronology (echoed by Josephus) that the Shepherd Kings (Hyksos) were the Israelites entering Egypt, when in fact (he says) they were the Amalekites, hated by everyone as an enemy of mankind. He shows that the Israelites encountered them when fleeing Egypt, fought and finally defeated them but the later confusion with them caused the hostility of the nations towards the Hebrews. Surely, I asked, it would be logical, if the nations of the world suffered a universal calamity, and the Hebrews tried persistently to persuade them to the belief it was divinely staged to help one small tribe escape slavery, to cause universal antipathy to them. Velikovsky amended his earlier statement to say there were two causes, later fed by many others, and characteristically added that his sources now revealed the Israelites too suffered crossing the Red Sea.

He had a quick answer and a ready quotation for everything. I found his books mentally the sort of exercise I had once got physically from pugilism. When I questioned him in a lecture I had, like everyone, to admit to myself that where he did not win the argument on a knockout, he was way ahead on points. The great thing was that after all, the decision did not matter so far as I or the lay public generally were concerned. There was precious little one could do about a return cosmic collision, let alone one already suffered, even if he were right. One good thing did come out of it. It got many thinking along lines of preserving the Earth, whose ability to sustain life was finite, and which could perish like other planets had done, though it took me some years to realise that.

At the time I only thought it enjoyable to see his critics getting floored and also to see him ducking and weaving. Having got fat and lazy (despite investigative journalist Gervase Webb who thought I was a hunt saboteur, which would at least have kept me fit) it was a lot less strenuous than boxing.

Wonderful Copenhagen

When I was in Copenhagen in the '70s, I had some unexpected local publicity, both because the English printers were news and on a different level so were anarchists. I was invited to speak by the Danish Anarcho-

Syndicalists, who were well organised at that time, with an imposing HQ and a bookshop, and the Anarchist Federation very active. Nevertheless, inevitably most publicity went to the squatters' city in Christiania, a drop-outs' utopia, founded by a Calvinist clergyman. It purported to show the best features of "anarchism" but struck me as a Statist alternative, more like a ghetto (at least of the Tsarist type). In this little town the police contained drug-takers (though still occasionally raided them) in an otherwise worthless abandoned shipyard. I was taken around like a tourist visiting an African camp. They made and sold handicrafts, lived and worked communally and so long as they stayed within bounds could smoke pot freely. Big deal.

It was the old story of false currency driving out genuine.

Counter-Intelligence

Gomez, to whom I had given cover in my Grays Inn Road days, was one of the last of the counter-intelligence service set up by the Spanish movement first in an endeavour to penetrate the various police agencies working against them both in the Monarchy and the Republic, which developed into an anti-Axis network during the Civil War. They uncovered many intrigues against them and also military intelligence, some of it from the homes of wealthy sympathisers with the fascist cause. Gradually, as the "moderates" — in then contemporary journalese, the Communist Party — took over the Republic, their work was realised as essential even by those prepared to collaborate for the sake of unity. However, the divisions in the movement extended to counter-intelligence and Gomez broke away to form a separate group which worked with the Friends of Durruti and other "irresponsibles", which was the name then given to one of the many groupings who actively resisted the destruction of the collectivised industries and farms and all forms of revolutionary conquest. (Later the name was mistakenly ascribed, by a Trotskyist historian, Felix Morrow, to cover them all, perhaps to diminish their number).

During the world war the counter-intelligence continued to exist, sometimes giving information to the Allies. The anarchist Resistance fighter Poznan actually got decorated by the British and French governments, for what it was worth. Like all intelligence services this one brought in some dodgy characters, which is the occupational disease of the job, and in London particularly so. This was partly because of the disability under which the CNT in exile worked in England. When the war broke out the decision of what to do, certainly not the life, was easier for them on the

Continent. They carried on the struggle and were in the front of the Resistance fighters in Spain, France and Belgium. They were held in suspicion by the Allied command anyway, which was far from being anti-fascist so far as Spain was concerned and dubious enough so far as the actual enemy was concerned. There was no chance to compromise even for those who had made compromises during the civil war on Spain. Neither the Resistance nor the anarchist intelligence got, nor expected, any thanks from the Allies for their work of sabotage. All they expected was the chance to march back into Spain but even in that they were to be disappointed.

So far as we were concerned here, what to do was far less clear. It was a difficult decision for British Anarchists. So far as the Spanish were concerned, however few illusions they had about the British Government (which some did have) they were hardly in a position to express them. During the war most of the males went into the British Army, where some were in the foreign sections of the Pioneer Corps, many in commando units in and beyond the front line. They did not have the chance to form independent or illegal partisan units as in France. However, some were in more forward units, especially if they came directly from the French Foreign Legion, some for instance in Crete and Norway. In this case the War Office issued them with false identity papers giving their birthplace as Gibraltar, in case of capture by the Germans. One "Gibraltarian", a good friend now settled in England, was interned after these battles in a German POW camp, and was able to pass over food and cigarettes to Spanish deportees from what Prof Allison Peers at the time described in "The Spanish Dilemma" as their 'voluntary exile'. The dilemma was not the one the worthy prof thought. In many cases this exile was terminated involuntarily and they were sent back to Franco to be shot. Even those in Britain had to watch their step in regard to choosing between enlisting or deportation. In German-controlled territory, in the absence of a direct request for repatriation, they were worked to death in the camps or murdered for non-submission.

It was natural in these circumstances for the counter-intelligence of the Spanish movement to work differently in England. A small group of Spanish people, separate from those in the armed forces or in industry, were working for the BBC as translators and so on, and from there it was a short step for those who had been caught up in the world of intelligence and counter-intelligence to pass to the Ministry of Information, as the propaganda arm of government called itself. Ultimately those who may have started out as anti-fascists became absorbed, as they would not have been in the French situation, in officialdom.

One such was Garcia Pradas, a professional journalist who had edited a CNT newspaper at home, and continued to write fairly inane books in Spanish after the war, including a disclaimer on why "we deserved to lose" — and "we" of course were his first love, not his new. One of the counter-intelligence agents, closely associated with Sonia Clements, was Porter (formerly Polgare) who was in fact a Central European by birth, but always insisted he was Spanish (not that anyone cared about origins in the Spanish movement). He was involved in British Government propaganda and information on Spain. Gomez, whom I met after the war, was highly suspicious of him, though others were not. He apparently reverted after the war and was in fact quite useful in uncovering the story of how Premier Juan Negrin had stolen the entire gold of the Republic and caused the loss of the war. It was revealed finally years afterwards and exposed the role of the Socialist Party, but had no effect, not even electorally.

"Gomez" was not the real name of my friend from Grays Inn Road days. He earned a living working for a multi-national concern. Though I have not heard from him for many years, if still alive and in the country to which he emigrated with his second wife, revelation of his name and past activity would do him harm. I bestowed the name on him (a friend of mine, in typically English fashion, called all Spaniards "Gomez") when I was giving him cover. His daughter had been shot by Franco's Falange more or less randomly when they entered Valencia, his two sons had been killed in prison after the war ended, and their mother died in the bombing of Madrid. He spent many years working for revenge. I did not know his history until Miguel Garcia came to London. Miguel recognised him immediately. Miguel spoke admiringly of his activity, and as he rarely over-praised anyone I deemed it sensible not to ask questions where the answers could be compromising. When I met Laureano Cerrada in Paris, he laughed heartily when I referred to "Gomez", but recognised him instantly and remarked, "He's the only one of us who always stays out of prison, and if he got in he'd take the only mattress". They called him 'el mono' (the monkey) as he still claimed, by virtue of his War Office papers, to be Gibraltarian.

It amused them that everybody else in that circle entered Spain at their peril, like Sabater and many others backpacking, or at best with a mule, over the Pyrenees like smugglers (as some were) whereas he travelled at ease by car like a tourist. Both Miguel and Laureano warned me to be careful when I said Audrey and I had taken him as a passenger several times into Franco's territory, but one can hardly accept a caution from people as audacious as they. Finally Miguel decided it was the least hazardous way of returning. Waving British and American passports saw us through, and sometimes not even troubling to do that with a British number plate, in the days when the English were popular. At the time of Queen Elizabeth's Jubilee we were even saluted by the Guardia Civil, which produced a rare smile on Gomez's face.

The British police, and ultimately some journalists, seemed to think I had something to do with the Spanish Resistance but if so, I am, like the Spanish police, unaware of what I did.

Jim Abra

It is not hard to know what James Abra did to deserve years in prison. It was literally nothing. He was the unlikeliest person in the world to be even a dissenter; let alone a spy, but he happened to be in the wrong place at the wrong time. He was a technician working at Plessey's, sent to Libya to work on a Government contract. He had finished his contract and made a map to find his way to the airport as it was understandably difficult to follow the road signs in Arabic. That and a copy of "Jane's Fighting Ships" were all the documents he had that were in the least 'suspicious' when he was stopped by guards. He was immediately taken to prison and tried for espionage, these documents representing all the evidence.

Just at that time the Libyan Embassy in London had been involved in an incident involving the shooting of a woman police constable. As the British Government were complaining about the murder, the Libyan government, with Islamic reasoning and socialist rhetoric, complained that the British had sent Jim Abra on an espionage mission. The trial was in Arabic which he did not understand but any defence was useless, as the US government had decided to bomb the country for other reasons. Whenever Washington told Mrs Thatcher to jump, she asked "How high?" and that sealed Jim Abra's fate.

The press kept mightily coy about it and apart from a mention or so it was dropped from discussion. His wife was told the situation was delicate but the Foreign Office was acting. Indeed, they were acting the part of Pilate and washing their hands of it. For years this went on. Other wives at Plessey's were enraged at the inaction in support of Jim, one of them being a cousin of mine, whose many petitions went ignored. We rarely met but when we did, she raised the question with me. I did not know about the case.

I sussed it was not much use writing petitions to the British or Libyan Governments, and decided to strike at the soft underbelly of

Gaddafi. He was pouring money into "the revolution" abroad, something he interpreted very liberally, including Trotskyists, Black Nationalists, the IRA, the National Front and all stations in between. Through the Black Cross we embarrassed the trotskyists, particularly their then daily paper, with petitions from Plessey workers (false I regret to say, but they never printed them anyway), and also Sinn Fein, saying they were supporting a regime that unjustly jailed fellow-Irishmen. I hope Abra, whom I never met, forgives me but I changed his alleged affinities many times in the course of the agitation. Anyone backing Gaddafi got hassled, in the hope they'd explain the reason to their paymaster.

I have no idea if it worked, but when Abra was released unexpectedly after several years in jail he thanked my cousin for the campaign on his behalf which had led to his release in the months after she had long since all but given up and the sustained nature of which she knew nothing about.

The Informer Who Changed History

During the years in which Alberola was regarded as Public Enemy No. 1. by the Franco police and connected with the Interior Defence of the libertarian movement, there were innumerable disasters. In the events of 1962 which preceded the downfall of the Franco regime, arrests and frustrated plots followed one another as volunteers rallied to the final thrust against the Franco regime.

The apparent immunity of the dictator to every attempt against him gave rise to many suspicions. Gomez kept himself aloof from the Interior Defence (DI) until the end. He remarked that Sabater and his brothers, as well as Facerias and others had always gone it more or less alone, and it was a last resort to choose an affinity group. He accepted with equanimity Miguel's description of him as another holding 'rancho aparte', pointing out that Miguel himself had done twenty-two years in jail, and while he respected him for his record, could hardly regard him as an expert on avoiding the repressive methods of the fascist police.

After the capture of two dedicated comrades Delgado and Granados, doubts were again raised and ugly suspicions voiced in anarchist circles. Those in the MLE who did not wish to disturb a comfortable lifestyle as a fossilised non-leading leadership, left over from the days of the civil war, denounced the whole idea of urban guerrilla activity. This attitude was forced on the International Workers Association by the sheer predominance of the MLE, though the Swedish syndicalists, the SAC always gave the fighters active support, ironic when one thinks that the MLE and IWA (AIT) was at the same time accusing it of reformism.

I am sure the passive attitude would have been echoed by the sham-ans clustering round the Anglo-American scene, who never lost a chance to sneer at resistance, if only they had known it existed. It was a reaction to these attitudes that caused me, at least, and many abroad to put down to sheer bad luck what pursued the Spanish resistance of the fifties and sixties. Time and again the Spanish police covered up with ridiculous stories how they managed to trap conspirators, such as the yarn about Stuart wearing a kilt when he entered Spain, for instance. The truth of the matter only came out in 1993, when it was revealed that Alberola's trusted aide Guerrero Luca had openly joined the Spanish police years previously, presumably being an informer before being taken on the strength.

The fact that in the finish General Franco died in bed, the only persons to torment his rest being his doctors, was a greater victory for him than 1939. Had it been otherwise, Spain would have abolished, not liberalised, its dictatorship.

CHAPTER XXVII

Two Fascisms; Anti-Fascist Fascism; The Irascibles; The End of Fleet Street; Retirement; Down Under

Two Fascisms

When Phil Ruff took over *Anarchy* in 1982 he made a positive anarchist magazine out of the third attempt, even though it did not last long. A measure of his success was that, although *Freedom* had built their commercial viability upon the old magazine, they speedily withdrew not only recognition but even use of "their" address from the magazine, because it upset the liberal elements who had been prepared to swallow the second series as a painful necessity. They denied *Anarchy* was the same journal as it had different editors from the original, which *Freedom* also had many times over.

Anarchy concentrated on investigative research and among its scoops was a lot of the dirt about the two fascisms, high and low. This peaked with their publication, jointly with Refract, of Stuart's *Steffano delle Chiaie, Portrait of a Black Terrorist* in 1984. The maladroit title ensured the book wasn't widely read, but it exposed the Italian fascist-financial-terrorist racket. Anyone who took the trouble to read it and had money to invest would have been spared involvement in the sensational collapse of the Bank of Credit and Commerce International, in which hundreds of Asian shopkeepers lost everything, enticed by its Arab ownership, and one or two councils lost their ratepayers' money, induced by the phoney Green aura. Conversely, I heard of one or two readers without money to invest took out loans for cars with BCCI knowing they need never repay. But these were readers of Refract and *Anarchy*. What respectable person would take note of "mindless militants"? It took nine years more for official investigations to discover what was revealed in the book, and about the same time for television to find out about the "stay-at-home-Army" of Italian fascists recruited by the Americans after the War (*Gladio*) to carry out terrorist operations in the event of a Russian invasion, Communist coup or workers' rising.

One wonders what sort of reports these Special Branch and Intelligence people make. Considering the huge amount of time and money they poured into investigating the Anarchists, why could they not seize on revelations issued by he same people? These pointers were ignored. One can understand that the financiers or the investigative broadcasters did not read these publications, but the police most certainly did. Are there some rackets the Government want kept quiet?

The parties playing at street fascism faced the dilemma after the War that fascism had become associated with the defeated enemy and they lost their natural backers in the Establishment. In any case, it did not need them any longer. They were now a political embarrassment, unlike Mosley in his heyday, when leading Tories thought he would eventually return to the Conservative Party as a workers' leader and, whatever personal views they had of him, take the place they eventually, and reluctantly, gave to Winston Churchill, with similar pro-fascist but not pro-(German) Nazi views. High fascism had no need for the street fascists after the War. They sought to take advantage of diverse political trends, pro-Europe, anti-Europe, anti-Communism, anti-Zionism, pro-Irish nationalism, anti-Irish Republicanism, above all the racial tensions created by immigration.

The Establishment would only need them as a stick to beat the workers. To make itself credible, fascism had to strike at an unpopular minority nobody would defend, and then another, and another, until finally it seemed invincible. The technique had worked elsewhere, but it was not needed here and the fascists could not build up a home base. Eventually they settled on what was regarded as a "skinhead" base of youngsters who just wanted a fight, the sort of people who spent large sums travelling abroad to away football matches just for the pleasure of beating up foreigners or supporters of rival home teams. With such people there was no question of argument or discussion. With the racially-motivated punter one could argue, or with experience convince, but with the street-fascist there was only one argument that carried weight. The police had long stood by while street speakers were beaten up, even, perhaps especially, women in the Suffrage days. When fascism came along and up to the present the police have been concerned with free speech for them, indeed treated them as a protected species.

This is why conscious anarchists were engaged in smashing into fascists every time they emerged, and from them, and one or two other groups, came the slogan of "No platform for fascists". It was to the great credit of the DAM that it did so, when the Failed Mandarins were echoing the Liberal line of "leave them alone and they'll go home", presumably wagging their swastikas behind them. The SWP and others such as the

Anti-Nazi League wanted to make political capital out of fascism, by selling their newspapers and chanting "Nazi Scum", often at the very people going out to bash the fash.

Perhaps recognising this, the National Front at one time cast envious eyes at what they thought of as the anarchist movement. Like the Leninists they thought they might "convert the Anarchist masses and turn them against their leaders". (sic) They wrote to *Black Flag* suggesting we debate. We answered in our columns with the words "Fuck Off!" Later Martin Webster, when he turned from the National Front and denounced his former comrades in the usual fashion, elaborated that "they even approached anarchists like Stuart Christie but he told them to get drowned in their own shit". In fact the apt if not witty or original two word reply was written by the then Brixton editorial but everyone enjoys namedropping. In one press statement one NF faction claimed hopefully it was no longer fascist or even racist but "anarchist and libertarian" but this only caused the faction to vanish. Perhaps like the Young Tory right wing "anarchists and libertarians" all they meant by the former was the legalisation of cannabis and by the latter not having to pay tax on it either.

Meanwhile *Searchlight*, ostensibly a magazine to combat fascism but ever more dodgy since its founder Maurice Ludmer died, had been full of misinformation about anarchists and direct actionists (meaning DAM) "co-operating with Nazis". *Searchlight* tried guilt by association. If a person lived on a squatted flat in an estate where a couple of Nazis legally lived, this was trotted out as suspicious. Neither could they forget if someone in his or her youth had been a fascist. Perhaps they took themselves as proof that anti-fascist propaganda could never have an effect. Unless ex-fascists worked for *Searchlight*, they were damned for ever more.

It admitted it had "agents at every Channel port" watching Nazis coming in and out, but for a small monthly paper to have this meant only one thing. They were referring to contacts with Special Branch, with whom they swapped information, though it was never difficult to "listen in" to fascist inside events. Several members of fascist groups worked for anti-fascist organisations. I knew one former anarchist (maybe he still was one, though he had told everyone he had renounced his faith) who had lost both legs in war service. He was supposed to have become a fascist overnight. I saw him in a wheelchair in Furnival Street, and found he was going to the *Jewish Chronicle* office. I waited until he came out and spoke to him. He admitted he sold information and reckoned he was doing a good job for anti-fascism, being a member of three rival fascist organisations. There were several others of whom I know, one or two still living and whose cover I will not blow, who supply tidbits to different news and investigative agencies. I doubt if the motive is ideological in these cases.

Some of the professional anti-fash, mind you, stink almost as much as the fascists. One such approached me to find out what dirt I had on an actor, who for at least sixteen years had been a firm supporter of anti-fascist causes. He was not particularly well known (except as a TV soap character) but, according to this "anti-fascist" investigator, had once been in a fascist youth group. The sleuth was determined to "expose" the infamy. Even if it had been true, which I could not possibly know, I reckon the actor must have been all of fourteen years old at the time. I need not repeat my remarks but they were in a similar vein to those of *Black Flag* to the National Front.

Anti-fascist Fascism

The politicos who controlled the ANL like nothing better than having their followers chanting at Fascists and in individual confrontations being beaten up by fascist gangs, in mass ones by the police. It proves what they say about Tory governments. They themselves write letters to the Press signed by the hopefully famous, appealing for a legal ban on whatever fascist party is going. Having seen the same show for the first two or three performances, I never troubled much about the last to date.

The Anti-Fascist Association is somewhat different. In the latest manifestation to the date of writing, it has countered fascist-style terror applied by gangs against isolated individuals, on the classic 20s German model, with positive action against fascists venturing out in mass under police protection. Thus it has prevented repetition of the 30s in the East End, when mass fascist demonstrations, surrounded by a serried police guard, made the fash fashionable. The same, multiplied, goes for the Continent. It is not the violence of the Nazi parties that constitutes an ultimate political danger, whatever individual damage it does, but the apathy and submission to them of everyone else. Break that pattern and they splinter.

Few nowadays remember, as I learned from contemporaries, how puerile and ridiculous the German Nazis seemed in the years before they were handed power. and how powerful the organised Social Democratic workers and the Communist Red Front were. Unfortunately, with the first whiff of illegality, the leaders vanished. One day they were parading through the streets as if they were about to take power, the next day they were skulking in cellars, corralled in warehouses converted into concentration camps. The military leaders, trained in Russia in the Red Army, went into exile and in Spain sneered at the Anarchist workers who fought without any knowledge of the correct Marxist discipline required to do so.

My experience is that passive non-resistance is the other side of the coin to tyranny. Pacifism can be positive when governments are perpetuating conscription and war. But when there is no war the judiciary that condemns pacifism in wartime looks much more adversely on 'violent' action in defence of a class or a scapegoated minority.

Premature conception of a fascist menace can prevent a revolutionary movement making its own agenda. As that is the primary object of fascism, the ruling class does not need to go to the inconvenience of financing a fascist movement, as the British and American Establishment did in Germany and Italy the 20s and 30s.

The Irascibles

It should never be forgotten that the Nazis were a conscious creation of American big business and the US government, that Italian fascism was encouraged to grow by British interests. Both turned against them and they had to expend their blood and their own treasure to defeat it. Only the most extreme Marxists deny this. I heard an Oehlerite during the War saying it was a phoney struggle, to disguise the fact that the capitalist powers wanted to destroy the Soviet Union. But it didn't stop him decamping to an air aid shelter twenty minutes later.

I remember how in the period of the Cold War the American Government, terrified lest Irish Republicans (then under Stalinist control) penetrate the dockyards, set out to destroy the Official IRA. They created the Provisionals, originally backed by the Republic, and originally with an emphasis on Nationalist tradition rather than Nationalist revolution. When the new set of Troubles began twenty years ago, the Provisionals pushed the Officials out of existence and took over. It ignored its sponsors in the same way as Lenin spurned his German Imperial sponsors who paved the way for the Bolshevik takeover.

A few years later I pointed this out in our journal, and received some feedback and hate mail. An article in *Red Action*, one of the other participants in AFA, but neo-Trotskyist, ignoring the visit by Gerry Adams to the President of the United States for help in the anti-imperialist struggle, scornfully repudiated the fact that the imperialist powers could have set up the Provisional IRA when they could clearly be seen fighting against it. They took the view that the Northern Republicans were fighting fascism, and the Loyalists were fascist, as 'proved' by the attitude of British fascists to the struggle, though almost every other fascist party in Europe supported the PIRA. The Provos took advantage of their faith by asking them to put their money where their mouth was, and two English members of Red Action were charged with the Harrods bombing and went to prison for 20 years, still confident of IRA military victory. As, typical of Trots, they had taken the key posts in AFA, its records and addresses fell into the hands of the police.

The End of Fleet Street

What was known as "Fleet Street" vanished not with a bang but a whimper. A history that began with the struggles by people like Richard Carlile for unlicensed printing and a free press ended sordidly as a result of "Eddie" Shah and the Murdoch-Maxwell empires.

A few years before, J. M. Alexander, Kitty Lamb and myself had laid a wreath outside the former offices from which Carlile (1790-1843) had launched his battle for a press independent of the government. True to the morality taught by the new press lords, it had been stolen within five minutes of our leaving.

After Shah's cost-cutting and union-bashing exercise in launching *Today*, Murdoch had taken the initiative in the transformation to the new technology as an opportunity to smash trade unionism. It was backed by legislation, to introduce by quasi-constitutional means, like Mussolini, what Hitler and Franco had done by force of arms. Other industrialists, with the printers and miners defeated and the re-introduction of rising unemployment to provide added threat, were able go for recession, pretending it was a natural or divine plague like those of Egypt, but only hitting the low-born.

Within the national print industry, others achieved the same thing with varying degree of effrontery and enthusiasm, encouraged by the craven words of the journalists who had for so long depended on the printers always to back them when they were in dispute. When the Battle of Wapping was over, other press mandarins who had stayed aloof came out with the daggers they had been sharpening in silence. It was the real time to heap wreaths upon Richard Carlile, whose spirit was now dead, if not at peace.

What was almost immediately noticeable was the decline and fall of whatever standards remained in British journalism. For years proprietors, and certainly editors under instructions from proprietors, had been hesitant of the worst exercises in power because of the fear that the printers might not print the edition concerned. It was bad enough what did go through in the name of not wanting to interfere with the freedom of the press proprietor, but now grossly racist cartoons, virtual incitements to mob rule, violently offensive anti-worker stories or incredible exploitation of individual suffering, which had all at one time or another been considered too risky to pass the print room or had to be withdrawn, were the order of the day.

Before long *The Times* had degenerated to the gutter, while the *Sunday Times* in its newfound exhilaration was writing sleaze even upon royalty let alone anyone else, and libel lawyers flourished like the green bay tree.

Maxwell, on the other hand, used his newspaper assets to cover his criminal empire. His crookedness had been known for years. I had seen them proved years before in the Simpkin Marshall deal, and I was an obscure figure with no inside knowledge. Everyone knew what he was up to, but while he had the money to splash around he could buy any member of the Establishment and any journalist. The City gentlemen who had for years conspired to keep him out as a foreign crook, when they had plenty of their own, thank you all the same, had been bought by him.

With his mysterious death they turned against him, but until then, the only people who tried to keep him in check were the printers, whom he hated. They were unsuccessful eventually, paying for their curbs on him by his stealing their pension funds while decimating their ranks, taking advantage of the draconian measures of the government and the revolution in print production.

At the *Telegraph* the death was less dramatic. Union activity remained fighting to the finish at the shop floor when the official leadership lost interest and negotiated deals in which the management scored hands down under a new proprietor imported from Canada. By relocating the building the new tycoon neatly divided the workforce. They split the firm into two, one company for print and the other a pre-production plant in the new Canary Wharf building, which meant an end to solidarity with the new laws against secondary picketing.

Large redundancy payments were paid, even to those past retiring age, as long as the bulk of printers and maintenance workers had not moved to the Isle of Dogs and remained organised and strong. Gradually these faded in deals done with union officials, but not with reference to members, until the pre-production workers they needed were shifted. When but a handful of us were left in Fleet Street, the bonanza ceased. When it came to the end, I had to retire without qualifying for the large sums others had got while the union was still effective. I was in the same boat as those who had moved to Canary Wharf when they had served their purpose.

Retirement

I had never seriously thought of what retirement would be like. For years I had been a "barrack room lawyer" which kept me busy between my paid work, my holidays and my propaganda activities. I had forgotten how to be idle. It was gratifying to know I wasn't totally forgotten and people still brought their troubles to me. I remained active with old friends in the anarchist movement, an undeserved legend among the younger activists, and a bete noire to the phoneys.

Just before retiring I had a holiday in Morocco which was the first I had for years in which I did not encounter the movement in one part of the world or another. Now that I could go further afield than Europe, North America and Africa I thought I would do a lot of travelling. I had never been seriously sick and apart from one or two minor accidents had never seen the inside of a hospital as a patient except once for two weeks, to lose weight. But no sooner had I finally retired from work than I suddenly experienced an alarming vertigo which stayed with me for three years.

I seemed to be spinning around dizzily and the specialists suggested it was Meniere's disease. Finally they agreed it was not, as that goes with deafness which I did not have, though the tinnitus I suffered years before returned, but they could not decide what it was beyond an affliction of the inner ear causing loss of the sense of balance. Fortunately I could still drive but getting out of the car to walk caused the outward signs of drunkenness. After being breathalysed by the police twice when I was perfectly sober, I used a stick purely as an alibi at first but came to rely on it for a couple of years.

We were still producing *Black Flag* but four of our editorial team, the most valuable we had since Stuart ceased to take an active part after the collapse of Cienfuegos Press, went to Australia. Margaret and Peter had already gone; Jessica and Terry were about to go. Terry had the idea that if I also went, we might produce *Black Flag* from Down Under. I was a bit sceptical about that possibility, as were others, but when I had an invitation from some friends with whom I had formerly worked in Deptford DAM to come and visit them out there, I decided on combining a long holiday with a lecture tour, hoping that a trip around the Australian continent might do me good anyway.

I must confess too that the vertigo had made me feel near death a few times, and I reasoned that if I made the grand tour on credit card and died in the process I would have the last laugh on the banking system and made sure there was someone to weep at my grave, if only from Access and Visa.

Down Under

I had some good meetings in Sydney which the anarcho-syndicalist organisation put on for me and I renewed old friendships, as many people in anarchist circles had been to London for a time. I had not realised some of them were Ozzies. There were a few in the Spanish and Bulgarian circles I had met, too. Both circles had long been stalwarts of the Australian scene. Indeed, the anarchist movement had been strong in Bulgaria and fought long and hard against the monarchy and the Nazi invasion, and continued the fight against the Communist dictatorship, but before total annihilation a shipload of Bulgarian comrades had left for Australia. They and the veterans of the Australian IWW had been the last representatives of the international movement in Australia for years until a new wave of youth came along to join their ranks.

In Alice Springs I met for the first time the indigenous Australians, in particular the new generation in whom the old Dreamtime was reawakened in the form of nationalism. Their ambitions are unlikely to be realised. Australian Genocide has been much more complete than in North America, where the indigence was at a far higher state of civilisation when crushed by military intervention, euphemistically described as Discovery. The Australian folk were doomed to extinction by whoever 'discovered' them first, if not the British, then the French or Portuguese, or maybe at a later date the Japanese. The way of life of the remnants of the so-called "aboriginals" is one dispirited, workless, driven from their old homes and sacred sites, bemused by drink; notwithstanding those who have moved into modern times and are equal to anyone. The latest trend among white folks is to boast, not merely of being descended from convicts but of a hint of aboriginal blood in their ancestry. But it does not do the "blackfella" in the outback much good.

Yet after two centuries of being first feared, then hated, despised, and finally murdered by the conquerors, the "abos" at last have come, after a fashion, into their own. It has been realised they have a key commercial use for exploitation in modern life. The tourist does not come to Australia to see the Test Match or the Sydney Opera House, nor even the beautiful

West Pacific beaches, but (or at least, also) the attractions of the Outback with its sacred sites of Dreamtime. Historic places like Ayers Rock are incomplete without colourfully dressed unpaid extras in their original settlements, and so the sacred sites have now been officially declared their "spiritual" possession where the people who once ruled the vast spaces of what was then a wholly unspoiled beautiful land need do nothing more strenuous for their dole cheques than pose for the cameras, secure in the knowledge it is "theirs" for ever by historic right and law. Spiritually, of course.

CHAPTER XXVIII

My Discovery of Sweden; The Schism; 'Nordic Anarchism'; Weekend in Macedonia

My Discovery of Sweden

It was as long ago as 1938 that I first contacted the Swedish anarchist movement. From 1938 until 1940 I was the London correspondent of *Brand*, then under the editorship of C. J. Bjorklund. I fully intended to learn Swedish and keep in contact. I broke off contact for obvious reasons. I postponed learning the language until late 1991, quite a gap for good intentions. Maybe by the time I speak it I will find an angel who speaks only Swedish, or be able to converse with the divine Greta in her own tongue. At the time they translated the articles from English and persuaded me to learn Esperanto instead. I learned it quickly and forgot it quickly. I found this a blind alley, linguists speaking to linguists rather than nations to nations.

What I liked about the Swedish movement was the way it recognised anarchism could stand on its own as a revolutionary workers movement and yet blend into the syndicalist unions. During and after the Spanish war, the syndicalist union, Swedish Workers Centralorganisation (SAC), showed exceptional solidarity with the CNT-FAI.

I was told a story of the aftermath of Franco's victory, when the banks robbed the people, the reason people like Francisco Sabater thought nothing of robbing the banks. All Republican money whether in currency or held on deposit, became worthless overnight. Work became a privilege accorded by the new rulers, social security was not dreamed of. With everyone impoverished, as in Germany after both wars, cigarettes became a new currency.

Miguel Garcia told me and some Scandinavian friends at a post-Franco get-together in a Barcelona bar that all during the world war many a Catalan, himself included, would go to the quayside with handfuls of genuine but now worthless Republican currency and buy cigarettes from Swedish sailors. On the sale of tobacco, the smuggling of which is an old-established tradition in Spain, they saved themselves from starvation. Bearing in mind the solidarity shown by Swedes during the civil war, Miguel said he felt ashamed when he met any after WWII but there was then no other way of keeping alive. "Our money was only good for papering their ship cabins," he said. "That's exactly what they did with it," replied a Swedish comrade. "At first the seafarers might have been fooled but after a few weeks everyone knew how things stood". Northerners, and sailors in particular, are seldom credited with delicacy and tact but such was the case.

During the war the International Workingmen's Association (it later, with English-speaking movements adhering, changed its English name from the historic but archaic IWMA to the less sexist-sounding International Workers Association, better known by its French initials AIT) was situated in Stockholm. The SAC was the second largest union centre in Stockholm. It had been going since the early days of Syndicalism prior to World War I. In some parts of Sweden (as in Spain) membership was a family tradition. Yet it retained the anarcho-syndicalist ideology acquired in the bitter strikes of its early years through the more comfortable times of prosperity that came with war-time neutrality.

After the war there was a battle within the SAC between reformist bureaucrats who wanted to nestle comfortably in Sweden's liberalism, and those who wanted to retain the early principles. The State allowed trade unions an exceptional degree of freedom, and the conventional trade union (LO) was a partner in administration. The IWMA through its international committee was dominated by the clique represented by Souchy, Rocker and Rudiger. Their attitudes after the war were those of disillusioned old men clinging to liberalism and the avoidance of persecution. They wrote fulsomely of America, of the co-operatives in Israel, of the need to defend democracy against Russian aggression. Every one of the war-time platitudes was preserved by them and they added a few others. There was also still an element within the CNT which thought the Allies not merely should but would 'logically' destroy fascism's last bastion in Spain.

This belief in ideology as against politics started for them in the Spanish Civil War, when it seemed inconceivable to some that, but for cowardice, Britain and France would not leap immediately to their aid, and free America was their natural Ally, Hitler and Mussolini were destroying democracy, so 'logically' the democracies would respond. This was the theme of Spanish civil war propaganda and even those who knew better came to believe it. They could not grasp that the British government was the force behind Franco rather than, or as much as, Hitler, who would never have dared at that stage to show his hand; and certainly not Mussolini who only ever followed the safe line like a jackal.

At the end of WWII the British Embassy invited the leaders of the various opposition groups to meet to discuss an "alternative but acceptable government" to Franco's. Cipriano Mera commented he did not see the point of inviting them to sit down with the Monarchists, for instance. I told him I did. It is a process known to gardeners in which one cultivates the weeds so that they can bloom and be destroyed the easier.

But even people like Sabater (certainly his associate Miguel Garcia and others with whom I discussed it) who were cynical about Allied actions believed the latter were blind not to see that Franco during the War had been anti-British and pro-Nazi. I always retorted they were not 'blind' — that so would the British politicos and financiers themselves have been had circumstances demanded (and the French Establishment did), a remark which was put down by my Spanish friends as worthy of Sancho Panza. The British ruling class, however, were not so quixotic as to hold against Franco the fact that he had staged anti-British demonstrations in which those who had conquered Spain trampled on the Union Jack and called for conquest of Britain. Since he was also engaged in restoring City investments, he was reckoned to be entitled to his fun. They would have seen him trample on their grandmothers rather than lose profits. Who suffered from it, bar escaping Allied servicemen in Franco's jails? What if by their actions Germany gained and spun the war out a year longer and the odd million extra lives were lost? What mattered was The Economy.

John Anderson, for many years the secretary of the SAC and of the IWMA, financed an enquiry by a group of Swedes into the involvement of British firms and government agencies with Nazi activity in Spain. Though British military intelligence were working with the Spanish Resistance in their fight against Franco, assisting Allied soldiers to escape, forging German ration cards or burgling the German Embassy, hard-headed commercial intelligence was looking ahead to a future fit for business heroes to exploit.

British companies were trading with Germany via Spain and Sweden. In the Anderson report this was documented, though its compilers took for granted this was done illegally and not connived at by Whitehall. I had a translation in English. It was seized by Special Branch in a raid on me while staying in a friend's West Hampstead flat one day during the war, and it was curiously scheduled in the list of contents taken as "a German pistol and military passbook". I never heard more of the mysterious pistol and passbook nor indeed of the translation. Perhaps it helped them in their enquiries, or perhaps it stopped them in their tracks. Of one thing I am sure. The Anderson report did not tell the British government anything they did not know.

The Schism

It was sad that in the sixties there grew up an as yet unresolved schism between the Swedish anarcho-syndicalists and the Spanish, which threw a shadow on the international movement. Long after the reformist elements in the IWA had died, the revulsion against their policies continued in many organisations, the personality cult they engendered among the academic periphery keeping their names alive and it was assumed they spoke for the SAC rather than for a vanished clique.

It is also the case that Leninists were unable to get a foothold in the Swedish workers movement, where the workers were in advance of the students as regards political understanding, and no vanguard party could presume to tell the workers what to do and expect a mass following. They therefore spread the story of the SAC's compromises which was gleefully picked up by anti-syndicalists. One notorious one was that the SAC appointed ombudsmen, which was actually true, but it was not understood by English speakers (myself included until I went to Stockholm) that while this might imply Government commissioners in England, it was a Swedish word for social workers giving advice and counselling. Unlike this country, such activities, and many others that would have been run by the municipality or the State, were run by the unions.

What with one confusion and the other, the SAC and IWA parted company, but as the SAC was still internationalist, it responded to what it thought was a genuine section of the Spanish CNT, the "renovados" or Phoney CNT, and for this was ostracised throughout the anarcho-syndicalist movement. When they held a conference in November 1990, three of us from *Black Flag* went. We could not expect the DAM, affiliated to the IWA, to attend as such though we were all members of the DAM as well. We were amazed at the high calibre, organisation and morale of Swedish anarcho-syndicalism, for which I was totally unprepared. There too we met members of anarcho-syndicalist groups from all over the world, though mostly those outside the IWA. I was greatly impressed by the syndical organisation of the SAC and found it better organised than much of the TUC of which I had experience. It was a pity that Sweden was no longer in the IWA and was reduced to supporting odd little pseudo-syndicalist groups here and there in the world as the result of its mistaken Spanish policy. As we had previously mistakenly attacked the SAC in *Black Flag*, we had pleasure in getting up and admitting we had been wrong.

But when I attended the IWA congress in Cologne a couple of years later nobody wanted to know.

Nordic Anarchism

Previously when I had been in Copenhagen, where they had provided some good Anarchist Black Cross meetings, I had been unable to persuade our friends, all of whom among the younger comrades spoke good English that the word "nordic" had corrupted associations in current idiom. They explained logically when the term "Scandinavian" should not be used and "Nordic" used instead. My one-person campaign at least to use the original term "Nordisk" without translation left them baffled. It is a pity to yield the term to the Nazis, but reference to a "Nordic anarchist conference" sounds odd in English ears today, and produced an unwelcome enquiry from a bemused American fascist group.

In Stockholm the Black Cross decided to discard the "cross" on similar semantic lines. When we first used it, we were thinking of the "Red Cross" rather than the Christian one. The Spaniards, used to "cross" indoctrination in every walk of life, had sheered off the name from the first. The Stockholm activists used a more traditional if "nordic" name, the Anarchist Black Hammer.

With the breakdown of controls from the former Soviet countries and the tighter controls on immigration in the West, people have poured into Sweden from all over the former satellite countries, from Turkey and from Africa. Unlike previous immigrants, however, who came to work they are attracted by social security benefits that have already been obtained. This gives rise to a climate where racial conflicts are created especially as many are not interested in learning Swedish and want to pass on to English-speaking countries. This assists the growth of neo-Nazism. The Nazis are not interested in solving problems, they are interested in exploiting them.

Many liberals in Sweden as elsewhere have shrugged off the Nazi menace feeling they were entitled to freedom of expression, which in practice means the occasional racial murder, arson or attacks on foreigners or punks.

As their activities were becoming respectable, the Swedish Nazis tried for even greater freedom of repression by holding an annual meeting in Stockholm's Kungstradgaden, by the statue of Charles XII, the Swedish king who swept across Europe (with a victorious army of mostly Turkish mercenaries). The neo-Nazis were attacked by isolated anarchist and punk groups, but could always rely on huge police protection and so defeat all small attacks vigorously.

The Anarchist Black Hammer decided, in the dearth of political prisoners in Sweden, on a challenge to the Nazis. They told the police they would be having a meeting half an hour before, at the same spot. No doubt chuckling at their naiveté, the police agreed, provided they finished in time for the patriots, and laid on ambulances. To the surprise of all the anti-fascist meeting brought out 16,000 people (an amazing figure for Stockholm). The syndicalists brought out the dockers.

When the skinhead Nazis turned up for their meeting armed with coshes ready for confrontation by a few individuals, they found not only a crowd ready to protect themselves, but an outnumbered police force unwilling to face the odds. The fascists received a real bashing and many supermen were howling for mercy. When the ambulances arrived they were taken away bleeding.

While this was going on the trots held a meeting near to the tube, from which it would have been easy to disappear underground had things gone the usual way. Thus they were able to attract a certain crowd leaving the station and thinking this was the alternative meeting. True to the modern left-wing belief that if you chant a slogan many times it will come true, they called "Fascists out!" and "Build the revolutionary party!" and screamed constructive slogans such as "Fascist scum" at the anarchists and syndicalists apparently strolling to the statue with sticks.

Many of these carried nothing more lethal than golf clubs and might well have been on their way to a quiet game with the fascists. They were the ABH and not the GBH after all. It is regrettable that a great many tee shots that would have done credit to St. Andrews Royal & Ancient were swung before they realised they had mistaken the gleaming shaved heads for golfballs.

The secretary of the Anarchist Black Hammer was named and his address and phone number given by the Nazi newspaper. Death threats were made against him. Following a radio interview many of the law-and-order lobby recanted support of the Nazis, saying they were against immigration but had not realised they were being taken for a ride by the Nazis. It seems strange that they turned against the Nazis for their hooliganism only when they were beaten up.

A year later one saw the point, when British fascisti travelled to Sweden for the sole purpose of causing a senseless football riot, exploiting the British football fans and the Swedish population alike, just for the fun of it. Those who hold the principle of free speech for all to be a marble saint might reflect on the pointlessness of giving a platform for Nazis. The Swedish police, typically, tried cheaper beer and music. That was not what they had come for. The whole purpose is to create a situation in which they can appear powerful and get support. In doing this, race and immigration are merely pools in which they can swim.

Weekend in Macedonia

After I came back from Sweden, I decided that, despite hospitality, it was such an expensive country to visit that I could go anywhere so long as the credit card system provided, and begrudged myself no restriction on holidays or meetings, so long as the monthly minimum payments could be maintained. So it was that I came to spend a weekend in Thessaloniki (Salonica), but such was the hospitality I received that in the end I spent nothing.

I stayed with an old comrade John Txiantikis, a remarkable man of eighty-five, a seasoned fighter who had been expelled from Anatolia during the Turkish occupation and spent his childhood involved in resistance activities to the harsh Turkish military occupation. National independence was heroically fought for by generations of Greek and Balkan people but, as always, did them little good when it came as some who fought the hardest had always known.

Growing up in war-time Salonica, occupied by different forces at different times, scraping a living for himself and his family from an early age, he had been in all the labour struggles since 1914. Up to the first world war Spanish-speaking Jews had, as nowhere else, formed a large part of the working class movement and were the bulk of the dockers. However with the end of Turkish rule their proportion and their numbers diminished (they finally disappeared under German rule in WWII), but their traditions of solidarity lingered on long after they had become a folk memory. Local militants of John's generation still remembered them.

Revolutionary action was endemic in the 20s and 30s though this too was becoming a folk memory and John was one of the few survivors. I was flattered that the local anarchists bracketed him with myself. He spoke English having spent a dozen or so years in Australia with his wife, which is how they managed to buy a flat when he returned home. Like many workers in Salonica, he had as a young man been repelled by the Communist Party whose activity in the Balkan had mirrored Russian foreign policy.

Like many other Greek workers, he accepted the Trotskyist deviation. When Trotsky sailed into exile, leaving Russia in the style of a ruling prince, he passed a Greek port but was not allowed to enter. The fallen dictator stood at the deck acknowledging the cheers of the dockworkers, the last time he was to receive a "mass working-class" ovation. The memory lived on for years, and hundreds of followers of Trotsky, the Red Army founder, were rounded up by the Greek government and exiled to penal islands in the thirties, John among them.

Those of the deportees who survived the Greek nationalists were rounded up by the Gestapo during the German occupation in WWII, sitting ducks in the islands, but many survived to fight on, to be slaughtered by the local Stalinists during the Civil War that followed the driving out of the Germans. It is curious to work out the arguments of Trotskyism but it is easily understandable how outraged the survivors of this policy were at the insistence of the Fourth International that they should be loyal to the Soviet Union, which was still a workers' state despite Stalin, and so far as Greece was concerned they gave "critical support" to the Communist Party. It is understandable that many like John Txiantikis, turned to anarchism as being not just more idealistic, but more practical, and in modern Greece, with a revolutionary presence besides.

When leaving Thessaloniki airport, I was called into a private room by the Greek airport police and searched. I had been in Greece four days and only had a weekend case with the usual necessities, plus about forty legally printed Greek newspapers. It took them a full hour to search and question me, something I only ever experienced in countries like the former Soviet Union and Britain, and that going in, not coming out, but in this case they wanted to know my mother's maiden name too. She had been dead a third of a century and had never travelled further from London than Blackpool, apart from one weekend in France. What conceivable use her identity was to them I do not know but as her name had been Shelly, it was near enough to the poet and so told them it was Byron. It was near enough for their purposes and they looked suitably impressed. No doubt they were satisfied that if the family had been inclined to intervene in the affairs of Greece in the past, it was for a purpose of which they could hardly officially disapprove.

CHAPTER XXIX

Looking Back; State Over Health; The Slump (Second Act); Act in the Court; Police in the State; Looking Forward

Looking Back

In the dark days of the War the public wanted to be told something of what they were fighting for, rather than against, which even so was not always clear For instance, were they to wipe out the Germans — all of them — or just the Nazis? Those who said the former were vociferous admirers of pre-war Germany and later of post-war Germany, but during the war they preferred to discredit ordinary Germans. No such distinction was made between Mikadoist and Japanese — all "Japs" were blamed equally, which meant the leadership not at all. All the Emperor lost in defeat was his divinity. Was the war perhaps just one sort of fascism against other more virulent breeds? Was it for capitalism and imperialism against capitalism and have-not imperialism? A few thought powerful empires could disintegrate and capitalism be firmer than ever in "liberated" colonies. The armed forces, feeling subject to impoverishment at home and fascist-minded officers and discipline, had subversive thoughts of this nature.

The parliamentarian left plugged a European revolution against Hitler since 1940 when Britain badly needed some plausible war aims for propaganda purposes. After a year or so it became plain even to the Tories that their own citizens wanted some too. Civil servants were instructed to draw up the plans of a brave new world and a revolution by consent, and William Beveridge, an obscure backroom bureaucrat, came up with his plan for a Welfare State taking care of people's social needs from the cradle to the grave. The mighty mountain had been in labour and produced a mouse.

Beveridge gained a knighthood from the Plan. It did not save the Conservative Party from electoral defeat, notwithstanding the newspaper deification of Churchill which was reckoned enough on its own to get the Tories back in power. For himself Sir William Beveridge tried for another step up the social ladder by standing as a Liberal MP and for all he knew a Minister thinking (like Churchill, mistaking press for public opinion) his name would be a counterblast to the Prime Minister's. He too was discarded and made for the disconsolate reaches of the House of Lords under a grateful Labour Government which made the "Beveridge Plan" its own.

It fitted in nicely with the Fabian panacea of Nationalisation, which the miners greeted with flags flying at the pits. I recall one union official at a meeting in Doncaster saying there would be no more strikes "now the pits are ours". "Who", he asked rhetorically, "Should we strike against? Ourselves?" "The National Coal Board," I piped up, amid laughter, and was told I was a fool. Ten years later I met him again and asked, as if I didn't know, if there had been any more necessity for strike action. He apologised for his earlier judgment and said he had seen the mines weren't "ours" nine and a half years before but added ingenuously that he had hoped the Labour Party being in office then, all would be well. A few decades later and what parliamentary socialists had always described as the "syndicalist scare" came true. Whole industries taken over by the State were given back into private hands.

With the post-war groans about rationing and shortages came the false relief that unemployment had been abolished and there was a new order which would provide housing, cause the disappearance of slums and guarantee the lack of poverty and sickness. But only in the mining community was there actual dancing in the streets. They had suffered so much from private ownership they felt as liberated as the American slaves did after Lincoln's Proclamation, and the illusion lasted no longer.

State over Health

So far as the Health Service is concerned, the myth has grown since the days of the Eighties and Nineties that we were in the depths of deprivation and neglect until the NHS, when sponsors Beveridge and Aneurin Bevin opened up vistas heretofore unknown. Health care in the Twenties and Thirties was hardly in a golden age, but in the main, excepting for technical and scientific progress, not inferior to today. The facilities were there on the "panel" whereby one paid health insurance out of a compulsory weekly contribution (which one still pays, and tax besides). There were voluntary friendly societies, the trade unions ran their own hospital and convalescent homes, religious and other organisations ran penny-a-week schemes (not all were rackets), and doctors and hospitals were freely available without a waiting list to members of societies, not just the rich. Miners' lodges ran their own health service and employed their own doctors (Dr A. J. Cronin's *The Citadel* is an example of how middle-class snobs hated being answerable to their patients). The Peckham Health scheme was a fine example of communal practice combining prevention with cure which many felt was an example of how an anarchist society might operate.

The main problems were lack of funding for health and abysmal poverty causing ill-health. When deprivation ceased because of full employment, even short of a socialised system the best of the old system could have been funded. It was probably a good thing to abolish charity hospitals, but the friendly societies with their cottage hospitals were a lot better managed than the State could provide. There had been little or no provision for teeth and spectacles in the old days but this was not beyond the wit of society to solve. Often married women were left out of the "panel" if they did not go out to work, though the Co-operative Societies made provision for medical treatment out of dividend on purchases and provided non-contributory burial benefit.

The State took over and improved many things at first, but has steadily deteriorated. The doctors were anxious to give treatment. Even as late as the Sixties I was pressurised by my GP into being hospitalised for two weeks for high blood pressure caused by being overweight. I was persuaded to go in without delay but stuck out for a day's notice. Thirty years afterwards I hear a friend must wait nearly two years for major surgery. His GP would love to get him in immediately and he needs no persuasion. The State is in control and the present government is determined to make the hospitals pay. What the Lord giveth, He taketh away. Even Lord Beveridge.

The Slump (Second Act)

The National Slump coloured my boyhood. In the Twenties the aftermath of war meant depression, unemployment, misery, rags. I escaped any hunger though I remember going to grammar school at eleven years old in a patched reach-me-down when my father was thrown out of work and bailiffs moved into the house. In the streets there were ragged old soldiers begging or busking. Still, it was never as bad as many people find today, sixty years and one war after. Begging as a way of life, cardboard cities in the capital, the mentally sick discharged to walk the streets or the growth industry of crack dealing were unknown or thought to have gone forever. There was mass unemployment, especially in the North — in London the diversity of low-paid trades saved it from becoming the norm

— from which the "social consciousness" aroused by the War was supposed to have saved us.

The nation was promised solemnly in 1939-45 such conditions would never happen again. Now they are back worse than ever and accepted with fatalism like bad weather, drought, earthquakes, floods and natural catastrophes. Even some of these are man-made, and depression, slump and currency fluctuation certainly are.

Nobody criticised the trade unions more than I did whilst they were powerful. I plugged syndicalism for over half a century and for what my powers were worth never spared the lash on bureaucracy and reformism. In the Nineties legislation and unemployment have reduced their power no less surely than was done in fascist countries abroad during the Thirties. I can now see the worst union was better than the best political party, and their faults were as nothing compared with the absence of any form of workers' defence.

Act in the Court

If I "had done the State some service" at any time, albeit reluctantly, and they didn't know or appreciate it, it was surely in the number of times I have gone bail. In theory people are innocent until found guilty, but this is only in legal theory, not in practice. It must have saved the taxpayer thousands of pounds and saved dozens of homes.

When I was quite young, still with the boxing academy, John, a colleague, was charged on suspicion of burglary. Two men, whom he did not know, were caught in the act of armed robbery in London but a third escaped on John's motor-bike. He was visiting his parents in Cardiff, and this alibi was proved immediately on his arrest that same night. Had he said the bike was stolen he would have been in the clear, but he admitted letting "a friend" borrow the keys when he was away, yet declined to name the person. A girl friend had, unknown to him, loaned it to another lover. Not until the driver was arrested two months later, possibly on information from the other two concerned in the hold-up, was he released from custody. That two months imprisonment "on remand" merely for being chivalrous, cost him his job, his flat and his possessions, which were nobody's concern. In fact his financial loss was greater than the fine imposed on the real driver, given credit for his story that he came forward voluntarily.

This early experience of injustice when I was too young to intervene may have led me into persistently going bail not just for friends, but for people I did not particularly know and once even for someone I never met. Visiting a political prisoner once in Brixton I met a woman in the waiting room who told me her friend was held in custody for an assault on a local drug dealer who had defrauded him. Bail was set at £100. She was not accepted so I offered to act as bailee. The case came up six months later and was dismissed as the dealer had disappeared. Let alone the prisoner, I saved the taxpayer a thousand pounds on this occasion alone. I was never let down by anyone, which was just as well considering some of the ridiculously high amounts I have been asked to stand in default of the prisoner appearing which could not possibly have been met and which certainly wouldn't have been credited against the money I saved the Crown in forced board and lodging.

For years I was cross-examined whenever I offered to stand bail. Of late it has altered. The last time I stood bail, a few months before writing this, the magistrate, who queried every other surety and refused most, took one look at me and said, "Of course we accept this gentleman". So maybe things have changed, or else it is the story of the lady who said young soldiers of today had better manners than during the War, when they had always whistled at her from the backs of lorries.

I found that in the Forties and Fifties judges still clung to the antiquated and long illegal notion that if people did not take the oath it was because they intended to commit perjury and feared hellfire if they swore on the Book. Alternatively, as I myself was asked at a court martial, "does your atheism in any way impede your telling the truth?" Mr Justice King Hamilton, a staunch defender in court of the privileges from criticism of Christianity and Islam, but not of Freethought, a Jew and not even an orthodox one, revived this notion in the Persons Unknown case in the Seventies.

I often advise people to take the oath for the very reason that it gives them credence with an old-fogeyish judge, especially in the sticks. I long since ceased to worry about taking it or not. It is a piece of legal flummery that shows one is liable to the penalties of the Perjury Act. However, catch-22 is that then, especially in political cases, an artful barrister may know they are committed to a view of the Holy Book which most people hold privately — a lack of faith in its magic — and may claim in horror that the oath means nothing to them and, free from the fear of thunderbolts, may lie. Which, of course, neither the religious nor the indifferent ever do.

Police in the State

From an early age I have professed the ideal of anarchism which seeks to replace the State with a non-coercive society in which the police force is abolished along with any other force, repressive or persuasive, that enforces government on the people. If this makes me anti-police so be it but along with most anarchists of an earlier generation and indeed with most workers, I was never "anti-police" in the sense in which it is now used, until they as a body declared war on society.

The old-fashioned copper is stereotyped in the beer-and-beef bobby who cuffed the kids when they broke a window and warned the mums rather than bring them to court. He is now a semi-legend like the "charlie", the bumbling nightwatchman that preceded him and outlived the re-formed police as a pantomime character. The old fashioned force was a repressive force but it was near enough to the people for police to be playing football with strikers in 1926. They all felt the Old Bill had a dirty job to do from time to time, but they had to live with the people afterwards. It was an embarrassment to them, like having to arrest your drinking pal for an offence.

This could not happen in a police state and in the late Thirties the police state mentality flourished. It now flourishes like the green bay tree. I've seen in my own circles how the criminalisation of dissent or class (or in later years colour) made crime appear respectable, or at least understandable. It happened among young Whites long before mass immigration brought about the same reaction with young Blacks. In the first fifty years of the century we didn't talk about being in Babylon and it wasn't expressed (at least in England) in national terms but the same feelings were there and as the police state became more refined the alienation grew sharper. Lord Trenchard saw this in the Thirties and militarised the police. Only in the last few years have some high-ranking officers begun to realise when the chips are down that it doesn't really work and to talk hopefully of "policing by consent".

Looking Forward

The flourishing of the police state, the new laws against almost everything that helps and the tearing apart of welfare, has led not to a feeling of revolution, as the fear of it did twenty and thirty years ago. It has led to apathy and disillusion with almost everything. In the pollution of any pool in which we could swim, metaphorically speaking, we had to give up publishing *Black Flag* in 1991 after our stalwarts Margaret, Jessica, Terry and Peter left for Australia and Leo died.

But do I detect a note of change? There seems to be some hope yet. I don't believe in abandoning the struggle. In 1993 Pippa, Alec, Martin and myself resumed *Black Flag,* this time as a quarterly, hopefully for its second twenty years, even more hopefully still with me to the end. The least, or (if you wish) most you can say for me is I never give up.

CHAPTER XXX

The Final Curtain

A lot of old friends died in recent years. What can one expect? I can no longer snap my fingers at the advance of years. The sell-by date has gone already. I have done my best.

Some of my mates had big send-offs. With some their families had the last word and kept their passing confined to the family circle. Sometimes, in Europe or in Northern Ireland, Catholic and/or Protestant relatives and atheist friends had to battle out their differences. Joe Thomas dying in his eighties of throat cancer, after sixty years of smoking forty cigarettes a day, told me on his deathbed that while that may not have helped, he blamed his employers of thirty years before, as he felt it was due to an old fall down a rickety flight of stairs. He expected an argument to the last. Being related to Britain's No.1. evangelist, Dick Saunders and knowing that at any family ceremony where he couldn't have the last word himself, his brother-in-law would take over, Joe instructed a private cremation with nobody present at all. But we gave him a send-off at a public meeting with anarchists, Marxists, trade unionists, atheist organisations and his old colleagues all present and not an evangelist in sight.

When Miguel Garcia died at the end of 1981, having come back from Barcelona one weekend to die in North London, the Irish sister in charge of the ward assured me she had "done everything for the poor man, and he received the Last Sacraments". When I told her he would have been furious if conscious, she said with surprise he had chased off the Protestant chaplain so she naturally assumed he was a good Catholic, adding with a charming smile, "But if he didn't believe in anything there wasn't any harm done, was there?" I agreed, thinking that a Catholic end would at least have pleased his old mother who kept her religious faith in a separate compartment from her family beliefs. She had held secret Masses in her apartment in the Plaza Real, Barcelona, during the Civil War with a priest in lay clothes sneaking round each Sunday with the Sacraments in a briefcase to give communion to the old ladies of the barrio. It was an open secret, but, had the priest known, nobody was going to interfere with the assembled mothers and grandmothers of the whole neighbourhood, least of all when they had armed themselves against fascists and Moorish mercenaries.

Kitty Lamb went in her nineties, after a year of vegetation with Alzheimer's disease. The remains of that ever burning rebellious spark received a religious service by her hospice before leaving, the social worker thinking she was just a lonely old lady. He was anxious when he saw the number of mourners at the crematorium included several Jewish friends, and was concerned lest he had given her the wrong passport to heaven. I told him not to worry as any vengeful ghost hovering around would be laughing her head off.

J. M. Alexander, who lived with her for many years, was murdered in his 'sheltered' flat two years afterwards. Always a campaigner for atheism, he was ironically one of the voluntary organisers for the campaign against capital punishment run by former barmaid Mrs Daisy van der Elst, English widow of a Dutch soap millionaire.

Leah Feldman died in her nineties, with a rally of anarchist activists at her funeral, and I went to Chicago to attend another gathering to scatter her ashes among the anarchists of the past such as the Chicago Martyrs, Lucy Parsons, Voltairine de Cleyre and Harry Kelly.

I deeply mourned when the young and beautiful like Evie and Audrey or the young and talented like Billy and Leo, went too soon. It is defeat for us all when people die in action in defence of their class or even as the result of industrialism. It is sad when people go before time, or to see a great brain like Frank Ridley deteriorate at the last of his 95 years.

Personally, I want to die in dignity but my passing celebrated with jollity. I've told my executors that I want a stand-up comedian in the pulpit telling amusing anecdotes, and the coffin to slide into the incinerator to the sound of Marlene Dietrich. If the booze-up can begin right away, so much the better, and with a bit of luck the crematorium will never be gloomy again. Anyone mourning should be denounced as the representative of a credit card company and thrown out on their ear. Snowballs if in season (tomatoes if not) can be thrown at anyone uttering even worthy cliches like "the struggle goes on" and should anyone of a religious mind offer pieces of abstract consolation they should be prepared to dodge pieces of concrete confrontation.

If I have miscalculated, as a worthy clerical friend assures me I have, and there really is a God, I'd like to feel if he's got any sense of humour or feeling for humanity there's nobody he would sooner have in heaven than people like me, and if he hasn't, who wants in?

APPENDIX I

In telling my own story it was necessary to jerk forwards and backwards, not least because of the illegal confiscation of my notebooks and diaries by police on three different occasions, and also to keep a flow to the narrative. For the historical record this chronology of Anglo-Spanish Anarchist associations might be useful.

1934 — Asturias rising; the last ditch stand at Casas Viejas and first Spanish Prisoners committee in London, whose first secretary was Matilda Green, later Ralph Barr.
1936 — Civil war and revolution in Spain. Italian group in London begins *Spain and the World*, editor Vernon Richards. Emma Goldman forms CNT-FAI London Committee and made representative of CNT-FAI Exterior Propaganda London bureau.
1939 — End of civil war. Formation of Solidaridad Internacional Anti-fascista for aid of refugees; short-lived existence in London organised by Ethel Mannin.
1944 — Paris occupied by Maquis, driving out Nazis but armed presence of Spanish Anarchists causes alarm and Home Office gives directive to penetrate London-based Spanish anarchists. Divisions between middle class pacifists and liberals, who penetrated British anarchist movement during the war, and rest of movement causes one split. Reaction against those from Spain who entered bureaucracy during Civil War and became ossified in those positions, tending to rely on Allied cause rather than resistance, causes another split, but the divisions do not become clear-cut until later.
1948 — Drive against the Spanish Resistance by armed groups getting support by workers, now without rights, causes Franco's government to hot up the internal war. War-time intelligence activities set up by CNT-FAI revived for counter-intelligence against terror measures. Two agencies set up in England and France.
1949-60 — Jose Sabater killed (November 1949), and four months later his brother Manuel executed, as a result of the "rounding up" of the armed groups. Legal defence arranged for the trial by a group from Argentine. Attacks on Spanish institutions in London during these years. Miguel Garcia sentenced to death in Barcelona (February 1952), later reprieved to life (served 20 years). Facerias killed and Goliardo Fiaschi arrested in August 1957. Francisco Sabater killed, 4 January 1960.
1960 — February: DRIL openly announces existence with attacks in Spain and Portugal. These are planned in London and Paris.

1961 — Octavio Alberola returns to Europe from Mexico and is soon regarded by Franco's press as "Public Enemy No. 1". The rift in the Spanish movement between activists and quietists deepens. Simultaneously in Britain the rift between activists and pacifists deepens, as bourgeois liberals and pacifists take over *Freedom* and Colin Ward's revisionist journal *Anarchy* re-writes anarchist theory.
1962 — CNT Congress in August/September, ratified by FAI, approves a secret section DI (Interior Defence) to organise and co-ordinate actions of the Spanish Resistance. But some, like Laureano Cerrada and Francisco Gomez, think this an effort to bring resistance under control rather than extend their activities. Some break away, others enthusiastically co-operate. In December, the Libertarian Youth (FIJL) form the Iberian Liberation Council (CIL).
1963 — Stuart Christie contacts CIL in England in sympathy with suppression of miners in Spain
1964 — 11 August: Christie and Carballo Blanco arrested in Madrid.
1965 — FIJL breaks with MLE (Spanish Libertarian Movement) in frustration with lack of support for the armed resistance.
1966 — Formation of the First of May Group to co-ordinate Spanish resistance outside the DI. 29/30 April: Mgr Ussia (Ecclesiastical Counsellor to the Spanish Embassy to the Vatican) kidnapped in Rome; the first action claimed by the First of May Group.
1967 — Protests at Christie's imprisonment leads to machine-gunning of US Embassy by First of May Group protesting at US collaboration with Franco. In the following month Christie (but not Carballo) is unexpectedly released, it being stated Franco was responding to a plea by his mother, surprising hundreds of Spanish mothers who had been severely punished for making just such pleas for their sons and daughters.

Agustin Garcia Calvo forms *Acratas* at a Madrid University, influenced by new protest movement amongst students abroad, but Anarchist rather than Marxist.

Meltzer and Christie re-start Anarchist Black Cross.
1968 — Christie raided by Special Branch in Hornsey, London, and charged with possession of fake dollars (offset propaganda leaflets of dollar bills with the words "Una vida" — one life — overprinted).

May Rising in Paris. Anti-Vietnam War demonstrations internationally, including one at London's Grosvenor Square London in October, which has worldwide publicity.

15 October: Alan Barlow and Phil Carver arrested for participating in a First of May Group attack on Banco de Bilbao in Covent Garden.

International Anarchist Conference at Carrara (Italy), Christie and Daniel Cohn-Bendit are chosen as British delegates.

1969 — 22 March: Miguel Garcia released in Spain. Former Portuguese diplomat, Antonio de Figueredo, despairing of attempts at ameliorating the dictatorship of Dr Salazar, persuades local anti-fascists to unite with Iberian dissidents, including ETA and the anarchist activists.

15 December: Black Cross secretary Giuseppe Pinelli thrown by Milan police from window in fake suicide, as the result of a plot by Italian Intelligence and fascist stay-at-home army units (created by US Army from Mussolini's Intelligence) to make bomb attacks on workers' institutions and pretend they were by Anarchists thus killing two birds with one stone.

1970 — The *Bulletin of the Anarchist Black Cross* (London) becomes the anarchist fortnightly *Black Flag* and recognised as a voice for the International Revolutionary Solidarity Movement (IRSM).

22 May: Bomb found on the site of the new Paddington Green police station, later claimed by the prosecution in the "Stoke Newington Eight" trial, as the first action of the *Angry Brigade*, and given as evidence of a Spanish link. Women protesters disrupt the Miss World contest during live TV transmission on 20 November. Flour bombs hurled at Bob Hope. The BBC outside broadcast van parked outside is blown up. This is the first known link between Anarchists and Situationists.

3 December: Spanish Embassy in London is machine gunned. It is claimed at a later trial that the same gun had been used in the August 1967 attack on the US Embassy and is offered as proof of a "Christie link" though he was in a Spanish jail until September 1967.

1971 — The Tupamaros (MLN) rebel against the military dictatorship in Uruguay, which reduced the "Sweden of South America" to Third World conditions, and a virtual civil war ensures. The British Ambassador to Uruguay, Sir Geoffrey Jackson, is kidnapped, and a statement issued in Montevideo protests how "For years England has drained our economy ... obtaining benefits which amounted to thousands of times the invested capital and which never left the country tangible advantages. British Ambassadors did good business for Britain" (MLN Communique, February 1971). They demand the release of Tupamaro prisoners, asking Miguel Garcia to publicise the case in London.

12 January: The home of Robert Carr MP is bombed after he introduced the Industrial Relations Bill, which began the drive to crush trade unionism. This is claimed to be part of an organised "Angry Brigade".

The 'mysterious young Scot' story is featured fingering Christie as major suspect for every armed action in resistance to the Government's plans for industrial slavery. Jake Prescott is arrested in January, Ian Purdie in March.

Meltzer suggests that if Whitehall agrees to Garcia and de Figueredo acting as go-betweens, which would lead to Jackson's immediate release, they should be asked to release Purdie and Prescott, not yet sent for trial, as "brokerage". Christie approaches two journalists from The Times with known connections with the Foreign Office. They are more concerned with making a case against Christie and the negotiations fall through. Though the plan did not come off, this is one of the internationally concerted defence efforts that caused Interpol to concentrate efforts on growing anarchist activism.

In August of the same year, Anna Mendelson, Jim Greenfield, John Barker and Hillary Creek are arrested at Stoke Newington. Next day Stuart Christie and Christopher Bott are arrested separately. Next month 100 Tupamaro prisoners, including Raul Sendic and Julio Marenales Sanz, specially asked for, escape from Punta Carrera prison, and three days later Geoffrey Jackson is set free after eight months which he could have been spared. Either this is a record mass escape from a heavily guarded jail, or the British government, while rejecting the proposed intermediaries, put pressure on Montevideo.

The bombing of the Post Office Tower October is attributed to people under arrest at the time.

Angela Weir, Chris Allen and Pauline Conroy, representing a widening political spectrum, are also arrested in November and charged with the five already held. But Conroy and Allen are freed on committal, in the lack, not merely of proof, but of any relevant charges other than their sympathies. *Anarchy Collective* member Kate McLean is arrested on 18 December and also charged, the defendants thus gaining the description "Stoke Newington Eight".

Still in December, the Prescott-Purdie trial ends, with Purdie acquitted for sheer want of evidence, and Prescott convicted, despite obvious jury sympathy, on admission of writing envelopes, which counts as conspiracy. Sentenced to 15 years (reduced on appeal to 10).

December: Formation of MIL-GAC (Iberian Liberation Movement —Autonomous Combat Groups) in response to growing police terror in Spain in the dying years of the dictator.

Attack on Black Cross extends to Germany, where Georg Von Rauch is shot dead by armed political police in West Berlin (4 December), and Tommy Weisbecker in Augsburg (2 March, 1972.

1972 —The MIL-GAC become active and the first known action of the MIL takes place in Barcelona. Puig Antich, actively concerned with pushing the Spanish libertarian cause in England for the past year, returns to Barcelona.

The Stoke Newington Eight opens on 30 May and trials end on 6 December, making a record as the longest trial in British history. Four defendants are sentenced to ten years after a plea for clemency by the jury, four are acquitted. It may be significant that the evidence rejected was from or through Spanish police and markedly political. The jury accepted British police evidence as less overtly political.

The "John MacLean Society", a Maoist grouping in Scotland, carry out a series of expropriations, an indication that some Marxists here, as on the Continent, wanted to move on a scene which was proving popular among workers feeling threatened by governmental proposals. Matt Lygate was sentenced to 24 years and altogether the four, all of whom had been made redundant, and wanted to make an affirmation against being put on the scrapheap, got 81 years jail between them. Glasgow journals, notoriously knowing nothing of Scottish history after Mary Stuart, referred to John MacLean as a "well known Anarchist".

1973 — Dafydd Ladd and Michael Tristram arrested in Bristol on 14 September and charged with three attacks on Portuguese vice-consulates in Bristol and Cardiff, and outside the British Army Officers Club at Aldershot, claimed by a group calling itself "Freedom Fighters for All" but manifestly part of the same spontaneous wave.

Puig Antich arrested in Spain on 22 September and garrotted the following year (2 March, 1974). Extensive reaction to Spanish government targets throughout British, Irish and European cities.

1974 — February: In Bristol, Ladd sentenced to seven years, Tristram to six.

3 May: Spanish banker Balthasar Suarez kidnapped by the "Groups of International Revolutionary Action" (GARI) in Paris in an action aimed at securing the release of 100 political prisoners in Spain (under the Franco government's own laws). It also demanded re-payment of part of the union funds of the CNT seized by Franco. Though Suarez was released unharmed after the payment of an undisclosed sum as ransom in a week or so, police arrested nine French, British and Spanish anarchists in Paris. French and British police make (unlawful) joint raids in London, mostly directed at Spanish residents.

Formation of FOI (Iberian Workers Federation) inside Spain, with Spanish, British and French collaboration, to enable co-ordination of resistance activities disowned by exile movement.

1975 — Irish activities, on the same lines as those in the UK, become prominent during the campaign to free Puig Antich. Prisoners' rights activists jailed for explosions. Noel and Marie Murray arrested on 9 October and charged with murder.

20 November: Death of General Franco (birth of general rejoicing). CNT-FAI reconstitutes in Spain officially. FOI becomes redundant. Schisms between various sectors over the years thus unresolved and co-operation breaks up. The anarcho-syndicalist emigration sends back with returnee's private possessions duplicators and printing presses, collected by "Black Flag".

1976 — Robert Touati, French anarchist active in Centro Iberico around 1974 and Juan Durran Escriban, wanted in Spain for an attack on an armoury, both killed in grounds of Toulouse University during the night of 8/9 March. Police claim them as members of GARI and responsible for a series of anti-Franco actions in Southern France.

MIL member, and former Centro Iberico activist, Oriol Sole Sugranyes shot dead during escape of Resistance prisoners (all ETA members bar him) from Segovia jail on 9 April.

Laureano Cerrada, veteran of the plot to kill Franco and Hitler together, murdered in Paris on 18 October by a Spanish Nazi who is given asylum in Canada.

10 November: London Murray Defence Group occupy Aer Lingus offices in Regent Street. Similar protests are made in Madrid and Sydney, the first 'reciprocal' protest to be made in Spain for years.

1977 — Iris Mills and Ronan Bennett are held under the Prevention of Terrorism Act in Huddersfield, and exclusion order signed against Bennett (born in England). Order revoked on appeal.

The "Lewisham Three", who had been active in aid for international prisoners and solidarity with Spanish resistance, are charged with holding up a betting shop in October, and receive seven years each on a first offence.

1978 — A series of similar raids, between 1 January — 21 May, are linked. Iris Mills and Ronan Bennett are arrested in Bayswater on 24 May. They, together with Vince Stevenson, Trevor Dawton, Dafydd Ladd and Stewart Carr are charged and become known as "Persons Unknown".

1979 — September: The Persons Unknown trial opens. Ladd jumps bail and does not surrender for three years, when he receives nine years on other charges. Carr, an outsider to anarchism, pleads guilty to anything the police require and is sentenced to nine years. All the others are acquitted. Carr's "confessions" are read out by the judge after the trial when they can no longer be challenged in open court and berates the jury as too sympathetic

1992 — The TV film, "A Matar Franco (*To Kill Franco*)" is made in Madrid, a film documentary based on news coverage, previously unshown film and current shooting, telling in full for the first time of the various, mostly unpublicised, attempts to kill Franco by the Spanish CNT, the Basque nationalist ETA and international Anarchists (Spanish, Mexican, Belgian. French, Italian and British). The identity of an informer who came from or passed to the ranks of the secret police is confirmed.

APPENDIX II

On Black Flag collective editorial board from its inception 22 years ago until now. There have been some thirty editors all told, all unpaid, usually a minimum of four at one time. The paper was at various times fortnightly, monthly, and is at present quarterly, though recently it has had some timelag holdups for various reasons.

Currently honorary contributing researcher for the Kate Sharpley Library.

One of the founders of the Anarchist Black Cross (as reconstituted in the 60s) as a political prisoners support group.

A member of the anarcho-syndicalist Solidarity Federation (formerly Direct Action Movement), affiliated to the International Workers Association, and functions secretary of the Red & Black Club, Deptford (a local).

Writings include:

The Floodgates of Anarchy (with Stuart Christie)
The Anarchists in London
Anarchism: Arguments For and Against
The Origins of the Anarchist Movement in China
First Flight: the Origins of Anarcho-Syndicalism in Britain
(ed.) *Miguel Garcia's Story*

Articles in *Spain and the World, The Struggle, Controversy, War Commentary, Revolt!, Solidarity, Brand* (Sweden, pre-war correspondent), *Volonta* (Italy), *Freedom, Direct Action, Man!* (USA), *Workers in Uniform, Cienfuegos Press Anarchist Review, Secular Review, The Iconoclast, Cuddon's Cosmopolitan Review, Ludd, Ruedo Iberico* (Paris), *Black Flag*, etc.

KATE SHARPLEY LIBRARY

Comrades and Friends —

No doubt some of you will be aware of the work of the **Kate Sharpley Library and Documentation Centre**, which has been in existence for the last eight years. In 1991 the Library was moved from a storage location in London to Northamptonshire, where we are now in the process of creating a complete database of the entire collection. At the same time, a working group has been formed to over see the organisation and running of the Library. The catalogue of material in the Library will be published by AK Press (Edinburgh).

The Library is made up of private donations from comrades, deceased and living. It comprises several thousand pamphlets, books, newspapers, journals, posters, flyers, unpublished manuscripts, monographs, essay, etc. , in over 20 languages, covering the history of our movement over the last century. It contains detailed reports from the IWA (AIT/IAA), the Anarchist Federation of Britain (1945-50), the Syndicalist Workers Federation (1950-1979) and records from the anarchist publishing houses, Cienfuegos Press, ASP and others. Newspapers include near complete sets of Black Flag, Freedom, Spain and the World, Direct Actions (from 1945 onwards), along with countless others dating back 100 years. The Library also has a sizeable collection of libertarian socialist and council communist materials which we are keen to extend.

The Kate Sharpley Library is probably the largest collection of anarchist material in England, and, in order to extend and enhance the collection, we ask all anarchist groups and publications worldwide to add our name to their mailing list. We also appeal to all comrades and friends to *donate* suitable material to the Library. *All* donations are welcome and can be collected.

The Kate Sharpley Library (KSL) was named in honour of Kate Sharpley, a First World War anarchist and anti-war activist — one of the countless "unknown" members of our movement so ignored by "official historians" of anarchism. The Library regularly publishes lost areas of anarchist history.

Please contact us if you would like to use our facilities. To receive details of our publications, send a stamped addressed envelope to:

KSL
BM Hurricane
London WC1N 3XX
England

Some Recent Titles from AK Press

Ecofascism: Lessons from the German Experience by Janet Biehl and Peter Staudenmaier. ISBN 1 873176 73 2; 80pp two color cover, perfect bound 5-1/2 x 8-1/2; £5.00/$7.00. Includes two essays, "Fascist Ideology: The Green Wing of the Nazi Party and its Historial Anatecedents" and "Ecology and the Modernization of Fascism in the German Ultra-Right," along with a new introduction. "Taken together, these essays examine aspects of German fascism, past and present, in order to draw lessons from them for ecology movements both in Germany and elsewhere." [from the introduction]

Social Anarchism Or Lifestyle Anarchism: An Unbridgeable Chasm by Murray Bookchin; ISBN 1 873176 83 X; 96pp two color cover, perfect bound 5-1/2 x 8-1/2; £5.95/£7.95. A timely polemic against the purveyors of 'boutique anarchism' and a firm restatement of the classical, and sorely lacking, theory of class struggle anarchist practice. Includes the essay The Left That Was.

End Time: Notes on the Apocalypse by G.A. Matiasz; ISBN 1873176 96 1; 320 pp four color cover, perfect bound 5-1/2 x 8-1/2; £5.95/$7.00. A first novel by G.A. Matiasz, an original voice of slashing, thought provoking style. "A compulsively readable thriller combined with a very smart meditation on the near-future of anarchism, *End Time* proves once again that science fiction is our only literature of ideas." — Hakim Bey

Ecstatic Incisions: The Collages of Freddie Baer by Freddie Baer, preface by Peter Lamborn Wilson; ISBN 1 873176 60 0; 80 pages, a three color cover, perfect bound 8 1/2 x 11; £7.95/$11.95. This is Freddie Baer's first collection of collage work; over the last decade her illustrations have appeared on numerous magazine covers, posters, t-shirts, and album sleeves. Includes collaborations with Hakim Bey, T. Fulano, Jason Keehn, and David Watson.

Stealworks: The Graphic Details of John Yates by John Yates; ISBN 1 873176 51 1; 136 pp two color cover, perfect bound 8-1/2 x 11; £7.95/$11.95. A collection to date of work created by a visual mechanic and graphic surgeon. His work is a mixture of bold visuals, minimalist to-the-point social commentary, involves the manipulation and reinterpretation of culture's media imagery.

AK Press publishes and distributes a wide variety of radical literature. For our latest catalog featuring these and several thousand other titles, please send a large self-addressed, stamped envelope to:

AK Press
22 Lutton Place
Edinburgh, Scotland
EH8 9PE, Great Britain

AK Press
P.O. Box 40682
San Francisco, CA
94140-0682

Available from AK Press

To Remember Spain: The Anarchist And Syndicalist Revolution Of 1936 by Murray Bookchin; ISBN 1 873176 87 2; 80pp two color cover, perfect bound 5-1/2 x 8-1/2; £4.50/ $6.00. In these essays, Bookchin places the Spanish Anarchist and anarchosyndicalist movements of the 1930s in the context of the revolutionary workers' movements of the pre-World War II era. These articles describe, analyze, and evaluate the last of the great proletarian revolutions of the past two centuries. They form indispensable supplements to Bookchin's larger 1977 history, *The Spanish Anarchists: The Heroic Years, 1868–1936* (to be reprinted by AK Press). Read together, these works constitute a highly informative and theoretically significant assessment of the anarchist and anarchosyndicalist movements in Spain. They are invaluable for any reader concerned with the place of the Spanish Revolution in history and with the accomplishments, insights, and failings of the anarchosyndicalist movement. Most significant, Bookchin draws lessons for today about left-libertarian forms of organization and much-needed modifications of radical politics in the present period.

Which Way for the Ecology Movement by Murray Bookchin; ISBN 1 873176 26 0; 80pp two color cover, perfect bound 5-1/2 x 8-1/2; £4.50/ $6.00. Bookchin calls for a critical social standpoint that transcends both "biocentrism" and "ecocentrism"; for a new politics and ethics of complementarity, in which people, fighting for a free, nonhierarchical, and cooperative society, being to play a creative role in natural evolution. Bookchin attacks the misanthropic notions that the environmental crisis is caused mainly by overpopulation or humanity's genetic makeup. He resolutely points to the social and economic causes as the problem the environmental movement must deal with.

AK PRESS

Friends of AK Press

In the last 12 months, AK Press has published around 15 new titles. In the next 12 months we should be able to publish roughly the same, including new work by Murray Bookchin, CRASS, Daniel Guerin, Noam Chomsky, Jello Biafra, Stewart Home, a new anthology of situationist writings, new audio work from Noam Chomsky, plus more. However, not only are we financially constrained as to what (and how much) we can publish, we already have a huge backlog of excellent material we would like to publish sooner, rather than later. If we had the money, we could easily publish 30 titles in the coming 12 months.

Projects currently being worked on include previously unpublished early anarchist writings by Victor Serge; more work from Noam Chomsky, Murray Bookchin and Stewart Home; Raoul Vaneigem on the surrealists; a new anthology of computer hacking and hacker culture; a short history of British Fascism; the collected writings of Guy Aldred; a new anthology of cutting edge radical fiction and poetry; an updated version of the seminal anthology of contemporary anarchist writings, *Re-Inventing Anarchy*; new work from Freddie Baer; an updated reprint of *The Floodgates of Anarchy*; the autobiography and political writings of former Black Panther and class war prisoner Lorenzo Kom'boa Ervin, and much, much more. As well as working on the new AK Press Audio series, we are also working to set up a new pamphlet series, both to reprint long neglected classics and to present new material in a cheap, accessible format.

Friends of AK Press is a way in which you can directly help us try to realize many more such projects, much faster. Friends pay a minimum of $15/£10 per month into our AK Press account. All moneys received go directly into our publishing. In return, Friends receive (for the duration of their membership), automatically, as and when they appear, one copy free of every new AK Press title. Secondly, they are also entitled to 10 percent discount on everything featured in the current AK Distribution mail-order catalog (upwards of 3,000 titles), on any and every order. **Friends,** if they wish, can be acknowledged as a **Friend** in all new AK Press titles.

To find out more on how to contribute to Friends of AK Press, and for a Friends order form, please do write to:

AK Press	AK Press
PO Box 40682	22 Lutton Place
San Francisco, CA	Edinburgh, Scotland
94140-0682	EH8 9PE